LA FIN DE LA SAISON DES GUÊPES

DU MÊME AUTEUR
DANS LA MÊME COLLECTION

Sanctum
Le Champ du sang
La Mauvaise Heure
Le Dernier Souffle
Le Silence de minuit

www.lemasque.com

Denise Mina

LA FIN DE LA SAISON DES GUÊPES

Traduit de l'anglais (Écosse)
par Freddy Michalski

ÉDITIONS DU MASQUE
17, rue Jacob 75006 Paris

Titre original
The End of the Wasp Season
publié par Orion, Londres

Couverture : www.designvisuel.com

ISBN : 978-2-7024-3645-5

À Louise

1

C'est un trop-plein de silence qui arracha Sarah à son sommeil de plomb. Elle ouvrit les yeux sur le clignotement rouge de son réveil à affichage numérique : 16 h 32.

Des jappements de petits chiens résonnèrent dans un jardin au bas de la colline, ricochant avec insistance sur le plafond et les parois de la chambre tout en courbes.

Plus un bruit. Par habitude, quand elle était chez elle, elle laissait toujours allumé le transistor de la cuisine. Sur Radio 4, dont les roucoulades des conversations enlevaient au vide un peu de son mordant : lorsqu'elle les entendait d'une autre pièce, elles créaient l'illusion d'une maison pleine de gens charmants du Hampshire en train de papoter. À Glasgow, des cambrioleurs auraient trouvé la chose incongrue, mais à Thorntonhall, village cossu, c'était tout à fait plausible. Sarah laissait également à dessein des lampes allumées à des emplacements stratégiques, hall d'entrée ou escaliers, tous endroits inaccessibles aux regards trop curieux. Elle avait un talent certain pour le faux-semblant.

Plus un bruit. Ce n'était pas l'heure des cambrioleurs. La maison était située en haut de la colline, bien visible en plein jour, en particulier à cette période de l'année où ses voisins étaient de sortie sur leur propriété, occupés à critiquer le travail des jardiniers ou à harceler leurs chiens de race trop gras. Entrer par effraction à un tel moment exigerait d'un voleur éventuel une belle confiance en ses propres capacités ou une très grande stupidité.

Épuisée, elle ne voulait qu'une chose, se rendormir, aussi envisagea-t-elle une explication banale : un fusible avait sauté dans la cuisine, ou alors sa vieille radio avait fini par rendre l'âme. La maison ne datait pas d'hier, et tout ce qu'elle contenait aurait mérité d'être remis à neuf.

Elle décida donc que sa radio était morte, sourit et ferma les yeux en se nichant en chien de fusil dans les plis de la couette, presque contente de s'être réveillée pour sombrer à nouveau dans les délices du sommeil.

Son esprit se laissa doucement glisser dans la chaleur du noir.

Soudain, un craquement de lame de parquet, au bas dc l'escalier. Elle rouvrit les yeux instantanément.

Releva la tête de l'oreiller, pour mieux entendre.

Un crissement de chaussure sur la moquette, amplifié par la cage d'escalier, suivi par un commandement chuchoté. Deux mots. Une voix aiguë. Une voix de femme :

— Vas-y.

Engourdie de sommeil, Sarah se redressa sur son lit, s'imaginant une seconde sa mère sur son monte-escalier, le ronronnement du mécanisme à mesure qu'elle s'élevait inexorablement jusqu'au palier. Sa mère, bouche pincée et autoritaire. Sa mère, sans cesse en demande, impérieuse, à toujours exiger des réponses : pourquoi s'étaient-elles décidées pour la prestation offerte par cette mutuelle ? Pourquoi Sarah n'était-elle jamais là pour lui donner son bain ? Pourquoi son service funèbre n'avait-il pas été conduit par le cardinal Geoffrey ?

Absurde.

Elle écarta la couette, pivota sur place et posa les pieds au sol. Elle voulut se remettre debout, mais ses genoux trop engourdis lui firent défaut : elle perdit l'équilibre, bascula en arrière et retomba tant bien que mal sur le lit.

Agacée par cette chute qui manquait de dignité, elle se rendit compte qu'elle était vulnérable parce qu'elle était chez elle. Elle s'était pourtant trouvée en des tas d'endroits inconnus, même des lieux qui fichaient la trouille, mais toujours, elle était parvenue à garder son calme et sa lucidité. Dès qu'elle entrait quelque part, elle repérait les sorties de secours, débarquait en territoire conquis et restait conquérante ; mais, ici, elle se retrouvait sans défense.

Ici, rien de comparable avec ces lieux anonymes. C'était son cadre de vie, et elle l'occupait au quotidien on ne peut plus normalement. Elle pouvait appeler la police, lui demander aide et secours.

Soulagée, elle s'affala à plat ventre et plongea la main dans son sac à côté du lit. Ses doigts impatients se mirent à farfouiller entre mouchoirs en papier, reçus et passeport jusqu'à ce qu'elle sente le boîtier métallique de son iPhone. Elle enfonça la touche en l'extrayant et constata avec ravissement que l'écran s'illuminait. Elle l'avait allumé dès son arrivée à l'aéroport de Glasgow, debout dans le couloir de la première classe, en attendant de sortir de l'avion. Un geste qu'elle ne faisait pas automatiquement. Il lui arrivait parfois de le laisser éteint vingt-quatre heures durant jusqu'à son réveil, le temps de récupérer. Elle se concentra sur l'écran et, des deux mains, le déverrouilla, sélectionna téléphone puis clavier, pianota avec force le 999 et appuya sur appel juste à l'instant où elle entendit bouger devant la porte de sa chambre.

Moins un bruit qu'une sensation, un déplacement d'air sur le palier. Un corps frôlait le mur près de la porte, presque au ras du sol, un bruit aussi glaçant qu'une main froide sur un dos nu, au creux des reins. Elle sursauta.

La porte gémit doucement en pivotant sur ses gonds.

Ce n'était pas le spectre de sa mère, mais deux adolescents, godiches et empruntés. Ils portaient d'amples pantalons de survêtement avec des hauts assortis, entièrement noirs et enfilés à l'envers, leur coutures extérieures visibles le long des jambes et sur les bras. Ils étaient également chaussés de tennis noires identiques. Un uniforme étrange, qui les faisait ressembler aux membres d'une secte.

D'abord indécis, hésitants et traînant des pieds, ils emplirent l'embrasure de la porte. Pour autant, ils n'avaient rien de forcenés au désespoir, c'étaient juste deux garçons pleins d'assurance, comme si on les avait mis au défi de venir jusque-là.

Elle faillit éclater de rire de soulagement.

— Qu'est-ce que vous fichez ici ?

Au son de sa voix, le grand à la tête rasée fut incapable d'accrocher son regard et, mal à l'aise, se contenta de gigoter sur place, de biais sur le seuil, une épaule sur le palier, à croire qu'il aurait préféré être ailleurs.

— Écoutez, leur dit-elle, sortez de chez moi. La maison n'est pas vide…

En revanche, chez le second, aux cheveux plus longs, noirs et épais, pas l'once d'une hésitation : il était déterminé. Et aussi furieux. Bien carré dans l'embrasure de la porte, il la regardait en face, étudiant son visage.

Sarah savait qu'elle n'était pas très jolie, mais elle avait la manière pour tirer parti de ses autres atouts : mince et bien coiffée, sous une lumière avantageuse, elle pouvait passer pour séduisante. Le garçon qui la dévisageait n'était pas de cet avis. Son dégoût se lisait à livre ouvert.

Le plus grand donna un coup de coude à son voisin. Le furieux ne rompit pas le duel de regards et se contenta de répondre d'un mouvement du menton pour signifier à son complice d'entrer dans la chambre. Celui-ci tressaillit et fit timidement non de la tête. Le duo poursuivit sa conversation en demi-gestes non aboutis, les yeux du furieux toujours rivés à ceux de Sarah. Des yeux pleins de haine.

— Ma mère est décédée, expliqua-t-elle, sa voix mourant d'elle-même lorsqu'elle comprit qu'ils n'étaient pas surpris de la trouver là. Je vis toujours…

— Où sont tes gamins ? demanda le furieux.

— Des gamins ?

— Tu as des enfants, répondit-il, très sûr de lui.

— Non, dit-elle à son tour. Je n'ai pas d'enfants.

— Si, t'en as, des gamins, bordel.

Il regarda alentour comme si la progéniture de Sarah avait pu se cacher sous la couette, dans une penderie, sous le lit.

Il avait la voix haut perchée, c'était la voix dans l'escalier, mais c'est l'accent qu'elle remarqua aussitôt : pas de Glasgow et pas du tout de la côte ouest. Rien à voir non plus avec l'écossais moyen des gamins du quartier. Il sonnait comme un accent de la côte est, mais anglais : Édimbourg ou Londres, peut-être. Ces deux-là étaient venus ici intentionnellement, ils n'étaient pas tombés sur la maison par hasard, ils avaient fait du chemin pour arriver jusque-là. Soudainement, elle ne comprit plus rien.

— Vous vous êtes trompés de maison, essaya-t-elle encore une fois.

— Non, je ne me suis pas trompé, répondit-il avec une conviction absolue en la fixant toujours.

L'argent. Ils devaient être là pour l'argent. C'était la seule chose qui pouvait expliquer leur présence. Oui, mais l'argent se trouvait dans la cuisine et, pour accéder à cette chambre, il fallait franchir une porte, emprunter le vestibule, traverser une salle et monter à l'étage. Ils avaient eu une bonne raison pour faire tout ce chemin : c'est elle qu'ils cherchaient.

Elle reprit un peu confiance et les vit sous un nouveau jour. L'argent, ils ne l'auraient pas. S'ils posaient la question, elle nierait avec force, puisqu'elle avait appelé la police. Celle-ci ne tarderait pas à débarquer, elle emmènerait les deux garçons et les interrogerait, et il fallait absolument que ses explications paraissent innocentes.

— Écoutez, leur dit-elle, pleine de bonne volonté. Vous devriez partir. J'ai appelé la police il y a une minute et les agents sont en route. Vous risquez de vous attirer de gros ennuis si vous restez ici.

Le furieux soutint son regard et avança le pied dans la chambre, son orteil juste en bordure du tapis persan jaune, envahissant l'espace neutre et sacré qui les séparait. Il la vit se hérisser, soudain inquiète, et elle perçut une brève lueur d'empathie sur son visage avant que ses traits ne se durcissent en même temps qu'il relevait le menton d'un geste de défi. Il avança le pied une fois encore, un centimètre, guère plus, jusqu'à couvrir la frange en bordure du tapis, lui signifiant clairement qu'il pouvait parfaitement venir jusqu'à elle et ne manquerait pas de le faire.

L'idée lui fut insupportable. Le choc fut tel qu'il la réveilla complètement et elle prit les choses en main. Agitant les doigts en direction de l'escalier, elle se dirigea sur lui.

— Je sais pourquoi vous êtes ici, lui lança-t-elle. Vous ne savez pas à qui vous avez affaire, vous avez commis une erreur…

— Stop ! s'écria le furieux en montrant les crocs. Recule, putain de merde !

Il avança à son tour, d'un pas ferme et décidé, tout sourire cette fois. Elle eut peur en voyant ses dents anormalement sèches.

Sarah recula vers le lit. Le coin de son téléphone dépassait de sous la couette. Elle écarta les doigts à plusieurs reprises, à l'image du pistolero qui s'échauffe avant de dégainer.

Délaissant le visage de Sarah, le furieux baissa les yeux. Son regard s'attarda sur son tee-shirt puis glissa vers ses cuisses, avant qu'il ne détourne la tête, soudainement révulsé par ce qu'il voyait. Elle se rendit compte alors qu'elle n'avait pas de culotte. À son retour chez elle, elle était tellement épuisée qu'après avoir ôté son manteau et quitté ses chaussures dans l'entrée, elle avait péniblement gagné sa chambre à l'étage et s'y était dévêtue en abandonnant robe et dessous à même le sol. Le vieux tee-shirt faisant office de pyjama lui arrivait en haut des cuisses et ne cachait pas grand-chose. Il y avait vingt-quatre heures qu'elle n'avait pas fermé l'œil. Elle avait mal partout. Sa maman était morte. Elle méritait de dormir.

Elle cria aussi fort qu'elle put.

— Sortez d'ici immédiatement !

Le grand tressaillit, mais le furieux ne cilla même pas, prêt à mordre, la mâchoire en avant, toutes dents dehors. Elle reconnut les signes d'une colère brûlante, d'un ressentiment profond débordant par tous ses pores, et comprit soudain que le visage de ce garçon ne lui était pas étranger.

— Qui êtes-vous ? lui demanda-t-elle. Je vous *connais*.

Effrayé, le grand eut un geste de recul et se tourna vers son ami plein de fureur.

— Je suis certaine de vous connaître.

Elle en était cependant moins convaincue qu'elle ne le laissait paraître. Le souvenir qu'elle avait de lui était flou et plein de grain, comme une image entrevue à la télévision ou un cliché dans un journal.

— Je vous ai vu en photo quelque part.

Le visage du furieux s'empourpra par plaques, et il bredouilla plus qu'il ne répondit :

— En photo ? Vous avez vu une photo de moi ?

Elle haussa gauchement les épaules et le vit qui serrait les poings. Il en leva un et se frappa violemment sur le cœur.

— … *vous* a montré une putain de photo de *moi* ?

Sa voix se fêlait dans les aigus. Son ami lança le bras, lui arracha le poing de la poitrine et le tira en arrière.

— Arrête, arrête, mec. Allez, respire, respire profondément.

Sarah jeta un coup d'œil à l'iPhone, en quête d'une lueur d'espoir, mais ne vit rien.

Le furieux continua à bredouiller :

— Foutu sac à main ! Putain, trouve son téléphone !

Il changeait de couleur, de plus en plus pâle soudain, fixant le sol aux pieds de Sarah. Suivant son regard, son ami le lâcha, puis, s'avançant en deux longues enjambées timides, colonisa le précieux territoire qui le séparait d'elle avant de s'accroupir à ses pieds et de plonger brutalement une main dans le sac à main qu'elle préférait entre tous. Il se trouvait à moins de trente centimètres de sa cuisse. Elle décroisa alors les jambes et s'ouvrit devant lui : le choc fut tel qu'il en resta pétrifié.

Mais le furieux resta insensible au spectacle.

— Squeak[1], tu vas te bouger le cul, merde !

Le garçon accroupi s'arracha à sa fascination et, détournant la tête, sortit la main du sac. Il tenait un portable. Une vraie brique, un appareil de retraité. Plastique rouge, grosses touches, petit écran affichant une photo de palmier. Mais en y regardant de plus près, il avait de quoi surprendre car son écran ne s'allumait pas : c'était un téléphone factice. Éberluée, Sarah se rendit compte qu'elle l'avait complètement oublié. Elle n'y pensait jamais alors même qu'elle aurait dû s'en servir.

Il leva l'appareil au-dessus de sa tête pour le montrer à son ami posté près de la porte. Le furieux fit la grimace.

— Y a quoi d'autre là-dedans ?

Le garçon accroupi fourra la brique dans sa poche et replongea dans le sac à main. Tout content, il en sortit un porte-monnaie, se remit debout et le leva d'un geste triomphal.

Sarah faillit éclater de rire tant elle se sentit soulagée.

1. Entre autres, couiner ou grincer, cri aigu ou perçant, surnom d'un garçon dont la voix n'a pas mué, acte sexuel à cause des grincements du matelas, etc. *(Toutes les notes sont du traducteur.)*

— Vous voulez de l'argent ? demanda-t-elle.

Mais les regards des deux intrus étaient rivés au porte-monnaie que le grand tenait toujours en l'air comme un trophée en s'approchant de son complice. Ces deux-là n'étaient que de petits voleurs, deux gamins stupides qui portaient leurs vêtements à l'envers. Quelle idée. Elle comprit alors qu'ils cachaient ainsi l'insigne de leur école.

Elle vit le furieux tirer violemment sur la glissière du porte-monnaie. Ce nez un peu épaté, avec ses larges narines rondes, elle l'avait déjà vu. Et même, elle savait à qui il appartenait. Devinette.

— Je connais votre père, se hasarda-t-elle à dire.

Elle ne s'était pas trompée : le voyant hésiter une seconde en tirant la glissière, elle s'écria avec force :

— Je le connais, votre père.

Saisi de panique, le grand échalas la quitta des yeux et se tourna vers le furieux. Elle éleva la voix.

— Vous feriez bien de fiche le camp d'ici. Qu'est-ce que vous croyez qu'il va dire quand je lui apprendrai que vous êtes entrés chez moi sans y être invités ?

Un père. Ça pouvait être n'importe qui. Un père geignard, un homme de pouvoir ou un ivrogne pathétique. Lars avait peut-être décidé qu'il ne lui faisait plus confiance et voulait tout récupérer. Lars. C'était le nez de Lars.

— Lars ! lâcha-t-elle subitement.

À l'énoncé du nom, le furieux parut profondément blessé.

Un instant, elle crut qu'il allait laisser tomber le porte-monnaie pour le lui rendre avec des excuses avant de battre en retraite. Un instant, elle sentit son sang ralentir dans ses veines et reprit sa respiration. Lars si plein d'amertume, blessé, Lars toujours prêt à cogner sur tout et n'importe quoi, Lars qui la méprisait, sauf qu'il avait besoin d'elle, alors que jamais il n'avait eu besoin de quiconque. Et qui n'hésiterait pas une seconde à la tuer si la chose l'arrangeait. Sauf que ça ne l'arrangeait pas. Ce n'était pas Lars qui avait envoyé ces deux garçons.

Le furieux la fixait avec cette même blessure au fond du regard, baissant lentement les paupières pour lui signifier toute sa haine. Sans la quitter des yeux, il se mit à farfouiller sans ménagement dans le porte-monnaie et finit par en sortir entre ses doigts en ciseaux deux gros billets et une fiche de taxi.

Sarah saisit sa chance et plongea vers l'iPhone. Elle roula sur le flanc, ses doigts trouvèrent le métal froid qu'elle empoigna avec force car elle le savait glissant. Elle rapprocha l'appareil, tapa frénétiquement l'écran qui s'était verrouillé et essaya d'y accéder. Par deux fois, elle échoua.

— Police ! Au secours ! Deux garçons sont entrés chez moi...

Le furieux s'était précipité, il était désormais à son côté, tout près. Il l'agrippa de sa main toujours crispée et, la remettant debout, lui arracha sans difficulté son portable trop lisse, mais Sarah continua à hurler en direction du téléphone :

— ... dans ma chambre. Y en a un... Je le connais...

Les trois protagonistes se changèrent en statue, les yeux rivés à l'appareil, s'imaginant qu'on les entendait, soudain conscients qu'un public assistait à leurs démêlés. Le furieux fut le premier à se reprendre : lentement, il leva l'iPhone jusqu'à son oreille et écouta.

Avec un sourire suffisant, il frappa l'écran du doigt, raccrocha et balança l'appareil sur le lit.

Ils étaient tous trois debout, presque collés l'un à l'autre, comme un nœud serré d'animosité dans la coque de cette vieille maison tout en coins et en recoins.

Derrière elle, le grand rapprocha un pied timide, et elle sentit son souffle dans ses cheveux, la buée moite de son haleine sur son oreille. Complètement désespérée, elle eut le sentiment soudain d'être seule au monde, mais son désespoir ne fit qu'augmenter la colère du furieux. Il la fusilla du regard, encore plus enragé.

Dans son dos, le souffle s'accélérait, de plus en plus haletant.

Un jour, dans un hôtel de Dubai, Sarah avait rencontré un client et dîné avec lui. Il était gros et gras. Sa tristesse, sa détresse, sa distance, elle s'en souvenait encore et elle avait eu beau faire de son mieux pour entretenir la conversation, l'homme n'avait pas desserré les lèvres de tout le repas et s'était contenté de beaucoup boire, ce qui n'arrangeait pas les choses. Dans l'ascenseur qui les conduisait à sa chambre, elle s'était répété le petit baratin qu'elle lui réservait : ça peut arriver à tout le monde, est-ce que ce n'est pas tout aussi agréable de simplement se caresser et bavarder, la prochaine fois, s'il voulait, il pourrait prendre une pilule... Sur le lit, à plat ventre, la tête enfoncée dans l'oreiller comme il le lui avait commandé, c'est ce même souffle qu'elle avait entendu, rapide, presque animal, et, tournant la tête, elle avait entrevu un éclair de métal dans la main de son client. Elle l'avait aussitôt viré du lit à coups de pied avant d'attraper ses vêtements et de prendre la fuite à toutes jambes. Elle s'en était sortie sans mal, simplement parce que le bonhomme était trop gras pour se lancer à sa poursuite.

— J'ai de l'argent, dit-elle à personne en particulier.

— De l'argent ? dit le furieux d'une voix tranquille. Tu penses vraiment que tout ça, c'est une question d'argent ?

— Alors c'est quoi le problème, sinon ? cria-t-elle de toutes ses forces en espérant les faire reculer. Qu'est-ce que vous fabriquez ici, nom de Dieu ? Ici, c'est ma maison, ma foutue maison à moi.

Aucun des deux garçons ne recula pour autant. De nouveau, les yeux du furieux accrochèrent les siens.

Elle pleurait maintenant, elle les suppliait, les mains en avant.

— Est-ce que je vous ai fait quelque chose ? Je ne me tairai pas, vous savez, je vais tout dire.

Il rompit le duel de regards et jeta un coup d'œil alentour, complètement indifférent.

Sarah comprit brutalement : il n'avait pas peur qu'elle l'identifie et reconnaisse son visage car s'il était venu jusque-là, c'était pour la tuer. Plus jamais elle ne quitterait cette maison. Jamais elle ne sortirait d'ici.

Ce n'était pas possible, elle ne pouvait pas mourir là, dans cette vieille bicoque froide et délabrée à laquelle elle s'était acharnée à échapper sa vie durant, les fesses à l'air, en présence de deux gamins insolents débarqués dans la pièce qui avait jadis été sa chambre de bébé.

Au travers d'un voile de larmes, elle vit l'espace qui séparait ses agresseurs, la porte ouverte au-delà.

Elle baissa la tête et fonça.

2

Assise près de la fenêtre, Kay contemplait la petite coupe, un sourire aux lèvres. Elle valait son prix, celle-là, ça ne faisait aucun doute. Et vraiment, elle ne devrait pas s'en servir comme d'un cendrier. Si elle l'apportait aux spécialistes d'*Antique Roadshow*[1], elle passerait bonne dernière car ce serait elle, le clou du programme, celle dont l'objet atteindrait le meilleur prix devant les regards ébahis de la foule lorsque l'expert, à seule fin de le faire assurer à sa vraie valeur, donnerait son estimation pour une vente aux enchères.

Elle soupira et releva la tête avec, en champ de vision, l'agglomération grisâtre. Bâti à flanc de colline, Castlemilk offrait une vue imprenable sur tout Glasgow. Partout ailleurs, ce lieu aurait été réservé aux riches, et la colline de Cathkin serait aujourd'hui semée de grandes et belles maisons et de jardins chic, mais pas ici. Un truc qu'elle n'avait jamais bien compris. On était un peu trop loin de la grande ville, peut-être.

De sa fenêtre, ce n'était que grisaille, et les lampadaires publics commençaient à clignoter d'un jaune sale. À vrai dire, peut-être que la ville à proprement parler n'était pas en cause mais ses carreaux de cuisine. À l'extérieur, ils étaient tout gris, couverts d'une pellicule de crasse qu'elle ne parvenait jamais à éliminer, car les châssis ne s'ouvraient pas suffisamment pour pouvoir l'atteindre.

1. Programme télévisé sur l'estimation par des experts itinérants d'objets et d'antiquités que possède tout un chacun.

Quand elle quittait l'arrêt de bus et se dépêchait de gravir la colline, il lui arrivait souvent de relever la tête vers tous ces vitrages et elle s'étonnait toujours de voir des fenêtres impossibles à nettoyer. Quel était le connard qui avait décidé que c'était une bonne idée ? Dans ses bons moments, elle estimait que c'était un simple oubli des architectes. Mais à ses mauvais jours, elle haïssait les aspirants locataires, à croire qu'à leurs yeux le lavage des carreaux était une activité avilissante : elle les trouvait crades et indignes, et leur en voulait de mépriser comme ils le faisaient la plus belle vue qu'on eût sur la grande ville.

Elle tapota sa cigarette pour en faire tomber la cendre, lentement, tap-tap-tap, autant de petits contrepoints à la conversation muette qu'elle entretenait avec un adversaire invisible assis face à elle. Deux sièges, un de chaque côté de la table. Alors qu'ils étaient cinq à vivre dans cet appartement. Cinq, et une seule table. Pour deux.

Elle tira une longue bouffée de sa cigarette, sentit la fumée âcre râper sa gorge et emplir ses poumons, et se sourit à elle-même, en comprenant que c'était la bonne. Tous les jours que Dieu faisait, vingt cigarettes, sur lesquelles elle tirait six ou sept fois, mais, de toutes ces bouffées, il n'y en avait qu'une et une seule à lui offrir un vrai plaisir digne de ce nom. Une unique bouffée, sur les cent vingt qui accompagnaient son quotidien. L'exercice était censé l'aider à arrêter la clope en lui démontrant combien elle appréciait peu le tabac, à quel point sa manie de fumer était vaine et inutile. Sauf que ça ne marchait pas vraiment. C'est justement parce qu'elle la savait si rare, cette seule et unique vraie bouffée, qu'elle ne l'en appréciait que plus. Tap-tap-tap. Elle sourit au cendrier. Tap-tap. Un brin de tabac incandescent tomba, et elle s'arrêta pour resserrer le bout embrasé de sa cigarette en petit cône bien propret en le faisant rouler sur la surface concave en argent doré.

Toutes les portes de placards pendouillaient de guingois, et le plan de travail était boursouflé par l'humidité aux endroits où le revêtement plastique s'était écaillé. On lui avait promis une nouvelle cuisine, et elle s'était d'ailleurs rendue au bureau du logement où elle avait choisi un nouveau plan de travail et de nouveaux battants parmi les trois modèles proposés. En pure perte. Des mois s'étaient écoulés depuis.

Une porte s'ouvrit dans le couloir. Marie s'avança vers la cuisine en détournant la tête, comme si elle n'était que de passage. À treize ans, elle était tellement peu sûre d'elle qu'elle restait quasiment confinée à la maison. Elle avait encore remis du vernis à ses ongles, bleu cette fois, assorti au bandeau qui tenait ses cheveux. Ses pommettes brillaient, deux cercles roses sur son visage potelé.

— Tu t'es maquillée, ma puce ?

Aussitôt, Marie se sentit inexplicablement gênée.

— Oh, la ferme, lui répondit-elle en faisant volte-face comme une furie vers sa chambre.

Kay se mordit la lèvre pour ne pas éclater de rire. Un jour, Marie avait pleuré de honte parce que sa mère avait osé dire devant un garçon de sa classe qu'elle aimait le Ribena[1].

— Chérie, lui cria-t-elle, il y a des chips.

Dans le couloir, Marie hésita et revint sur ses pas tête basse, en évitant de croiser le regard de sa mère. Tâtonnant sans regarder sur le plan de travail, elle réussit à mettre la main sur le multipack et sortit un sachet de sel et de vinaigre.

— J'aime bien ton vernis à ongles.

— Ouais, ben moi pas, rétorqua Marie en tirant la tronche.

Kay soupira.

— Marie, bordel, tu vas nous lâcher un peu, dis ? Sinon, je reprends mes chips.

Marie faillit éclater de rire et serra les dents en renâclant si fort qu'un peu de morve jaillit de ses narines. Outrée, elle essuya d'un doigt le dessus de sa lèvre avec un regard lourd de reproche à sa mère.

— Oh, pour l'amour du ciel ! lui lança-t-elle en tournant les talons, vexée, sans oublier néanmoins le paquet de chips.

Kay tira une nouvelle bouffée. Une mauvaise, âcre, douloureuse. De celles qui lui faisaient regretter de fumer.

— Où sont passées mes tennis ? demanda alors Joe, planté dans l'embrasure de la porte, sa silhouette de grand échalas à contre-jour. C'est des chips ?

---

1. Concentré de jus de fruits au cassis.

Sans attendre la réponse, il se faufila dans la cuisine sans éclairage, farfouilla dans le multipack et en sortit deux sachets de chips fromage et oignon.

— UN SEUL !

Il en laissa retomber un sur le plan de travail.

— T'as vu mes tennis ?

— Pourquoi ne pas les chercher toi-même ? En *regardant*, avec *tes* yeux ?

— Parce que c'est plus facile de regarder avec m'man.

Il ouvrit le sachet de chips, en sortit une poignée et l'engloutit.

Joe était un charmeur, c'était d'ailleurs son problème : il passait son temps à séduire son monde et amenait les autres à faire le travail à sa place. Un comportement que Kay ne voulait pas encourager.

— Va te faire foutre, j'ai ma ménopause.

— Sérieusement, où sont passées mes tennis ?

Kay se retourna vers la fenêtre crasseuse.

— M'man ?

Elle s'affala sur la table, vaincue.

— Où étais-tu quand tu les as enlevées ?

— À la porte.

— Et tu as regardé près de la porte ?

— Non. Je devrais ?

Elle ne répondit pas.

Il pivota et jeta un coup d'œil au panier à linge derrière la porte d'entrée. Elle l'avait placé là délibérément pour y rassembler toutes les merdouilles qu'ils abandonnaient un peu partout sans les ranger. Derrière le plastique transparent, la paire de tennis était visible, écrasée contre la paroi.

Il les repéra à son tour, grommela et fit l'effort d'aller jusqu'au panier.

Elle ne le reverrait plus avant des heures. Il était à un âge où la compagnie de ses potes l'attirait comme un aimant, et le simple fait de se planter à un coin de la rue était une activité irrésistible et complètement fascinante. D'ailleurs, Kay s'y revoyait, comme si elle y était. Ça ne datait pas tellement, en fait, à juste quatre gamins de distance, mais le souvenir restait vivace, toute cette excitation, cette force d'attraction irrépressible. Les hormones. Aujourd'hui, elle vivait avec quatre mômes qu'elle avait eus à la file, l'un après l'autre, et tous étaient devenus ados en même temps. Omniprésents, de vraies piles électriques, toujours à aller et venir.

— Hé, lui cria Joe depuis l'entrée.

Elle le vit qui enfilait ses tennis, assis par terre, jambes écartées.

— Quoi ?

— T'as l'air de t'ennuyer quand je te vois assise comme ça dans le noir.

Une nouvelle fois prise au dépourvu, démunie devant son charme et sa gentillesse, elle reprit bonne figure.

— Je vais bien, fiston. Je décompresse, c'est tout.

— T'es sûre ? Je t'apporte un paquet de chips si tu veux.

— Nan, ça va.

Elle le regarda sortir son blouson du panier à linge. Quand il l'enfila, ce fut comme un nouveau moment de grâce qui la saisit à l'improviste, avant qu'il n'ouvre la porte et ne sorte dans la pénombre jaunâtre du palier en laissant derrière lui un courant d'air froid dans l'entrée

C'était Joe son préféré. Une mère ne devrait pas avoir de préférence pour l'un de ses enfants, mais elle n'y pouvait rien. Tous les quatre étaient ados mais il était bien le seul à remarquer qu'elle aussi avait des états d'âme, et il essayait même de lui remonter le moral de temps à autre.

Kay tira une nouvelle bouffée. Au-delà des vitres, la nuit tombait mais, comme elle n'avait pas le courage de se lever pour allumer la lumière, elle se contenta de rester là, dans la pénombre, à jouir de ce répit silencieux avant de préparer le dîner et de s'attaquer aux corvées en attente. En bas, dans la rue, elle entendit des garçons jouer au foot, courir et crier, un ballon de cuir claquer. Elle imagina un public de filles rassemblées en bordure du béton. Au-delà, elle voyait la ville, la barrière des tours d'appartements dans les Gorbals, le centre-ville illuminé et la tour crénelée de l'université.

La lumière de l'entrée frappa le flanc du cendrier et fit scintiller les pétales d'émail écarlate en accrochant le serpentin de fil d'argent lové en spirales que le maître artisan avait formées à Moscou. Elle poussa un soupir, savoura les couleurs. Gustav Klingert – elle avait vérifié le poinçon sur Internet. Années 1880.

Elle prit du recul pour mieux voir. La coupe était petite, ses formes resserrées par le rebord circulaire. L'intérieur était en argent doré, juste assez patiné pour laisser transparaître le miroitement liquide du métal sous la lueur chaude et ambrée de l'or. À l'extérieur, le fond émaillé était jaune semé de fleurs rouges, blanches et bleues cloisonnées par un fil d'argent. Une petite ligne de points bleus délimitait le rebord et la base.

Elle se pencha en avant et la toucha du bout du doigt, sentant les bords du fil torsadé qui délimitait les flaques d'émail lumineux. C'était le rouge qui l'attirait le plus. L'émail écarlate était clair et transparent, comme l'intérieur d'une gelée de fruit. Elle ne savait même pas comment se disait le mot correspondant à ce style, Rostov fin-ift[1]. Un nom imprononçable, ce qui n'était pas pour lui déplaire : elle avait ainsi l'impression qu'il venait d'un autre univers, comme Obi-Wan Kenobi[2].

Ce genre d'objet n'était pas fait pour les femmes comme elle. Mais alors pas du tout. Néanmoins, les motifs d'émaillage russe tiraient leur origine des broderies paysannes. C'étaient des femmes pauvres qui avaient créé ces modèles et ces assortiments de couleurs, elles en décoraient leurs nappes et leurs ourlets de robes, s'escrimant à les coudre en se piquant les doigts dans de sombres maisons froides. De pauvres femmes poussées par une profonde et douloureuse nécessité, un besoin de beauté impérieux pour tenir bon jusqu'au sinistre lendemain et se sentir plus vivantes.

Puis, des centaines d'années plus tard, des joailliers s'étaient emparés de leurs motifs et en avaient fait des objets de luxe comme cette coupe, des boucles de ceintures, des boîtes à thé, lorsque le thé était un luxe, autant d'articles aux prix exorbitants que les pauvres paysannes n'auraient jamais pu s'offrir. Elle était une de ces femmes, ces brodeuses assises dans la pénombre, et ces motifs aux arabesques complexes lui parlaient autant de la beauté qui se

1. Technique de peinture émaillée.
2. Chevalier Jedi, personnage de *Star Wars*.

fabrique à partir de rien que de l'importance de la reconnaître dans les choses et de l'apprécier, même au travers d'une fenêtre aux vitres sales.

De toutes les personnes qui avaient possédé ou utilisé cette coupe au cours des dernières cent trente années, Kay savait qu'aucune ne l'avait aimée autant qu'elle, tant elle l'avait caressée au cours de ses longues et ténébreuses nuits d'insomnie, à suivre du bout du doigt les petits entrelacs de fils d'argent serpentant au travers des flaques de couleurs brillantes.

3

En ce petit matin froid, sous une pluie glaciale, Alex Morrow, debout devant une tombe fraîchement creusée, tenait un des cordons du poêle. Ou plus exactement, un pompon, au bout d'une ficelle dorée.

Le simulacre l'agaçait profondément. Les frêles attaches de rideau étaient factices, la dépose du cercueil deux mètres cinquante plus bas s'effectuant au moyen de sangles motorisées glissées dessous. Pour autant, l'entrepreneur des pompes funèbres avait ordonné à mi-voix à chacun d'eux d'en empoigner une extrémité : elle était du nombre avec Danny, plus un homme grisonnant qui avait partagé la cellule de son père pendant des années, deux cousins, un ami d'enfance et un croque-mort. Plantés en rang d'oignons en bordure du trou qui attendait la dépouille, ils se cantonnaient tous à leur rôle de figurant dans cette mascarade obligée, pendant que le préposé aux commandes de la machine faisait descendre la bière au fond de la fosse.

L'opération terminée, une fois le cercueil en place dans les entrailles de la terre, ils relevèrent la tête, attendant la suite. Le croque-mort au bord de la tombe lâcha alors d'un air très triste son bout de cordon et attendit que celui-ci se dévide comme un serpentin et frappe le bois avec un bruit sourd. Il hocha solennellement la tête à l'adresse de la dépouille, à croire qu'il venait enfin de faire sa paix avec un mort dont il ignorait jusqu'à l'existence avant qu'on ne lui confie la tâche de le mettre en terre. Jetant un coup d'œil aux autres membres du groupe, il les vit qui se creusaient les méninges et, d'un ample geste solennel vers la fosse, leur signifia de suivre son exemple.

Un des cousins tendit le bras et libéra à son tour son pompon qui tomba sans toucher les flancs de l'excavation. Il suivit sa chute d'un air appréciateur, la bouche entrouverte en un demi-sourire, prenant plaisir à son geste. L'ancien compagnon de cellule lâcha le sien comme il se devait et détourna la tête avant que le brin ne frappe le cercueil. D'un geste vif du poignet, Danny balança le bout doré comme il aurait jeté un emballage de bonbon sur la voie publique avec l'air de se foutre complètement de l'infraction commise. Morrow, pour sa part, se contenta d'ouvrir les doigts et laissa tomber son cordon dans la fosse en veillant à ne donner aucune signification particulière à son geste, pleinement consciente ce faisant que sa négligence étudiée résumait de façon éloquente les sentiments qu'elle éprouvait à l'égard de son père.

Derrière elle, Crystyl se mit à larmoyer bruyamment. Coiffée d'un gigantesque chapeau noir au bord agrémenté de roses en soie noire, elle chancelait de temps à autre lorsque ses talons aiguilles s'enfonçaient dans la boue. Danny était gêné de la savoir là. Elle n'avait jamais connu l'homme dans le cercueil.

Morrow fit demi-tour, prête à quitter les lieux, mais se retrouva coincée par le long déblai de terre meuble recouvert de gazon artificiel d'un vert intense.

Il n'y avait pas foule à l'enterrement. Une cérémonie somme toute un peu pathétique, mais c'était plus que le mort ne méritait. Ces gens n'étaient d'ailleurs pas venus là pour lui – une majorité d'hommes, dont la plupart faisaient acte de présence, ni plus ni moins, par loyauté envers Danny. Elle méprisait toute cette valetaille. Ces mecs s'habillaient comme Danny, ils se coiffaient comme lui, ils soutenaient son équipe. Leur loyauté n'était que la rançon de la nécessité, le juste pendant des mêmes ambitions égoïstes, de la même âpreté au gain. Ils ne l'aimaient pas, et elle le leur rendait bien : elle était flic et ils le savaient.

Danny la rattrapa alors qu'elle avançait prudemment dans la terre boueuse pour rejoindre l'allée.

— Je te remercie d'être venue, lui dit-il de façon très protocolaire.

Il lui emboîta le pas alors qu'elle avançait rapidement à grandes enjambées en direction de l'allée.

Elle referma son manteau comme pour se protéger de lui.

— C'était aussi mon père, répondit-elle.

— Je sais, mais quand même, merci.

— Eh bien, merci à toi, pour avoir tout organisé.

— Oh, ça, c'est pas un problème.

Leurs épaules se touchant presque, ils gravirent la colline abrupte jusqu'à sa voiture, exactement comme s'ils repartaient ensemble, pressant l'allure sur l'allée instable dont l'épaisseur de gravillons en granit noir commandait de ne pas marcher trop vite. Danny voulait quelque chose.

— Quoi ? lui fit-elle.

Elle eut droit à son regard des grands jours, paupières en berne, genre fais-gaffe-à-ce-que-tu-dis.

— Brian n'est pas venu ? demanda-t-il.

Danny n'avait jamais rencontré Brian, et elle tenait impérativement à ce que cela n'arrive jamais.

— Le boulot. Il n'a pas pu se libérer.

Danny hocha la tête, en souriant aux gravillons. Un signe qui ne trompait pas : il savait pertinemment que Brian n'avait toujours pas de travail. En réalité, c'est elle qui avait demandé à Brian de ne pas venir. Parce que c'était un mec bien, pas de taille à résister aux manœuvres enjôleuses de Danny et à ses grâces de serpent. Deux minutes avec lui et Brian serait complètement sous le charme, prêt à exaucer ses petits désirs. Voilà comment Danny mettait les gens sous sa coupe : il demandait un coup de pouce, rendait un petit service ou prêtait un peu d'argent à un cousin dans le besoin, à la suite de quoi, avant même de comprendre ce qui lui arrivait, un citoyen parfaitement respectueux des lois se retrouvait au volant d'une voiture bourrée d'héroïne au départ de Fraserburgh. Pour ne pas courir de risque, une seule solution : éviter tout contact avec le personnage. Ils arrivèrent à la voiture, une vieille Honda fatiguée. C'est Brian qui l'avait achetée, dans un élan de nostalgie romanesque pour leur passé commun. Morrow chercha les clés dans son sac.

Derrière eux, devant la tombe en contrebas de la colline, Crystyl luttait bruyamment contre son chagrin et, à un mètre d'elle, un des nervis de Danny, vêtu pour la circonstance d'un survêtement sinistre, lui tendit une paquet de mouchoirs en papier.

— On dirait que Crystyl a du mal à encaisser, le vanna Alex en sortant ses clés.

Du coin de l'œil, elle le vit crisper la mâchoire.

— Alex, tu vas recevoir un coup de téléphone. Une femme. Une psychologue. À propos de John.

Morrow s'immobilisa et se tourna vers lui. John, pas Johnny, pas JJ, pas P'tit John. Son vrai prénom. C'était sérieux.

— Tu as fait quoi ? Tu as donné mon numéro de téléphone à quelqu'un ? À propos de John ?

Petit bruit de succion, et Danny s'attacha soudain à la contemplation du gravier à ses pieds. À la naissance de son fils John, il avait quatorze ans, la mère, un vrai canon, sexe-symbole de tout le South Side, dix-huit. Pour le petit truand en herbe qu'il était, un véritable trophée gagné de haute lutte. Alex se souvenait. À quatorze ans, elle était encore à l'école quand la nouvelle s'était répandue, et elle s'était sentie étrangement fière de Danny. Que quelqu'un de son âge ait un bébé était à ses yeux une provocation aussi raffinée qu'incongrue. Mais la vie de John n'avait pas vraiment fait honneur aux parents adolescents. Il avait grandi vite, et très mal. Une vraie petite frappe.

— Ça se passe mal pour lui en taule ? demanda-t-elle en faisant mine de se préoccuper de son sort.

— Hmm, grommela Danny, les mâchoires serrées si fort qu'il avait du mal à parler.

Il détourna la tête et parvint à entrouvrir la bouche.

— Ce truc... avec cette femme...

— À quinze ans, on n'est pas une femme, Danny.

Il la regarda droit dans les yeux et elle lut la haine dans son regard. Il respirait vite, à bouffées courtes, comme avec le désir de la frapper s'il l'avait pu.

— Bordel, t'arrêteras donc jamais, c'est ça ?

Elle regarda ses clés de voiture.

— Putain, c'est mon fils, quand même, non ? Est-ce que c'est pas pour ça qu'on le détestait autant tous les deux, lui – il pointa le doigt vers le trou sale dans la terre mouillée –, justement parce qu'il en avait jamais rien à branler de nous ? John est mon fils et putain, je fais ce que je peux. J'essaie.

Sa nuque s'empourpra à ces mots, et Morrow détourna la tête, en priant le ciel qu'il ne pleure pas. Danny s'éclaircit la gorge et murmura :

— J'essaie.

Il essayait quoi ? De se préoccuper du sort d'un violeur, coupable d'avoir tailladé au cutter Stanley les cuisses laiteuses d'une gamine de quinze ans ? Au cours d'une soirée privée, en plus ? De toute l'affaire, c'était ce dernier détail dont les journaux faisaient leurs choux gras. Le fait qu'une fête ait pu se dérouler derrière la porte pendant que lui faisait subir cette horreur à la gamine dans la salle de bains jouxtant la chambre des parents. Une fille de la classe moyenne fréquentant une école privée. Une fille intelligente qui buvait trop et laissait entrer des petites frappes chez elle. Les journalistes couvrant l'événement avaient mis le paquet, et les lecteurs avaient eu droit à toute la gamme des peurs sociales à la une : alcoolisme des jeunes et gangs des rues, crime au couteau et sexe adolescent. Une vraie campagne à charge qui donnait le sentiment que l'affaire n'aurait jamais de fin et resterait un filon inépuisable, jusqu'à ce que John soit finalement arrêté et que la couverture par la presse devienne dommageable à son procès.

Que Danny essaie d'aider John était peut-être la vérité, mais il était personnellement partie prenante du problème au même titre que son gamin : les gens de cette ville savaient John coupable parce qu'il avait Danny pour père. Si ce dernier avait eu l'ombre d'un doute sur la culpabilité de son fils, les garçons qui avaient désigné John à la police auraient disparu de la circulation. Le verdict de culpabilité était couru d'avance.

— Va-t-il se faire aider en prison ?

Danny haussa les épaules.

— Pourquoi as-tu dit à ces gens de prendre contact avec moi ? Tu sais que je ne raconterai jamais de salades au sujet de ton fils,

Danny. Ses antécédents seront de toute façon détaillés dans les minutes du procès.

— Je ne te demande pas ça parce que tu es flic, mais parce que tu es de la famille. Ils veulent juste connaître son histoire. Ils cherchent des faits, c'est tout.

Morrow glissa sa clé dans la serrure côté conducteur.

— Tss-tss, lui fit-elle pour marquer sa désapprobation. On peut difficilement appeler ça une famille, Danny.

Il confirma en silence, d'un hochement de tête.

— Mais tu es tout ce que j'ai.

— Ils ne peuvent pas aller questionner sa mère ?

— Non, répondit-il en secouant la tête. Elle est à l'hosto. Complètement givrée.

— Et sa grand-mère ? Elle vit toujours, non ?

— Elle… elle n'est pas très chaude.

— Hmmm, se contenta de marmonner Morrow d'un air entendu.

En vérité, JJ avait été inculpé pour avoir frappé sa mamie à coups de pied. Et ce que la grand-mère pouvait raconter sur son petit-fils était bien pire que tout ce que Morrow en aurait dit.

Ensemble, ils regardèrent une nouvelle fois Crystyl complètement éplorée qu'on éloignait de la sépulture. Les quelques hommes alentour détournèrent la tête, gênés, estimant peut-être que même un psychopathe mort aurait mérité plus de décorum.

— Si je parle à cette femme, expliqua Danny, je sais d'avance comment ça va finir. C'est moi qui me retrouverai sur la sellette. Alors que j'essaie justement de me tenir à l'écart de tout ça, de créer une distance, sinon il mourra en prison, tué par un petit connard ambitieux cherchant à se faire un nom. Un vrai sac d'embrouilles. Tout ce qu'elle veut, cette femme, c'est des détails sur son passé.

— De quoi elle veut discuter au juste ?

— Du passé de John John, le contexte, son environnement. Où il a vécu, avec qui et tout ça.

Danny pivota sur ses talons et détourna la tête, le souffle un peu court, hésitant.

— Je n'essaie pas de me défiler, Alex. J'essaie de faire ce qui est juste. Pour moi, te demander un service, c'est autrement plus difficile.

Il savait pertinemment qu'elle le débinerait sans l'ombre d'une hésitation. Et c'est exactement ce qu'il attendait d'elle, parce que ça aiderait John. Mais la plupart des renseignements qu'elle pouvait fournir se trouvaient d'ores et déjà dans le casier du jeune délinquant. Lorsqu'il avait été inculpé pour agression sur sa grand-mère, les services sociaux avaient dû rédiger des rapports. Elle regarda sa main. La clé était dans la serrure, ses doigts posés dessus, il lui suffisait de tourner, de monter dans la voiture et de partir.

— Je n'en connais pas tant que ça sur son passé…

— Il ne s'agit pas de son traitement, ça concerne la condamnation – la probabilité pour qu'il refasse la même chose à une autre gamine. Il ne faudrait pas qu'on le remette en liberté si…

Morrow se figea et prit une longue et profonde inspiration. Incontestablement, Danny était passé maître dans l'art de la manipuler : sauve les gamines, ne tue pas JJ, sois meilleure que notre père. Il connaissait les emplacements de tous ses points sensibles et savait combien de fois les presser. L'espace d'un instant, elle se dit que pour une fois ils avaient un intérêt commun, que c'était peut-être la chose raisonnable à faire. Elle réfléchit à cette hypothèse jusqu'à ce que son sentiment soudain de piété filiale lui devienne si incongru qu'il déclencha le signal d'alarme. Si elle s'était sortie de tout ce chaos avant de rejoindre les rangs de la police, ce n'était pas en se montrant raisonnable. Elle n'avait pas non plus coupé les ponts, gardé ses distances et épousé un homme bien comme Brian en faisant ce que Danny estimait être pour le mieux.

Elle tourna la clé, ouvrit la porte de son propre univers et mit un pied dans la voiture.

— Non, je ne le ferai pas. Et Danny… après ça…

Elle ouvrit la main et répéta son geste au bord de la sépulture, lorsqu'elle avait lâché le pompon doré. Elle se laissa tomber sur le siège et ferma la portière.

Un bref instant, Danny la fixa à travers le pare-brise. Une carrure de poids lourd, le crâne rasé, les épaules carrées, un style et une attitude destinés à intimider son monde. Planté devant la voiture, ses petites dents serrées derrière l'entaille de ses lèvres minces, le menton collé à la poitrine, il la fusillait du regard.

Une expression qu'elle ne lui avait encore jamais vue. Elle sentit un frisson d'effroi la traverser, frapper les jumeaux qu'elle portait dans son ventre, envahir sa belle vieille voiture. Danny cassait les gueules et fracassait les doigts dans les portières. Danny avait massacré la figure d'un type à coups de bouteille. Il était coutumier du fait, dès qu'il estimait qu'on était en dette avec lui ou qu'il voulait quelque chose. Alex eut la conviction qu'ils se parlaient comme deux êtres civilisés pour la dernière fois et comprit avec force que c'était bien elle qui avait tenu à prendre ses distances.

Elle s'efforça de respirer calmement, mit le contact et passa à côté de lui avant de s'engager prudemment sur l'allée qui suivait la crête pour sortir par le côté opposé du cimetière, heureuse de voir les endeuillés disparaître dans son rétroviseur.

Elle atteignait les grilles de l'entrée quand son portable professionnel résonna d'une mélodie guillerette parfaitement vulgaire. C'était Bannerman. Elle pressa le bouton du kit mains libres et entendit sa voix crépiter dans l'habitacle.

— Où en êtes-vous ?

Pas de bonjour, pas de préliminaires, juste un aboiement. Elle n'avait pas encore ouvert la bouche qu'il lui faisait déjà la gueule.

— Je quitte le cimetière.

— Bien.

— Monsieur, il faudrait peut-être me demander comment ça s'est passé.

— Vraiment ?

Ce n'était pas un défi, mais une requête sincère. Bannerman était monté en grade avant elle, une promotion inattendue qui avait eu sur lui un effet des plus surprenants. Ayant partagé son bureau des mois durant, elle le connaissait et savait qu'il manquait d'assurance : elle l'avait deviné à l'image qu'il s'obstinait à donner de lui, cette chevelure ébouriffée et ces joues bronzées trahissant à l'évidence un désir forcené de plaire et d'être apprécié. Mais elle avait été complètement prise au dépourvu en constatant combien, aux yeux de Bannerman, l'opinion de ses subordonnés avait subitement cessé de compter. Leur avis était désormais sans importance et il l'avait remisé au placard en changeant complètement d'image : dorénavant, il jouait pour un nouveau public, toujours à cran, brutal, dur et cassant, jamais satisfait, tout juste bon à critiquer et à réprimer. Les hommes de son équipe le détestaient, une réalité qu'il assumait avec une certaine fierté. Chose encore plus bizarre, c'est elle qui avait soudainement vu sa cote remonter auprès des policiers, sans doute parce que chez elle, au moins, le côté revêche était sincère.

— Et pourquoi ?

— Par simple politesse envers la famille. Il est toujours de bon ton de prétendre se soucier d'un enterrement.

— O.K. Comment s'est déroulé celui de votre tante ?

— Comme il se soit.

— Quel âge avait-elle ?

— Elle était vieille. Plus de quatre-vingts ans, je crois.

— Rien de choquant dans ce cas, dit Bannerman.

— Ouais, dit-elle.

Elle jeta un coup d'œil au rétro où elle vit un vieux, les mains fourrées dans les poches, remonter l'allée. Un traînard.

— Je suppose.

— Eh bien, fit-il d'un ton hésitant, à croire que les banalités convenues sur la mort ne se trouvaient pas sous le sabot d'un cheval, super. En tout cas, nous avons un meurtre à Thorntonhall, si vous en avez terminé là-bas.

Elle contempla le rétroviseur et sourit.

— J'en ai terminé, monsieur.

4

Thomas attendait, assis sur la plage de galets, avec l'espoir que Squeak saurait où venir le retrouver. Il aurait déjà dû être là, d'ailleurs. Un vent glacé soufflait de la longue étendue d'eau devant lui. Sur les collines en face, il voyait des moutons, leurs minuscules taches d'un blanc sale tranchant sur l'herbe nue. Un jour, avec l'école, ils avaient visité une ferme, mais c'était il y a bien longtemps. Encore aujourd'hui, la sortie annuelle des élèves était traditionnellement consacrée à une foire agricole, en souvenir d'un passé révolu, quand la plupart des pensionnaires devaient hériter d'une propriété et s'intéressaient aux animaux. C'était fini, tout ça. Les choses avaient changé, le public n'était plus le même. À leur retour de la ferme, dans le car qui les ramenait, toutes les conversations avaient tourné autour du même sujet : c'est vrai que ça peut se baiser, un mouton ? Pourtant, qu'est-ce que ça pue ! Et en plus, c'est tout graisseux.

Les galets noirs de la plage n'étaient pas du pays, un camion les avait déversés là pour agrémenter le décor. Il en ramassa un avec l'intention de le lancer sur les ridules à la surface du lac, mais se retint. Seuls les gamins faisaient ça. Mais il n'était plus un gamin. Il le reposa et entendit un bruit de pas dans son dos.

Squeak s'assit à côté de lui, à distance, sans le coller.

Les mains fourrées au fond des poches, la fermeture à glissière du blouson remontée jusqu'au menton, par simple association d'idées, ils pensèrent aussitôt au déjeuner dans le grand réfectoire. Vingt et une minutes, le temps filait, avant qu'on ne remarque leur absence. Ils étaient arrivés de deux directions différentes, Squeak par les bois, parce qu'il venait de la chapelle, et Thomas par le cimetière : si on les repérait, ils pourraient toujours raconter qu'ils étaient tombés l'un sur l'autre par hasard.

Ils n'étaient pas venus sur cette plage depuis une éternité, mais Thomas savait que Squeak saurait le retrouver. Ils se connaissaient bien tous les deux.

Ils avaient huit ans à leur arrivée à l'école, les deux benjamins cette année-là, les deux seuls petiots. La plupart des familles, la plupart des internes attendaient plus longtemps. Le père de Thomas, lui, avait démarré à six ans, mais on estimait aujourd'hui que c'était beaucoup trop jeune, ça risquait de laisser des traces. Tout le monde s'apitoyait sur leur sort, sachant que ça devait cacher quelque chose, des problèmes à la maison ou des parents qui ne les aimaient pas. Ils s'étaient serré les coudes, grandissant à l'unisson, l'un à côté de l'autre, l'un déteignant sur l'autre, au point même de développer un langage qui leur appartenait en propre : regards et clignements de paupières, surnoms méchants pour ceux qui les prenaient comme têtes de Turc, mots choisis pour expliquer les raisons de leur comportement. Jeux sans règles auxquels personne ne comprenait rien à part eux.

Squeak contemplait l'eau et poussa un soupir. Thomas lui jeta un regard noir. Ils avaient des tas de choses à se dire, mais ni l'un ni l'autre ne savait par où commencer, prisonniers d'un torrent furieux très intime qui les ballottait entre reproches réciproques, préoccupations secrètes et honte, moins d'avoir fait ce qui avait été fait que de pressentir ce qu'ils pensaient l'un de l'autre.

De l'instant où il étaient remontés en voiture à Thorntonhall, ils n'avaient plus échangé une parole : Squeak était au volant, il fumait, et, pendant les deux heures du trajet, Thomas s'était affairé avec ses lingettes. Il en avait usé deux paquets entiers et sentait désormais comme le plus gros bébé du monde : l'huile de toilette au parfum nauséeux lui collait à la figure, elle avait coulé dans ses yeux, s'était insinuée jusque sous ses ongles. Encore quarante-huit heures à attendre avant son jour de douche, alors que ces odeurs de lingettes ne le lâchaient pas. Il avait envie de vomir tant elles lui évoquaient la bonne, Mary, et son dégoût était tel qu'il avait l'impression de pourrir de l'intérieur.

— Il n'y avait pas de gamins, dit Squeak.

À leur retour, Squeak s'était garé dans le village. Ils avaient escaladé le mur d'enceinte de l'école et s'étaient faufilés dans la propriété en se cantonnant aux champs sur l'arrière des bâtiments, à bonne distance des projecteurs à déclenchement automatique situés derrière le bloc des dortoirs. Thomas se fichait bien qu'on les surprenne. Il voulait être pris. Mais Squeak avait insisté pour qu'ils entrent par la fenêtre de Thomas, laissée ouverte pour l'occasion, et ils s'étaient retrouvés dans le noir, sans oser se regarder, jusqu'à ce que Squeak marmonne « Bonuit » avant de regagner sa chambre.

Ils s'étaient revus au petit déjeuner le lendemain matin, chacun de son côté dans le réfectoire. Squeak, l'air fatigué, les yeux rouges, mangeait son porridge comme un robot, son regard vide se perdant dans la salle pour s'arrêter une seconde sur le visage de Thomas avant de s'égarer plus loin.

L'eau clapotait doucement sur les galets. Squeak sortit sa boîte de tabac de sa poche et l'ouvrit pour en extraire un restant de joint. Il l'alluma, tira une longue bouffée et retint sa respiration en roulant des yeux de soulagement avant de souffler et de faire passer.

Thomas s'en empara, incapable de résister. Il fit mine de téter à son tour en gardant le mégot juste assez longtemps en bouche pour donner le change : ce qu'il avala de fumée ne méritait pas le nom de bouffée. Il le rendit à son propriétaire.

— Ça te dit pas ? lui demanda Squeak pour lui signifier qu'il n'était pas dupe.

— Nan.

Thomas s'allongea, en appui sur les coudes, affectant une décontraction de pure forme, aussitôt trahie par le bref coup d'œil qu'il jeta en douce au dos de son complice. Convaincu soudain que son copain savait qu'il faisait semblant, il se rassit.

— T'as dormi ? lui demanda-t-il.

L'autre le regarda de haut, par-dessus l'épaule, avec mépris, lui sembla-t-il, ou c'était peut-être sa position, rien de plus.

— Pas mal, répondit Squeak.

Il se détourna et tira une nouvelle bouffée. Longue et profonde, comme s'il s'interdisait d'expliquer plus avant, avant de l'avaler.

C'en était trop. Incapable de le supporter plus longtemps, Thomas aboya :

— T'as des trucs à me dire ?

Squeak se retourna lentement.

— Qui, moi ? Est-ce que *moi*, j'ai des trucs à te dire ? À *toi* ?

Complètement pris au dépourvu par la violence de sa réaction, Thomas tressaillit. Squeak balança le mégot dans le lac.

— Tu voudrais que je te dise quoi, hein, bordel de merde ? Des enfants, il y en avait pas.

Les yeux de Thomas se mouillèrent de larmes et son menton se mit à danser comme une boule dure. Squeak se colla à sa figure, un ongle à deux centimètres du blanc de son œil.

— Enfoiré, t'avise pas de pleurer. Putain, t'oublies que c'est toi qui m'as emmené là-bas, non ? T'as dit que c'était bien elle, t'as dit que tu savais. Ne te mets surtout pas à chialer, putain, je te préviens.

Il se relâcha et se rassit, en fixant l'horizon avec fureur.

— Il m'avait dit..., murmura Thomas.

— Il avait prononcé son nom ? Parlé de cette maison ?

Certainement pas. Il n'avait cité aucun nom en particulier. Thomas avait déniché son numéro dans le bureau de son père et retrouvé son adresse à partir d'un ancien texto.

Choqué, il prit une profonde inspiration et sa crise de larmes passa. Son menton se relâcha et il frotta sans ménagement ses yeux mouillés, imaginant qu'un promeneur de passage au bord du lac, en voyant la scène, aurait pris ça pour une sorte de querelle d'amoureux.

C'était le genre de rumeur à vous coller à la peau ensuite et à vous suivre pour le restant de vos jours même si vous baisiez toutes les salopes de Fulham.

À Noël dernier, il se baladait dans une rue de Londres avec son père. Il faisait froid, et c'est là que tout avait commencé à partir à vau-l'eau.

Son père avait vu son nom jeté en pâture en public, d'abord sur Internet, ensuite dans les journaux. Ils faisaient leurs achats de Noël et étaient tombés sur un individu que son père connaissait.

Incontestablement, l'homme en imposait, il était bien de sa personne, élégant et en pleine forme physique pour ses cinquante-deux ans. Mais aussi arrogant et suffisant. Thomas se rappelait qu'il leur avait montré une voiture de sport en leur expliquant qu'il venait de se l'offrir, c'était son cadeau de Noël personnel. Son père ne s'était pas départi de sa réserve, il s'était montré condescendant, voire dédaigneux. Après la rencontre, il lui avait expliqué que le gars en question avait fréquenté cette même école une promo en dessous de la sienne et qu'un jour, après le rugby, il avait eu une érection incontrôlée dans les douches. Son père avait ricané en disant que les élèves ne lui avaient jamais plus laissé l'occasion d'oublier l'incident. Ils l'avaient surnommé Durdur et le sobriquet lui était resté. Thomas avait ri, parce que son père avait dit « érection » et que l'épisode lui paraissait comique, mais quand il y avait repensé ensuite, en réfléchissant vraiment à cette histoire, celle-ci lui avait fichu la trouille. Ce n'était pas tant l'idée d'être homo qui l'effrayait, tout le monde s'en fichait ou quasiment, mais bien la vulnérabilité, le fait de se retrouver exposé aussi crûment aux yeux de tout le monde, cette chose si privée rendue soudain publique. Aujourd'hui, il essayait d'éviter de faire du sport s'il ne pouvait pas s'offrir une branlette juste avant le match, car il ne tenait pas à se gagner un surnom de ce genre.

Squeak sortit un nouveau clope de sa boîte et l'alluma. Une cigarette, cette fois. Il tira avec force, en gonflant les joues, ouvrit les lèvres et laissa la fumée s'enrouler sur elle-même comme un poing au sortir de sa bouche, avant de la ravaler.

— C'est comme ça qu'on attrape le cancer, le cancer de la gorge, fit Thomas qui l'avait entendu dire.

— T'es sûr ?

— Quand on laisse la fumée trop longtemps dans la bouche. Les clopeurs chopent un cancer au poumon, mais les fumeurs de cigare attrapent le leur au visage et à la gorge. Parce qu'ils font ça, justement. C'est mon père qui me l'a dit.

— Est-ce qu'il est déjà au courant ? demanda Squeak, de nouveau l'air furieux.

Thomas fit non de la tête.

— Il irait pas appeler avant l'étude. Il connaît les règles.

— Y z'avaient pas de mobiles quand lui était ici, je suppose ?

— À l'époque, y se faisaient appeler sur les deux gros téléphones noirs dans le couloir du fond : l'élève qui passait à ce moment-là décrochait et courait te prévenir. La bonne poire, quoi, expliqua-t-il en souriant, sachant qu'il parlait exactement comme son père. Jusqu'à l'autre bout de l'école, parfois, mais il le faisait quand même.

Squeak s'en fichait.

— Ouais, mais c'est bon, tu sais, quand tu lâches ta fumée et que tu ravales.

Thomas sourit, timidement, un petit sourire triste mais un sourire quand même.

— Tu devrais cloper, lui dit Squeak, la bouche pleine de fumée. T'aurais l'air plus âgé si tu clopais.

— Hmmm.

Ce n'était pas une vanne. Thomas se fichait bien d'avoir l'air si jeune. Squeak avait bien plus honte de sa propre maigreur, avec toutes ses côtes qui ressortaient. Ils se connaissaient l'un l'autre sur le bout des doigts, et c'est ce qui expliquait, comprit soudain Thomas, pourquoi la journée d'hier les avait secoués à ce point. Pour la première fois depuis l'âge de huit ans, ils s'étaient surpris l'un l'autre. Surpris par ce qui était arrivé.

— Choc et effroi[1], lâcha-t-il à haute voix, en pleine réflexion.

Squeak dut se tourner vers lui pour savoir s'il se foutait de lui ou partait sur un autre sujet.

— Choc et effroi ? répéta-t-il.

Thomas hocha tristement la tête en direction du lac.

— C'est vrai. C'était bien ça, non ? Hier.

Squeak tira une nouvelle bouffée de sa cigarette. Lorsqu'il exhala, il souriait, toutes dents dehors.

— Ah oui, alors. Putain.

---

1. Choc et effroi, en anglais *Schock and Awe*, doctrine militaire américaine appliquée pendant la guerre d'Irak.

5

Plus imposantes les unes que les autres, les demeures de Thorntonhall trônaient toutes en solitaires sur des terrains immenses. Même les maisons basses plus petites étaient nichées dans d'énormes jardins aux dimensions ostentatoires quand elles ne cachaient pas sur leurs arrières d'énormes extensions. Les haies en bordure de la route étaient taillées au carré, leurs angles immaculés.

L'agencement de ce village restait un mystère, estima Morrow en regardant défiler les propriétés par la vitre côté passager. En périphérie, elle ne voyait que de hautes maisons victoriennes, alors qu'au centre, avec ses toits pointus et ses énormes baies vitrées, l'architecture générale du lieu évoquait bien plus les années 1970. Elle se demanda si le cœur du village n'avait pas été bombardé pendant la guerre.

Son chauffeur braqua brusquement à gauche et s'engagea sur une avenue bordée d'arbres pour rejoindre la maison du crime. Plus éloignées de la route principale, les constructions devenaient de plus en plus récentes, une succession de résidences en brique beige singeant le style de villas plus anciennes, mais avec doubles garages, doubles vitrages, double tout.

L'avenue se scindait à son extrémité en deux allées à voitures : la première, au revêtement jaune flambant neuf à motifs en chevrons, descendait la colline jusqu'à une demeure moderne de style ranch, la seconde, simplement goudronnée, ses bordures laissées à l'état sauvage, remontait le versant vers un manoir de campagne un peu décrépit en silex gris.

— Je ne comprends rien à cet endroit, dit Morrow. Où sont passés les magasins dans le coin ? Pourquoi se donner tout ce mal pour bâtir une maison classieuse en contrebas de ce bazar ?

— Ça, ça doit être la demeure de maître, celle des origines, répondit tranquillement la conductrice en désignant de la tête le manoir en haut de la côte.

— Une demeure de maître ? répéta Morrow.

Elle se pencha en avant vers le pare-brise, et sa voisine parut soudain un peu gênée de s'expliquer, au point qu'elle dut prêter l'oreille pour bien l'entendre.

— Eh bien, je veux dire que la maison où nous allons est la plus ancienne de tout le lot, elle domine le paysage. Regardez les autres vieilles habitations. Elles sont situées bien à l'écart, à bonne distance, et ces terrains devaient autrefois faire partie de la propriété de maître. Tout a été vendu par parcelles, petit bout par petit bout, d'abord au plus loin, puis de plus en plus près, jusqu'à ces nouvelles énormes bâtisses.

Morrow jeta un coup d'œil à la vieille et sombre demeure et put constater que cette femme ne se trompait pas. Avec un frisson d'excitation, elle comprit ce qui s'était produit et vit en esprit le village se bâtir au fil des années.

— Comment savez-vous tout cela ? demanda-t-elle.

— C'est juste que… (la femme hésita, réticente à dévoiler ses cartes) je regarde beaucoup d'émissions sur l'architecture… À la télé.

Elles tendirent le cou à l'unisson lorsque la voiture attaqua le raidillon, Morrow soudain pressée d'arriver, impatiente de ressentir une nouvelle fois ce même petit picotement dans les synapses. Ce n'était pas l'allée d'origine, se dit-elle pour compléter l'explication, un cheval et son équipage n'auraient jamais réussi à gravir une pente aussi raide. Cet accès à la propriété était récent, on l'avait ouvert quand l'ancienne allée avait été vendue avec le terrain aux propriétaires du ranch desservi par la route en chevrons. Pour la première fois, elle regarda la femme au volant. Une recrue récente, plus très jeune à vrai dire, une bonne trentaine peut-être, encore un peu guindée, comme si elle avait quitté la police en uniforme depuis peu. Jolie, le teint mat, un profil extraordinairement persan. Et elle était anglaise.

Morrow n'insista pas. Au sommet de la colline, le goudron cédait la place aux gravillons, et les roues se mirent à patiner. Devant la bâtisse, elles virent l'inspecteur Harris, l'air préoccupé, debout à côté de plusieurs véhicules, deux voitures de patrouille et une grosse camionnette de la police scientifique.

La façade très symétrique en pierre grise était élégante et agréable, avec de petites fenêtres et une porte d'entrée verte imposante à laquelle on accédait par une courte volée de marches.

— C'est quoi, comme style, ça ?

— Géorgien dix-huitième, répondit la conductrice en levant les yeux.

— Comment le savez-vous ?

La femme fronça le sourcil et regarda la maison. Visiblement, elle connaissait la réponse, mais Morrow savait pourquoi elle se montrait réticente à la donner. Une connaissance des styles architecturaux n'était pas vraiment un plus à la cantine, et son sexe, son âge et sa nationalité étaient autant de caractéristiques qui la séparaient déjà bien assez du gros de la troupe. Dans la police, une seule chose comptait : faire corps ; il y avait eux, et il y avait les autres.

— Euh, eh bien, commença-t-elle en rougissant un peu, tout est plus ou moins carré, et les fenêtres sont caractéristiques. Vous voyez les trois du premier étage ?

Morrow leva les yeux sur les petites ouvertures à guillotine également espacées sur la longueur de l'étage.

— Elles sont typiques, mais déjà fin d'époque.

Elle montra ensuite la porte d'entrée de couleur verte sous le porche carré en haut d'une volée de six marches.

— Ça, c'est géorgien. On trouve des portes comme ça à Bath et à Dublin. Vous avez vu les pièces ovales à l'arrière de la maison ?

— Où ça ?

— Les pièces du milieu s'arrondissent en demi-cercle. Ça, c'est géorgien. Et cette extension là-bas – elle indiqua une adjonction latérale, bâtie dans la même pierre mais ornée de trois hautes fenêtres étroites – c'est du néoclassique. Plus tardif. Époque victorienne.

Morrow se tourna vers elle. Pour une policière de son grade, le tailleur était trop chic.

— Mais vous débarquez d'où, bon Dieu ? lui demanda-t-elle.

— Du Surrey. East Molesey.

— Alors qu'est-ce que vous fabriquez en Écosse ?

— Je vis avec une personne qui a trouvé du travail ici et j'ai posé ma candidature. Une recrue tardive.

Une précision inutile, c'était visible. Le grade de Morrow ne l'intimidait guère, et les jeux de pouvoirs policiers entre petits chefs et sous-chefs ne l'avaient pas marquée.

— Que faisiez-vous avant ?

— J'avais ma propre entreprise. En électronique.

Morrow grommela, la conversation prenait un tour dangereusement agréable. Elle se demanda si le mot « personne » était un nom de code pour « compagne » ou un euphémisme banal au Surrey. Cette femme n'avait rien d'une butch, mais c'était un look que les lesbiennes ne suivaient plus.

— Ils vous traitent bien ?

La nouvelle recrue haussa l'épaule et détourna la tête en clignant des paupières. En d'autres termes, non, mais elle ne voulait rien en laisser paraître et n'allait certainement pas casser du sucre sur ses collègues.

Morrow fut impressionnée.

— Tant mieux, dit-elle. Ambitieuse ?

La femme la regarda et acquiesça sèchement de la tête. Elle était sur ses gardes. Aujourd'hui, l'ambition n'était plus une qualité, rares étaient ceux qui la reconnaissaient.

— Bien. Lorsque vous serez promue avant eux, ils iront raconter que c'est parce que vous êtes une femme. Vous êtes intelligente, ça joue contre vous, alors étant une nana, anglaise en plus et... bon, j'arrête là.

La conductrice fit mine de ne pas comprendre ce qui était resté en suspens, mais sa bouche se vrilla en un sourire pincé quand elle mit le frein à main. Elles restèrent dans la voiture en voyant s'approcher Harris. Il avait la peau blanche, un blanc virant presque au bleu, et, hormis le tartan, on ne pouvait pas faire plus écossais. De petits yeux, des cheveux noirs et une bouche si minuscule qu'elle en était ridicule, à peine assez grande pour couvrir la largeur de ses narines.

— Écoutez, murmura Morrow en voyant arriver Harris, je ne répéterai à personne ce que vous avez dit. Comme quoi vous étiez ambitieuse.

— Merci, chef, se dépêcha de répondre sa subordonnée.

— Vous n'êtes pas bête, alors, vous savez, n'en dites pas trop et...

Morrow se rendit brusquement compte qu'elle disposait de bien peu de temps ; très vite, elle ne compterait plus que pour des prunes, à cause de sa grossesse. Elle voulait se montrer utile et serviable mais n'avait rien de tangible à offrir.

— Vos suggestions, c'est moi qui les prendrai à mon compte, lui dit-elle en blaguant, et je les transmettrai comme si elles venaient de moi.

Petite plaisanterie stupide, rien de plus, mais leurs voix se chevauchèrent car la femme la remerciait de nouveau.

Elles ouvrirent leurs portières et sortirent de la voiture en même temps. Morrow fut soulagée de voir Harris, sa simple présence rendait la poursuite de la conversation impossible.

— Bonjour, dit-il à la conductrice d'un air sévère. Vous – quadrillage du quartier et porte-à-porte. Plus précisément : qui a vu quoi ? Savoir si les voisins connaissaient les résidents. S'ils étaient montés à la maison récemment. Il faut que nous sachions s'il y a eu vol. Wilder vous accompagnera.

La femme acquiesça et rejoignit le constable Wilder qui attendait près des voitures.

— C'est qui, elle ? demanda Morrow quand elle se fut éloignée.

— Constable Tamsin Leonard, répondit Harris en la regardant.

— Elle est intelligente ?

Harris grommela sans vouloir s'engager. Morrow l'aurait giflé. Depuis les dernières augmentations de salaire, les constables recevaient une meilleure paye, et chaque minute après leurs horaires légaux était réglée en heures supplémentaires. Une décision désastreuse. Désormais, ils touchaient plus que les sergents, leurs supérieurs, et n'étaient plus obligés de rester d'astreinte des jours durant jusqu'à la clôture d'une enquête. Aujourd'hui, désigner quelqu'un pour une promotion équivalait à une trahison, et les flics doués se faisaient tout petits en s'abritant derrière les bas de plafond. Sans compter le désenchantement général encore plus profond. Face à la grossièreté de Bannerman et à ses manières d'adjudant en mal d'autorité, tous se faisaient un point d'honneur de bien camoufler leurs talents respectifs, comme si bien faire leur boulot aidait Bannerman à devenir toujours plus con. Une guerre larvée qui s'enracinait chaque jour un peu plus. Morrow avait l'impression que ce qui était au départ une simple habitude s'ancrait pour devenir partie intégrante de la culture de toute l'équipe.

Elle leva les yeux vers le toit de la maison géorgienne en faisant mine de s'intéresser à l'ensemble de la propriété. Bonne excuse, car elle avait mal aux reins et profitait de l'occasion pour s'étirer.

— Vous êtes déjà allés voir ? demanda-t-elle.

— Hmm, marmonna-t-il, mal à l'aide, en baissant la tête.

— Quoi ? C'est si méchant que ça ?

— Sacrément méchant, répondit-il à voix basse.

— Et c'est arrivé quand ?

— Les dernières vingt-quatre heures. Probablement hier soir.

La tête levée, Morrow continua à examiner le toit. Des tuiles apparemment mal réparties, un peu de guingois. Des amas de feuilles mortes visibles au-dessus des chéneaux qui ceignaient le bâtiment. Sur le côté de la maison, une fosse septique s'affaissait doucement sur des piles rouillées. Dans le coin le plus éloigné, au-dessus d'une fenêtre, un minuscule hexagone jaune abritait l'alarme, mais le plastique avait pâli au soleil et on ne distinguait plus le lettrage bleuté.

— Encore une maison hors de prix : une fortune à l'achat et une fortune à l'entretien. Je me trompe ?

Harris consulta ses notes en hochant la tête.

— Comment s'est passé votre enterrement ?

— Ce n'est pas moi qu'on enterrait.

— Non, je sais…

— C'était ma tante.

Un mensonge, qu'elle faisait contrainte et forcée. Elle avait déjà dit que son père n'était plus de ce monde parce qu'elle ne pouvait se résoudre à accepter la mort de son fils. Un événement récent. Et même si elle avait fini par admettre que sa dépression était due à la disparition de Gerald, elle continuait malgré tout à prétendre que son père était décédé à peu près au même moment. On l'avait obligée à suivre une thérapie dans l'unité de soutien psychologique, et elle s'était exécutée sans rechigner, séance après séance, en pure perte, sachant pertinemment que rien ni personne ne pouvait l'aider, et que ses chefs ne se préoccupaient que des feuilles de présence. La mort de son père était le seul mensonge qu'elle n'était pas prête à reconnaître. Cette tromperie l'avait libérée, brisant de fait le lien familial avec les infâmes McGrath, et elle s'était sentie triomphante en entretenant l'illusion qu'il était mort alors que ce n'était pas vrai. Exactement comme si elle l'avait tué.

— Ouais, dit Harris, votre tante.

— Ça s'est passé, c'est tout.

— Ouais, bon.

Elle releva de nouveau la tête. Quelqu'un jadis avait beaucoup aimé cette maison : dans le jardin en façade, un pommier regorgeait de fruits, que personne ne ramassait désormais. Ils tombaient et pourrissaient sur la pelouse laissée à l'abandon. Les parterres étaient retournés, mais rien n'y avait été replanté.

Elle se sentit déprimée en voyant ça ; elle repensait à Danny et à John, à la fragilité d'une famille à laquelle rien ne manquait, à la facilité avec laquelle tout pouvait soudainement partir en couille.

— Où se trouve l'argent liquide ?

Harris se tourna vers elle, le petit « O » de sa bouche pareil à une ébauche de baiser.

— Dans la cuisine, répondit-il en haussant les sourcils. Il y en a plus qu'on ne croyait. Tout en euros.

— En grosses coupures ?

— Des billets de cinq cents.

Ils sourirent en même temps en regardant la maison. D'habitude, des billets de cinq cents euros impliquaient un blanchiment d'argent. Trafic de drogue. La plus grosse coupure disponible dans une monnaie solide, qui nécessitait beaucoup moins de place que des billets de cent dollars dès lors que les sommes devenaient substantielles.

— Combien ?

— Seigneur, j'en sais rien, des centaines de milliers, dit-il avant de sourire. Attendez de voir.

— Il y a quelqu'un qui surveille ?

— Oui, Gobby. Un petit moment de répit bienvenu.

Elle se sentait attirée par cette maison.

— La femme avait l'argent mais elle ne le dépensait pas. Il appartiendrait à quelqu'un ? Elle ignorait peut-être qu'il était là.

— Possible, répondit Harris en haussant les épaules. Mais peu probable. Attendez de voir où on l'a planqué.

S'il s'agissait bien d'argent de la drogue, il pourrait les conduire à une bande de trafiquants, une grosse organisation internationale. Une affaire qui pouvait se régler proprement et qui, en plus, offrait l'occasion de faire un nettoyage à grande échelle.

— C'est très organisé en tout cas. Pas de billets en vrac, rien que des liasses sous bande. Comme à la banque.

— Vous connaissez le quartier ?

Il fit non de la tête.

— Ça fait une bonne heure que je suis dans le coin et je n'ai vu personne, excepté des ouvriers et des jardiniers.

— Madame ?

Leonard avait abandonné Wilder et s'était dépêchée pour les rejoindre.

— Le chef a appelé. Il dit que votre téléphone est éteint, alors c'est lui qu'il a appelé, expliqua-t-elle en montrant Wilder, à cent mètres de là.

Le portable du boulot en main, l'air un peu roublard, Wilder avait eu la sagesse de ne pas se déplacer en personne pour transmettre l'info.

— Le chef veut vous parler.

— Voyez-vous ça !

Tout à côté d'elle, Harris toussota en faisant la grimace.

— Oui ? fit Leonard d'une voix hésitante, sans trop comprendre ce qui se passait.

— Dites que vous n'avez pas réussi à me trouver, lui commanda Morrow en se tournant brusquement vers Harris. Alors, on sait quoi ? lui demanda-t-elle.

— Une femme, vingt-quatre ans. Sa mère est morte ici récemment...

— C'était pour elle, ça ? dit Morrow en montrant une rampe d'accès en acier accolée au perron de l'entrée.

— Ouais, la mère se déplaçait en fauteuil roulant.

— Avec un défilé d'aides à domicile au quotidien, je présume ?

— Vingt-quatre heures sur vingt-quatre, répondit Harris en consultant ses notes. J'ai trouvé dans le salon une série de factures.

— Et ça revenait cher ?

— Seigneur, oui. Quand je vois ça, j'ai envie de stocker du paracétamol pour ma propre mère.

— Peut-être qu'elle destinait l'argent à ça ?

— Dans ce cas, elle l'aurait gardé à la banque, non ? Si c'était de l'argent propre.

En périphérie de leur champ de vision, Leonard s'éloignait doucement.

— Renseignez-vous sur l'agence qui assurait les soins, trouvez qui venait ici, qui avait les clés et ainsi de suite.

Ils la virent s'approcher de Wilder pour lui répéter : « Je n'ai pas réussi à la trouver. » Lorsque Wilder lui tendit le téléphone, Morrow fut ravie de constater que Leonard levait les mains au ciel et battait en retraite.

— La merde s'écoule toujours par la voie hiérarchique, fit plaisamment remarquer Harris.

Morrow s'autorisa un sourire.

— Alors, le nom de la victime ?

— Sarah Erroll, répondit-il en pâlissant.

— Vous n'avez pas l'air bien, Harris.

— Oh...

D'un signe de la tête, il montra la volée de marches qui menaient à la porte d'entrée, eut un geste de recul et contempla le gros ventre de Morrow.

— Je sais pas si...

— Pour l'amour du ciel, Harris, ne commencez pas ! le coupa-t-elle.

Elle se retourna et put constater qu'il ne jouait pas la comédie. Visiblement, il craignait que le choc ne soit trop rude. Mauvais signe, se dit-elle. Ce n'était pourtant pas un bleu, il en avait vu d'autres.

Son regard s'attarda un instant sur le perron et la porte grande ouverte. À genoux, un agent de scène de crime en combinaison blanche examinait la serrure, sa silhouette tranchant sur le noir derrière la porte béante.

— Qui l'a trouvée ?

— Son notaire. Il l'attendait à son bureau car ils étaient censés discuter de certains détails relatifs à la propriété après la mort de sa mère. Comme elle n'arrivait pas, c'est lui qui est venu…

Un peu tiré par les cheveux comme explication.

— La situation était donc si grave qu'elle méritait une visite à domicile ?

— Ça ne ressemblait pas à la victime, apparemment. Une femme de parole, toujours fidèle à ses promesses. Des papiers importants, semble-t-il. Il est venu la trouver et il l'a trouvée, c'est le cas de le dire. Il est toujours dans la maison.

Ça faisait presque une heure qu'ils étaient là. Si Morrow était arrivée en retard, ce n'était pas uniquement à cause de l'enterrement. Elle avait dû retourner au poste pour y laisser sa voiture car il était interdit au personnel de se servir de son propre véhicule dans les affaires de police, au cas où ils renverseraient quelqu'un ou se feraient suivre jusqu'à leur domicile.

— Il est encore là ? Faites-le sortir et emmenez-le au poste. Pourquoi est-il encore là ?

Harris sursauta, pris de court.

— Les intrus sont entrés par l'arrière. Nos techniciens sont en train d'y faire les relevés mais, autant que possible, on veut éviter qu'il passe à côté du corps en sortant. Il est coincé, comme qui dirait.

Il s'éclaircit la gorge.

— Les hommes l'appellent « belles guibolles », ajouta-t-il.

— Qui ça ?

— Sarah Erroll.
— Il est arrivé quelque chose à ses jambes ?
— Non... mais sa figure, c'est pas beau voir.
Il inspira, dents serrées.
— Un vrai massacre.
Morrow étouffa un gémissement. Mauvais départ. Aucune victime ne méritait un sobriquet la privant de son humanité à peine une heure après un début d'enquête. Déjà en temps normal, il était bien difficile d'obtenir des hommes qu'ils fassent montre d'empathie. Une seule chose était pire qu'une mort violente, une mort humiliante ou comique : personne n'en avait plus rien à branler et la qualité de l'enquête s'en ressentait.
Pourtant, toute pitié n'avait pas complètement disparu, témoin Harris, tout pâlot, triste et soucieux, les yeux occupés à fouiller les gravillons comme s'il avait perdu quelque chose.
Morrow détourna la tête et murmura :
— C'est quoi alors ? Sexuel ?
Harris se raidit. Elle l'entendit souffler et tressaillit. Elle haïssait les crimes sexuels. Tous les policiers haïssaient les crimes sexuels, pas simplement par empathie pour la victime, mais parce c'étaient des crimes corrosifs : ils les renvoyaient aux hideuses parts d'ombre qu'ils avaient en eux, dans leur propre tête, ils les rendaient soupçonneux et craintifs, et pas toujours à l'égard du reste du monde.
— Non, finit-il par dire sans conviction. Pas en apparence. Pas d'agression sexuelle. Elle était jolie... Il y a des photos. Ça pourrait être un mobile.
Harris inspira profondément et pencha la tête de côté vers la maison en haussant les sourcils, comme s'il continuait à se poser des questions.
— Je plaisante pas, patron. C'est méchant, insista-t-il.
Elle explosa sans prévenir.
— Vous n'arrêtez pas de vous répéter, Harris. Depuis le début. Je vous rassure, le message est bien passé.
— O.K., dit-il en souriant aux gravillons.
Elle lui claqua violemment le bras d'un revers de la main.
— Comme suspense, ça se pose là, nom d'un chien. Vous devriez faire des bandes-annonces pour le cinéma.

Quant ils se dirigèrent vers le perron, Morrow, apparemment, n'avait toujours pas ravalé sa rogne alors que Harris, en revanche, souriait, rassuré. Plus besoin de se faire de cheveux pour madame.

La colère était toujours l'atout qu'elle gardait dans sa manche, la seule émotion capable de balayer le chagrin aux oubliettes. Garde ta colère, reste détachée. Elle avait la responsabilité de l'enquête et tout le monde se faisait du souci. Parce qu'elle était enceinte. Elle se sentait devenir transparente aux yeux des grands chefs, réduite à un facteur de plus en plus invisible comme si elle s'éteignait à petit feu. Ils émettaient des hypothèses ridicules, laissant entendre que sa grossesse risquait de la rendre distraite, émotive. Alors qu'en fait sa grossesse lui avait affûté l'esprit, et elle aurait voulu qu'elle ne finisse jamais. Pour une part au moins, elle savait que ses angoisses étaient dues à la mort soudaine de son fils, mais jadis, encore simple flic, elle avait passé une journée aux soins intensifs, chargée de veiller sur un nouveau-né en attente d'être adopté. La mère avait essayé de poignarder le bébé dans son propre ventre, et on craignait qu'elle ne sorte de sa chambre pour venir finir le travail. À cette occasion, une infirmière lui avait donné les statistiques sur les jumeaux. Pour le moment, elle vivait chaque instant après l'autre dans leur succession et en jouissait pendant qu'elle le pouvait encore, savourant viscéralement chaque seconde de ce temps d'avant, le goût de la nourriture, la profondeur du sommeil, les tortillements intimes sous sa peau. Jamais encore elle n'avait vécu aussi intensément le moment présent.

Ils gravirent ensemble les marches du perron en inspectant le sol en quête de traces éventuelles. La pierre était grêlée de lichen, la balustrade couverte de mousse. Un décrottoir en fonte rouillée s'encastrait dans la marche inférieure et deux lions assis trônaient de part et d'autre de l'escalier, leur nez et leurs oreilles réduits à des moignons par l'érosion.

La porte verte était lourde et massive, et un technicien du labo à genoux récupérait des brins de limaille sur la serrure en laiton. Les agresseurs n'étaient pas entrés par là, mais la police devait prouver qu'aucun autre accès n'avait pu être utilisé. Une affaire récente d'effraction de domicile n'avait pas abouti parce qu'un défenseur roublard avait créé un doute raisonnable en suggérant une seconde entrée possible par une autre équipe de voleurs. L'ordre était venu d'en haut : malgré leurs moyens limités, les enquêteurs devaient établir sans ambiguïté les impossibilités matérielles flagrantes pendant que cheveux et fibres voletaient dans les couloirs.

Harris était sur ses talons et, quand elle chancela une brève seconde sur le seuil, elle sentit sa paume frôler son dos. Cinq mois seulement et elle était déjà énorme, avec un centre de gravité fluctuant chaque fois que les jumeaux remuaient. Elle lui sourit et l'entendit étouffer un ricanement.

Derrière la porte, le vestibule au sol en pierre noire n'était pas bien grand, avec, sur un côté, un banc de chêne bien patiné sous une série de patères dont une seule portait une veste en laine grise sur un cintre. Un vêtement inhabituel, très chic, aux revers arrondis, avec la taille cintrée et des pans élargis au niveau des hanches. On distinguait tout juste une étiquette rouge aux lettres dorées. Sur le montant de la porte, un bénitier pendait à une ficelle accrochée à un clou, avec, à l'intérieur, une petite éponge semi-circulaire jaunâtre et desséchée.

— Des papistes ? dit-elle, en se demandant aussitôt s'il s'agissait d'une insulte.

— Je suppose, confirma Harris d'un signe de tête.

Elle n'aurait pas dû dire ça. Elle était sûre que c'était offensant.

— C'est plutôt inhabituel, non ? Je croyais qu'on ne pouvait pas être un aristo grand propriétaire et un catholique. Ils n'avaient pas le droit d'hériter de terres ou quelque chose…

— Ils se sont peut-être convertis, répondit Harris avec un haussement d'épaules.

Morrow s'attendait à trouver un alignement de bottes en caoutchouc boueuses dans le vestibule. Au lieu de quoi elle vit une paire d'escarpins en velours noir à hauts talons abandonnés sans trop de soin, l'un debout, l'autre couché sur le flanc. Flambant neufs, leur semelle écarlate quasiment intacte. Tout à côté était posée une petite Samsonite à roulettes à coque ovale moulée, en plastique blanc, avec un motif estampé en peau de crocodile. Un bagage à main, flambant neuf lui aussi, impeccable, avec une étiquette British Airways de première classe passée en boucle dans la poignée.

Glasgow International au départ de Newark, datée de la veille, au nom de Erroll. La valise était bien petite pour un voyage à New York.

Elle montra la poignée.

— C'est un bagage à main mais elle l'a malgré tout enregistré. Pour quelle raison ?

— À cause du poids ?

— Peut-être. Elle avait d'autres bagages ?

— Pas à notre connaissance.

— Faites relever les empreintes et emportez la valise. Je veux voir ce qu'elle contient. Appelez l'Immigration des États-Unis. Le visa d'entrée indiquera le nom de son hôtel et la durée de son séjour.

Harris gribouilla dans son calepin.

— Qu'est-ce que nous avons sur elle jusqu'ici ?

— Pas grand-chose, à vrai dire. Sur son passeport, sa plus proche parente est sa mère, aujourd'hui décédée. Nous avons trouvé son numéro de sécurité sociale, mais, apparemment, elle n'a jamais travaillé.

— C'est peut-être la vérité. Elle a sans doute vécu grâce à l'argent de la famille, non ?

— Dans ce cas, elle aurait quand même payé des impôts sur le revenu, pas vrai ? Sur les intérêts ou je ne sais pas. Mais de l'argent, elle n'en manquait pas, ajouta-t-il en regardant l'étiquette première classe.

— Est-il possible qu'elle ait travaillé à l'étranger ? Ou qu'elle soit mariée ? Sous un autre nom ?

Il haussa les épaules.

Morrow se tourna vers le couloir sombre.

— L'argent liquide dans la cuisine pourrait être son héritage et elle l'aurait caché à cause des impôts.

— Sous forme de billets de cinq cents euros tout neufs ?

— Effectivement, ça ne colle pas.

Ils étaient désormais dans le bain et communiquaient en sténo, des bribes de pensées à demi formulées, ils voyaient les choses sous le même jour. Encore une fois, elle se dit combien il était dommage que Harris refuse de se mettre sur la liste des promotions. Ce n'était pas uniquement une question d'argent, il en faisait une affaire personnelle tant Bannerman lui répugnait, viscéralement. Chaque fois que le nom de cet individu arrivait dans la conversation, elle le voyait tressaillir, et, quand un de ses gars avait droit à une des humiliations de routine dont Bannerman avait le chic, tous se tournaient vers lui. Elle espérait avoir quitté la brigade avant que la situation ne devienne critique.

Au-delà d'une porte intérieure, la salle de réception en imposait malgré son absence de fenêtres. Deux énormes portes ouvraient sur deux autres pièces, une salle à manger aussi vaste que vide aux murs revêtus de soie bleu passé et avec une bibliothèque miteuse. Le mur de droite était percé par une grande voûte légèrement cintrée qui conduisait à l'extension victorienne et aux escaliers.

Il y faisait sombre, l'obscurité rendue plus dense encore par les lambris en bois à mi-hauteur et le papier peint couleur chocolat noir moucheté d'or. La seule lumière venait de la voûte. Le papier du mur de gauche se barrait d'une diagonale d'un orange flamboyant à l'endroit où le soleil frappait, comme une trace du temps passant.

À l'image du vestibule, la salle était étrangement vide de mobilier et de décoration, les dalles noires et blanches au sol encrassées et grêlées d'éclats. Certaines, plus claires, trahissaient la présence de meubles aujourd'hui disparus, et par endroits, des marques plus sombres sur le papier peint correspondaient aux emplacements des toiles accrochées naguère aux murs. Elle les montra du doigt.

— Cambriolage ? suggéra Harris.

Morrow fixa un vaste rectangle de papier peint plus foncé, haut de près de deux mètres. À la taille d'une armoire géante qui avait trôné là un long moment.

— Il aurait fallu un sacré gros camion.

Un objet attira son regard tant il était incongru : un téléphone portable rouge, tout contre le mur, au-delà de l'embrasure qui conduisait à l'escalier. Un gros machin lourd et encombrant, posé nonchalamment sur la tranche. Parfaitement disgracieux et pas vraiment assorti aux élégants talons hauts en velours du vestibule.

— Qu'est-ce que c'est que ça ? Le téléphone de sa mère ?

— Ça, sourit Harris, c'est un Taser déguisé en téléphone : 900 000 volts.

— C'est les agresseurs qui l'ont laissé ?

Il haussa les épaules.

— Soit ça, ou alors il appartenait à la victime, on ne sait pas bien. On trouve ces engins aux États-Unis et elle y allait souvent, expliqua-t-il en désignant la valise de la tête. Quasiment une fois par mois, si on en croit son passeport.

Morrow fut surprise.

— C'est de là-bas que viendrait l'argent ?

— Apparemment, elle ne se rendait qu'aux États-Unis, pas ailleurs.

Le téléphone Taser aurait pu être laissé là par l'agresseur. Sur le lieu d'un crime, la présence d'objets abandonnés susceptibles de trahir leurs propriétaires s'expliquait de bien des façons : parfois, ils n'étaient pas visibles parce qu'ils étaient tombés sous des sièges de voiture, avaient glissé sous des meubles ou sur le côté d'un canapé, mais il arrivait aussi qu'ils se voient comme un nez au milieu de la figure. La plupart des gens balayaient une pièce du regard avant d'en sortir, mais, une fois leur forfait accompli, dans l'état de conscience exacerbée qui était le leur, les criminels pensaient parfois à récupérer leurs mégots de cigarette mais oubliaient complètement qu'ils avaient laissé leur voiture devant la maison.

Elle recula et inspecta de nouveau la grande salle en posant un œil neuf sur le téléphone. Il était parfaitement visible. Peu probable qu'on l'ait laissé tomber par inadvertance sans le remarquer en ressortant. Il suffisait de tourner la tête, rien d'autre n'attirait le regard.

— Il est bien possible qu'il appartienne à la victime. Est-ce qu'il y a eu des menaces ? Un cambriolage récemment ?

— Je vais me renseigner.

Problème réglé, à garder en mémoire. Elle était consciente du sentiment d'apaisement qui s'emparait d'elle chaque fois qu'elle repérait des détails incongrus. Elle les enregistrait et attendait patiemment qu'ils daignent prendre un sens logique. L'enquête qui s'annonçait serait complexe, les fausses pistes nombreuses. Le genre d'affaire qu'elle ressasserait à loisir le soir dans son bain pendant qu'elle se masserait le ventre à l'huile d'amandes douces en faisant de son mieux pour esquiver les coups de fil d'une psychologue chargée d'évaluer son neveu violeur. Ce n'était pas pour lui déplaire. Elle éprouvait la même excitation que ceux qui brûlent d'impatience à l'idée de voir un match de football, d'assister à un concert ou de participer à une soirée de beuverie. Pour elle, c'était la promesse d'une concentration totale.

Elle s'approcha de la voûte cintrée qui conduisait à l'extension victorienne et à une grande pièce si lumineuse qu'elle en fut presque éblouie après la pénombre de la salle de réception.

L'équipe des techniciens du labo continuait à s'affairer : elle voyait leurs ombres mouvantes sur le mur, entendait le crissement de leurs combinaisons en intissé sur la scène de crime derrière le mur.

La victime l'attendait et elle ouvrit la marche, sentant que Harris se cantonnait délibérément dans son angle mort en essayant de se cacher derrière elle. Il savait et se préparait à ce qui les attendait.

Une autre pièce, vaste et vide encore, tapissée cette fois d'un papier crème jauni par les années, veiné de bleu et moucheté d'oiseaux dont le rose avait pâli au point d'être quasiment invisible. Au bas d'une large volée de marches en bois, apparut le bord d'un siège de monte-escalier en plastique blanc replié contre la rampe. Tout neuf et tout propre, la télécommande posée sur l'accoudoir, prête à servir.

— Doucement..., murmura Harris dans son dos.

Elle faillit se retourner pour le moucher quand elle vit les pieds de la femme, largement écartés, les orteils vernis d'écarlate. Son ventre remua légèrement et, à la vue du cadavre, elle cessa de respirer. Le dégoût, elle s'y attendait, la révulsion aussi, elle savait s'en prémunir, mais rien n'aurait su la protéger contre un sentiment de pitié aussi bouleversant. Elle en resta suffoquée.

La femme descendait les marches précipitamment, peut-être en se raccrochant à la rampe, et elle avait dû basculer en arrière. Ses agresseurs l'avaient tuée là où elle gisait. Ses genoux s'étaient écartés et la fleur de son sexe béait, agressant le regard. Le cou n'avait rien, le reste du corps était apparemment intact. Et séduisant, jambes brunes et minces, cuisses fines délicatement hâlées.

Mais, aux yeux de Morrow, là n'était pas le pire : le cadavre n'avait pas été placé dans cette position, les pieds n'étaient pas à la même hauteur. Sarah Erroll avait trouvé la mort à l'endroit exact de sa chute et on l'avait laissée là délibérément. Le tueur ne lui avait pas accordé un regard, il n'avait cherché d'aucune façon à l'avilir un peu plus en la disposant dans cette attitude indigne. On l'avait abandonnée comme un sac de linge sale, et de la voir aussi vulnérable était insupportable. Morrow comprenait maintenant parfaitement la plaisanterie sur ses jambes, une façon pour les policiers de prendre leurs distances. Ils finiraient d'ailleurs par mépriser la victime, ce n'était qu'une question de temps, exactement comme si Sarah Erroll en personne avait choisi d'être retrouvée dans cet état, tant la réalité des faits était par trop pitoyable.

Elle se rapprocha et prit une inspiration avec l'intention de regarder de plus près les blessures de la victime, au lieu de quoi elle se surprit à étudier en détail la rampe de l'escalier, les balustres délicats, le bois chaud et foncé. Les agents de scène de crime, tout de blanc vêtus, extrayaient des fibres des flaques de sang sur les marches, leurs petites mallettes en plastique blanc pareilles à des vanity-cases traînant sur l'escalier.

Morrow refit une tentative, mais ses yeux refusaient obstinément de rester à l'endroit où elle les posait. Ils esquivaient le visage et s'égaraient vers la fenêtre en haut de l'escalier, la peinture de lévriers suspendue au mur, l'empreinte de pied sanglante sur la marche voisine.

Rien de plus naturel, elle le savait, que la nécessité première pour un visage d'être bien ordonné. Lorsque des blessures étaient aussi catastrophiques, il n'y restait plus rien susceptible d'ancrer le regard, plus de point de départ à partir duquel reconstituer la carte des traits. Il fallait un acte de volonté pour obliger ses yeux à rester fixés, une détermination glacée pour s'orienter dans ce désastre.

Elle se rappelait une photographie de scène de crime après le crash d'un hélicoptère sur un flanc de colline aux Hébrides. L'avant de l'appareil s'était sectionné, de sorte qu'on distinguait très distinctement le corps du pilote sur le cliché projeté à l'écran dans la salle obscure de l'École de police de Tullyallan. Il était assis bien droit, la main droite posée tranquillement sur la manette des gaz. Elle se rappelait sa confusion quand elle avait regardé le visage : rouge mais pas ensanglanté, plus d'yeux, plus de lèvres, rien que les dents et un nez bizarrement raccourci. Elle se rappelait combien elle s'était sentie désorientée en détaillant le décor de la photo, jusqu'à ce que lui apparaisse soudain, à côté du pilote, la toile de Munch, *Le Cri*. Son visage avait été tailladé par les pales du rotor.

Morrow prit une profonde inspiration et se força à regarder la bouillie écarlate à ses pieds, obligeant ses yeux à rester en place par simple respect pour cette femme, afin de montrer l'exemple. Le lobe d'une oreille s'était détaché, petite tache rosée nichée sous l'épaule comme une virgule de chair.

Il était toujours plus facile d'étudier les clichés au poste de police, et souvent plus riche d'enseignement car les motifs ou les traces se repéraient beaucoup mieux, mais les policiers présents la verraient examiner la victime par le détail, le bouche à oreille ferait son office, et le ton serait donné. Pas de salamalecs, pas de crise d'hystérie, regarder sans ciller et dire ce qu'on voit.

L'effort que cet examen exigeait d'elle l'obligeait à respirer à petites bouffées, son rythme cardiaque au ralenti, ses extrémités exsangues. Elle était debout, d'une immobilité si parfaite que les jumeaux dans son ventre, se méprenant sur l'horreur qu'ils prenaient pour un temps de sommeil, commencèrent à exécuter de sinistres cabrioles l'un autour de l'autre.

Elle regardait la peau entaillée par un impact d'une violence extrême et sentait ses bébés danser une sorte de ballet sensuel en l'honneur du massacre quand les chairs pulsèrent soudain, et elle eut un sursaut de recul en croyant la chose vivante.

Elle leva les yeux. Le fantôme blanc d'un technicien était planté en haut de l'escalier, le visage dans l'ombre, le regard coupable. Sur le premier palier, une porte venait de s'ouvrir et un rai de lumière avait accroché le cadavre.

Tout commença par de petits gloussements nerveux. Elle entendit pouffer dans la pièce et se retourna. Aussitôt, ce fut l'hilarité générale, d'abord avec un peu de gêne vu les circonstances, puis des rires de soulagement, une manière de se lâcher en normalisant choc et dégoût par de grands éclats tonitruants qui résonnaient en échos et se faufilaient dans les escaliers en brisant le silence oppressant de la vieille demeure.

— Allons, leur fit Morrow en claquant sa langue contre ses dents. Calmez-vous, au nom du ciel. On croirait que vous n'avez jamais vu de pudding.

6

Lorsque Goering vint le chercher, Thomas surveillait l'agonie d'une guêpe sur le rebord de la fenêtre. Le soleil chauffait déjà à travers les vitres jaunies par le temps et dessinait sur la pelouse comme un sentier vers le paradis. L'insecte gisait sur le flanc et s'obstinait désespérément à se remettre sur ses pattes : il remuait ses antennes en tous sens en contractant son petit corps en virgule, essence de forme et forme ultime, celle qui finirait par se refermer sur lui en un piège mortel.

Fin de la saison des guêpes.

Elles mouraient toutes, c'était la loi de leur nature. À cette époque de l'année, lorsque la pluie commençait à s'installer à demeure et que leur heure était venue, elles venaient se réfugier dans les pièces en façade de la vieille maison, en se frayant un passage dans les huisseries pourries des fenêtres ou en creusant sous les pierres comme dans les conduits d'aération, dans le seul but de mourir à l'intérieur de ses murs.

Il observa la dernière bataille de l'insecte et se demanda s'il savait que c'était la fin. Peut-être les guêpes comprenaient-elles que leur mort était inéluctable et choisissaient-elles de ne pas périr noyées en se roulant en boule une dernière fois, bien au sec. Ou peut-être les lois de l'évolution leur offraient-elles le luxe d'un dernier espoir illusoire, et elles croyaient sincèrement pouvoir ainsi échapper à leur sort.

Il la regarda se contracter à l'image d'un petit enfant qui a mal au ventre, se blottir bien serrée sur elle-même, toujours acharnée à survivre, convaincue d'avoir un avenir. Thomas eut envie de se lever et de s'approcher pour la retourner avec une règle, de lui offrir une minute supplémentaire d'illusion, un sentiment ultime de triomphe avant qu'elle ne meure. Mais Beany, un grand échalas à la longue carcasse décharnée et aux bras de singe maigrelets, avait la charge de l'étude en bibliothèque. En bon chaperon qu'il était, il ne manquait jamais de s'assurer que les visages se concentrent sur la page qu'ils étaient censés lire. Preuve s'il en fallait de la férule sous laquelle les pensionnaires de l'établissement étaient tenus. Systématiquement, on vous contraignait à regarder droit devant, aussi bien l'autel de la chapelle que le livre que vous teniez en main ou la meute furieuse de l'équipe adverse quand elle se ruait sur vous sur le terrain de rugby. Mais personne ne pouvait mettre en laisse vos opinions personnelles. À moins que vous n'en fassiez part à quelqu'un et qu'il ne vous dénonce.

Beany, la trentaine malgré ses allures d'adolescent dégingandé, ne dérogeait jamais à ses responsabilités : il allait et venait entre les tables, souple et sinueux, hochait la tête à ses chouchous et claquait des doigts à l'intention des distraits en les obligeant à faire semblant de lire les livres qu'ils avaient choisis. L'heure-bibliothèque. Dans le prospectus de l'établissement, il était écrit qu'elle forgeait le désir de s'instruire pour une vie entière. Manque de personnel. Elle ne volait qu'une infime partie du temps d'étude interminable dont ils disposaient. Ils n'avaient le droit de regarder la télévision qu'une seule fois par semaine, et encore, dans une salle gigantesque en compagnie d'une centaine d'autres internes où on leur offrait des programmes choisis tellement minables que personne n'avait envie de les regarder, *X Factor* ou autres merdes.

Thomas aimait beaucoup cette salle. La bibliothèque occupait ce qui avait dû être jadis le grand salon de la maison. Le plafond était si élevé que les rayonnages de plus de deux mètres arrivaient à peine à mi-hauteur des murs. Deux énormes fenêtres à guillotine dominaient la pelouse et offraient un vaste panorama jusqu'à l'horizon, d'abord un petit ruisseau, et au-delà, les collines mollement vallonnées du Perthshire. Il aimait à s'imaginer propriétaire de la grande demeure : la salle deviendrait son salon, il serait enfin seul, et le reste du monde pourrait aller se faire foutre pendant qu'il réparerait les fenêtres et rendrait justice aux corniches.

Le style architectural était du pseudo Adam. Pendant l'été, les corniches en plâtre avaient été repeintes, les grappes et les feuilles de raisin mises en relief par des couleurs différentes choisies en dépit du bon sens : vert pour les raisins et jaune pour les feuilles lovées à l'entour. Une erreur flagrante, tout à fait à l'image de la gestion de l'établissement. Thomas s'imaginait qu'elle avait été commise au départ : les peintres avaient dû commencer par les raisins et ne s'étaient rendu compte de leur bévue qu'au moment où leur pot de peinture jaune s'était retrouvé vide. Apparemment personne d'autre que lui ne l'avait remarquée.

Le silence régnait dans la bibliothèque, juste ponctué par quelques raclements de pieds et des bruissements divers, des pulls qu'on enlevait et des reniflements discrets. Un bruit de papier qu'on tripote. Beany murmura « arrêtez ça » et tout le monde releva la tête pour voir Donald McDonald souriant de toutes ses dents : une fois encore, il se curait les ongles avec les pages de son livre.

Brusquement, la grande porte noire de la salle claqua. Une ouverture brutale des moins discrètes et contraire à tous les principes. Rien à voir avec la façon dont on entrait habituellement dans la bibliothèque, de manière presque subreptice, en veillant scrupuleusement à ne déranger personne. Le battant avait été poussé avec force, au point qu'il rebondit sur ses gonds, et, du plat de la main, Hermann Goering bloqua son retour en le défiant d'aller plus loin. Il emplissait l'embrasure de la porte. Tout chez lui était grand, imposant et carré, depuis ses épaules géantes de rugbyman jusqu'à sa tête étrangement géométrique. Ses yeux noirs balayèrent sans ciller la salle avant de s'arrêter sur Thomas.

— Anderson, dit-il.

Il fit un pas en arrière et lui commanda du regard de venir le rejoindre.

Thomas cessa de respirer. D'une main tremblante, il ramassa son pull et le fourra au plus vite dans son cartable, en vrac, les manches pendant à l'extérieur comme des spaghettis d'une marmite de pâtes. Il s'attaqua à ses livres, mais Goering lui ordonna de nouveau, d'une voix plus forte :

— Laisse ça.

— Oui, monsieur Cooper.

Il rougit. Ce n'était pas de la gêne mais bien un semblant de panique. Les gens ne le détestaient pas autant que certains autres pensionnaires, même si les raisons de le haïr ne manquaient pas : à cause de son père, trois garçons de sa promotion avaient été contraints de quitter l'école. Mais le fait que son vieux fasse quotidiennement la une des journaux avait en quelque sorte compensé la honte de ce départ, et il était devenu une sorte de célébrité.

— Anderson !

La voix de Goering claqua avec encore plus de force et Thomas sursauta.

On l'appelait Goering parce qu'il était l'adjoint du grand chef et ne faisait jamais rien de sa propre autorité. Il était là pour le conduire au bureau de Doyle.

Thomas, le visage empourpré, se rendit compte qu'il était le centre de tous les regards et risquait de passer pour un imbécile. Il se redressa de toute sa hauteur et contempla ses camarades de classe avec fureur. Qu'ils aillent se faire mettre, se dit-il, ils allaient entendre parler de lui, putain, et il n'en avait rien à foutre. Cette affaire ne concernait que son père et lui, personne d'autre, et il ne prit même pas la peine de renfoncer sa chemise dans son pantalon. Il lâcha son cartable qui tomba à ses pieds n'importe comment, laissant livres et classeurs s'étaler au sol, puis s'avança vers Goering, sans un regard à Beany et sans lui demander la moindre permission. Il sortit de la salle sans autre forme de procès.

Toujours aussi fouineur, impatient de savoir de quoi il retournait, Beany le suivit, mais Goering l'arrêta à la porte :

— Non, dit-il avec fermeté. Seulement Anderson.

Sur quoi, ployant avec grâce un genou bien en chair, il tira la porte qui séparait Thomas de ses camarades, attentif au déclic du gros mécanisme de fermeture en laiton. Puis il se redressa et le regarda droit dans les yeux.

Il y a peu, Thomas n'aurait jamais cru que Goering connaissait son nom. Mais, désormais, tout le personnel devait le connaître. À force de se lire les uns aux autres les journaux à haute voix dans leur salle, en savourant les malheurs des élèves.

— Thomas, M. Doyle aimerait te voir dans son bureau.

Aimerait. Et non pas *Remue-toi.* Ni *Dépêche.* Thomas ne comprenait pas ce que cachait cet accès soudain de politesse. Un Goering respectueux était chose tellement rare qu'assurément c'était sérieux. Très sérieux. Ils avaient retrouvé la voiture. Ils étaient furieux. Squeak et lui allaient se faire virer.

La porte de la bibliothèque donnait sur le hall central et son balcon ovale sous sa verrière assortie. Une vraie glacière. À l'étage inférieur, au bas des marches en pierre, se trouvait la porte de l'entrée principale pleine de courants d'air, et les grandes doubles portes de chaque côté du hall canalisaient le froid. En dépit de cela, Thomas suait à grosses gouttes. Il serra les poings en se disant qu'il les relâcherait quand ses doigts seraient engourdis : il aurait ainsi de quoi se concentrer. Un sujet de réflexion différent de ce qu'il tournait et retournait dans sa tête, la panade dans laquelle il s'était mis, la tronche du vieux Doyle quand il entrerait dans son bureau, les personnes présentes dans la pièce. Squeak, probablement, et aussi des officiers de police. Sa mère. Mais pas Mary, la bonne. Je vous en supplie, mon Dieu, pas elle, pas Mary.

Cooper pointa le doigt vers le ventre de Thomas avec un demi-sourire.

— Tu ferais bien de rentrer ta chemise. Inutile de t'attirer des ennuis.

Complètement pris au dépourvu, Thomas le fixa comme s'il n'en croyait pas ses yeux. Il parvint à desserrer sa main et fourra sa chemise dans son pantalon en remontant dans le même temps son nœud de cravate. Un style que les élèves se donnaient, une marque de défi, chemise pendante et cravate desserrée. Et voilà que Goering lui signifiait gentiment de rectifier sa tenue au lieu de lui faire un sermon sur ses responsabilités civiques et son devoir de montrer l'exemple aux plus jeunes. Une gentillesse qui détonnait, à sa façon de vouloir adoucir son visage et de tenter un sourire. De quoi vous donner la chair de poule.

Avant même que Thomas ne puisse relever les yeux pour déchiffrer son nouveau visage, Goering avait fait volte-face et ouvrait la marche au milieu du labyrinthe de courants d'air, en direction du couloir de la chapelle qui conduisait au bureau de Doyle.

Thomas le suivit, conscient de sa démarche chaloupée un peu ridicule sur laquelle on le charriait. S'imaginant devant Doyle, il entrevit tout ce qui clochait chez lui, jusqu'au moindre détail de son apparence et de son maintien.

Ils quittèrent le hall glacé et traversèrent une pièce latérale, puis la salle de musique, pour s'engager dans le long couloir de la chapelle dont l'éclairage tamisé commandait le silence et où il était strictement interdit de parler et de courir. Dépourvu de fenêtres, il sentait l'encens ranci. Son unique porte menait au balcon du chœur situé au-dessus de la chapelle, un lieu qui servait rarement, de crainte que d'éventuels imbéciles ne se projettent mutuellement dans le vide, un endroit uniquement réservé aux parents en visite les jours de cérémonie religieuse.

Cooper marchait sans faire de bruit d'une allure régulière tandis que Thomas, la démarche traînante dans ses chaussures à semelles de cuir, avançait par petits bonds pour ne pas se laisser distancer. Au bout du couloir, se trouvait l'entrée du bureau de Doyle, au-delà d'une double porte dans une embrasure en voûte.

Goering frappa, entendit une voix en réponse et ouvrit le battant juste à temps pour inviter Thomas à entrer sans rompre le pas. Lequel Thomas hésita en se retrouvant en tête à tête avec Doyle. Il n'y avait personne d'autre dans le bureau. Doyle se leva pour l'accueillir, le visage indéchiffrable, entre agacement et dégoût.

— Asseyez-vous, je vous prie, monsieur Anderson.

Tous ses sens en éveil, en quête d'indices susceptibles de l'éclairer, Thomas s'assit dans le fauteuil inconfortable entièrement capitonné. Il s'inquiéta de voir Doyle quitter sa table de travail et s'avancer pour s'installer dans le fauteuil voisin du sien. Mince et sec comme un coup de trique, il affichait un air de chien battu. Goering resta debout derrière la table, les mains croisées derrière le dos.

Doyle se pencha en avant et se mit à parler d'une voix douce qui arriva aux oreilles de Thomas comme au sortir d'un tunnel : il était arrivé quelque chose. Chezvous. C'estvotremèrequinousademandédevousinformer. Tellementdésolé. Lamortdevotrepère. Parpendaison. Çava. Thomasestcequeçava ?

Sauf que Thomas se sentait coincé, submergé par un bourdonnement de plus en plus violent qui emplissait ses yeux et ses oreilles, une extinction de tous ses feux à mesure que ses paupières se baissaient pour ne plus voir la pièce. Fin de la saison des guêpes. Occupées à creuser pour échapper au froid et à la pluie et finissant par agoniser dans l'indifférence générale sous les regards d'écoliers pleins d'ennui. Des gamins spectateurs de leurs derniers spasmes avant la mort.

Pendaison. Une pendaison. Un élan d'empathie soudaine le réveilla brutalement quand il se représenta le corps de son père dans le garage et imagina sa froideur de cadavre.

— Il est mort ?

M. Doyle et Goering échangèrent un regard.

— Je le crains, répondit M. Doyle.

Thomas acquiesça en silence, avec force hochements de tête, à croire qu'il ne cessait de confirmer ainsi ce que Doyle avait dit : oui, effectivement, vous avez raison, oui, oui, tout à fait raison. Il ne semblait plus vouloir arrêter et vit le bureau face à lui sauter en l'air, ses pieds en chêne, le sous-main, les stylos dans leur plumier d'écolier, le téléphone.

— Elle aurait pu téléphoner, dit-il.

— Votre mère ? demanda Doyle.

Thomas ne répondit pas.

— Votre mère a estimé qu'il serait préférable que vous soyez prévenu par quelqu'un d'ici plutôt que par un coup de téléphone de sa part, de la maison...

Il avait repris sa voix des grands jours, celle qui informait les élèves de ne pas lui faire perdre son temps ni mettre sa parole en doute, mais de la fermer, sinon ils s'attireraient des ennuis. Elle avait eu tort de faire ça, ils savaient tous combien c'était minable de sa part, mais le personnel ne devait pas dire du mal d'un parent. C'était d'ailleurs la fonction première de l'établissement : à lui de se charger des devoirs incombant à une mère qui n'en avait strictement rien à branler.

— I... il est *mort* ?

— Il fallait absolument que vous soyez prévenu avant votre départ parce que les journaux sont au courant, ils vont passer l'information dès ce soir. Votre mère fait venir l'avion de votre père...

— Lequel ?

Doyle n'avait pas l'habitude d'être interrompu.

— Lequel quoi ?

Mais Thomas était dans une telle colère qu'il ne put s'arrêter.

— Lequel de ses avions. Le Piper, c'est ça ?

Goering intervint.

— Nous ne savons pas lequel des avions de votre père elle fait venir pour vous ramener chez vous, mais l'appareil sera à l'aérodrome dans une heure. Nous aimerions que vous alliez dans votre chambre pour préparer votre sac.

Des larmes de mauviette lui piquèrent les yeux comme un crachin de dépit et de frustration.

— C'est le Piper. Elle a envoyé le Piper.

— Thomas, le tança sèchement Goering en lui signifiant que sa sympathie avait ses limites, peu importe l'avion qu'elle vous envoie...

Sans prévenir, Thomas sécha les larmes qui mouillaient sa figure d'une claque brutale et se remit debout face aux deux hommes.

— Mon père a été interne ici, dit-il en le prenant de haut, sans pour autant préciser clairement ce qu'il entendait par ces mots. Quand mon père est arrivé ici, c'étaient des moines qui dirigeaient l'école, des moines, et pas des empaffés de profs incapables de se trouver un autre boulot ou de travailler dans l'industrie, là où ils auraient réellement pu fabriquer et faire des choses. Vous êtes des profs. Et c'est mon père qui a payé cette foutue extension pour les premières et les terminales, et aussi le labo d'informatique, chose que vous étiez incapables de faire parce que vous n'êtes que des enfoirés de profs, alors ne venez pas la ramener en me prenant pour un putain de pauvre gamin paumé dont la propre putain de mère ne se donne même pas la peine de téléphoner et envoie ce putain de Piper. Ella ?

— Votre sœur, Ella ?

Doyle se leva et alla au-devant de Thomas.

— Ella, est-ce qu'elle sait ?

— Je crois qu'Ella rentre elle aussi, elle doit être en route.

— Dans l'ATR 42, dit Thomas. Elle doit rentrer dans l'ATR 42.

Doyle tendit le bras et fit une chose que Thomas ne l'avait encore jamais vu faire : il toucha un élève. Sa main se posa sur son épaule. Sensation de chaleur, qui lui picota la peau. Et aussi sensation de menace. Thomas s'attendait à ce qu'il le touche encore et le pousse pour le forcer à se rasseoir et l'humilier. Il tressaillit et s'arracha à son contact en tremblant avant de se tourner vers lui. L'air triste et plein de gentillesse, Doyle semblait ne pas comprendre son mouvement de recul.

— Désolé, fit aussitôt Thomas.

Encore une fois, il avait tout faux et perdit soudainement toute confiance en lui.

— Désolé, désolé, répéta-t-il.

— Ne vous en faites pas, lui dit Doyle en laissant retomber sa main.

Thomas se perdit dans la contemplation de la moquette. Il avait tout fait pour que son père le regarde et qu'il le voie, mais Lars consentait rarement à dévisager quiconque, et ce n'est qu'en feuilletant un prospectus de l'entreprise qu'il avait pu voir ses yeux. Le regard figé dans le vide au-dessus de sa tête, son père ne s'adressait à lui que debout et ne faisait que des déclarations, pas la conversation. Tu es stupide. Les affaires, c'est un champ de bataille. Répartis tes enjeux. Ne montre jamais de faiblesse. Thomas avait bien essayé de l'atteindre, par-dessus sa mère et par-dessus Ella, par le biais de Mary, mais en vain : rien ne marchait. Rien.

— Quand… quand est-il mort ?

— Votre père ?

— Aujourd'hui ?

— Hier. À l'heure du déjeuner.

Hier à l'heure du déjeuner, alors que Thomas se trouvait dans le réfectoire, en train de manger du pain blanc spongieux saturé de sirop de mélasse et arrosé d'une pinte de thé noir qu'il buvait en fixant Squeak par-dessus le rebord de son mug, sans ciller, délibérément, pour lui faire comprendre de venir le rejoindre dans sa chambre après le repas. Il avait demandé à Squeak, parce que

Squeak disposait d'une bagnole. Il croyait le connaître, mais il se trompait. On leur avait servi de la soupe avec des carottes. Avec des cubes de bouillon agglomérés au fond du plat de service.

— M. Cooper vous accompagnera jusqu'à votre chambre et vous aidera pour les bagages.

Thomas se redressa et se rappela à ses devoirs.

— Merci. À tous les deux. Merci de m'avoir averti. Cela n'a pas dû être facile pour vous.

Ils apprécièrent énormément, non pas tant parce qu'il avait retrouvé ses bonnes manières en un moment aussi tendu, mais parce qu'il leur facilitait les choses. Doyle eut un sourire gentil. Goering opina du chef et pinça les lèvres, plein de sympathie. Ils restèrent un moment debout en silence, le tic-tac de l'horloge au mur décomptant doucement les secondes qui leur restaient à vivre sur cette terre, puis Doyle bougea pour se diriger vers la porte. Thomas lui emboîta le pas, mais Doyle s'arrêta pour lui faire face.

— Thomas…, commença-t-il en hésitant, au point que Thomas eut la conviction qu'il improvisait. Nous sommes vraiment désolés pour tous les problèmes que vous avez connus récemment. Nous savons combien les choses ont été difficiles pour vous, mais soyez assuré que, quoi qu'il arrive, vous terminerez vos études dans cet établissement. Les bourses existent, et nous pouvons nous renseigner, pour de trouver un autre moyen de régler vos frais de scolarité, pour que vous puissiez rester parmi nous.

Goering faillit exprimer une idée. Il haussa un sourcil d'une fraction de millimètre. Doyle grinça des dents et transperça Thomas du regard. Ils pensaient tous la même chose.

— C'est très aimable à vous, monsieur Doyle, articula soigneusement Thomas, mais je crois que ce serait malvenu alors que l'effondrement des entreprises de mon père a été la cause directe du départ forcé de plusieurs élèves de cette école. Ce serait… injuste.

Goering partageait son avis, c'était visible. Doyle accepta de bonne grâce.

— Nous ne tenons pas nos garçons pour responsables des péchés de leurs pères, Thomas. À Dieu ne plaise. Votre comportement chez nous a toujours été exemplaire.

Thomas regarda le bonhomme. Doyle était absolument convaincu de ce qu'il avançait, en fait, il était convaincu de tout savoir de lui. Thomas ouvrit la bouche pour lui répondre mais ne réussit qu'à éructer un sanglot : il tenta bien de l'étouffer en plaquant la main sur ses lèvres, mais le son qui jaillit ressembla à un aboiement, presque un hurlement de bête. Il pressa ses doigts au creux de ses joues en appuyant violemment comme pour le ravaler à toute force alors que sa bouche crachotait et lâchait de petits cris. Il prit sa respiration et bloqua son diaphragme.

Ils restèrent figés sur place jusqu'à ce que ça passe. Prudemment, Thomas ôta ses mains.

— Désolé, dit-il. Désolé de…

Doyle inclina la tête en signe de compassion, mais Goering s'avança.

— Il faudrait y aller. Les bagages.

Thomas se dirigea vers la porte en traînant des pieds et retrouva la lumière assourdie du couloir de la chapelle, avant de regagner un monde changé à jamais.

7

Morrow et Harris contournèrent soigneusement le corps pour gagner l'étage. Le sang avait giclé partout, marqué d'empreintes de pas rouges, comme une frise faite au tampon encreur par un enfant.

L'escalier droit était large, taillé dans un bois élégant et fixé au mur.

Les marches aussi, d'une profondeur telle que Morrow, qui chaussait du 38, aurait pu mettre ses deux pieds l'un devant l'autre. Elles n'étaient pas conçues pour être dévalées quatre à quatre mais descendues nonchalamment, comme à la parade. La moquette bien tendue, maintenue par des baguettes à la jonction de la contre-marche, était épaisse et suffisamment rugueuse pour éviter tout risque de glissade malencontreuse et un éventuel traumatisme crânien au contact de la rampe. Si la femme était morte accidentellement après un choc à la tête et que l'agresseur n'ait finalement mutilé qu'un cadavre, les chefs d'inculpation changeaient de nature, et ils ne cherchaient plus le même genre de coupable.

Arrivée sur le palier, Morrow fit demi-tour et regarda derrière elle. Le corps était presque entièrement masqué par l'épais pilastre de départ, seuls les genoux nus étaient visibles. Malgré le bruissement de papier des combinaisons des techniciens et les murmures des flics, elle percevait un silence douloureux, une palpitation de l'histoire qui semblait écraser la bâtisse sur elle-même. Si on leur en laissait le choix, rares seraient les femmes qui éliraient domicile dans ce genre de maison pour y vivre en solitaires. Trop grande, trop vieille, trop lourde.

En haut de l'escalier, sur une petite table entre deux portes, s'alignait une série de photos dans des cadres en argent accolés les uns aux autres, comme le programme d'une pièce de théâtre pour trois comédiens. Un couple, l'homme déjà âgé, l'épouse un peu moins, qui prenait la pose, lors d'un mariage, dans des jardins, sur un bateau. Et une seule personne jeune dans la pièce, sur deux uniques clichés, encore gamine sur l'un, jeune femme sur l'autre.

Fillette, elle souriait, l'air pitoyable, dans sa robe rose serrée à la taille par une ceinture orange.

Jeune femme, mince et grande, elle était gracieuse et sculpturale sans pour autant être jolie, la mâchoire trop molle, la pointe du nez légèrement décalé, les yeux petits. Une photo d'extérieur par une journée ensoleillée, peut-être prise sur le perron de cette même maison, sur laquelle elle apparaissait debout, un verre de vin jaune pisseux à la main, un sourire forcé aux lèvres. À en juger par la veste chic et les chaussures dans le vestibule, Morrow devina aisément que, si elle avait eu son mot à dire, Sarah n'aurait jamais choisi de donner d'elle cette image-là. Dans le même temps, si sa famille avait décidé d'offrir aux regards un cliché aussi peu flatteur, ce n'était pas un hasard, mais un choix délibéré, qui en disait long sur les protagonistes, estima-t-elle.

Elle se tourna vers le technicien du labo qui fixait un petit objet vert au sol. Un cube en cuir, trois solides fermetures à glissière sur le dessus et trois tirettes en cuir vert aux motifs bien distincts : une boucle en argent, un gros cabochon carré et un trou riveté. Avec, sur l'avant, un énorme logo D & G estampé dans le cuir. Un sac à main, ouvert et vide, abandonné par terre dans le couloir.

— Vous l'avez passé à la poudre ? demanda-t-elle, se reprenant aussi vite : Oui, je sais, c'est fait, excusez-moi, je ne suis que de passage.

Il acquiesça, sensible à ses excuses.

— Il est vide ? lui demanda-t-elle.

— Oui.

— Les cartes de crédit, Harris ?

— J'ai téléphoné. Rien n'a été retiré.

— Je ne sais pas bien pourquoi, mais ce n'est pas une question d'argent, j'ai l'impression, dit Morrow en fronçant le sourcil.

— Effectivement, on en a trop fait, confirma-t-il le nez pincé, en hochant la tête en direction du cadavre ensanglanté au bas des marches.

Ils se tournèrent vers la porte de la chambre à coucher entrebâillée d'où s'échappait une lumière rosâtre. Elle la poussa pour l'ouvrir complètement en évitant de brouiller d'éventuelles empreintes.

Basse de plafond, la chambre ovale ressemblait à un nid douillet. Le mur incurvé percé de petites fenêtres aux volets clos et recouvert d'un papier peint rose et fleuri, une minuscule cheminée blanche garnie d'une grille en fer noir. En face, un grand lit défait avec une luxueuse couette blanche ouverte. L'air était épais, comme si quelqu'un venait de dormir dans la pièce et en avait aspiré tout l'oxygène.

Par terre traînaient deux vêtements. Une robe noire dos nageur, abandonnée sur place à l'endroit où on l'avait ôtée. Une culotte en dentelle d'un rose vif avec ruban bleu pâle à la taille, les cercles des jambes d'une rondeur parfaite là où elles avaient glissé le long de cuisses parfaites.

La jeune femme détonnait complètement dans cette maison. Morrow regarda Harris qui secoua la tête, un peu sidéré lui aussi, mais également ravi par l'élégance de la parure.

— Cette chose... elle fait un peu pute, non ?

— Quoi ? La culotte ?

— Oui. On pourrait se méprendre, non ? dit-il, les yeux rivés sur le bout de dentelle. Ou peut-être pas, finalement.

Morrow regarda à son tour. Elle aussi avait des culottes un peu de ce genre-là, qu'elle portait les jours de déprime quand elle se sentait assaillie de toutes parts, rien que pour se requinquer : sa démarche devenait plus guillerette et gagnait en tonus.

— Vous croyez que c'était une...

Le mot lui échappait. Prostituée, non, ça ne collait pas, professionnelle du sexe non plus, pour une raison ou pour une autre. Frustrée, elle pointa le doigt sur l'article de lingerie.

— Travailleuse ?

Harris se concentra, attentif à l'arrondi des cuisses.

— Peut-être. C'est peut-être de là que vient l'argent.

À son tour, elle s'attarda sur la culotte un peu canaille.

— Beaucoup de femmes portent des dessous affriolants, ça leur remonte le moral.

Harris piqua un fard et se détourna aussi vite.

— D'accord, madame.

L'allusion de Morrow à ses choix personnels en matière de dessous brisait un principe établi, celui d'une police asexuée. Elle avait eu tort et commis une faute. Peut-être à cause d'un trop-plein d'hormones, qui sait, ou alors d'une prise de conscience tardive face à un principe stupide : parce que le risque d'incident était trop grand, elle n'avait pas le droit de partager un simple aveu sur ses goûts plus intimes. Elle se contenta cependant d'en sourire paisiblement alors que, par le passé, elle aurait été furieuse contre elle-même.

— Ou c'est peut-être les seuls dessous propres qu'elle avait. Il y a des tas d'explications possibles, c'est tout ce que je veux dire.

Il opina en regardant nerveusement autour de lui comme pour l'inciter à poursuivre sa visite. Elle aimait bien Harris, mais, apparemment, il avait l'art de trouver des connotations sexuelles à tout et n'importe quoi, et elle était incapable de savoir une bonne fois pour toutes s'il était coincé ou souffrait d'une libido galopante.

Elle se retourna vers le lit et vit les plis du drap vrillé, à l'endroit où un derrière avait pivoté avant que des jambes ne se posent au sol. Puis passa à la couette, impeccable et coûteuse, en se demandant s'il s'agissait bien de lin tissé serré. Elle se demandait de quelle qualité il était quand un reflet argenté entre ses plis accrocha son regard. Elle s'avança, pinça le rebord du duvet et tira. Un téléphone portable large et plat au dos argenté, posé à l'envers sur le matelas.

— Un iPhone, sourit Harris. Elle doit avoir sa vie entière là-dedans.

Morrow fronça le sourcil devant la couleur argent.

— Je croyais qu'ils étaient noirs ou blancs ? dit-elle.

— C'est le modèle d'origine.

Il sortit un sachet en plastique, y réfléchit à deux fois et appela les gars du labo pour qu'ils relèvent d'abord les empreintes.

Pendant que ceux-ci s'affairaient à poudrer le portable, Morrow s'intéressa au sac à main abandonné par terre. Cuir de qualité, belle couleur moutarde foncé, design original avec de grosses fermetures à glissière et des boucles légèrement démesurées. Elle se baissa maladroitement et ouvrit le haut à l'aide de son stylo. Au fond, elle aperçut un trousseau de clés, quatre au total, rassemblées sur un anneau unique en argent. Et un tas de reçus en vrac, ce qui ne fut pas pour lui déplaire : pour la plupart, les tickets de caisse portaient l'heure, la date et l'adresse des boutiques, et, grâce à ces bouts de papier, ils allaient pouvoir reconstituer les déplacements de Sarah.

Elle se redressa et regarda les techniciens en train d'épousseter délicatement l'iPhone en faisant voler leur poudre noire sur la couette blanche.

Puis elle se retourna vers la porte de la chambre, refit en esprit le trajet dans l'escalier jusqu'au vestibule et se représenta Sarah Erroll qui entrait dans une maison vide. Son visage indistinct brouillé de sang, son corps mince et souple dans sa robe noire moulante.

Sarah pose sa valise près du mur, laisse tomber ses clés dans le sac moutarde et enlève ses chaussures en les tirant par le talon. Morrow crut presque entendre le petit bruit des talons durs au contact du carrelage. Sarah plonge la main dans son sac, farfouille dans son bazar à la recherche du téléphone Taser, traverse le vestibule pour le poser négligemment à côté du mur. Ou se plante en haut de l'escalier et le balance en bas.

Morrow revint sur le Taser : il se trouvait non loin de l'endroit où Sarah était morte. Elle cherchait à l'atteindre, ou alors quelqu'un d'autre le tenait en main et l'avait laissé tomber. Il aurait pu également se trouver dans son sac à main, quelqu'un l'avait pris et y avait réfléchi à deux fois avant de l'emporter pour finir par l'abandonner sur le chemin de la sortie.

— Vérifiez s'il y a des empreintes sur le Taser.

— D'accord.

— Et cherchez aussi des traces de fibres, ajouta-t-elle. Voyez s'il a séjourné dans ce sac.

Elle vit la femme sans tête quitter ses chaussures et gravir l'escalier, imagina aisément ses tensions et ses courbatures après six heures d'avion sans bouger de son fauteuil, en même temps que le plaisir d'enlever ses dessous en dentelle, d'enfiler un tee-shirt et de se laisser engloutir par le vaste lit.

Ils redescendirent ensemble au rez-de-chaussée, collés au plus près du mur en passant à côté du corps. Harris ouvrit la marche cette fois et, en le voyant s'attarder un instant et regarder le massacre sans broncher, Morrow espéra que son exemple n'avait pas été vain. Il passa sur la pointe des pieds entre les marques rouges, la main tendue derrière lui pour l'aider. Elle la repoussa.

— Les empreintes de chaussures ?

— Oui, dit-il. On a trouvé des fibres noires à l'intérieur, probablement du daim.

Lorsqu'elle le rejoignit, Harris étudiait l'escalier avec attention. Les traces de pas formaient un barbouillis rougeâtre à la surface des marches, quelques-unes bien nettes, d'autres laissant transparaître la moquette vert foncé.

— Du 41, je dirais, non ? fit Morrow.

Ils les étudièrent un long moment, inclinant la tête de-ci de-là, se positionnant d'un côté puis de l'autre, pour tenter de discerner un modèle pertinent.

— Deux séries distinctes à mon avis, finit par dire Harris.

— Vous êtes sûr ?

Elle s'approcha de lui et distingua deux empreintes parfaites, presque accolées, deux pieds droits, l'un plus grand que l'autre, mais des motifs de semelle identiques.

— Mon Dieu, vous avez raison. Et merde !

Deux agresseurs. Manquait plus que ça. Ça changeait la donne. S'ils étaient deux, il ne suffisait plus de prouver qu'ils se trouvaient bien sur les lieux du crime et avaient été éclaboussés par le sang de la victime. Désormais, les enquêteurs devaient démontrer sans ambiguïté au jury qu'ils avaient chacun participé activement au massacre. L'inculpation changeait de nature, réduite à complicité de meurtre, ce qui, aux termes de la loi, correspondait à une condamnation moindre. Une décision bancale qui rendait la situation déplaisante, surtout si l'un des inculpés n'avait été qu'un simple spectateur, criant à son complice d'arrêter. Si la défense parvenait à insinuer le doute dans l'esprit des jurés, les deux agresseurs pouvaient s'en tirer blancs comme neige. Aux yeux de Morrow, le procès se réduisait dès lors à un duel acharné entre deux parties adverses, dont le vainqueur, elle le savait par expérience, était rarement l'innocent : le plus souvent, la victoire revenait au plus fort. Il ne leur restait plus qu'à espérer que les preuves matérielles suffiraient à elles seules à étayer l'accusation.

Elle étudia une nouvelle fois les empreintes de pieds.

— Merde. Elles sont bien identiques. Il faut qu'on trouve quelque chose, je ne sais pas, moi, des marques distinctives sur les semelles.

— Si les chaussures sont identiques, il s'agit peut-être d'un uniforme, non ? dit Harris.

— P't'êt bien, répondit-elle en montrant l'escalier. Est-ce qu'on peut dissocier ces empreintes et essayer de reconstituer leurs déplacements ? Et sortez le jeu de roulette, on attaque les interrogatoires.

— Je sais pas. Je vais demander.

Morrow secoua la tête et y regarda de plus près.

Les deux séries d'empreintes portaient le même motif : trois cercles aux points de contact avec le sol reliés par des bandes rectilignes.

— Est-ce qu'on peut retrouver l'origine de ces chaussures ?

— On peut toujours demander dans les magasins, répondit Harris sans grande conviction.

— Allons voir l'argent liquide.

Il ouvrit la marche, contourna le corps et, tournant le dos à la salle, gagna une petite porte, descendit une marche et pénétra dans la cuisine. Un grand fourneau en fonte occupait l'âtre de la cheminée. Il y faisait froid à cause des murs et du toit en béton et aussi de la fenêtre longue et large au fond de la pièce qui donnait sur un massif de broussailles dénudées.

Un technicien en combinaison blanche récupérait des fibres sur son rebord et sur l'évier avant de les ensacher. Gobby s'était planqué dans un coin pour ne gêner personne. Il les accueillit par un simple signe de tête, sans dire un mot, les yeux fixés sur la table.

— Ça va, Gobby ?

Il ne répondit pas. Monsieur était du genre silencieux.

Morrow examina la cuisine.

Bien plus grande que ce qui se faisait aujourd'hui, elle n'en imposait guère. Un linoléum rouge fatigué au sol, ses déchirures soigneusement rafistolées par des bandes d'adhésif argenté. Des éléments banals : un buffet en pin massif peint en blanc mais méchamment écaillé, une de ses vitres maintenue elle aussi à l'aide du même adhésif, encore un rafistolage provisoire, la réparation attendrait. Un frigo à l'ancienne qui bourdonnait bruyamment. Une cuisinière électrique, banale elle aussi, au couvercle de verre un peu poussiéreux. Personne ne cuisinait dans cet endroit. Au centre de la pièce, une vieille table de cuisine en teck, marquée par des empreintes de tasses et entaillée de coups de couteau, avec une jonction centrale pour libérer des rallonges. Encadrée par quelques chaises désassorties, sauf devant l'évier où on les avait tirées.

Harris toussota dans son dos et Morrow se retourna : de la tête, il lui indiquait un coin de la pièce.

Elle n'avait pas remarqué l'homme dans le fauteuil près du fourneau qui serrait sa serviette contre lui, face au mur opposé. Encore jeune, la trentaine, il était pourtant habillé à l'ancienne, en costume sombre à rayures avec gilet moutarde et cravate rouge, une tenue qui avantageait son corps avachi. Il n'en restait pas moins grassouillet, avec un visage rondelet et de grands yeux écarquillés qui la regardaient avec attention.

— Bonjour, dit-elle.

Il se leva aussitôt, s'avança bras tendu, cassé en deux au niveau de la taille, à l'image du malheureux accroché à un rebord de falaise qui cherche désespérément une main secourable pour regagner la terre ferme.

— Donald Scott, dit-il.

Elle lui serra la main.

— Sergent Alex Morrow. Le choc a été rude ?

Il lâcha un petit oui haletant, se tourna vers la grande salle, revint sur elle, serrant et secouant sa main comme si sa vie en dépendait.

— Vous connaissiez la victime ?

— Oui, oui. Oui, dit-il avant de réfléchir à la question et d'ajouter : Oui ?

— Vous étiez son avoué ?

— Mmmm.

Il regarda alentour d'un air affolé, le souffle court, toujours sous le coup d'une émotion trop longtemps contenue prête à exploser. Ils n'avaient pas besoin de ça, aussi Morrow prit-elle la direction des opérations.

— O.K., nous allons vous emmener au poste de police pour vous poser quelques questions. Une fois là-bas, je veux que vous mangiez un morceau, des biscuits, quelque chose de sucré, à cause du choc que vous avez reçu. Vous comprenez ?

Si elle n'était pas sûre du tout que le sucre puisse aider un individu en état de choc à se reprendre, elle savait en revanche qu'il était toujours bon de l'occuper. De le pousser à se concentrer en lui donnant quelque chose à faire, un petit objectif de rien à atteindre.

— Vous avez compris ?

— Oui.

Mais, par-dessus son épaule, il regardait fixement l'embrasure de la porte, effrayé à l'idée de ressortir par là et de revoir le cadavre.

— Passez par-derrière, dit-elle à Harris.

Harris saisit l'avoué par le coude et le guida, en veillant soigneusement à ce qu'il ne piétine au passage aucun indice important, avant de refermer la porte derrière eux.

Tout le monde dans la pièce redevint soi-même, soulagé de ce départ. Face à quelqu'un d'extérieur saisi d'horreur, leur honte refaisait surface, et ils s'imposaient une réserve et un recueillement qui leur étaient devenus étrangers. Ils se sentaient gênés, sa simple présence les renvoyant à toutes les cicatrices qu'ils portaient bien enfouies au fond d'eux. Morrow étira le cou en arrière et fit rouler sa tête de gauche et de droite pour libérer les tensions dans sa nuque. Ses épaules lui faisaient l'effet d'avoir remonté petit à petit jusqu'à ses oreilles depuis l'instant où elle avait passé l'angle du mur et aperçu le massacre au bas de l'escalier.

Elle chercha les traces d'effraction. Au-dessus de l'évier, un vasistas rectangulaire, forcé à l'aide d'une pince, si maladroitement que le métal au niveau de la serrure était tordu vers l'extérieur. Le battant était resté ouvert. Ce n'était pas du travail de professionnel. Pas même un boulot soigné. N'importe quel cambrioleur un tant soit peu expérimenté aurait tenté de masquer son passage et, une fois à l'intérieur, se serait débrouillé pour que la fenêtre paraisse fermée. Au-dehors, dans le jardin laissé à l'abandon, elle voyait la tête d'un flic qui inspectait le dessous de l'ouverture à la recherche d'éventuelles empreintes. Un des avantages de disposer sous ses ordres de flics qui ne cherchaient pas à grimper en grade : plus intelligents que les autres, ils faisaient preuve d'initiative et pensaient à des choses qu'on ne leur avait pas commandé de faire.

Elle inspira profondément et s'appuya au mur, embrassant la pièce du regard pour tenter d'imaginer le chemin suivi par les visiteurs : entrer par le vasistas, poser les pieds sur l'évier en métal et l'égouttoir, et se laisser tomber au sol. S'ils connaissaient la maison, ils se seraient dirigés tout droit vers le couloir, mais la porte du cellier était entrouverte avec, tout à côté, une autre porte, béante celle-là, qui donnait sur une buanderie avec machine à laver, séchoir et essoreuse à rouleaux rouillée. À l'opposé, une autre porte, restée béante elle aussi, laissait apparaître un placard rempli de boîtes de conserve.

Morrow s'approcha du cellier et se planta sur le seuil. Une pièce froide faisant office de réserve de nourriture avant l'invention des congélateurs. Elle sentait un courant d'air glacé sur ses chevilles. La personne qui vivait là aurait pris grand soin de garder cette pièce fermée. Les visiteurs, eux, cherchaient la porte de sortie de la cuisine.

Sur le plan de travail jouxtant la cuisinière, traînait une vieille radio débranchée, son câble pendant dans le vide en façade et non pas sous la prise murale, comme l'aurait fait quiconque se préparant à le rebrancher. La radio marchait, ils l'avaient éteinte pour mieux se repérer.

— Voyez s'il y a des empreintes sur cette fiche mâle, dit-elle au technicien.

D'un air presque chagriné, elle se tourna vers Gobby et lui demanda :

— Alors, il est où ?

Avec un grand sourire, il montra la table.

— Il est dessous, c'est ça ? devina Morrow.

— Oui.

— Et merde.

Elle contempla la table en essayant de déterminer la manière dont elle allait s'y prendre. Son corps changeait à une telle vitesse que chaque position devenait une nouvelle expérience.

— Est-ce que je peux... ? demanda-t-elle au technicien en tendant le bras vers le plateau pour savoir si elle pouvait y prendre appui.

— Non, vaudrait mieux..., dit-il.

Il tendit alors sa main qu'elle saisit à contrecœur, puis, s'appuyant lourdement à lui, elle posa d'abord un genou au sol puis l'autre. Impossible de se plier latéralement, ses côtes risquaient de faire mal aux bébés. Elle était obligée de se mettre à quatre pattes et d'aller voir là-dessous comme un chien quémandant un biscuit.

Elle se dit qu'on ne pouvait pas trouver plus humiliant comme posture, jusqu'à ce qu'elle voie apparaître derrière elle les pieds de Harris revenu dans la cuisine.

Le faisceau de sa torche accrocha d'abord un panneau de contreplaqué découpé grossièrement et simplement posé en équilibre plus ou moins stable sur deux montants reliant les pieds de la table. Comme une réparation de fortune faite à la va-vite. Avant de remarquer aussitôt, pris en sandwich entre le dessous de la table et le plateau de bois improvisé, le contenu de l'étagère, rose comme une plaie ouverte.

— Sortez-moi ça.

Elle se remit debout tant bien que mal, tandis que Gobby et Harris s'avançaient : ils se plièrent en deux et, se saisissant chacun d'une extrémité de la planche, la firent coulisser vers l'avant, afin de permettre à Harris de la maintenir le temps que Gobby le rejoigne pour lui donner un coup de main. Elle pesait son poids et ils se donnèrent de la peine pour ne pas la faire basculer et éviter de déplacer l'argent qu'elle supportait.

Ils la posèrent sur une section du plan de travail déjà examinée par les gens du labo et s'en mirent plein les yeux. Morrow sourit : du rose, encore du rose, du rose partout, à l'image d'un dessus-de-lit en patchwork, les liasses de billets empilées les unes à côté des autres répétant le même motif sur sa surface.

Au milieu de la planche, l'argent était parfaitement rangé. Sarah avait dû le répartir soigneusement au départ avant de le ranger, mais, en voyant les paquets de billets en bordure disposées un peu n'importe comment, Morrow comprit qu'elle avait ensuite pris pour habitude de s'agenouiller et de simplement enfourner les liasses à mesure qu'elles se présentaient en les plaçant à l'aveuglette.

Un immense et délicieux déferlement de rose. Morrow se rendit compte qu'elle salivait, bouche ouverte. La monnaie lui étant peu familière, le montant total lui paraissait faramineux, presque infini, à l'image d'un enfant devant un paquet d'argent, sans compter qu'en plus, les billets étaient énormes, presque de la taille d'un livre de poche.

— Vous, aboya-t-elle sans désigner quiconque en particulier, ça fait combien ? C'est qui, le comptable ?

— Personne encore, sourit Gobby.

Elle s'attarda sur la planche à billets. Un mètre vingt de long, les briques méticuleusement empilées sur six rangs et huit colonnes. Elle essaya de calculer le montant, de se souvenir du nombre de zéros qu'il y a dans un million.

— Gobby, vous n'êtes pas payé pour rester planté là comme un piquet. Commencez le comptage et je prends les paris : un billet de dix.

— Pour quelle estimation ?

— Ça pourrait bien approcher le million.

— Et ce serait en euros ou en livres ? demanda Gobby en mouillant la pointe de son crayon.

— Valeur en sterling, s'anima soudain Harris. Au taux de change du jour où on connaîtra le total.

—Dans ce cas, acquiesça Morrow, je fais une modif : disons sept cent cinquante mille livres sterling.

Gobby nota la somme sur un reçu qu'il avait sorti de sa poche, sous les yeux de Harris qui annonça :

— Tu m'inscris moi aussi pour un billet de dix. Six cent cinquante mille.

Gobby fronça le sourcil devant la planche et dit à son tour :

— D'accord, je me mets entre vous deux. Sept cents tout rond.

— Ouais, ouais, fit Harris tout sourire. Quand est-ce que le comptage sera fini ?

— Probablement demain, lui dit-elle.

Jamais encore elle ne l'avait vu aussi agité. Elle comprit que Harris était un vrai joueur, il avait ça dans le sang.

Gobby avait lui aussi remarqué son excitation et dit à son collègue :

— C'est pas une entorse aux Joueurs anonymes que tu serais en train de nous faire là, dis ?

— Je sais pas de quoi tu parles, lui répondit Harris en piquant un fard.

Gobby sourit largement, comme s'il venait de trouver un chat à torturer.

La vue de tout cet argent l'avait tellement distraite que Morrow fut contrainte de reprendre tout son petit scénario depuis le début : ils s'étaient introduits par le vasistas et avaient sauté de l'évier avant de vérifier toutes les portes. Celles-ci étaient toutes de la même taille, leur dos garni d'un panneau blanc, petit aménagement des années 1960 fréquent dans les vieilles maisons, destiné à rendre les battants plus hygiéniques et à éviter les nids à poussière. Ils avaient arraché la prise de la radio et tendu l'oreille. Ils n'avaient pas vu l'argent…

— Madame, l'inspecteur-chef Bannerman, dit Tamsin Leonard à la porte de derrière en lui tendant le téléphone.

Entendant Harris grogner dédaigneusement à l'énoncé du nom, Morrow tourna la tête et le fusilla d'un regard noir qui l'obligea à baisser les yeux. Gobby haussa les sourcils en toute innocence, comme s'il n'était pas concerné.

Lentement, elle prit le portable que lui présentait Leonard.

— Monsieur ?

— Qu'est-ce qui se passe là-bas ?

— On a une morte, l'occupante de la maison, et des piles d'argent liquide cachées dans la cuisine. Et des tas de détails qui ne collent pas bien…

— Quel genre ? Quel genre ?

Il semblait tout excité. Il l'aurait été certainement moins s'il avait vu de ses yeux la femme au bas des escaliers.

— Visage défoncé, littéralement réduit en bouillie, effraction grossière, pas du tout professionnelle…

— Quelqu'un qui la connaissait, alors.

Une évidence. Cours de détection criminelle de première année, les blessures au visage visant à détruire les traits signifient habituellement que l'assaillant était connu de la victime, mais Bannerman n'étalait pas sa science à son intention, il se servait simplement d'elle pour répéter les conclusions qu'il allait présenter à ses chefs.

— Eh bien (elle voyait Harris ordonner à Leonard de parier sur le montant de la somme en lui expliquant les taux de change, mais Leonard semblait réticente), en fait, on essaie toujours de comprendre comment les choses se sont passées.

— Un meurtre sexuel, dans ce cas ?

— On continue à amasser des pièces à conviction, monsieur.

De le savoir jaloux n'était pas pour lui déplaire, elle se trouvait sur place, elle, elle voyait.

— Il y a un paquet de pognon. En liquide. Des euros. Je ne sais pas si ce sont des vrais, mais il nous faut une voiture blindée pour venir le récupérer.

— Combien ? demanda-t-il, presque désintéressé, sous-entendant de fait qu'un paquet de pognon ne représentait peut-être pas une somme substantielle à ses propres yeux.

Elle le voyait déjà lors de la séance photo avec devant lui une table couverte d'argent rose, toujours bel homme, l'air très solennel.

— Je ne suis plus très sûre de mon arithmétique, monsieur. Est-ce qu'il y a bien six zéros à un million ?

— J'arrive. Je viens avec une voiture blindée.

Et il raccrocha.

— Au revoir, dit Morrow, à personne, par habitude.

Elle était un peu abasourdie. Elle rendit le portable à Leonard, accrocha le regard de Harris et le fixa droit dans les yeux en lui communiquant la grande nouvelle.

— Bannerman débarque.

— Très bien. Pas de problème, répondit-il, le visage neutre. Il aime les paris ?

8

Ils avançaient tous les deux dans un dédale de couloirs sombres menant au dortoir. Goering se tenait derrière Thomas, comme un garde du corps. L'adolescent ressentait sa présence comme le présage d'un désastre.

Thomas essayait de ne pas penser, il se contentait d'avancer, un pas après l'autre, ouvrir une porte, encore un pas, puis son père pendu à une poutre, un vagin de femme et le sang qui éclabousse le bas des jambes de Squeak, tourner le coin, ouvrir les portes pare-feu, un talon qui écrabouille un nez, le cartilage d'un blanc javellisé, le semis de taches écarlates. Il voulait s'arrêter pour se concentrer sur sa respiration, plonger dans un bain bouillant et se dépouiller de cette pellicule huileuse, mais il ne cessait de repenser à Durdur. Durdur dans les douches, non pas son érection mais son visage, jeune, boutonneux, consterné. Un moment de faiblesse devenu une marque indélébile pour la vie. Il fallait qu'il rentre à la maison, voilà tout. Ravaler ce qui s'était passé et ne plus y penser jusqu'à ce qu'il soit chez lui.

Un couloir rejoignait le dortoir, longue allée froide au sol en béton sans la moindre fenêtre, ni d'un côté, ni de l'autre. Relevant la tête, il jeta un coup d'œil dans les labos de science, vit un groupe de garçons rassemblés autour de M. Marshall, leurs lunettes de sécurité sur le nez. Un visage se tourna vers lui, bouche ouverte, le regard déformé par les verres en plastique épais. Toby était dans la promo au-dessous de la sienne mais il faisait l'enfant de chœur avec Squeak. Ses yeux globuleux s'attardèrent une seconde sur

Goering derrière lui et il dut avoir l'impression que Thomas, mains dans le dos, se faisait ramener de force dans son dortoir.

Il franchit les battants pare-feu, pianota le code sur la porte de sécurité et s'avança sur la moquette en nylon qui crachait des étincelles dans le noir au contact des semelles des pantoufles. Trois marches à monter, et quatre chambres plus loin, la sienne, enfin. Il ouvrit la porte.

Ça sentait bizarre. Toujours la même odeur et, chaque fois qu'il entrait, il en recevait une bouffée : c'était la sienne, celle de son corps, de ses cheveux, de ses habits. D'habitude, elle était presque agréable et ne le dérangeait en rien, mais là, avec Goering sur les talons, il la trouva soudain révoltante et pathétique. La femme de ménage n'était pas encore passée, et sa poubelle débordait de lingettes : on aurait dit des Kleenex dans lesquels il se serait branlé. Il tourna la tête en entrant et alluma sa lampe. Goering avait beau ne rien montrer, il savait qu'il n'en perdait pas une miette.

— Rien que l'essentiel, Thomas. L'avion sera prêt à décoller dans une demi-heure.

Goering maintenait la porte ouverte et glissait dessous le coin en plastique servant de butée. Règlement de l'école : la porte devait rester impérativement ouverte s'il y avait plus d'une personne dans la chambre. En cas de non-respect de cette règle, c'était la suspension immédiate, et elle s'appliquait au personnel comme aux élèves. Ils étaient constamment surveillés.

La chambre était bien rangée, le lit fait, tout était à sa place comme il se devait et pourtant, Thomas se sentait nu. Il tira la chaise de son bureau et y monta pour atteindre le haut de son placard et en tirer la poignée en tissu de son grand sac en toile qu'il fit basculer contre le rebord de l'étagère en récupérant au passage un nuage de poussière. Il descendit et jeta le sac sur le lit.

Goering se pencha et, d'un geste attentionné, tira la fermeture à glissière en maintenant le sac ouvert sous les yeux de Thomas. Celui-ci le regarda faire et Goering faillit sourire.

— Il ne vous reste plus qu'à y mettre vos affaires, dit-il.

Thomas eut un moment d'oubli, brusquement incapable de se souvenir du motif de leur présence dans cette chambre, de la nature desdites affaires, des raisons du silence qui régnait dans le dortoir. Il se tourna vers Goering, en quête d'un indice sur la marche à suivre.

— Sortez vos sous-vêtements du tiroir.

Thomas s'exécuta et Goering lui indiqua le sac béant. Il y glissa une pile de pantalons et de gilets encore raides, tout juste revenus de la blanchisserie, avec encore leurs marques d'identification râpeuses imprimées au fer sur le devant.

— Maintenant, les objets de toilette.

La salle de bains se trouvait au bout du petit lit rectangulaire. Il ouvrit la porte, tâtonna pour trouver l'interrupteur et fut surpris par l'éclat blanc et brutal de l'ampoule nue pendue au plafond, ébloui comme s'il venait de se réveiller dans l'obscurité parce qu'il avait envie d'uriner. Il ferma les paupières et les rouvrit devant le miroir. Un gamin furieux aux yeux écarquillés, le visage empourpré. Vulnérable, Durdur. Il lui avait été impossible de se regarder dans la glace ce matin. Rien de psychologique, simplement une incapacité physique à lever la tête et à se confronter à son reflet. Désormais, Lars était mort, et il pouvait se contempler en face. Il battit des paupières, regarda de nouveau et constata une amélioration : l'expression plus dure, froide, la bouche serrée, c'était mieux.

— Les objets de toilette, lui rappela Goering, la voix plus sèche.

Thomas attrapa son nécessaire, brosse à dents, savon et crème contre les points noirs, l'inhalateur qu'il n'utilisait jamais, puis il sortit de la salle de bains et les laissa tomber dans le sac.

— Des livres ? demanda Goering.

— Non, répondit fermement Thomas.

Goering fut surpris devant le changement qui venait de s'opérer chez le garçon.

— Des jeux ? Un carnet d'adresses ?

— Non.

Goering hésita.

— O.K. Jetez un dernier coup d'œil et voyez si vous désirez emporter autre chose. Je vais aller chercher votre portable chez le gardien.

Il quitta la chambre, sortit son portable personnel et s'éloigna dans le couloir accompagné par la petite sonnerie de son téléphone. Il prévenait de son arrivée, appelait une voiture, prenait des dispositions. Thomas regretta son départ. La porte pare-feu claqua derrière lui, et il se retrouva tout seul dans le silence qui sifflait à ses oreilles. Il regarda son sac. Des pulls.

Ses vêtements de sortie se trouvaient dans la penderie. Il entendit la voix furieuse de son père lui commandant de mettre sa tenue d'externe. Thomas resta immobile, fixant le sol. Lars s'était suicidé. Il ne pouvait plus donner d'ordres à quiconque.

Il leva les yeux vers la fenêtre et lâcha un minuscule couinement joyeux.

Squeak. Planté de l'autre côté de la cour de façade en béton gris, dans l'obscurité qui gagnait. Fébrile, Thomas posa la main sur la fenêtre pour se préparer à l'ouvrir, et c'est seulement alors qu'il distingua Squeak clairement et vit son visage buté, ses poings serrés sur ses flancs.

Un interclasse, certainement. Squeak s'était fait la belle en douce, loin de la foule de garçons qui traînaient dans l'école, il serait en retard mais raconterait qu'il avait été obligé de s'absenter pour aller chercher quelque chose, et personne ne remarquerait son départ. Il avait dû entendre dire qu'on était venu chercher Thomas à la salle de lecture et n'en savait pas plus : Thomas, sorti contraint et forcé de la bibliothèque, Goering qui l'avait ramené au dortoir. Il devait chier dans son froc.

Sans prévenir, Squeak se plia en deux et se mit à courir, tête baissée, sous les vitrages du long couloir, ses doigts frôlant le sol comme un singe dégingandé à quatre pattes lancé au galop. Il longea le bâtiment à croupetons jusqu'à ce qu'il atteigne la bonne fenêtre.

Thomas vit le haut de son crâne apparaître en bordure du rectangle de lumière projeté sur le béton puis s'immobiliser avant que Squeak ne lève les yeux vers lui. Thomas détourna la tête aussitôt et tendit le bras vers la fermeture, dévissa le verrou et entrebâilla l'ouvrant au minimum pour lui faire comprendre qu'il ne pouvait pas entrer.

— Goering est dans le coin, le prévint-il.

Il se baissa pour glisser la main sous la fenêtre, vers le rayonnage qu'il vida de ses livres en les déposant à mesure sur le rebord avant de les répartir au hasard en deux piles, pour donner l'illusion de faire le tri avant d'en choisir un.

Thomas et Squeak ouvrirent la bouche en même temps pour marmonner à mi-voix :

— Mon père s'est pendu et je dois rentrer à la maison.

— Je ne dirai pas ce que tu as fait à la femme.

Thomas leva les yeux, choqué.

Squeak, à quatre pattes sous la fenêtre, en appui sur le bout de ses doigts, le regardait. Un chien prêt à bondir. Les babines humides et légèrement retroussées. On aurait dit qu'il souriait.

Squeak lui était complètement étranger. Il le connaissait pourtant aussi bien qu'il connaîtrait jamais un autre humain et, soudain, il ne savait plus rien de lui.

Thomas se redressa, un livre dans chaque main, devant ces tas aberrants de bouquins tous aussi aberrants et baissa les yeux vers le coin inférieur de la fenêtre. Bien à l'écart du rectangle de lumière en provenance de la chambre, Squeak tendit le cou et accrocha son regard.

Thomas contempla la nuit qui gagnait et vit le chien auquel il était lié à jamais qui lui souriait dans l'obscurité, les babines mouillées de salive.

9

Kay en avait pratiquement fini. Elle rattrapait son retard sur une corvée qu'elle faisait deux fois l'an, laver et astiquer une verrerie qui ne servait jamais. Au cours des trois années écoulées, elle était quasiment sûre et certaine que Mme Thalaine n'avait jamais même touché ces minuscules vases rouges, mais c'était un de ses enfants qui les lui avait donnés et elle les aimait. Kay les maintint dans l'eau chaude et vit la pellicule de graisse se décoller, redonnant au verre tout son brillant. La peau des mains rosie jusqu'aux poignets, elle sourit en sentant la vapeur d'eau se déposer sur son visage comme une transpiration artificielle qui la rafraîchissait avant même que son corps n'en ait éprouvé le besoin.

La sonnette de l'entrée retentit à travers toute la maison, et elle se retourna pour voir qui arrivait. La fenêtre de la cuisine donnait sur la cour et la porte principale.

Un homme et une femme attendaient devant le seuil. En costume et tailleur, pleins d'assurance, sans rien de cet air navré qu'affichaient immanquablement les vendeurs à la sauvette. Ils ne balançaient pas nerveusement leur serviette ni ne s'exerçaient à pratiquer leur sourire de circonstance.

Elle entendit le petit trottinement de Mme Thalaine se pressant clopin-clopant dans le couloir, puis le bruit du verrou et de la porte qu'on ouvrait. Kay se retourna vers son évier et sa vaisselle, ressortit les vases et les posa sur l'égouttoir, sa petite méditation interrompue par la curiosité. Elle tendit l'oreille pour entendre ce qui se disait.

L'homme et la femme se présentèrent. Kay était trop loin pour distinguer leurs paroles, mais Mme Thalaine posa quelques questions, puis elle entendit des pas qui s'avançaient dans sa direction. Une intrusion soudaine qui l'agaça, car elle avait encore des petites choses à faire et s'était promis une cigarette et une pause sur le banc avant de passer chez les Campbell.

À sa voix haut perchée un peu tremblotante, elle eut le sentiment que Margery Thalaine devait être un peu inquiète. Quels que puissent être les nouveaux arrivants, s'il s'agissait de représentants venus enquiquiner le monde, elle savait pertinemment qu'il lui suffisait de les lui amener pour qu'elle leur dise de foutre le camp. D'ailleurs, dans ce quartier qu'ils savaient riche et habité par de vieilles personnes polies, ces gens-là débarquaient fréquemment, à intervalles réguliers. Et c'était au personnel de leur dire où ils pouvaient aller se faire voir.

Toujours des bruits de pas et de conversations à voix basse dans le couloir, mais désormais, Mme Thalaine semblait d'humeur agréablement bavarde, rien à voir avec l'exaspération qui lui était coutumière dès qu'on l'obligeait à faire une chose contre sa volonté.

Un temps d'arrêt devant la porte, qui s'ouvrit. Mme Thalaine resta un instant sur le seuil, les deux costards sur ses talons, et Kay scruta son visage en quête d'éventuels indices. Calme. Un peu excitée. Elle n'était pas censée s'exciter.

— Kay ? Ces personnes sont de la police.

À ces mots, Kay se tourna vers les deux visiteurs et les inspecta de la tête aux pieds pour savoir à qui elle avait affaire. L'homme lui retourna un regard arrogant, le nez en l'air, comme au garde-à-vous. La femme se pencha en avant et lui tendit la main.

— Je suis la constable Leonard, dit-elle.

Kay leva ses mains mouillées, pour ne pas serrer celle d'un flic, et la femme laissa retomber la sienne. Kay ne respectait pas grand monde et tenait la police en piètre estime.

L'eau de vaisselle dégoulinait par terre en laissant des traces de mousse alors qu'elle venait tout juste de laver. Encore une corvée.

— Vous voulez que je…, pesta-t-elle, pour s'arrêter aussi vite.

Cette hargne dans sa voix, elle ne la connaissait que trop bien, elle ne voulait pas inquiéter Mme Thalaine.

Laquelle sourit timidement en disant :

— Si cela ne vous dérange pas.

Kay se sécha les mains en sachant pertinemment qu'elle avait sa tête des mauvais jours, aussi se promit-elle de repasser en allant prendre son bus, pour expliquer à la vieille dame qu'elle n'aimait pas la police et ne lui faisait aucune confiance car elle avait déjà eu des ennuis avec elle.

— Eh bien, dit-elle d'une voix plus douce, nous en resterons là pour aujourd'hui, si vous le voulez bien.

Le menton de Mme Thalaine se mit à trembloter et elle lui toucha le bras au passage en se dirigeant la porte pour bien lui signifier que sa colère n'était pas dirigée contre elle.

— À vrai dire (Kay se retourna en entendant la voix de Margery et constata que son geste avait réconforté la vieille dame), vous pourriez aussi sortir les choses à recycler ?

— Vous ne pouvez pas les sortir vous-même, Margery ? lui répondit Kay d'un air pincé, soudain très contrariée.

Margery pinça les lèvres en retour, elle n'aimait pas que Kay l'appelle par son prénom devant des inconnus. S'ensuivit un petit duel de regards méchants jusqu'à ce que Margery cède pour aller s'asseoir sur une des chaises de la cuisine.

— Je préférerais que ce soit vous, répondit-elle.

Kay quitta la pièce en claquant la porte derrière elle et traversa en trombe le salon tout en longueur. Le soleil qui entrait à flot par les petites fenêtres frappa ses pupilles comme une succession de gifles.

Dans le couloir, elle ouvrit la porte du placard. Le sac qu'elle lui avait gentiment préparé était bien à sa place : un sac de caisse de chez Waitrose, réutilisable, presque élégant, pour que Margery n'ait pas l'air d'une pauvresse. Elle le lui avait préparé exprès, près de la porte, les poignées en l'air, prêt à être emporté.

Kay arrivait toujours en avance d'une demi-heure pour laquelle elle n'exigeait pas de salaire, elle avait bien insisté sur ce point, trente minutes qu'elle consacrait simplement à écouter Margery gémir et pleurer, elle se sentait tellement seule, et puis tant de choses avaient mal tourné, et puis elle ne pouvait pas parler de ses ennuis aux dames du club-house parce que jamais aucune d'elles n'irait reconnaître qu'elle aussi avait des problèmes. Et pas plus tard que ce matin, devant ces stupides tasses à thé si minuscules qu'une souris n'aurait pu y glisser la langue, il lui avait fallu vingt minutes pour obtenir de Margery la promesse qu'elle sortirait de la maison au moins une fois par jour, et justement, l'expédition d'aujourd'hui devait la conduire jusqu'aux poubelles de recyclage à cent mètres de la maison.

Kay se sentait aussi stupide que si on l'avait escroquée, à croire soudain que toute l'intimité qu'elles avaient partagée ne signifiait plus rien, exactement comme si elle venait de se faire remettre brutalement à sa place à coups de pied. Mais sa tristesse était trop profonde pour avoir été causée par Mme Thalaine. Non, c'était Joy. Elle n'avait pas d'amour pour Margery, elle essayait juste de remplacer Joy, de retrouver cette intimité si douce et si pleine de gentillesse, parfois mère, parfois enfant. En contemplant le sac d'objets à recycler, elle se rappela cette minuscule main toute fanée qui lui frôlait l'avant-bras et dut se racler la gorge pour chasser ses larmes.

Elle lança un regard furieux aux bouteilles dans le placard sombre, les traita de salopes à voix basse, se maudit d'être aussi cruche. Elle se retourna et regarda par une vitre du salon dans la cuisine.

À travers la porte-fenêtre, elle vit la policière occupée à remplir un formulaire sur son bloc à pince. Encore un projet de surveillance du quartier par voisins interposés. Ça plairait à tous ces fouinards. Margery pourrait s'en occuper, elle pourrait inviter chez elle tous ses foutus amis complètement bidons et leur offrir des biscuits à chien Markie's et ses ridicules et minuscules sandwichs pour faire illusion : non, elle n'était pas fauchée comme les blés, non, elle n'avait pas la trouille de sortir de la maison, et non, elle ne se réveillait pas en pleine nuit pour écouter la respiration de son mari rien que pour s'assurer qu'il n'était pas mort.

Kay décrocha son manteau de la patère et l'enfila, attrapa son sac à main et passa la bandoulière autour de sa tête, saisit le sac Waitrose ainsi que sa propre poche en plastique et se rendit compte qu'elle avait besoin d'aller aux toilettes. Elle claqua la porte du placard, posa les sacs dans le vestibule et se rendit à la salle de bains.

Elle se lava les mains et s'étudia un instant dans le miroir. Ses racines étaient visibles, elle voyait des touches de gris et une grande lassitude marquait ses traits : elle avait l'air complètement défaite. Elle se recula pour se tourner légèrement de biais et ainsi éviter l'éclat brutal de la lumière du jour. Les yeux rivés au miroir, elle se sourit doucement à elle-même d'un air appréciateur.

— Je suis quelqu'un de gentil, chuchota-t-elle à la pensée de toutes ces heures passées à écouter les plaintes de Margery, et elle hocha la tête car elle savait qu'elle avait raison. Le don de sa personne, c'est d'abord un cadeau à soi-même.

Rassérénée, elle déroula quelques feuilles de papier hygiénique et essuya les éclaboussures sur la porcelaine qu'elle astiqua ensuite bien proprement avant de jeter le papier dans la cuvette et de tirer la chasse. Elle regagna le couloir en ramassant ses sacs au passage et sortit.

Elle savait que Mme Thalaine la verrait s'éloigner d'un pas maladroit sur l'allée dallée en pas japonais mal disposés au milieu de gravillons blancs parfaitement ratissés. Elle ne se retourna pas. Elle se dit qu'elle devrait rentrer chez elle, ressortir les photos de Joy et ne plus se leurrer. Demain elle n'arriverait plus en avance. Elle décida également de s'acheter de la teinture à cheveux et peut-être aussi de la crème pour les mains.

Elle marcha tête haute jusqu'à ce qu'elle soit sûre de ne plus être visible depuis la cuisine et sortit ses cigarettes de son sac. Elle en alluma une et se dirigea d'un pas nonchalant vers le coin de la rue en jouissant de sa petite pause : elle disposait d'un peu de temps, alors inutile de se presser pour aller chez les Campbell.

La pluie menaçait, il y avait du vent et un peu trop de bourrasques pour apprécier vraiment une clope en plein air, mais pour autant, cela ne l'empêchait de prendre plaisir à la fumer car c'était son moment. Ces petites pauses représentaient désormais ses seuls moments de liberté bien à elle, mais elles lui suffisaient.

L'emplacement des bennes à roulettes et des bacs de recyclage avait été une source de dispute acharnée dans le quartier. Personne ne voulait voir les poubelles ni les avoir près de la maison, mais tout le monde était arrivé à un compromis : un espace long comme deux voitures avait été goudronné et fermé par une haie de buis de bonne hauteur. Une pudibonderie qui la faisait toujours sourire, à croire que ces gens avaient honte de devoir utiliser des poubelles. Elle s'abrita derrière un coin du coupe-vent naturel et tira une nouvelle bouffée de sa cigarette. Une bouffée bien agréable. Elle sentit sa colère à l'égard de Margery se dissoudre au plus profond de ses poumons et se dissiper dans son estomac.

Elle entendit s'approcher une voiture et prit une dernière bouffée, déplaisante et râpeuse celle-là, avant de laisser tomber sa cigarette par terre et de l'écraser, puis de s'en écarter. On s'était plaint de retrouver des mégots près des poubelles. En ramassant le sac Waitrose, elle pensa, « qu'elle aille se faire foutre, Margery », souleva le couvercle des ordures ménagères et le balança dans la benne juste au moment où passait la voiture.

Celle-ci s'arrêta derrière elle, et elle se retourna, prête à se faire passer un savon par un habitant du quartier pour avoir jeté son mégot par terre. Mais c'étaient les deux flics qu'elle avait vus chez Margery.

L'homme conduisait. Il descendit sa vitre, le visage barré par un grand sourire stupide, la tête comme un balancier, à croire qu'il était un peu simplet.

— Est-ce que ça n'aurait pas dû passer au recyclage ? lui demanda-t-il.

Il souriait toujours du même air béat et elle voyait sa langue luisante remuer dans sa bouche béante.

— Si elle est tellement soucieuse de l'environnement, elle n'a qu'à l'apporter elle-même, lui répondit Kay d'un air renfrogné.

Sa réponse ne le découragea pas pour autant et il reprit, arborant un large sourire, plus lentement cette fois, en masquant son accent, comme si elle n'avait pas compris sa question la première fois :

— Vous ne vous souciez pas de l'environnement ?

Son regard s'attarda sur ses seins, et il n'eut même pas la politesse de paraître gêné en constatant qu'elle l'avait remarqué. Elle masqua sa poitrine en croisant les bras.

— Vous vous êtes arrêté pour m'éblouir par vos traits d'esprit, ou bien je peux vous être utile ?

Mouché, il se laissa retomber sur son siège. La femme flic qui avait voulu lui serrer la main se pencha vers la vitre ouverte.

— Vous êtes Kay Murray ?

— Ouais.

— Vous avez travaillé à Glenarvon ?

— Bien sûr, j'ai arrêté il y a deux mois, au décès de Mme Erroll.

— Pourriez-vous monter jusque-là pour nous dire s'il y manque quelque chose ?

— La maison a été cambriolée ?

— Nous ne savons pas. Nous ne savons pas s'il y a eu vol.

— Demandez à Sarah Erroll, répondit Kay en fronçant le sourcil. Elle est chez elle, je crois.

— Je crains que Sarah Erroll n'ait été assassinée hier soir au cours d'une effraction à son domicile. Mme Thalaine nous a appris que Sarah vendait des objets personnels, mobilier, vaisselle et autres, mais nous ne savons pas si les visiteurs ont emporté quoi que ce soit. Pourriez-vous venir jusque-là et nous dire si des objets ont disparu ?

— Assassinée ?... Sarah ?... Dans sa maison ?... balbutia Kay, bouleversée par la nouvelle.

— Oh, fit la femme en voyant Kay en état de choc. C'est malheureusement la vérité, désolée de vous annoncer ça aussi brutalement...

— Qui est-ce qui l'a tuée ?

— C'est ce que nous essayons de déterminer, répondit l'homme qui ne souriait plus.

— Elle n'a que vingt-quatre ans...

Kay essayait de calculer la différence d'âge avec ses propres enfants, huit ans séparaient Sarah de Joe.

— Je suis vraiment désolée, insista la femme, vous étiez proches ?

Elle était sur le point d'allumer une nouvelle cigarette pour émousser le choc quand elle se rendit compte que Margery était seule chez elle, effondrée à l'annonce d'une nouvelle mort soudaine, une raison de plus d'être effrayée.

— Vous ne lui avez pas dit, j'espère ?

— Dit à qui ?

— Marg… Thalaine, Mme Thalaine ?

Au regard qu'échangèrent les deux policiers, elle comprit que si.

— Oh, putain de merde !

Elle se dépêcha de contourner la voiture par l'avant, toucha le capot, sentit sa chaleur.

— Vous viendrez ? s'écria la femme par sa propre vitre.

— Plus tard, lui cria Kay en sprintant le long de la chaussée. Je passerai plus tard.

10

Les écouteurs qu'il avait sur les oreilles lui tenaient chaud et le démangeaient, alors que le Piper, dans un vacarme étourdissant, entamait sa descente au travers des nuages en direction de Biggin Hill.

Le petit appareil, tout juste quatre places assises et un moteur, ressemblait plus à une caisse à savon sur roues qu'à un avion. Thomas n'avait jamais aimé les atterrissages en Piper. Il le trouvait tellement étriqué qu'il avait toujours en tête l'image d'un tas de balsa fracassé sur la piste, la machine s'effondrant sur elle-même au contact du sol comme une boîte en carton détrempée, en l'écrabouillant au passage. Il inspira profondément pour se calmer, les narines pleines des relents de sueur rance du capitaine Jack qui le touchait presque. Et il ne pouvait même pas lire pour s'occuper, vu que les lumières de la cabine devaient être éteintes, et, de toute façon, le coucou secouait tellement que les lettres sautaient devant ses yeux. Tout ce qu'il pouvait faire se limitait à réfléchir.

Maintenant qu'il était seul et invisible aux yeux du monde, il n'était plus hanté par les images de la femme morte ou l'odeur des lingettes à bébé. Il réfléchissait donc, et son seul sujet de réflexion était ses parents.

Moira. Une mère distante, stupide, sa beauté envolée, plus aussi jolie désormais. Elle devait certainement avoir ses vapeurs et tombait dans les pommes toutes les demi-heures, incapable de surmonter la mort d'un homme qui, depuis des années, téléphonait à ses maîtresses à la table du petit déjeuner. La grand-mère de Thomas ne ratait jamais une occasion pour dire qu'elle passait sa vie à faire un plat de tout et n'importe quoi, ce qui expliquait pourquoi elle ne mangeait jamais. La vacuité incarnée, une présence suffocante pleine de vide. Et elle ne l'aimait même pas. Elle n'en avait que pour Ella.

Squeak ne s'était pas trompé : il n'y avait pas d'enfants. Rien qu'une femme banale dans une maison laissée à vau-l'eau. Une chose que son père n'aurait jamais supportée. Il exigeait en toutes circonstances un cadre immaculé, des habits impeccables, une tenue parfaitement adaptée. Choc et effroi effectivement, mais pas dans la bonne maison, et tout ça, par sa faute. Sa faute à lui. Une méprise débile. On ne manquerait pas de s'en apercevoir et il passerait pour un imbécile.

Dans la nuit grondante, son esprit faisait des allers et retours entre le foutoir dans la vieille baraque et l'image de Squeak à quatre pattes, à l'écart de la lumière, qui levait les yeux vers lui. Squeak, qui n'était en rien responsable de son erreur. Thomas ne pouvait s'en prendre qu'à lui-même, exactement comme si son acolyte était une part intégrante de son être, un alter ego qu'il aurait laissé grandir et proliférer sans y prêter attention. Seul un fragment de raison lucide l'obligeait à reconnaître qu'il avait tort de se montrer aussi loyal, mais, en même temps, il était suffisamment futé pour savoir qu'il avait choisi Squeak au hasard, parce qu'ils étaient inséparables depuis si longtemps et que, comme ses parents ne remplissaient pas les rôles qui leur incombaient, il avait un besoin viscéral de s'attacher à quelqu'un. Squeak, c'était lui, l'un avec l'autre, ils ne faisaient qu'un. À un point tel que ça en devenait irrationnel. Mais l'époque était irrationnelle : chaque fois qu'il relevait les yeux, tout était toujours complètement changé, sans rime ni raison.

Les écouteurs le démangeaient, c'était insupportable. Il glissa un index sous le cuir et se gratta violemment la peau autour des oreilles. Moira ne serait pas là pour l'accueillir à l'aérodrome. Elle devait probablement se cacher à la maison, dans ses appartements personnels, en compagnie d'Ella.

Ils se retrouvèrent brusquement sous les nuages, suffisamment bas pour que Thomas s'imagine dégringoler dans le vide en restant conscient tout le temps de sa chute précipitée. Le pilote prit ses instructions auprès de la tour de contrôle, et la conversation crachota soudain dans les écouteurs de Thomas. Ce n'était pas la première fois que le capitaine Jack le ramenait au bercail, il parlait toujours de cette même voix étrange, neutre et apaisante, qui se pratiquait sur les vols commerciaux. On aurait dit un mauvais DJ à la radio.

Quoi que Doyle en dît, il ne retournerait pas à St Augustus et il essaya de se représenter sa vie dorénavant, au jour le jour, la manière dont il occuperait son temps. Il se demanda si la mort de son père signifiait que ses créanciers ne pouvaient pas prendre leur maison. Il aurait le droit de conserver ses chambres au rez-de-chaussée, à l'écart. Un vrai appartement de grand-mère en fait, que les derniers occupants avaient d'ailleurs utilisé comme tel. Deux grandes pièces sur jardin, avec une petite cuisine et une salle de bains. Lorsqu'ils avaient emménagé, son père le lui avait laissé parce qu'il fumait un peu, ce que ses parents lui interdisaient dans la maison. C'était mauvais pour l'asthme d'Ella.

Il s'imagina dans son lit, enfin, allongé dans le noir, vraiment seul et libre de penser à sa guise. Il n'éprouvait ni chagrin ni tristesse ainsi qu'il aurait dû. Mais un mélange de colère et d'ahurissement, une colère telle qu'il avait envie de tendre les mains et d'étrangler le capitaine Jack.

L'image lui fit peur et il croisa les doigts sur ses genoux en regardant par le hublot.

Son père n'était plus.

Son père qui emplissait l'espace dès qu'il pénétrait dans une pièce.

— Regardez-les, regardez-moi, avait-il lancé un jour à Thomas et Ella à leur entrée dans un restaurant.

Ella avait serré son père à la taille en lui répondant un truc nunuche. Mais Thomas l'avait bien étudié, cet homme à la crinière blanche argentée par la mousse coiffante, celui vers qui tous les yeux s'étaient tournés dès son arrivée et ce, pour une seule et unique raison : son père respirait le fric par tous les pores. Jamais sa veste n'avait reçu la plus petite goutte de pluie, son col était tout neuf impeccablement blanc, et il débarquait dans un restaurant trois étoiles au Michelin plein de financiers en costume sombre, accompagné de ses deux enfants. Sauf qu'il n'était pas là pour leur faire plaisir, eux n'étaient jamais concernés, en rien, ils ne comptaient pas. Non, s'ils se trouvaient là avec lui, c'était pour que les gens le voient dilapider deux cents livres par tête pour un repas servi à un adolescent coincé et à une gamine nunuche. Il n'avait rien de spécial, il était juste riche. Et maintenant, il était mort. Par la faute de son fils. Thomas ne pouvait s'arracher à l'idée que son père s'était pendu après avoir appris ce qui était arrivé à cette femme. À croire presque qu'il l'espérait en son for intérieur. Pour se convaincre du contraire, il devait se forcer, reprendre la chronologie des événements et se rappeler que Lars se balançait à une poutre bien avant que Squeak n'ait démarré la voiture.

Thomas jeta un coup d'œil par le hublot. Lui aussi devrait se pendre. Il aimerait bien les voir, ensuite, tous ces créanciers qui protestaient autour de la maison, occupés à balancer des œufs et des journaux enflammés par-dessus le mur d'enceinte sécurisé au risque de blesser n'importe qui, Ella, un chien, le premier venu. Il aimerait bien voir les gros titres des quotidiens quand ils apprendraient que le fils de quinze ans lui aussi s'était pendu. Ils en rejetteraient la faute sur l'argent, la pression du public. Ils se sentiraient moches. Les journaux qui s'en étaient pris à son père retourneraient leur veste, dénonceraient les attaques des confrères, appelleraient au calme. Il sourit à l'adresse de la nuque du capitaine Jack.

L'avion avait viré sur l'aile et arrondissait sa trajectoire pour se présenter dans l'axe de la piste d'atterrissage. Thomas contempla l'horizon : Bromley sur la droite au loin, Blackheath peut-être, qui sombrait à mesure, plus bas, encore plus bas, avant de disparaître, avalé par la terre. Ils arrivaient bien vite.

Il haletait si bruyamment que son souffle activa le déclencheur du micro, et le pilote lui demanda de répéter ce qu'il venait de dire.

— Rien, répondit aussitôt Thomas. C'est juste ma respiration.

Ils se trouvaient maintenant dans l'alignement des bornes lumineuses, un atterrissage parfaitement rectiligne, l'appareil bien centré, prêt à se poser. Thomas arrêta de respirer à profondes bouffées et se mit à gratouiller le rebord de son siège.

L'avion rebondit au contact de la piste et perdit de la vitesse en piquant du nez, petite seconde d'angoisse quand tout le poids se reporta brutalement sur le train avant. Il se redressa, ralentit jusqu'à avancer au pas, et le capitaine Jack, de sa voix stupide et convenue, informa la tour qu'ils étaient arrivés.

Lentement, l'appareil se dirigea vers l'embouchure étroite du hangar ouvert brillamment éclairé et le refuge de sa chaleur jaune illusoire. Ils étaient attendus et s'engagèrent tout doucement dans l'espace vide. D'habitude, il s'y trouvait toujours quelques avions, et ils étaient obligés de patienter le temps qu'on vienne les remorquer jusqu'à leur emplacement, mais le pilote avait reçu l'autorisation d'entrer directement. Thomas chercha l'ATR 42, en vain. Le capitaine Jack s'arrêta comme à la parade, sans bonds intempestifs et pas une secousse. Le moteur s'arrêta.

Il coupa le contact ainsi que les lumières, corvée obligée vu le nombre d'interrupteurs, et, de façon presque malvenue, par micro interposé, remercia Thomas pour sa compagnie. À n'en pas douter, un pilote de ligne raté, songea Thomas, ivre avant un décollage ou quelque chose du même genre.

Thomas s'assura que ses genoux allaient tenir bon avant de défaire sa ceinture et se releva légèrement pour ôter ses écouteurs et les laisser tomber sur son siège. Dehors, un homme en salopette poussa une rampe mobile contre la carlingue. Il attendit que le capitaine Jack ouvre sa porte, descende le premier et vienne lui donner un coup de main.

C'est alors qu'il la vit.

Elle attendait dans le hangar, sous le froid glacé, debout sur le perron en béton devant la porte du bureau. Elle connaissait bien l'appareil, elle était venue souvent l'accueillir à sa descente de l'avion quand il rentrait de l'école. Les cheveux sombres, serrant contre elle son long manteau vert en peau de mouton. Mary la bonne. Il éprouva brutalement une grande bouffée d'amour pour elle, un besoin de sa présence, et, aussitôt après, ce qui s'ensuivait immanquablement : un sentiment de révulsion et de dégoût de soi, une chose visqueuse comme son suc sous ses ongles quand ils étaient étendus côte à côte dans son lit le soir, l'odeur d'elle sur ses draps, son corps ferme et musclé de joggeuse collé au sien, ses muscles toniques sous sa peau douce. Elle accrocha son regard, perçut son humeur et sourit d'un air hésitant. Il détourna les yeux.

Le pilote ouvrit sa porte sur un froid glacé et sortit. Thomas repoussa le fauteuil vers l'avant et descendit à son tour jusqu'au sol gelé, ignorant son bras tendu et sa main offerte sans croiser son regard. Mary s'approcha et tendit elle aussi sa main, qu'il ignora tout autant.

— Où est la voiture ?

— Tommy, tu saignes, lui dit-elle.

Elle avança les doigts vers son oreille, mais il détourna vivement la tête en plaquant sa main dessus. Un liquide froid mouilla sa paume. Il avait gratté trop fort.

— Où sont tes bagages ? demanda-t-elle.

Le capitaine Jack remonta dans l'appareil et, saisissant le sac en toile posé derrière les sièges, le présenta dans le vide à l'intention de Thomas. Ce fut Mary qui s'en empara, en faisant tout un cinéma. Elle leva le bras, regarda le capitaine Jack droit dans les yeux – alors même qu'elle avait fréquemment fait des plaisanteries méchantes dans son dos – et lui offrit un sourire de serpent.

Elle lui porta son sac, sans effort apparent malgré le poids, au point même qu'il eut un instant de panique en la voyant changer de bras pour le saisir côté extérieur. Craignant qu'elle ne lui prît la main, il fourra ses deux poings au plus profond de ses poches jusqu'à ce qu'il sente le trou qui s'y formait et le bout de tissu raidi par un stylo qui avait éclaté.

Debout à côté de la voiture, Jamie, le chauffeur préféré de sa mère, se frottait les mains pour se réchauffer. Elle l'avait envoyé, et il espéra un instant que c'était un geste d'affection de sa part, une façon de l'accueillir avec chaleur, mais il se trompait. Jamie était là parce qu'elle n'avait pas besoin de lui. Elle, elle se trouvait dans la maison, bien au chaud, avec Ella. Jamie sourit nerveusement, le salua de la tête et ouvrit la portière.

— Ça va ? lui dit Thomas en montant sans attendre sa réponse.

Mary grimpa à sa suite. Le coffre arrière s'ouvrit sur un déclic, Jamie déposa le sac, claqua l'abattant et contourna l'habitacle au petit trot pour s'installer au volant.

Elle avait tout préparé avant d'aller sous le hangar : deux grandes tasses Starbucks, en plastique, pas en carton, attendaient dans les porte-verres entre les deux sièges. Un peu de vapeur s'échappait par leur orifice, un parfum de chocolat. Elle pointa le doigt quand Jamie démarra.

— Chocolat chaud, dit-elle.

— Non, répondit Thomas en se tournant vers sa vitre.

Elle sourit et prit sa tasse qu'elle enveloppa dans ses grandes mains.

— J'avais pensé que tu aurais peut-être un peu froid.

— Je n'ai besoin de rien, rétorqua-t-il.

Il vit son reflet dans la vitre sombre et ses yeux s'égarer vers son bas-ventre. Le manque d'elle fut si violent soudain qu'il frissonna de la tête aux pieds, le cœur au bord des lèvres.

— Je veux rien.

— Tu saignes toujours, répondit-elle en se détournant.

Il accrocha son propre regard dans le verre fumé de la vitre.

— Ferme ta putain de gueule, Mary.

11

Le visage moucheté par une bruine froide, Morrow, debout sur la marche supérieure exposée à tous vents, se sentait assaillie de toutes parts par les tourbillons de la petite averse dont les bourrasques tiraillaient l'ourlet de son manteau comme des mains d'enfant. L'image la fit sourire alors que Bannerman hurlait dans son téléphone :

— Éteignez-moi ça ! Éteignez ça et écoutez-moi !

Son portable avait beau être à quelques centimètres de son oreille, lui arrivait malgré tout en arrière-plan sonore une voix féminine au débit ralenti, comme quelqu'un sous l'emprise de médicaments : « Suivez la route tout droit. »

— Éteignez-moi ce foutu truc ! cria Bannerman.

Ça ne lui ressemblait pourtant pas de jurer. Mais là, il était déchaîné, impatient d'arriver au plus vite. Attiré comme un forcené par toute cette masse d'argent, cette somme invraisemblable aux origines fabuleuses, une mer de possibilités roses.

— Tournez à droite, tout de suite.

Les conducteurs de véhicules blindés étaient entraînés à rester impassibles et à ne réagir ni aux cris ni aux menaces, en gardant toujours leur calme pour arriver à la destination prévue. À cet égard, certains agents étaient plus faciles à former que d'autres. Elle entendait le chauffeur répondre par monosyllabes, non, oui, ici, pas ici, pendant que Dame GPS continuait à énoncer paisiblement son itinéraire sur fond de crissements d'essuie-glaces.

— Morrow ? Morrow ! lui criait Bannerman.

Elle envisagea une seconde de raccrocher pour prétexter ensuite une perte de signal, mais à quoi bon : il rappellerait aussitôt, exigeant à grands cris de nouvelles indications d'itinéraire que le conducteur se refuserait à suivre.

— Toujours là, monsieur.

— Très bien. Nous arrivons. Lentement, mais nous arrivons.

De son poste de guet, Morrow pensait à Sarah Erroll. Elle était plus jeune qu'elle mais vivait seule ici. Étrange d'avoir passé sa vie entière au même endroit. La maison avait dû finir par lui paraître si familière qu'elle ne la voyait plus, ses pierres et ses marches, son herbe et ses murs, supplantés par l'accumulation des souvenirs de son existence, des petits incidents, des vignettes, des images conservées sans raison apparente, jusque dans leurs plus infimes détails. Morrow espérait que cette masse d'impressions avait été heureuse, avant la toute dernière. Elle vit l'empreinte d'une chaussure noire. Du daim noir, c'est tout ce qu'ils avaient réussi à déterminer à partir des empreintes de pas. Une semelle de tennis, apparemment, plate et sans talon, aux dessins profondément marqués. Deux paires différentes, presque de la même taille.

— Allez, prenez la côte, tournez là !

Il n'était que 16 h 30 mais la nuit était déjà tombée. Comme il n'y avait pas d'éclairage public au sommet de la colline, toutes les lampes à l'intérieur de la maison avaient été allumées, sans compter les faisceaux blancs des puissants projecteurs du labo. À ses pieds, elle ne voyait pas à six mètres.

Son téléphone bipa, nouvel appel, numéro inconnu.

— J'ai un autre coup de fil, dit-elle à Bannerman, avant de basculer sur le nouvel appelant : Allô ?

— Allô ? dit une voix douce. C'est bien Alexandra Morrow ?

Ce n'était pas un collègue de boulot, pourtant les seuls à avoir ce numéro.

— Oui ?

— Bonjour… Euh… Je m'appelle Val MacLea. J'appartiens à la police scientifique, je suis psychologue. C'est Daniel McGrath qui m'a donné votre numéro.

Morrow colla son menton à sa poitrine et baissa la voix.

— Et c'est *ce* numéro qu'il a donné ? Vous êtes sûre ?

Comment avait-il pu dénicher le numéro d'appel de son portable professionnel ? Il n'était listé nulle part. Même Brian ne l'avait pas.

— Oui…, hésita la femme, sentant que quelque chose ne collait pas. Désolée, mais vous ne vous trouvez pas au poste de police de London Road ?

Non, il ne l'avait pas. Transfert d'appel de son lieu de travail.

— Désolée, désolée, non, j'ai… Je vous réponds de mon portable professionnel, votre appel a été transféré.

— O.K., répondit patiemment la femme. Est-ce que je peux vous rappeler à un meilleur moment ?

Morrow inspecta la route qui descendait la colline : pas de phares de voiture à l'horizon.

— Non, finit-elle par répondre. Pas vraiment.

— Eh bien, j'espère simplement que mon coup de fil ne vous gêne pas, il concerne John McGrath, c'est bien votre neveu ?

Elle attendit une réponse mais Morrow surveillait toujours la route.

— Mmm, dit-elle.

— Je m'explique. Je suis en train de faire une évaluation de risques à la demande du tribunal et je voulais savoir si je pouvais m'adresser à vous pour obtenir des détails sur son histoire.

— Une évaluation de risques ?

— C'est une manière d'envisager le passé de John, afin de déterminer la probabilité d'une récidive à l'avenir.

— Il le refera, soyez-en sûre.

Réponse brutale que son interlocutrice éluda pour essayer de contourner le problème.

— Eh bien, vous serait-il possible de m'accorder un entretien en tête à tête ?

Une femme plaisante et sensée, à l'entendre. Morrow aurait bien aimé pouvoir s'entretenir avec quelqu'un sur son passé sans se sentir obligée de se censurer ni de s'expliquer. Mais, si elle faisait ça, Danny l'apprendrait et y verrait un service rendu.

— Je ne le désire pas.

Reconnaître ses propres manques à l'égard de John était la chose responsable à faire. Elle avait vu de loin ce qui lui arrivait, son passage de psy en psy, elle connaissait le chaos dans lequel il avait grandi, et elle n'avait rien fait. Elle l'avait vu, un jour d'été, elle étudiante et lui, encore tout petit. On l'avait abandonné, sanglé dans sa poussette parquée devant un pub. Il avait l'air d'un pauvret, ses orteils sales dans ses sandales. Il ne la connaissait pas, mais elle aurait pu le prendre et partir, n'importe qui l'aurait pu. Elle était restée vingt-cinq minutes au coin de la rue, à veiller sur John dans sa poussette. Une seconde, elle avait même envisagé de le voler et de l'emmener à la maison pour lui donner à manger. Mais elle était jeune, elle n'avait pas le sou, pas même un endroit où le garder. Elle avait vu la mère débouler en trombe du pub et débloquer les freins du landau dans la foulée sans même jeter un regard ni dire un mot gentil à son petit, alors qu'il lui faisait des risettes. En la regardant s'éloigner, Morrow avait senti toutes ses certitudes d'enfant s'évaporer avec elle, du temps où elle s'était convaincue qu'une fois mère elle saurait se montrer plus responsable que ne l'était la sienne.

Une lueur jaunâtre apparut au travers des arbres au bout de la route.

— Il faut que j'y aille, dit-elle.

— Pourrions-nous nous rencontrer ?

— Vous savez que je suis officier de police ; personne ne connaît mon passé, je ne tiens pas à me retrouver associée à ce…

— Je pourrais passer vous voir chez vous, si vous préférez. Sinon, venez jusqu'à mon bureau, vous serez la bienvenue.

Les phares se rapprochaient, ralentissant à la fourche de la route avant de tourner et de s'engager sur la pente raide, à flanc de coteau, plongée dans une obscurité totale.

— Non, répondit-elle en coupant la communication.

Aussi coupable qu'une gamine surprise avec une cigarette, elle afficha un sourire forcé en regardant le véhicule blindé s'arrêter devant elle.

Rien de bien impressionnant à première vue. Une simple camionnette noire avec une caméra sur le toit. L'intérieur en revanche n'avait rien de banal. Les portes arrière s'ouvrirent sur une autre porte, un véritable coffre-fort sécurisé par une minuterie et soudé au châssis. Les voleurs éventuels seraient contraints de découper le véhicule en deux pour le dégager. Il servait au transport des saisies de drogue et d'argent en cas de sommes substantielles. Et la formation des chauffeurs n'était pas donnée.

La camionnette fit un petit bond en arrière quand le frein à main fut serré. Bannerman ouvrit la portière passager et descendit en la claquant derrière lui d'un geste furieux. Il fonça droit sur Morrow, pour bien lui signifier qu'il était à cran, comme si elle ne le savait pas, s'immobilisa au bas des marches et jura entre ses dents à l'attention du conducteur.

— Il m'a mené à une boutique de cachemire appelée Glenarvon, dans le village voisin.

— Je vois, répondit Morrow qui s'en fichait complètement.

— Où est-il ?

— Le corps ?

— Non, l'argent.

C'était bien de lui, ça : il n'hésiterait pas une seconde à piétiner un cadavre de femme pour gagner au plus vite le seul objet de ses préoccupations, celui qui lui vaudrait gloire et lauriers. Même s'il ne s'agissait pas d'argent lié au trafic de drogue, il aurait droit à la première page de la lettre d'information éditée par la police du Strathclyde. Les grands chefs étaient bien les seuls à la lire, mais ils entretenaient ainsi l'illusion de garder le contact avec les hommes de terrain. Bannerman adorait y figurer en bonne place.

Une portière s'ouvrit et le chauffeur descendit à son tour avec précaution de son véhicule. Visière baissée et mains toujours gantées, il balaya les environs du regard à la recherche d'éventuels voleurs. Tout juste sorti de formation, estima Morrow. Un bleu qui prenait son boulot au sérieux. Elle se sentit désolée pour lui. Il tourna la tête dans leur direction et hésita en les voyant plantés sur les marches, réticent à l'idée de s'approcher tant que Bannerman restait là.

Impatiente, Morrow lui fit signe d'avancer, elle ne pouvait pas retourner au bureau tant que la responsabilité de l'argent n'aurait pas changé de mains. Il s'approcha à petits pas et s'arrêta à trois mètres. Bannerman le fusillait du regard, le mettant au défi de faire un pas de plus.

Les deux hommes perdaient du temps à décider de qui aurait la plus belle paire de couilles alors qu'elle avait encore du pain sur la planche avant de pouvoir rentrer chez elle : elle devait interroger l'avoué de Sarah qui l'attendait au poste et rédiger quelques rapports préliminaires. Un instant, elle eut envie de s'offrir une petite revanche en les faisant passer sans prévenir devant le corps de Sarah, mais se ressaisit :

— Vous devriez faire le tour, leur dit-elle, on est en train de sortir le corps et il n'est pas joli à voir. La porte de la cuisine est là-bas et les meurtriers sont entrés par le vasistas.

— Quoi, faire le tour par-derrière parce que le cadavre se trouve là-bas ? lui rétorqua Bannerman en montant une marche. Je tiendrai le coup, je sais que c'est rude...

— Non, vous risquez de polluer la scène de crime. L'argent se trouve dans la cuisine, lui répondit-elle en regardant par-dessus sa tête. Vous, le chauffeur, quel est votre nom ?

Il le lui dit, mais sa réponse fut étouffée par sa visière et, de toute façon, Morrow n'écoutait déjà plus. Elle se félicitait pour la courtoisie dont elle faisait montre à l'égard des sous-fifres.

— O.K., lui dit-elle. Vous allez donc faire le tour et jeter un coup d'œil à tout cet argent. J'aimerais que vous l'emportiez tel qu'il est, avec la planche.

— Par là ? lui demanda-t-il.

Le pignon de la maison était dans l'obscurité, et il n'avait pas l'air très chaud.

— Oui, vous suivez le mur et vous passez par l'arrière. Les lumières sont allumées, vous verrez la porte ouverte.

Il s'éloigna dans l'herbe haute et mouillée et disparut derrière un arbre.

Bannerman leva les yeux vers Morrow.

— Comment vous sentez-vous ? Ça va ? dit-il en se voulant rassurant.

— Mais... bien, répondit-elle, un peu surprise par cette affabilité soudaine.

— C'est pas trop pour vous ? lui fit-il en montrant la maison de la tête.

— Non, non, ça va bien. Même si (elle se frotta le ventre en descendant à son niveau) j'ai l'impression que je passerais bien ma journée de demain au lit.

Bannerman rigola sans bruit.

— Ah, je crois finalement que je vous préfère enceinte. Les hormones vous rendent plus douce, dit-il en lui tapotant le haut du dos, chose qu'il n'aurait jamais osé faire par le passé.

C'est un fait, elle avait changé et en était consciente, mais la chimie n'avait rien à voir. Le fait d'attendre des jumeaux représentait déjà un bien grand changement en soi, et il savait que Gerald était mort. Il devait penser qu'elle était prête désormais à parler à cœur ouvert, à vouloir qu'on la touche, et qu'on se montre indulgent avec elle. Pour éviter de lui répondre par une stupidité, elle se tourna vers la porte ouverte.

— Les hommes se foutent complètement de ce qui s'est passé là, lui dit-elle doucement.

— Comment ça se fait ?

Elle poussa un soupir en embrassant la bâtisse du regard.

— Une grande maison, pas de parents proches pour pleurer la morte, tout un paquet d'argent douteux dans la cuisine. Et elle n'a plus figure humaine.

— Ils en reviendront, nous trouverons bien des photos d'elle gamine.

— Ils font déjà des plaisanteries douteuses à son sujet, patron.

— C'est ce que j'ai entendu, dit-il avec un petit sourire narquois. Ses jambes…

Morrow ne savait pas comment le lui dire, mais les hommes étaient choqués parce que les parties génitales de la morte étaient bien en évidence. Ils étaient vieux jeu, pleins de sympathie pour les femmes qui gardaient les genoux serrés et la culotte bien remontée. Une sympathie qui pouvait disparaître au premier soupçon de mœurs légères. Morrow évitait de trop y penser, mais ses chemises, en tout cas, étaient boutonnées jusqu'au col.

— Crise de motivation, dit-il d'une voix forte. Pour beaucoup, la seule chose qui compte, c'est le chèque de paie.

Elle bredouilla vaguement pour toute réponse. Bannerman ne faisait pas vraiment une observation, il se contentait de répéter une conversation indignée qu'il avait eue avec un pote au golf. Les hommes étaient bien sûr en droit de faire ce métier pour gagner leur vie, mais le problème était plus profond : leur manque d'engagement à la tâche devenait de plus en plus ancré, comme un symbole de leur fonction dont ils tiraient gloire, une chose dont ils se vantaient entre eux. Plus leur attitude allait s'enraciner, moins ils en obtiendraient de leur part, et les grands chefs se désespéraient, au point de vouloir régler un problème de cœur et de fierté en lançant des rumeurs sur un projet de primes à la réussite.

Le chauffeur réapparut au coin de la maison. Il avait ôté son casque et son visage ressemblait à celui d'un beau et gros bébé.

— Patron, il va nous falloir d'autres camionnettes. Il y en a trop.

Morrow avait pourtant vu le véhicule dans lequel il était arrivé. Il y avait largement la place pour emporter ce qui était caché sous la table.

— Nan, vous pouvez tout prendre d'un coup, pas de problème.

— En aucun cas, l'arrêta-t-il aussitôt, levant la main et fermant les yeux pour mettre un point final à la discussion. Selon le règlement, nous ne sommes pas autorisés à transporter plus de soixante-quinze milles livres à la fois. Selon mes calculs, il va nous falloir neuf véhicules blindés.

Bannerman se tourna vers Morrow. Le même semblant de rictus sur les deux visages.

— Or, poursuivit tristement le chauffeur, nous ne les avons pas. Il va donc falloir faire des allers et retours. Ouais, y en a un paquet, ajouta-t-il en se méprenant sur leurs petits sourires. Une affaire de drogue, c'est ça ?

Morrow plissa le front pour s'empêcher de glousser et, se tournant vers la maison, appela le constable Wilder.

— Je vous laisse régler le problème, annonça-t-elle à Bannerman. Assurez-vous que…

— … tout soit photographié avant d'être déplacé, oui, je sais cela, Morrow, répondit-il d'un air réjoui.

Wilder apparut sur le seuil et prit un air coupable en voyant les deux gradés rigolards sur le perron.

— Wilder, lui dit-elle en saluant Bannerman de la tête, à vous le volant. On rentre.

Ils riaient toujours sous cape en se disant au revoir, tandis que Wilder se dépêchait à petits pas pressés sur les marches, suivi par

Morrow. Ils s'installèrent dans la voiture, mirent leur ceinture et repassèrent devant l'entrée de la maison juste à temps pour voir Bannerman et le chauffeur gravir les marches du perron.

— Bonne chance, marmonna Wilder.

Un commentaire que Morrow apprécia et qui radoucit ses préventions à son endroit, car elle n'avait jamais beaucoup aimé Wilder : elle le trouvait un peu trop beige, même pour un policier, avec des cheveux de la même couleur que sa peau, et doté d'une conversation totalement inintéressante. Elle le soupçonnait d'être le meneur de la bande d'irréductibles hostiles au sein de son équipe, lui et Harris, sans raison autre que le fait qu'elle ne l'avait jamais beaucoup apprécié.

Il longea prudemment le fourgon mortuaire garé et s'engagea dans la pente abrupte de l'allée goudronnée.

Le long de l'avenue, les faisceaux des phares léchaient les grands arbres et accrochaient des buissons à leur passage. Les maisons étaient bien en retrait de la route, leurs allées à voiture encadrées de spots lumineux comme des pistes d'atterrissage. Presque au bout de l'avenue, une femme en imperméable marchait sur l'accotement en regardant ses pieds, la fine sangle de son sac à main en bandoulière sur la poitrine. Elle se redressa à leur approche et Wilder maugréa avant de se ranger devant elle sur le bas-côté. Morrow distingua deux centimètres de racines, des cheveux bruns mêlés de gris, les marques d'usure du ciré aux épaules, le simili-cuir écaillé de la sangle du sac.

La figure presque blanche sous l'éclat brutal des phares, l'inconnue inclina la tête de côté et plissa les yeux pour mieux distinguer leurs deux visages dans l'ombre avant de s'approcher.

Kay regarda par la vitre, se préparant à leur parler, au lieu de quoi elle sourit, bouche ouverte, radieuse. Morrow en resta estomaquée. Kay Murray. Elle n'avait pas changé.

Elle ouvrit sa portière et descendit en la claquant derrière elle.

— Seigneur tout-puissant, dit Kay, mais t'as l'air d'une ado. On te donnerait douze ans.

— Kay, fit Morrow en retour avec l'envie de lui toucher le visage, Kay.

— Qu'est-ce que tu fiches par ici ?

— Je suis dans la police.

— Non !

— Et si.

— Je les hais, tous ces putains de flics. Comment c'est arrivé ?

— J'ai fait un faux pas.

Elles avaient grandi ensemble, traîné ensemble aux coins de rue, et Morrow s'était souvent demandé ce qu'elle était devenue. Mais Kay n'était pas de celles qui gardaient le contact : les gens étaient dans sa vie, ou bien ils ne l'étaient plus. Elle n'était pas du genre pause café pour parler du bon vieux temps. Mais plutôt de ces filles avec lesquelles on assiste aux concerts de rock, on drague les garçons, on fait des choses.

Elles continuaient à se sourire, le visage radieux, jusqu'à ce que Wilder donne un coup d'accélérateur sans raison particulière.

— Oh, lui. Ce mec est un connard, dit Kay en plissant les yeux pour détailler le visage beige de Wilder derrière son pare-brise. Pas plus tard qu'aujourd'hui, il m'a parlé comme si j'étais une foutue Mme Serpillière.

— Où est-ce que tu l'as vu ?

— Un peu plus loin sur la route, dans une des maisons où je fais le ménage. J'ai travaillé là-haut, ajouta-t-elle en montrant Glevarnon sur la colline. J'ai dit que j'allais y passer pour voir s'il manquait des choses.

— Tu veux bien ? dit Morrow en sachant qu'on était en train d'emmener le corps. Tu veux bien attendre jusqu'à demain ? Je serai sur place après dix heures.

— Comme ça, je pourrai te revoir, dit Kay qui confirma de la tête en s'étranglant presque tellement elle était émue et heureuse, avant de remarquer le ventre de son amie d'enfance. C'est pour quand ?

— Ça fait cinq mois.

— T'es bien grosse.

— C'est des jumeaux.

— Un cauchemar, dit Kay d'un ton léger.

— Tu as des enfants, toi aussi ?

— Quatre, répondit Kay avec tendresse. Quatre ados, quatre bâtards. Ils me font mener une vie d'enfer.

Ça faisait très vieille école de dénigrer ainsi ses propres enfants en dégoulinant de fierté, à croire que leur faire un compliment risquait de leur donner la grosse tête.

— J'ai pensé à toi récemment. J'ai entendu, pour ton John. Quel fêlé.

— Ce n'est pas *mon* John…

— Mais si, qu'il l'est, l'interrompit Kay.

— Non, non, rien à voir avec moi.

— Mon cul, oui. Il est à toi. On choisit pas ce qu'on a.

Pleine d'appréhension, Kay releva la tête en direction de la maison brillamment éclairée.

— Que… qu'est-ce qui s'est passé là-haut ?

Morrow savait qu'elle ne devait rien dire, mais elle connaissait Kay et lui faisait confiance.

— Une vraie bouillie, lui répondit-elle en montrant son propre visage.

— Qui ça ? Sarah ?

— Oui.

Le front de Kay se plissa soudain et elle inclina la tête.

— Seigneur Dieu.

— Tu la connaissais ?

— Oui.

— Elle était comment ?

— Plutôt gentille, dit Kay, la tête toujours baissée. Elle disait pas grand-chose. La mère en revanche était folle à lier, ajouta-t-elle avec un petit sourire.

Voyant tomber une grosse larme, Morrow crut que c'était la pluie, avant d'en voir une seconde, et elle comprit soudain que Kay avait connu la dépouille désincarnée gisant au bas des escaliers du temps où c'était un être vivant et animé, qu'elles avaient peut-être même été amies, toutes les deux, en dépit de leurs différences. Elle tendit la main et toucha Kay à l'épaule, comme pour essayer de se rattraper de cette nouvelle infâmante.

— Désolée, dit-elle.

— Non, répondit Kay en s'éloignant, trop gênée pour la regarder en face. Non, ce n'est pas…

— Je ne savais pas que vous étiez proches.

— On l'était pas, lui répondit Kay en se retournant, l'air coupable. C'est juste… que j'ai la larme facile. La petite est morte. C'est triste.

Elle fit demi-tour et repartit à grands pas pressés, en restant à proximité des arbres. Morrow la suivit des yeux.

— Je te vois demain ?

— Oui, lui cria Kay.

Sous la lumière chaude d'un lampadaire, Kay leva un bras derrière la tête et gratta sa longue nuque d'un index replié, et Morrow s'arrêta de respirer : son geste lui était si familier qu'il aurait pu être sien, en un autre temps, à une époque plus douce, peuplée de femmes furieuses pleines de défauts, d'incertitudes et de chaleur humaine. L'idée la frappa brutalement : Kay avait raison. Sarah Erroll n'était pas simplement un puzzle réduit en bouillie. C'était une jeune femme et elle était morte.

C'était triste.

12

Le trajet ne demandait que trente minutes lorsque les conditions de circulation étaient favorables. Malheureusement, le moment était mal choisi : l'heure de pointe, les conducteurs se traînaient au pas, toujours aux aguets et soupçonneux, collés égoïstement au pare-chocs qui les précédait au cas où quelqu'un aurait tenté de se glisser dans leur file. Il savait toujours très exactement s'ils approchaient de Sevenoaks simplement parce que les voitures lui semblaient d'un coup plus grosses et plus propres, un peu à l'image de son père. Profilées, impeccables et racées, suffisamment puissantes pour vous écraser sans s'arrêter.

Thomas haïssait Sevenoaks. Ils y avaient emménagé six années auparavant, lorsque son père était au zénith de sa gloire et que l'argent coulait à flots. Lars rentrait tous les soirs l'air de plus en plus content de lui. Il avait pris du poids, se rappela Thomas, et disposait d'une garde-robe entière de vêtements taillés sur mesure pour cacher un cul et un bide qui enflaient.

Il lui paraissait inconcevable qu'il se soit pendu. Son père n'était pas homme à se complaire dans de sombres introspections sur lui-même. Mais il aurait surmonté le scandale public parce qu'il méprisait ses investisseurs. Il disait qu'on ne pouvait pas tromper un homme honnête.

Moira avait changé quand ils étaient arrivés à Sevenoaks, mais Thomas n'avait jamais compris pourquoi. Il était encore gamin à l'époque. Il ne remettait pas en question la nature des rapports entre ses parents, mais on aurait dit que son père vampirisait sa mère en lui volant son instinct de vie : plus il se montrait enjoué et drôle, plus elle perdait de sa substance, devenant à mesure une victime aux yeux éplorés. Elle avait renoncé à participer à tout ce qu'organisait la société de son époux, soirées, séjours de vacances ou journées de contact pour les épouses de ses membres. Elle prenait des cachets qui rendaient sa bouche sèche de façon horripilante : Thomas se souvenait avec dégoût du bruit de sa langue contre son palais déshydraté, râpeuse comme du papier de verre. Ses clignements de paupières n'avaient plus rien d'expressif, au point même de ralentir légèrement, comme si, à certains moments, en fermant les yeux, elle n'était plus tout à fait certaine de vouloir les rouvrir.

Thomas serrait l'accoudoir de la portière à deux mains et regardait obstinément par la vitre. Il sentait la présence brûlante de Mary dans son dos, percevait le vague désintérêt de Jamie, le substitut de sa mère, à l'avant. Il fixait le verre, son propre reflet, ses yeux ronds et ses grosses lèvres stupides à la Moira, à peine visibles sur les filigranes de Sevenoaks en arrière-plan. Un relief de collines basses et douces, sans rien des masses imposantes et rudes du paysage de l'école. De grandes maisons qui se cachaient au bout de leur chemin d'accès, boudant derrière des arbres.

Moira avait accepté de déménager sans rechigner dans la propriété de Sevenoaks que Lars avait achetée sans même la consulter, alors qu'elle se retrouvait à des kilomètres de ses voisins et amis, comme des boutiques du nord de Londres. Ce sera super, leur avait-on dit – peut-être elle, peut-être lui –, ce sera super là-bas, nous aurons des hectares de terrain bien à nous, une grande clôture tout autour et un système de sécurité haut de gamme. Nous aurons des volets électriques, un abri de survie sécurisé et un coffre-fort.

Ils avaient emménagé, et Thomas s'était retrouvé expédié en internat, avant même d'avoir eu l'occasion de découvrir ce qu'il y avait de tellement super à disposer d'un abri de survie. Moira n'avait pas plus protesté devant son départ. Mais quand était venu le tour d'Ella de partir, elle avait réagi et exigé que sa fille suive les cours de l'école locale jusqu'à douze ans. Thomas lui avait ensuite posé la question, pourquoi défendre Ella et pas lui. Elle avait versé quelques larmes et décollé sa langue râpeuse de son palais desséché avant de lui répondre, en se sentant peut-être un peu coupable : les garçons, c'est différent. Voilà tout ce qu'elle avait dit. Les garçons, c'est différent.

Sur les clichés des journaux, Moira n'avait pas l'air vidée de sa substance. Elle avait même plutôt belle allure, un ou deux gars de l'école le lui avaient dit. Elle était restée mince, et son père payait quelqu'un qui venait souvent s'occuper de ses cheveux, lui faire une teinture et la coiffer. Mais même dans les journaux, quand on la voyait saisie au vol entre deux avions par l'objectif, ou en voiture, fendant la foule des protestataires qui attendaient devant les grilles, même à ces moments-là, il voyait le vide en elle. Elle était tout ce qui lui restait et il n'y avait plus personne.

Ils approchaient de la bretelle de dégagement en même temps que d'autres grosses voitures, et Jamie avait mis le clignotant bien avant l'embranchement pour indiquer qu'il voulait sortir. Le ciel était sombre, les champs transformés en alignements de friches et de boue retournée. On aurait pu croire qu'il n'existait plus rien sur cette terre hormis cette bande de macadam, cette file de voitures.

Tout à côté de lui, il entendait Mary qui cherchait quelque chose à dire, ouvrant la bouche pour la refermer ensuite. Elle resta silencieuse. Elle devait s'inquiéter pour son emploi, tous devaient s'inquiéter. Ils ne pouvaient plus se permettre de conserver tout ce personnel. S'il rencontrait Mary et qu'elle ne travaillait plus pour eux, se demanda-t-il, serait-elle différente ? Il savait qu'elle pensait à des choses sans les exprimer, tout le monde faisait ça. Probable que Jamie serait le même qu'aujourd'hui. Parfaitement égal à lui-même. Silencieux, plaisant, un peu vide. Moira adorait Jamie pour ça. Elle l'appréciait parce que lui aussi n'avait rien d'autre, ni projets ni ambitions.

Jamie prit le virage, suivit la route jusqu'aux grilles, des grilles toutes neuves, imitant le style victorien. Son père adorait les imitations. Jamie s'arrêta tout contre, pressa le bouton sur son tableau de bord, et les deux ouvrants pivotèrent lentement vers l'intérieur en donnant le temps à Thomas de lire tous les graffitis sur les murs. MENTEUR, disait l'un d'eux. Il l'avait déjà vu, sur une photo dans un journal. RACLURES DE BANQUIERS, disait un autre. Ridicule. Son père ne travaillait pas pour une putain de banque. À part ces deux-là, les autres protestations semblaient bien pâles. Un bouquet de fleurs bon marché achetées en grande surface avait été dressé au bout d'une croix en bois. Les gens étaient au courant du suicide.

Au-delà des grilles, l'allée était abritée du vent en provenance de la colline par une longue arcade de vieux arbres noueux, dénudés, sinistres et menaçants. Le toit de verre de la piscine avait l'air sale. Thomas y vit quelques feuilles mortes.

C'était une maison laide, avec sa façade asymétrique, de style Arts and Crafts, censée ressembler à un cottage trapu au toit lourd et massif, mais beaucoup trop grande pour que l'effet soit réussi. Elle évoquait plutôt un centre sportif, avec une grande salle et de grandes pièces. Son père l'avait achetée au rabais à un commerçant en faillite qui vendait ses biens pour tenter de minimiser ses pertes et retrouver des liquidités. Des relents de panique s'accrochaient à tous les murs. C'est Moira qui avait réaménagé tout l'intérieur. D'une voix râpeuse, la bouche sèche, elle avait ordonné au décorateur de lui faire ça en bleu et blanc givrés, dans le style suédois, un choix en contradiction flagrante avec l'architecture extérieure de type Voysey, mais obstinément cohérent. Les quartiers de Thomas étaient pleins de tables et de chaises blanches aux pieds effilés en fuseau, avec des frises de cœurs peints.

À leur arrivée au bas des marches, Mary finit par trouver quelque chose à dire.

— Nous sommes vraiment désolés pour ton papa.

Elle fixait sa nuque, en attente d'une réaction, mais Thomas ne bougea pas. Il contemplait la pelouse de son père.

La maison ne trônait pas au sommet d'une colline comme celle de Thorntonhall, elle était juste surélevée, avec une terrasse fermée d'une balustrade courant sur toute la façade et deux volées de marches de part et d'autre, au-dessus d'une pelouse en pente douce. C'est elle qu'il regardait, l'esprit vide. Il aurait dû sortir de la voiture mais en était incapable, les muscles ramollis, craignant de lâcher l'accoudoir de sa portière.

— Veux-tu que j'aille voir si ta mère est là ?

Si elle est là ? Elle n'était même pas à la maison. Elle était sortie. Retour au bercail, pour rien. Les yeux toujours fixés sur la pelouse, il se rendit brutalement compte qu'il avait les yeux secs, écarquillés comme s'il venait de recevoir un coup. C'est tout juste s'il pouvait respirer.

Mary prit son silence pour un acquiescement et descendit de la voiture. Elle remonta les marches quatre à quatre et se dirigea vers la porte.

Les yeux de Thomas restaient rivés sur le gazon. C'est son père qui tondait. Il adorait sa pelouse, il était fier de savoir qu'elle lui appartenait, fier de sa forme et de sa pente alanguie qui se déroulait sans fin en lui offrant l'illusion de tout posséder jusqu'à l'horizon. Quand ils avaient emménagé, Thomas et Ella avaient voulu y jouer, y courir et s'y rouler, mais Moira avait dit non, elle est à votre père, elle lui appartient et ce n'est pas un terrain de jeux.

Il en était effectivement propriétaire et personne, pas même Moira ou Ella, n'était autorisé à y courir ou à y marcher, et les jardiniers se faisaient virer s'ils en laissaient jaunir un centimètre carré. Thomas pressait le nez contre la vitre, si fort qu'il avait mal, et il pressa encore plus violemment jusqu'à entendre un déclic. Il vit alors un talon qui écrasait un nez, l'intérieur des fosses nasales éclatées, le blanc éblouissant des cartilages, les bulles écarlates d'une rondeur parfaite et Squeak à quatre pattes qui relevait les yeux vers lui, le sang dégoulinant de sa bouche, en souriant dans le noir…

— Vous allez bien, Thomas ? lui demanda Jamie en se retournant vers lui de biais, un quart de son visage visible, un vague sourire gêné aux lèvres.

Thomas lâcha l'accoudoir, lança ses avant-bras autour de la gorge du chauffeur et tira violemment en l'étranglant au passage pour l'arracher à son siège et le faire basculer sur la banquette arrière.

13

Sur le trajet qui les ramenait à London Road, Wilder garda le silence et Morrow lui en fut reconnaissante. Elle tenait son calepin sur ses genoux et y jetait un coup d'œil de temps à autre, en faisant mine de chercher un sens aux détails et à la chronologie qu'elle y avait notés. Mais elle avait l'esprit ailleurs, avec une seule image en tête : Kay Murray plus jeune, debout à un coin de rue devant un magasin AJ Supplies à Shawlands, les lèvres outrageusement maquillées. JJ venait de naître et Morrow était jalouse de Danny, un peu agacée par toute cette tendresse qu'elle percevait dans sa voix quand il parlait de son petit, son regard attendri et sa fierté : il avait désormais sa propre famille, et elle était sûre qu'il allait partir faire sa vie ailleurs, loin du foutoir qui les avait vus naître.

Elle sentit son téléphone vibrer avant même qu'il ne tinte et fouilla sa poche pour le sortir à la première sonnerie. L'écran affichait « Bureau » et non pas « Bannerman » ; elle prit l'appel avec un certain soulagement.

— Madame, c'est Harris.

— Oui ?

— Le dernier coup de fil de l'iPhone était les urgences de la police. 999.

— Elle a obtenu la communication ?

— Elle n'a pas répondu à la standardiste.

— Merde. Je vois d'ici les journaux, ils vont en faire tout un plat. Vérifiez-moi ça. Et de près, ne laissez rien passer. O.K. ?

— Oui, madame, je remue ciel et terre et tout le tralala.

— Qu'est-ce qu'il contient d'autre ?

Il couvrit le micro et demanda à quelqu'un avant de reprendre la communication.

— On est toujours en train de faire le tri parmi les e-mails et les photos.

— Et en ce qui concerne les aides à domicile de Mme Erroll ?

— J'ai une liste de noms avec les adresses.

— Je serai là dans un quart d'heure, dit-elle avant de raccrocher.

Ils auraient pu la sauver. Ils auraient pu être devant sa porte et arrêter ces enculés à leur sortie. Ou empêcher le meurtre, s'ils étaient arrivés à temps. Ah, tout ce qui aurait pu être... Elle s'arracha à ces pensées pour se concentrer sur des choses plus agréables.

Kay Murray avait des enfants, quatre, tous adolescents. Et autant d'éléments discordants et incongrus. À ses yeux, c'était toujours Kay l'adolescente, malgré son visage qui avait pris un coup de vieux et ses cheveux grisonnants, et elle ne se la représentait jamais autrement que plantée sous des lampadaires les nuits d'été, à une heure trop tardive pour le peu de vêtements qu'elle avait sur le dos, encore assez jeune pour endurer des talons hauts achetés dans une boutique de vêtements d'occasion parce qu'elle avait honte de ses jambes trop fortes.

Morrow regarda son calepin, toujours à la même page depuis trois kilomètres.

— Comment s'est passé le porte-à-porte ?

Wilder était dans son petit monde à lui et sursauta en entendant sa voix.

— Pardon ?

— Le porte-à-porte, des résultats ?

— Oh (il mit son clignotant), pas grand-chose. Erroll n'avait pas beaucoup de contacts avec ses voisins. Mais elle avait mis la maison en vente.

— Vraiment ?

— À contrecœur, j'imagine, dit-il en se confortant dans son opinion par des hochements de tête. C'était la maison de famille depuis cent cinquante ans. De l'avis des voisins, une décision douloureuse et difficile à prendre.

— Le moment était mal choisi pour vendre.

— Sans compter que la maison est en piteux état.

— Ouais, elle n'en aurait pas obtenu un bon prix, dit Morrow en suivant du doigt une liste de notes. Cette femme que nous avons rencontrée un peu plus tôt sur l'avenue...

— Kay Murray ? Vous la connaissez ? demanda-t-il en souriant.

— J'étais à l'école avec elle. Où l'aviez-vous vue ?

Le sourire de Wilder se changea en grimace.

— En bas de la colline, les anciennes écuries ont été transformées en habitation, c'est là que vit Mme Thalaine. Votre copine fait le ménage chez elle. Elle a un sacré tempérament.

Une insulte plus qu'un jugement. Morrow grogna, avec un sourire en coin qu'il ne manquerait pas de remarquer.

— Vous avez son adresse ?

— Dans mes notes, répondit-il avec un haussement d'épaules.

Il allait lui falloir la journée entière pour se décider à rédiger un rapport temporaire. Elle se sentit soudain vulnérable et changea de sujet.

— Est-ce qu'Erroll avait un petit ami ?

— Personne n'en a jamais vu à la maison.

Wilder terminait sa journée de travail dans vingt minutes, et elle le voyait se déconnecter doucement.

— Elle n'entretenait pas de relations avec les habitants du quartier ?

Il n'était déjà plus là, occupé à décider de ce qu'il ferait une fois à la maison, de la manière dont il allait rentrer.

— Je sais pas. Peut-être que Kay pourrait vous répondre.

— Comment elle saurait ? demanda-t-elle, émue au simple nom de son amie.

— Apparemment, Sarah Erroll payait dix livres de l'heure, et toutes les employées de maison des environs sont venues travailler chez elle quand sa mère était malade. Cette Kay, la femme de ménage, elle a travaillé là-haut jusqu'à la mort de la vieille dame. Ensuite elle est partie. Mme Thalaine dit que Kay a beaucoup de problèmes.

— Quel genre de problèmes ?

— Elle habite à Castlemilk.

— Oui, et alors ? En quoi c'est un problème ?
— Mme Thalaine estime que c'en est un.
Morrow pouffa avec mépris.
— Elle a déjà mis les pieds à Castlemilk ?
— Elle a dit qu'elle y était passée en voiture.
— Vieille bique.

Ils longèrent les sinistres splendeurs de Glasgow Green et de Bridgeton avant de prendre London Road jusqu'au poste de police.

Il ressemblait à un immeuble de bureaux banal, trois étages en brique brun merdasse, mais avec toutes les caractéristiques architecturales d'une forteresse, une façade avec des fenêtres bien en retrait dans l'épaisseur des murs et des contreforts massifs sur toute sa longueur. Deux cubes gigantesques en béton remplis de buissons sauvages et placés devant l'entrée principale empêchaient toute entrée en force par des véhicules malveillants transformés en béliers, un danger bien plus grand que tous les terroristes. Sur l'arrière, un haut mur surmonté d'éclats de verre couleur émeraude délimitait une cour réservée aux véhicules de patrouille pour déposer des contrevenants en instance d'inculpation ou d'incarcération.

À l'extérieur, la rue était pleine de bagnoles avant le changement de poste. Elles étaient garées sur la chaussée et le trottoir, mais le chaos apparent obéissait à une règle stricte : pas une ne touchait une double ligne jaune ni ne bloquait une entrée.

Comme ils étaient dans un véhicule de patrouille, ils devaient se ranger dans la cour. Wilder s'engagea à vitesse réduite, se faufilant prudemment entre les camionnettes, les murs et, au beau milieu, le bloc de cellules avec ses hautes fenêtres barrées.

Il serra le frein à main et elle descendit, en lui commandant en guise d'au revoir :

— Avant de partir, donnez-nous les coordonnées de Kay Murray, adresse et numéros de téléphone.

Elle claqua la portière pour le priver de l'occasion de protester qu'il avait mieux à faire et se dirigea vers la rampe d'accès, un peu tracassée à l'idée de vouloir retrouver Kay en tête à tête. La règle était absolue : dans le cadre d'une enquête, aucun flic n'avait le droit de rencontrer quiconque seul à seul, non seulement parce que ledit témoin pouvait le cas échéant porter de fausses accusations contre lui s'il n'était pas accompagné – Kay ne ferait jamais une chose pareille –, mais aussi pour respecter un impératif légal, la règle de corroboration : rien de ce que dirait la personne interrogée ne serait recevable devant une cour de justice si un autre policier n'était pas présent à l'entretien pour servir de témoin. La déposition d'un représentant de la loi non accompagné était pis qu'un ouï-dire, c'était une faute professionnelle.

Elle remonta la rampe jusqu'à l'entrée, pianota le code de sécurité et se recula pour permettre au policier de permanence de la voir sur la caméra vidéo. La porte s'ouvrit.

Le comptoir de permanence était vide, mais elle entendit hurler dans les cellules, une longue plainte étouffée par la porte, une voix d'homme complètement épuisé après une journée difficile au milieu d'autres braillements. John jeta un coup d'œil depuis le bureau du fond.

— Vous êtes toute seule ? dit-il, étonné, sachant qu'elle ne prenait jamais le volant si elle pouvait l'éviter.

— Wilder est dehors. C'est qui, ça ? demanda-t-elle avec un signe de tête vers les cellules.

— Une bagarre de rue. Complètement disjoncté. Le crack.

Elle fronça les sourcils – la plupart des junkies qu'on enfermait étaient là pour infraction sur la voie publique, parce qu'ils dormaient sur un trottoir ou pour tentative avortée de vol à la sauvette.

— J'en ai eu une cargaison aujourd'hui, des amateurs de crack. À cause de l'anthrax.

Une cargaison d'héroïne avait été contaminée, et ses consommateurs se consolaient autrement.

— Ils vous mettent le bazar ?

John haussa les épaules.

— Ce serait peut-être un danger s'ils pesaient plus de quarante kilos, répondit-il en regardant l'heure à l'horloge. Vous avez un briefing ?

— Oh, c'est vrai.

Elle était tellement distraite à force de penser à Kay qu'elle avait oublié.

Elle ôta son manteau en traversant le hall d'entrée pour gagner la porte de la brigade criminelle. Elle y posait la main au moment où Harris sortait.

— Dix minutes, l'avertit-elle en montrant la salle de réunion.

— Ma'am, l'avoué qui était coincé dans la cuisine, Donald Scoot, il est toujours à l'étage.

— Je sais, je sais, je vais monter. Je le verrai après le briefing. Dites-lui dans vingt minutes.

— Il commence à râler.

— C'est très bien, dit-elle en laissant la porte se refermer entre eux.

Tout le monde se rassemblait dans la salle d'enquête, les gars de l'équipe de nuit ainsi que ceux de l'équipe de jour, de 8 à 17 heures, prêts à rentrer chez eux et à se vider la tête, pour la laisser seule à se préoccuper de Sarah Erroll. Elle entra un instant dans son bureau sans se donner la peine d'allumer, laissa tomber sac et manteau et, debout dans le noir, sortit son portable personnel.

Brian décrocha immédiatement.

— Salut, dit-il.

— O.K. ?

— Et toi, t'es O.K. ?

— Ouais.

Elle ouvrit le tiroir de sa table de travail, en sortit un bloc-notes et un stylo dont elle ôta le capuchon.

— Comment s'est passé l'enterrement ? demanda Brian après un temps de silence.

— Eh bien, il est mort pour de bon, cette fois, répondit-elle en griffonnant une spirale. T'as de quoi dîner ?

— Il y a de la soupe au frigo.

— Oh, oui, dit-elle.

Un peu agacée par sa spirale resserrée comme un piège, elle en dessina une seconde tout à côté, plus ouverte.

— Je risque d'être un peu en retard, précisa-t-elle.

— Eh bien, je serai là, lui dit-il avec un sourire dans la voix. Tout le monde va bien ?

— Tout baigne, oui, répondit-elle en touchant son ventre.

Dans l'obscurité, à des kilomètres du brouhaha qui s'agitait derrière elle dans le couloir, ils se sourirent par téléphone interposé.

— Bye, soupira-t-elle à contrecœur.

Brian fit de même et raccrocha.

Elle regarda son mobile avec tendresse. Brian faisait toujours ça, pragmatique et efficace, pas de à-plus-tard ni rien. Elle consulta son répondeur de bureau. Un message. Elle appuya sur Play. La psychologue avait appelé et laissé son numéro. Rappelez, s'il vous plaît.

Morrow lui avait déjà dit non. Piquée au vif par le culot de cette femme, elle consulta sa montre et vit qu'il lui restait deux minutes. Elle rassembla ses papiers, rectifia sa tenue et quitta le cocon obscur et silencieux de son bureau pour sortir dans le couloir en clignant des yeux, agressée par tout ce bruit et cette lumière brutale, en direction de la salle d'enquête.

On traînait des chaises face au mur du fond, et des flics bavardaient entre eux, baissant légèrement la voix en la voyant entrer et passer devant eux. Elle en vit quelques-uns baisser les yeux sur son ventre, toujours les mêmes, certains dégoûtés, les autres nostalgiques, mais tous heureux papas.

Elle claqua bruyamment son dossier sur la table pour les avertir qu'ils disposaient de trente secondes pour s'asseoir et la boucler. Ce fut chose faite avant même qu'elle ne se retourne pour leur faire face. Sept flics au total, quatre qui prenaient leur poste, quatre qui finissaient leur journée, un manquant.

Elle les salua, les yeux sur la porte à attendre le retardataire, Routher, en lui signifiant d'un haussement de sourcil qu'il avait été repéré. Pour le bénéfice des nouveaux arrivés, elle fit un topo rapide sur Sarah Erroll, la maison, l'argent. Elle les informa qu'ils recherchaient deux individus chaussés de tennis en daim noir, sans entrer dans le détail des blessures monstrueuses qu'elle laissa fermenter pour alimenter la rumeur. Les photos, ils les verraient de toute façon bien assez vite, même si, à force de passer et repasser devant eux au quotidien, l'image finirait par perdre sa puissance d'impact. Morrow espérait néanmoins que le choc reçu les aiderait à s'engager un peu.

Dès le lendemain, ils en sauraient un peu plus sur la personnalité de Sarah Erroll.

Tout en parlant, elle embrassait la salle du regard et put remarquer qu'une femme riche, tout juste rentrée d'un week-end à New York et ayant trouvé la mort dans une maison pleine d'argent, ne suscitait guère de sympathie. Lorsqu'elle les informa que la victime n'avait pas de famille proche, elle vit l'équipe de jour jeter un coup d'œil à l'horloge dans son dos. Ceux qui venaient d'arriver se contentaient d'écouter en suivant son visage, ils ne regardaient pas au travers d'elle en essayant de s'imaginer ce que la morte avait dû éprouver. Ils n'en avaient rien à branler de Sarah.

Elle conclut son exposé, passa le relais à Harris afin qu'il répartisse les tâches pour la nuit et jeta un dernier œil à son public : des hommes morts d'ennui, les gars de l'équipe de jour fatigués, impatients de regagner leurs pénates pour retrouver leur vraie vie.

Ils se dispersèrent et Harris s'approcha, avec l'espoir – elle le sentit – de s'entendre proposer de rentrer chez lui pour s'offrir une bonne nuit de sommeil.

— J'ai posé des questions autour de moi à propos des empreintes de pas. La constable Leonard (il montra Tamsin) connaît quelqu'un à la Caledonian qui travaille sur un programme informatique traitant justement de ce genre de problème. Une étudiante en doctorat. Elle suit un séminaire d'enquête scientifique criminelle.

Un petit sourire méprisant fleurit sur leurs lèvres à tous les deux. Les cours d'enquête scientifique sortaient des diplômés par fournées entières et il y avait vingt candidats par poste vacant. L'effet *Experts*, ils appelaient ça.

— Cette fille reconstitue les scènes de crime en 3D. Elle a dit qu'elle réussirait peut-être à montrer qui était où à faire quoi s'il y a assez de sang.

— Eh bien, voilà une chose que nous avons en quantité suffisante. Son programme a déjà été testé devant un tribunal ?

— Non, il est tout nouveau.

— Oh.

Elle émit d'autres réserves à son utilisation.

— Si vous lui donnez accès à des clichés de la scène de crime, assurez-vous qu'elle les garde bien pour elle. Pas de photos du visage. C'est le genre de chose qu'on retrouve tout le temps sur Internet.

— Il n'y a plus de visage.

Elle n'apprécia pas du tout sa petite plaisanterie.

— Vous comprenez très bien ce que je veux dire.

Il laissa passer cette rebuffade.

— Nous disposons également de l'enregistrement des urgences de la police. On est en train de travailler les fréquences pour éliminer les parasites.

— Bien.

— Le fichier a l'air important, dit-il, un peu nerveux.

— Elle n'a eu personne à l'autre bout, n'est-ce pas ?

— Ch'sais pas.

Ils se firent mutuellement la grimace.

— Montez à l'étage et allez voir Scott, je vous rejoins dans une minute, dit-elle.

Verbalement, Harris ne fit aucune objection, mais il pinça les lèvres, sa bouche réduite à la taille d'un penny.

14

Thomas se sentait parfaitement incongru dans cette vaste pièce immaculée. Deux énormes canapés – blancs – trônaient face à face, séparés par une table basse – blanche – garnie d'objets – blancs. Murs et rideaux – blancs, eux aussi. Moira était assise devant lui, les bras croisés, ses jambes maigres comme deux lianes entrelacées, un rictus sur ses lèvres fines. Elle se tenait parfaitement immobile et ne le quittait pas des yeux. Une posture qu'elle garda un long moment avant d'ouvrir la bouche.

— Je te dirai tout ce que tu désires savoir sur ce qui est arrivé, après quoi je ne veux plus jamais parler de lui.

Thomas s'était fait à l'idée de recevoir un savon à propos de Jamie et tenait ses excuses toutes prêtes, la faute au chagrin ou à Mary, mais le gambit d'ouverture de sa mère le prit tout à fait au dépourvu.

— Oh, fit-il.

— Interroge-moi, dit-elle en grinçant des dents.

Il ne voulait pas savoir, il ne s'était pas posé de questions, il se sentait juste inquiet des conséquences.

— Qu'est-ce qu'il a fait de mal, papa ? demanda-t-il néanmoins.

Moira roula les yeux au plafond.

— Tu m'as dit que je pouvais tout demander.

— C'est vrai, c'est vrai, répondit-elle en gonflant la poitrine. Il a investi de l'argent qui n'était pas à lui, et ses clients ont tout perdu.

— Après l'effondrement du marché ?

— Non, soupira-t-elle. C'est lui le grand responsable de l'effondrement, en quelque sorte, à cause justement des investissements qu'il proposait. C'est ce qui explique la colère des gens.

— Comment ça ?

— Tout ça est très compliqué, Thomas. Moi, je voulais parler de son suicide, pas de ce…

— Mais je tiens absolument à comprendre. Les journaux en parlent tous les jours, et moi, j'ai besoin de savoir ce qu'il a fait. Ensuite, je te poserai des questions sur le reste.

Elle s'éclaircit la gorge.

— Des tas de gens ont cessé de rembourser leurs crédits immobiliers, et les investissements ont dégringolé.

— Pourquoi ont-ils arrêté de payer ?

— Parce qu'ils sont bêtes. Et maintenant, tout le monde est furieux parce que la société de papa avait parié sur le défaut de paiement.

Il la regarda. Des mensonges pour gamin.

— Les taux d'intérêt ont grimpé en flèche après deux ans, dit-il. Il le savait et il a pris le pari que les maisons hypothéquées seraient saisies. Tu ne comprends pas ça ou tu estimes que je n'en suis pas capable ?

— Ah, mais c'est terriblement compliqué.

Que son père se soit retrouvé à la tête d'un empire de maisons vides était parfaitement conforme à son image. Thomas se souvenait d'une visite à la National Gallery, le jour où il s'était arrêté devant *Les Nymphéas* de Monet, un mur énorme de beauté fluide qui l'avait ébloui. Son père qui était dans son dos lui en avait donné la valeur estimée. Même à l'âge de neuf ans, il avait compris que son père avait tout faux.

— Est-ce que tu as des choses à me demander à propos de sa mort, je veux dire ?

Thomas estima qu'il était de son devoir de poser au moins une question.

— Où est-ce qu'il a fait ça ?

— Sur la pelouse, répondit-elle avec un filet de sourire amer, consciente de la signification symbolique du lieu. Une branche du chêne. Avec une corde.

— Quand ?

— Hier à l'heure du déjeuner, il devait être midi et demi.

Elle le fixa à nouveau sans ciller. Sachant désormais que l'incident avec Jamie n'était pas à l'ordre du jour, il se dit qu'il fallait en poser une autre, plus importante celle-là.

— Pourquoi ?

Moira décroisa les bras et prit une profonde inspiration.

— Il a laissé un mot. Tu veux le lire ?

Thomas haussa les épaules, même s'il tenait à en connaître le contenu. Elle glissa la main dans une poche de pantalon et en sortit une feuille de papier pliée qu'elle lui tendit entre index et majeur.

Il la prit et l'ouvrit. Une photocopie.

— Il t'a laissé une photocopie ?

— C'est les policiers qui ont fait ça avant de partir. Ils avaient besoin de l'original.

Thomas reconnut l'écriture de son père, ampoulée, avec de grandes lettres.

Moira, espèce de salope. T'es finalement arrivée à tes fins et j'espère que tu es satisfaite, finalement, comme si c'était possible, espèce de sale conne desséchée.

Thomas se tourna vers Moira, assise placidement sur le canapé en face de lui, les yeux fixés sur le morceau de papier qu'il lisait. C'était bien du Lars, aucun doute là-dessus. C'était bien lui, furieux et un peu ivre, quand il insultait son épouse, alternant gueulantes et persiflages. Tous deux entendaient sa voix belliqueuse qui montait de la page.

— T'es sûre que tu veux que je lise ça ?

Elle haussa les épaules et roula des yeux avant de cligner des paupières avec langueur.

— C'est la police qui a l'original, des tas de gens vont le lire et il y aura des fuites. Le pays tout entier sera au courant.

Les yeux de Moira devinrent rouges. Il poursuivit sa lecture.

Je t'ai tout donné, pour toi, j'ai travaillé jour et nuit, pour te donner tout. J'étais un mari génial. Et toi, en retour, tu m'as vampirisé en me suçant toute la putain de vie que j'avais dans les veines. Espèce de foutue salope ratatinée. J'espère que t'es contente.
L.

Thomas retourna la page pour constater qu'elle était vierge au dos et observa sa mère. Elle pleurait.

— Je n'ai même pas droit à un mot, dit-il en laissant tomber la feuille sur la table.

Ils se penchèrent en avant, détaillant les caractères géants pleins de haine, l'écriture penchée, la fureur qui s'en dégageait, comme en témoignaient les trous dans le papier, aux emplacements des points.

Le visage caché dans ses mains, Thomas fut le premier à glousser, vite rejoint par une Moira qui pouffait et pleurait tout à la fois, le doigt pointé sur le bout de papier, en essayant de dire quelque chose entre deux sanglots :

— Est-ce que... est-ce... est-ce que t'en voudrais une copie ?

Le fou rire les saisit alors, et ils se lâchèrent sans retenue, pliés en deux, luttant pour reprendre leur souffle, avant que Thomas ne se lève avec une grimace en pointant sa mère du doigt pour s'écrier :

— Eeeespèce de sale CONNE desséchée !

Moira, toute honte bue, plongea tête en avant dans un coussin, en pleurs mais tordue de rire, tant le fils imitait bien le père. Puis Thomas gonfla la poitrine et baissa les yeux sur elle avec un faux air de dégoût et, toujours hilare, sortit une des phrases favorites de Lars :

— Fous-moi le camp et disparais de ma vue, sinon je te prends par la peau du cou et je te balance par cette putain de fenêtre !

Moira toussait, rouge comme une pivoine, secouée par les quintes, étranglée par un rire devenu incontrôlable, puis elle se remit debout à son tour et pointa le doigt sur son fils en hurlant presque :

— Espèce de petit connard de perdant, je vais t'apprendre à être un homme, moi, un vrai !

Sur quoi elle fit mine de le frapper violemment d'une grande gifle bras tendu, parce qu'il était trop difficile de mimer une visite forcée à un bordel d'Amsterdam.

À ce souvenir, Thomas cessa de rigoler, mais il n'était pas triste pour autant. La mère et le fils haletaient, mais les sourires étaient toujours là. Il s'affala sur le canapé, la tête tournée vers la porte du vestibule.

— Il ne reviendra pas, dit-il simplement.

Moira écarquilla les yeux, incrédule devant le cadeau que leur offrait le destin.

— Je sais, dit-elle.

Elle se rassit sur son propre canapé et rectifia sa coiffure de ses doigts en leur frayant un passage dans ses cheveux raidis de laque. Elle avait pris un coup de jeune, l'air tout excitée, à bout de souffle.

— Je les ai regardés quand ils ont coupé la corde, dit-elle en fixant la fenêtre et l'emplacement du chêne. Ses… Ils ont coupé la corde et ils l'ont pris par les pieds pour le mettre sur… une sorte de lit.

— Un brancard ?

— Oui, un brancard, c'est ça, mais quand j'ai vu sa main retomber sur le côté, je te dis pas comment j'ai sursauté !

Elle mima un petit bond de lapin et se remit à rire, pour se moquer d'elle-même cette fois.

Thomas, en revanche, ne rit pas.

— Il ne reviendra pas, répéta-t-il, l'air grave, en contemplant ses mains.

Il releva brusquement la tête, en prenant soudain conscience qu'il régnait dans la maison un silence absolu.

— Où est Ella ? demanda-t-il.

Les yeux de Moira se mouillèrent une nouvelle fois, toute sa joie envolée, et de la voir ainsi paniquée, hochant la tête avec frénésie, Thomas comprit aussitôt qu'Ella était morte, son père l'avait baisée et il l'avait tuée, il lui avait écrabouillé le nez en abandonnant son cadavre dans sa chambre, la chatte bien en évidence. Il se releva quand Moira se couvrit le visage de ses mains pour lui répondre :

— À l'école, elle est encore à l'école, Thomas...

Le cœur battant la chamade, Thomas se sentit incapable de plier ses jambes pour se rasseoir. Elle le regarda de ses grands yeux pleins de larmes.

— Thomas, je tenais à te voir en premier parce que...

Elle s'interrompit et éclata en sanglots au creux de ses paumes, ses doigts crispés dans sa chevelure, leurs ongles de plus en plus blancs, vidés de leur sang à mesure qu'elle les enfonçait plus profondément dans la peau de son crâne. Quand elle les retira, il distingua des plaques sanguinolentes sur le cuir chevelu marqué d'une raie.

— Thomas, je sais que « je regrette » ne suffit pas, je sais bien que non, mais j'étais là, j'avais cette lettre entre mes doigts et je les regardais en train de le décrocher et, tout ce temps, je n'avais qu'une seule idée en tête, toi, toi et comment tu...

De nouveau, les ongles qui pressent, les épaules qui se convulsent, et le silence, comme un chat faisant sauter une boule de poils à coups de griffes.

Elle resta ainsi un long moment. Quand elle se redressa, il vit son visage écarlate et mouillé, la morve qui coulait par-dessus sa bouche et qu'elle essuya de sa main nue. Ses cheveux se dressaient sur sa tête. Elle était incapable de le regarder en face.

— Thomas, j'ai toujours su que j'aurais dû te protéger et je ne l'ai pas fait. Et je voulais aussi (le contrecoup d'un sanglot secoua sa poitrine) te faire mes excuses...

Elle bloqua son diaphragme et reprit une respiration normale.

— Je suis désolée. Je sais que ça ne suffit pas, mais je ferai n'importe quoi...

Thomas ne ressentait rien. Tout juste une surprise des plus ténues, simplement étonné que sa mère en pleurs ait accepté de se donner ainsi en spectacle devant lui avec sa coiffure défaite. Jamais il ne l'avait vue descendre autrement que maquillée avec soin et dans une tenue parfaitement assortie jusqu'au moindre détail. Il se demanda si elle avait bu, mais ce n'était pas le cas.

Elle le fixa droit dans les yeux cette fois, bien en face, sans écraser le menton contre sa poitrine, abandonnant son air de pleureuse quémandant une faveur. Pas de rictus, pas une once d'agacement ni le plus petit soupçon de reproche.

Elle le regarda comme un adulte regarde un autre adulte, avec respect, amour et honnêteté.

— Je t'aime, tu sais, lui dit-elle.

15

Morrow s'arrêta à la porte de la salle de surveillance vidéo pour observer Donald Scott avant d'aller l'interroger. Sur l'écran, il avait l'air guilleret mais un peu fébrile après plusieurs heures d'attente. Sachant que l'entretien ne devait pas tarder et qu'il rentrerait bientôt chez lui, il avait pris des biscuits et du thé sucré qui l'avaient apparemment requinqué. Assis en face de Harris, son attaché-case par terre, il tenait les mains croisées sur la table comme s'il se préparait à une négociation.

Costume gris anthracite neuf et élégant, chemise propre. Plus petit que dans son souvenir. Lorsqu'elle l'avait vu dans la cuisine, il était encore sous le choc, littéralement défait, mais là, il avait meilleure allure, un peu plus tonique et moins avachi.

La salle vidéo était vide, tout le monde se trouvait au rez-de-chaussée, convaincu comme un seul homme que l'interrogatoire de la personne qui avait découvert le corps ne donnerait rien d'intéressant. Tous s'affairaient à rassembler les rapports du porte-à-porte, reconstituaient le voyage de Sarah à New York à partir des papiers et des reçus retrouvés dans son sac et reconstruisaient sa vie à partir de son téléphone portable.

Elle éteignit les lumières de la salle de surveillance et referma la porte sur les écrans verdâtres, rajustant sa tenue avant de gagner la salle d'interrogatoire tout proche.

Elle se sourit à elle-même et se caressa le ventre d'une main, s'offrant une seconde caresse et un autre sourire avant d'y aller. Quatre mois de grossesse, pas de fausse couche, les clichés du scanner pour confirmer qu'ils grossissaient bien tous les deux, tout était parfait. Elle se sentait heureuse, se satisfaisant de l'idée qu'ils allaient tous trois rester ici, ensemble à jamais, au bord de ce gouffre de désastre, de soucis et d'insomnies.

Elle contempla le sol vert, les éraflures sur les murs du couloir, là où des hommes et des femmes terrifiés et à moitié fous avaient été traînés dans les salles d'interrogatoire, furieux, tristes ou donnant des coups de pied aux agents, pathétiques, passifs ou jurant de se venger. Des murs chargés de chagrin, d'effroi et d'angoisse, et elle sentit soudain qu'elle devait bien être la seule dans la courte histoire de ce bâtiment à éprouver à sa juste mesure un contentement aussi absolu.

Sachant combien ces instants privilégiés risquaient d'être rares, elle ferma les yeux pour bien graver dans sa mémoire son état de grâce momentané avant de le chasser d'un battement de cils. Elle s'avança.

À son entrée dans la pièce, elle salua Scott, qui, toujours respectueux des convenances, se leva poliment avec un sourire aux lèvres, en donnant l'impression de prendre en note les détails de la journée pour le récit qu'il ne manquerait pas d'en faire ultérieurement. Elle le soupçonna d'être un avocat pénaliste frustré. Les hommes de loi auxquels la police avait habituellement affaire étaient les rock stars de la profession, des individus aux vies intéressantes qui connaissaient des tas de gens pittoresques et ne manquaient jamais d'anecdotes pour distraire leurs invités. Les avoués comme Scott, rédacteurs d'actes notariés ou simples exécuteurs testamentaires, n'étaient des héros pour personne, mis à part peut-être les comptables de leur cabinet.

Elle glissa les cassettes dans le magnétophone qu'elle alluma, déclina les noms des personnes présentes, la date et l'heure, et invita Scott à lui faire un bref résumé des événements de la matinée.

Il contemplait le dessus de la table en le caressant doucement du tranchant de la main comme pour en chasser des miettes et se mit à parler dans un étrange jargon professionnel.

— Ce matin, à 9 h 30, je suis retourné à mon bureau, j'étais à l'heure, pour attendre l'arrivée de Mlle Sarah Erroll. J'ai ôté mon manteau et j'ai parlé à une collègue, Helen Flannery. Ensuite, je suis entré dans son bureau pour traiter d'un sujet sans lien avec l'affaire qui nous occupe et je suis revenu dans mon bureau…

Excédée, Morrow leva les yeux au plafond et le coupa sèchement :

— Pour quelle raison venait-elle vous voir ? lui demanda-t-elle.

Mais Scott n'était du genre à se laisser démonter pour si peu.

— Le but de notre rencontre obéissait à deux objectifs : en premier lieu, Sarah devait être signataire dans la finalisation du règlement de la succession de sa mère. En second lieu, il nous fallait son autorisation afin de nous permettre de prendre en charge la vente de Glenarvon…

— La maison ?

Il s'illumina.

— Oui. La maison. Tout à fait. Tout à fait. C'est dans le but de faire avancer cette procédure…

— « Finalisation de la succession de sa mère », ça veut dire quoi ?

Les lèvres un peu pincées, il laissa son regard glisser sur la table.

— Juste signer quelques papiers, dit-il.

— Quels papiers ?

— Des autorisations, sourit-il avec condescendance avant de préciser : c'est un terme technique.

— C'est ça, rétorqua-t-elle en le fusillant du regard. Et ce terme technique signifie quoi ?

— Dans quel sens ?

— Ne jouez pas au plus fin avec moi, monsieur Scott. Qu'est-ce qu'elle devait signer ?

— La finalisation d'un relevé. Suite à…

— Un règlement de facture ?

— Suite à ce…

— Oh, la ferme !

Scott en resta médusé. Assis à côté d'elle, Harris changea de fesse sur son siège, geste éloquent qui se passait de commentaire. Il avait raison. Ils avaient laissé mariner leur bonhomme seul trop longtemps et il avait eu largement de quoi préparer son petit baratin.

— O.K., dit-elle en essayant de remettre les pendules à l'heure. Monsieur Scott, il s'agit ici d'une enquête pour meurtre et j'attends de vous une coopération pleine et entière. Tous vos « suite à ceci ou à cela » pourraient laisser entendre que vous avez des choses à cacher.

— Je n'ai rien à cacher, répondit-il, en se faisant tout petit d'un coup.

— Vous avez vu l'état dans lequel on a laissé cette femme. Nous devons absolument retrouver ceux qui ont fait cela au plus vite. Ils pourraient recommencer, vous comprenez ?

Il acquiesça en silence.

— Je vous prie de m'excuser, dit-elle.

Elle n'avait pas mâché ses mots et s'excusait pour la forme, comme le voulait le protocole, mais elle était tout sauf désolée.

— Comme cet entretien est enregistré, voudriez-vous s'il vous plaît répondre au lieu de hocher la tête ?

— Oui, dit-il docilement.

— Combien de temps êtes-vous resté dans votre bureau à l'attendre avant de partir chez elle ?

— Environ quarante minutes.

— Donc, au bout de quarante minutes, ne la voyant pas arriver, vous vous êtes suffisamment inquiété de son absence pour prendre la peine de faire tout le trajet depuis le centre-ville jusqu'à Thorntonhall afin d'aller la trouver directement à son domicile ?

— Ce n'est pas si loin. Et, de toute façon, c'est facturé au client.

— Vous êtes parti à sa recherche pour lui faire régler une facture et vous alliez lui faire payer le déplacement en plus ?

— C'est une pratique professionnelle courante.

Morrow s'appuya au dossier de son fauteuil et le regarda presque méchamment.

— À combien se montait le règlement de la succession de sa mère ?

— Je ne sais pas, je ne sais pas. Il faudrait que je regarde.

Elle sourit. Elle avait le chic pour débusquer les mensonges. Elle était capable de lire les non-dits aussi aisément qu'un journal et savait qu'une dénégation redoublée spontanément équivalait pratiquement à une affirmation.

— Donc, pour récapituler, dit-elle toujours souriante, vous avez attendu quarante minutes avec les papiers sous le nez et vous voulez me faire croire que vous ne savez pas à combien se monte la facture ?

Il ne répondit pas.

— Je peux me renseigner, murmura-t-elle.

— Dix-huit mille, répondit Scott avec un sourire piteux.

— Dix-huit ? Ça fait beaucoup d'allers et retours.

— Pas vraiment.

— Quand ma mère est morte, ça n'a rien coûté.

Hautain, l'air suffisant, il s'attarda un instant sur sa veste de tailleur bon marché en polyester mélangé.

— Eh bien, sans vouloir vous offenser, tout dépend de l'importance de la succession.

— Je vois.

Elle toucha son revers du bout des doigts en faisant mine d'être sur la défensive.

— Il se trouve que je l'aime bien, moi, ce tailleur.

Il rougit, soudain mal à l'aise de s'entendre dire à haute voix ce qu'il avait tu. Son propre costume coûtait cher et sa chemise raidie d'apprêt sortait d'une blanchisserie. Elle se demanda pourquoi il s'était donné tant de mal pour un banal rendez-vous à son bureau.

— Donc, avez-vous droit à une commission sur la vente de la propriété ?

— Une commission ?

— Un pourcentage, expliqua Harris, comme si, disons, vous travailliez chez Comet.

Morrow sourit, mais Scott eut l'air un peu déconcerté, à croire qu'il ne comprenait pas la référence à la chaîne d'électroménager et d'informatique à prix réduits.

— Vous ne faites pas vos achats chez Comet ? insista-t-elle.

— Je ne pense pas avoir jamais..., dit-il, l'air de quelqu'un qui se creuse les méninges.

Elle le regarda de plus près.

— Vous n'êtes jamais passé en voiture devant un magasin avec en devanture un grand bandeau noir et jaune portant écrit « Comet » ? Ils sont pourtant partout.

— Y a même l'image d'une comète au-dessus du nom, précisa Harris.

— Eh bien, nous allons plutôt nous fournir chez John Lewis.

Apparemment, il essayait désespérément de leur faire entrevoir un côté important de sa vraie personnalité, une chose qui comptait à ses yeux et n'avait rien à voir avec le fait de ne pas lire au passage les noms des magasins quand il était au volant.

Elle ignora ce détail.

— Elle avait l'intention de mettre la maison en vente ?

— Oui.

— Sa famille habitait là depuis quoi, cent, cent cinquante ans. Ça devait être un vrai crève-cœur pour elle, non ?

— Je suppose.

— La vendait-elle pour pouvoir régler votre facture ?

Scott quitta alors son coin de ring.

— Écoutez, je n'apprécie pas du tout vos sous-entendus. Je ne faisais rien de mal. La propriété était difficile à gérer, mais toutes les dépenses sont dûment répertoriées et vérifiables. Sa mère avait besoin d'une aide permanente, vingt-quatre heures sur vingt-quatre. Ce qui revient excessivement cher, comme vous pouvez l'imaginer, j'en suis sûr.

Il les laissa réfléchir un instant, à croire qu'ils avaient besoin de cette pause de trente secondes pour bien saisir le concept de prix de revient excessif.

Harris s'avança sur son siège.

— Monsieur Scott, dit-il, les choses très chères, nous ne pouvons que les imaginer et c'est à peu près tout.

Il sourit en même temps que sa chef, et Scott prit un air faussement confus. Tactique intéressante, songea Morrow. Elle en disait long.

— Oui, reprit-il après la petite pause, le grand désir de Sarah était de faire comme sa mère, dont le vœu le plus cher avait toujours été de rester à Glenarvon et d'y mourir. Ce qu'elle a fait. Je n'escroquais pas d'argent à Sarah, j'avais pour elle la plus grande admiration. C'était une jeune femme étonnante.

— Est-ce qu'elle vivait sur l'argent de la famille ? demanda Morrow sans quitter son visage des yeux.

— Il n'y en avait pas, dit-il avec tristesse, presque compatissant.

— Rien du tout ?

— Pour substantiel qu'il ait été jadis, le domaine, je le crains, n'a servi qu'à entretenir trois générations d'incapables. Il n'est pas faux de dire qu'on ne choisit pas ses ancêtres…

Il sourit à ses propres paroles, comme s'il s'agissait d'un cliché plaisant qu'ils avaient tous employé à un moment ou à un autre en référence à leurs vastes propriétés coloniales rétrécissant comme peau de chagrin.

— De quoi vivait-elle, dans ce cas ?

— Je crains que Sarah ne se soit trouvée dans l'obligation de travailler.

Harris fit mine d'être choqué en entendant cette perle.

— Et quelle était sa branche d'activité ? sourit Morrow.

— Gestion financière. Elle était conseillère en placements pour les retraites et en investissements.

— Pour une société ?

— Non, elle était consultante.

— Pour qui ?

— De grosses entreprises.

— Mmmm, fit Morrow, soudain très lasse. J'aimerais vous questionner encore sur ce sujet, mais vous nous avez déjà fait perdre un temps si précieux avec vos façons de noyer le poisson que je crains le pire désormais, or j'ai très envie de rentrer chez moi ce soir.

Scott sourit à cette nouvelle, prenant pour un compliment le fait qu'il se soit montré aussi combatif. Il se trompait sur toute la ligne : pour les policiers comme pour les avocats, il était difficile de ne pas s'entendre tant ils partageaient la même vison du monde ou presque. Morrow fit néanmoins une nouvelle tentative.

— Avez-vous eu la tentation de l'escroquer également sur les sommes relatives aux soins exigés par l'état de santé de sa mère ?

Mais Scott avait dû décider de son propre chef qu'ils s'entendaient tous très bien.

— J'étais chargé des paiements et de la plupart des dispositions à prendre, si c'est ce que vous voulez savoir.

Les jumeaux lui chatouillaient les poumons et un sourire fleurit à ses lèvres. Dans le monde de la vraie vie, Scott lui sourit en retour et elle dut lui laisser croire que le sien était délibéré.

— Tout était scrupuleusement reporté sur les livres comptables ?

— Absolument : Carers Scotland est une société agréée, tous les paiements et les salaires sont dûment répertoriés. Tout l'argent sortait du même compte et Sarah payait rubis sur l'ongle.

— Nous ne manquerons de vérifier ces comptes, dit-elle en voulant paraître menaçante, mais elle se sentait encore toute chose après son petit plongeon dans l'autre monde.

— Je vous en prie, dit Scott en opinant du chef. Je ferai en sorte qu'ils soient mis à votre disposition. Ainsi que les factures relatives au règlement de la succession si vous le souhaitez. Je n'ai rien à cacher.

— Parfait.

Elle prit une profonde inspiration, et d'un coup, lui coupa l'herbe sous le pied pour prendre l'avantage.

— Sarah avait environ sept cent mille livres en liquide cachées dans sa cuisine.

— Peut-être plus près de six cent cinquante, marmonna Harris.

Scott pâlit, totalement pris au dépourvu, et eut soudain du mal à parler.

— Dans la cuisine ?

— Ouais. Sur une fausse étagère sous la table.

La tête penchée à droite, il refit mentalement le chemin qui l'avait conduit jusque-là.

— La petite table... sept cent mille ?

Harris y alla de son petit grain de sel.

— Peut-être bien six cent cinquante, dit-il d'un ton badin, toujours joueur.

— Vous ne saviez pas qu'elle disposait d'une telle somme d'argent ? demanda Morrow, très sérieusement.

— Non. Je ne le savais pas.

— D'où vient-il à votre avis ?

— Je ne sais pas.

— Pourquoi ne l'a-t-elle pas mis à la banque ?

Scott déglutit avec difficulté.

— ... sais pas, je ne sais pas, peut-être qu'elle voulait éviter de payer des impôts ? Elle faisait très attention à ça.

— Comment le savez-vous ?

— Eh bien, nous avons eu des conversations, des conversations professionnelles à ce propos...

— De quel genre ?

— Oh...

En le voyant secouer la tête, elle comprit immédiatement qu'il resterait le plus vague possible.

— Juste, vous voyez, les abattements autorisés, la nature des frais professionnels déductibles, des choses de ce genre.

— Voyez-vous, c'est étrange ce que vous me dites là, dit-elle en feuilletant ses notes. Pour autant que l'on sache, Sarah n'a jamais payé d'impôts sur le revenu.

Il réfléchit un instant, parfaitement immobile, avant de faire non de la tête.

— Non. Vous vous trompez.

— Je peux vous assurer que non. Nous nous sommes servis de son numéro de passeport pour obtenir son numéro de sécurité sociale. Elle n'était même pas enregistrée.

— Non, je regrette, elle payait bien des impôts sur le revenu. Elle m'a aussi payé personnellement pour que je la conseille sur ce qui était ou non déductible. Elle s'est assise en face de moi dans mon bureau et m'a écouté pendant quarante minutes il y a tout juste un an de cela. Si elle m'avait dit qu'elle ne payait pas d'impôts sur le revenu, j'aurais été contraint de la dénoncer...

Il laissa filer sa voix en comprenant qu'il existait une autre manière de voir les choses.

— Mmmm, fit Morrow avec un signe de tête. Et qui a été à l'origine de cette réunion ?

— C'est moi. Je lui ai dit, vous devez vous assurer de maximiser vos revenus. Le contrat dépendance de sa mère lui coûtait une fortune. Elle ne comprenait rien aux règles d'imposition, m'avait-elle dit, ça la déroutait complètement. Pourquoi irait-elle...

— Elle était consultante financière et ne comprenait rien à l'impôt sur le revenu ?

Il se rendit alors compte à quel point il avait été stupide. Sarah l'avait laissé lui faire la leçon et payé afin qu'il lui fasse son petit topo sur l'impôt pour l'empêcher d'aller fouiner dans ses affaires.

— Elle m'a fait envoyer un panier garni de chez Fortnum pour me remercier de mon aide... L'argent dans la cuisine était en liquide ?

— En euros, répondit-elle en surveillant son visage pour voir s'il comprenait ce que cela signifiait.

Apparemment pas du tout.

— Il est possible que ses déclarations sur le revenu nous aient échappé, elle était peut-être enregistrée sous une identité différente. Est-ce qu'elle utilisait d'autres noms ?

— Non.

— Jamais mariée... ?

— Non.

— Pourquoi ne pas avoir déposé l'argent à la banque ?

— J'sais pas, répondit-il, soudain tout pâle et lointain.

— Je vous sens inquiet.

Il eut un mouvement de recul.

— Peut-être savait-elle des choses que nous ignorons ? dit-il.

— À propos de la situation financière ? Qu'aurait-elle pu savoir ? Que nous sommes tous condamnés ? Ce n'est pas un secret.

— Sarah, répondit-il, presque au supplice, elle connaissait du monde, beaucoup de monde, il lui arrivait de me donner des tuyaux...

— Sur le marché boursier, vous voulez dire ?

— Non, non, non. Des *deals*. Des deals en argent, des immeubles en construction, où acheter des appartements pour la revente, des choses comme ça.

Morrow observait sa bouche. Son accent était si bien caché qu'elle ne s'en était même pas aperçue avant cet instant. Elle articula en silence le mot qui l'avait trahi. *Dee-uulz*, prolo, South Side.

Pas *deellz*, pas classe moyenne, rien à voir avec le monde dont il prétendait être issu.

— *Dee-uulz*, répéta-t-elle cette fois à haute voix en surveillant ses réactions quand il comprit qu'il venait de se trahir. Monsieur Scott, d'où êtes-vous au juste ?

— Je vis à Giffnock.

— Non, avança-t-elle prudemment, votre lieu d'origine. Où habitaient vos parents à votre naissance ?

— South Side, répondit-il en clignant des yeux.

— Priesthill ? fit Morrow en tendant l'oreille.

— Non, précisa Scott, Giffnock.

— Ah oui, opina-t-elle, Priesthill.

Il se rassit, un rictus de dégoût aux lèvres.

— Giffnock, insista-t-il doucement.

— Écoutez, le consola-t-elle en posant la main sur la table, nous ne le répéterons à personne, inutile de nous mentir.

Il se mordilla la joue, d'un air malheureux, et Harris ajouta :

— Nous pouvons faire des recherches.

— Les tours de Kennishead, lâcha-t-il d'une voix morne.

Ils se seraient volontiers moqués de lui, mais sa honte était telle qu'ils n'en auraient tiré aucun plaisir.

— Qu'est-ce que ça vient faire là-dedans ?

— Dans quelle université avez-vous fait vos études ?

— À la fac de droit de l'université de Glasgow.

Morrow hocha encore la tête d'un air entendu. Elle était passée un jour à la fac de droit pour interroger quelqu'un. Si elle avait été étudiante là-bas, elle aussi aurait menti sur ses origines sociales.

— Plus distinguée que Sarah, ça n'existait pas, n'est-ce pas ?

Il cligna des yeux à l'adresse de la table, sur la défensive, et reprit son accent distingué.

— Comme je l'ai dit, Sarah était une jeune dame issue d'un excellent milieu.

Malaise et conflit se lisaient sur sa figure, comme si l'idée qu'il se faisait de lui-même se brouillait.

— C'est vous que Sarah a demandé nommément ?

— Oui.

— Estimez-vous qu'elle vous savait un peu impressionné par ses côtés grande dame ?

— J'ai toujours fait montre d'un respect...

— Non, non. Pensez-vous qu'elle vous ait démasqué ? Savait-elle qu'elle pouvait vous intimider ?

Scott s'appuya au dossier de son fauteuil et la fusilla du regard. Voyant les cassettes tourner dans le magnétophone, il plissa les paupières et articula en silence « allez vous faire foutre ». Un avocat pénaliste n'aurait jamais commis pareille erreur.

— Je suis vraiment désolée, lui dit Morrow, le regard dur, pourriez-vous simplement répéter ce que vous avez dit, qu'on l'entende bien sur la bande ?

— J'ai rien dit, contra-t-il avec un petit sourire narquois.

Lentement, Morrow leva la main pour montrer le coin de la pièce. Il suivit la trajectoire de son doigt et se transforma en statue devant le point rouge sur la caméra.

— Est-ce que pour vous Sarah Erroll était quelqu'un d'intelligent ? demanda-t-elle en se penchant vers lui.

— Non, répondit-il d'une petite voix à l'objectif, pas vraiment.

— De violent ?

— *Violent ?* Seigneur (toujours vers la caméra), non.

— Adressez-vous à moi, s'il vous plaît, monsieur Scott.

Il tourna vers elle un visage plein de remords, mais son esprit était sur l'œil qui surveillait.

— Sarah était inoffensive. Passionnée de cheval.

— Nous avons trouvé chez elle un pistolet Taser déguisé en téléphone portable. Les premiers résultats d'analyse indiquent qu'elle le portait dans son sac à main.

Là, il oublia la caméra.

— Un Taser ? Vous voulez dire, un pistolet qui délivre des décharges électriques ?

— Ouais.

— Mais c'est dangereux.

— 900 000 volts, précisa Harris sans insister.

Scott secoua la tête à l'adresse de la table. Quand il rouvrit la bouche, sa voix sortait tout droit des tours de banlieue.

— Pour moi, c'tait une tache.

Morrow l'observa avec attention. Visiblement, ça se bousculait là-haut. Il se repassait mentalement toutes ses réunions avec Sarah Erroll à la recherche d'indices, à se demander s'il aurait pu savoir. Et, en le regardant, elle constata qu'une personne de plus venait de perdre toute sympathie pour Sarah.

Elle le fixa jusqu'à ce qu'un pied, pas plus gros que son pouce, lui frappe le cœur comme un karatéka minuscule et la dérobe au monde environnant.

16

Moira et Thomas étaient descendus dans la grande réserve de surgelés située sous la cuisine. Ni l'un ni l'autre ne se souvenaient de la dernière fois où ils y avaient mis les pieds. D'habitude, la cuisine ressemblait à un lieu public, toujours envahie de personnel ou chargée de la menace de leur arrivée, mais Moira avait donné leur congé à quasiment tous les domestiques résidents.

Elle n'avait gardé que Mary, la bonne, pour veiller sur lui. Mais, après discussion, il lui avait déclaré que ce n'était pas la peine, il n'en voulait plus, avec une moue méprisante qu'elle n'avait pas manqué de remarquer. Elle n'avait pas vu ses yeux. Il ne savait pas avec certitude si elle était au courant des pratiques nocturnes de Mary qui venait le rejoindre en catimini à minuit. Toujours est-il qu'elle ne s'était pas opposée à son départ et l'avait convoquée pour lui signifier qu'ils n'avaient plus les moyens de la garder à leur service. Mary avait paru soulagée et répondu qu'elle allait faire ses valises, elle serait partie dès le lendemain matin, avant même leur réveil. Puis elle leur avait serré la main à tous les deux, froide et professionnelle, sans chercher à lire le visage de Thomas ni à croiser son regard. En la suivant des yeux à sa sortie de la pièce, la fesse coquine sous sa jupe en soie, il avait brusquement eu le sentiment que la jeune femme avait obéi aux ordres du père en baisant le fils et qu'elle était heureuse que ce soit terminé. Il avait néanmoins trouvé étrange qu'elle ne demande pas de références.

Jamie avait accepté deux mille livres en liquide à titre gracieux, sans que Moira mentionne l'incident de l'étranglement, et Thomas eut l'impression qu'elle n'en parlerait plus jamais, le chapitre était clos.

Désormais la grande salle, la cuisine, la maison tout entière étaient vides. Comme ils n'avaient pas encore dîné, Moira avait suggéré une descente dans la cuisine.

Il faisait chaud dans la pièce sans ouverture dont les murs enterrés résonnaient du bourdonnement des gros congélateurs. Dans une obscurité totale, il leur fallut un moment pour trouver la commande de la lumière, une simple tirette qui pendait au pied de l'escalier raide. Trois grands sarcophages ronronnaient tranquillement, l'un d'eux verrouillé par un cadenas. Moira s'y dirigea aussitôt et tripota la serrure.

— C'est la viande qui doit être là, dit-elle.

Thomas pensa soudain à un lit de viande et à un corps glacé dans le grand coffre fermé à clé, mais il comprit que ce n'était qu'une pièce guère familière un peu lugubre. Un point c'est tout. Sombre, silencieuse et sinistre.

Il souleva le couvercle du congélateur à côté de lui, y jeta un coup d'œil et inspecta son contenu parfaitement rangé. Des boîtes en plastique transparent remplies de repas maison raffinés, préparés d'avance par leur cuisinier avant son départ, en portions individuelles, la nature de chaque plat inscrite clairement sur le couvercle, d'une épaisse écriture cursive.

Moira en ouvrit un autre, rempli jusqu'à la gueule de pains différents et d'ingrédients divers, fines herbes, fromage et jus de fruits. Elle leva triomphalement un sachet cylindrique couvert de givre en le tenant par un bout.

— Regarde ! lui dit-elle.

Des mini-pizzas surgelées bon marché.

— C'est ce qu'ils doivent manger, dit-elle. Les membres du personnel. Viens, on se va se déguster ça !

— Oui, mais qu'est-ce qu'y faut faire ?

— On les met au four.

Thomas fut impressionné, jusqu'à ce que Moira lui explique :

— C'est indiqué sur le paquet. Ça, je peux.

Elle passa à côté de lui d'un pas pressé et gravit l'escalier au plus vite afin de lui prouver qu'elle était capable de préparer un repas chaud dans la cuisine brillamment éclairée. Mais elle avait laissé le couvercle du congélateur relevé contre le mur, et la vapeur glacée qui s'en échappait crissait et claquait à la chaleur de la pièce. Thomas attendit qu'elle soit remontée pour s'avancer et le refermer. En entendant le claquement brutal, elle se pencha au-dessus du vide et s'accroupit avec un sourire.

— Désolée, dit-elle. Chute au premier obstacle, on dirait.

Elle se releva et disparut.

Thomas contempla de nouveau le congélateur à viande cadenassé. Il n'y avait personne là-dedans. Sarah Erroll n'était pas là. Ella n'était pas là. Il s'agissait juste d'une pièce sinistre.

Il remonta à son tour les marches et réapparut dans la cuisine pour voir Moira, la tête dans le four. Une seconde, il pensa qu'elle cherchait à se suicider au gaz, dans un four électrique, crut qu'elle n'était plus de ce monde et s'aperçut qu'il ne faisait pas le plus petit geste pour la dégager au plus vite.

— Oh, mais c'est... (Elle sortit la tête et lui sourit.) Il est électrique, que je suis bête.

Elle l'alluma et régla le thermostat.

Thomas s'interrogea sur celui qu'il était vraiment avec une sorte d'étonnement horrifié face à sa capacité d'indifférence, puis passa vite à autre chose.

— M'man, où est-ce que le cuisinier gardait les clés ?

Elle montra un petit coffret métallique au mur derrière la porte de la cuisine. Il l'ouvrit et y trouva six crochets, tous occupés, tous étiquetés. « Congélo 3 » s'ouvrait avec une petite clé sur un anneau de cordelette rose. Il la prit, redescendit prudemment dos à la pente, gagna la pièce en sous-sol et regarda le cadenas.

Petit. En laiton. Il ne voulait pas l'ouvrir. Ni plus jamais revoir un gâchis comme Sarah Erroll. Mais plus il repoussait l'échéance, plus il avait peur. Il dut se forcer pour avancer vers le cercueil blanc. Sans regarder, il essaya d'enfoncer le minuscule morceau de métal, tâtonna, chercha l'orifice du cadenas au toucher, le rata, sentit qu'il y avait quelque chose de sexuel dans son geste et il trouva ça dégoûtant, affreux et répugnant, mais il s'obligea à continuer ses tripatouillages parce que ne pas savoir était pis encore, il y penserait toute la nuit et ne fermerait pas l'œil.

Le cadenas s'ouvrit d'un coup et tomba dans sa main ouverte.

D'une pichenette, il souleva le couvercle. Un lit de viande givrée. Des steaks, des côtelettes, du gibier, des rôtis. Un gigantesque gigot. Pas de corps, pas de sang, pas d'Ella morte.

— De la viande ? dit Moira qui l'avait rejoint.

— Ouais, répondit-il en refermant l'abattant avec violence. Que de la viande.

— Tu croyais quoi, qu'il y avait caché de l'argent ?

— Non, c'est juste que... je me posais des questions.

En attendant que les pizzas cuisent, il ouvrit une bière du frigo et ils jouirent du silence de la maison. Moira expliqua que l'effondrement de la société de Lars les avait laissés avec trois cent mille livres par an, guère plus. Ils allaient devoir vendre la propriété et partir vivre ailleurs. L'ATR 42 était propriété de la société, de même que la maison en Afrique du Sud que Thomas n'avait jamais connue car ils y allaient toujours hors vacances scolaires, ainsi que la plupart des voitures, les bureaux au centre de Londres, les cartes de membre au stade de Stamford Bridge, donc, tout ça, ils ne le reverraient plus. Thomas s'en fichait. Même le football, il n'appréciait pas vraiment.

—Tu n'as plus la bouche sèche, dit-il en regardant Moira manger.

Elle se retourna vers lui et comprit pourquoi il lui posait la question.

— Tu as raison. Elle ne l'est plus. J'ai arrêté les médicaments.

— Quand ?

— Il y a cinq semaines de cela. Ton père n'était plus très souvent à la maison.

Il se demanda si elle avait la moindre idée de l'endroit où Lars passait son temps. Lui savait, très exactement. Avec elle. Avec l'autre épouse.

C'était la dernière conversation qu'il avait eue avec son père. Lars l'avait emmené la veille de la rentrée scolaire au magasin de glaces de Fortnum, où une table sur deux était occupée par un père divorcé au regard lointain, en costume de banquier, escortant un moutard qui ne vivait plus avec lui. Thomas, plus âgé que les autres gamins, s'était demandé si son père avait seulement remarqué combien il était plus vieux que les autres.

Thomas regarda Moira. Possible qu'elle soit au courant. Possible aussi qu'elle s'en fiche complètement.

— C'est quoi, la vraie raison de son suicide ? demanda-t-il.

Moira haussa les épaules.

— On l'a privé de son droit d'exercer. Je crois qu'il savait qu'il ne serait plus jamais gros joueur sur le marché, et il ne pouvait pas vivre sans ça. Il ne lui restait pas d'amis, il n'avait pas d'autres centres d'intérêt, je suppose.

Elle prit un air rêveur.

— Tu ne l'as pas connu quand il était jeune. On s'amusait, avec lui. Il était drôle. À l'époque, il avait le sens de l'humour. Et au début, nous nous sommes vraiment aimés. Nous avions des amis. Nous aurions pu être heureux, au lieu de quoi… tu sais ce qui s'est passé. Seigneur… quel énorme gâchis.

Thomas écouta en hochant la tête jusqu'à ce qu'elle remarque ses yeux rouges et lui dise d'aller se coucher.

— J'ai besoin d'une douche, dit-il paisiblement. J'ai d'abord besoin d'une douche. Vraiment.

17

Morrow était dans son bureau. Elle enfilait son manteau et vérifiait qu'elle avait bien ses clés et son téléphone dans son sac lorsque Routher vint frapper discrètement à la porte ouverte.

— L'inspecteur-chef Bannerman aimerait vous voir dans son bureau, ma'am.

— Merci, Routher.

Elle le rappela alors qu'il était déjà dans le couloir.

— Pourquoi étiez-vous en retard au briefing ?

Routher n'aurait jamais pu être un espion, son visage était si expressif qu'elle pouvait y lire toute l'histoire dans les mimiques : le pli du front avec les sourcils qui se rejoignent parce qu'il avait une bonne raison pour n'être pas à l'heure et n'était en rien responsable, le souvenir soudain qu'un retard n'était pas une bonne chose mais l'absence de promotion, une bonne, un demi-sourire pour se féliciter d'être aussi finaud et finalement le mensonge :

— Désolé, je me suis pas réveillé.

— À cinq heures de l'après-midi, vous ne vous êtes pas réveillé ?

— Ça n'arrivera plus, répondit-il, confus.

Elle le regarda fixement et le vit rougir à mesure.

— Fichez-moi le camp.

Ce qu'il fit, avec le plus grand plaisir.

Elle prit le couloir et trouva la porte de Bannerman entrouverte. Il parlait à quelqu'un en répétant « ouais, ouais ». Elle frappa, entra et le vit au téléphone qui acquiesçait à son interlocuteur.

D'un regard, il lui désigna le fauteuil face à lui et elle s'assit. Le temps qu'il finisse, elle inspecta le dessus de son bureau.

Au temps où ils partageaient la même pièce, il avait maladroitement étalé sur sa table de travail tout un bazar comme autant de messages proclamant haut et fort celui-qu'il-était. De la poudre aux yeux, elle n'avait pas du tout été convaincue. Mais elle avait trouvé un intérêt certain à les déchiffrer, l'occasion pour elle d'affûter ses talents en regardant au-delà des apparences. En guise de déjeuner, Bannerman ne mangeait pas de barres protéinées bio pour veiller à sa santé, mais bien parce qu'il avait peur de grossir. Elle n'avait pas non plus été dupe du presse-papier en forme de planche de surf : les aventures en plein air n'étaient pas son truc, il se contentait juste de temps à autre d'une séance d'UV, tranquillement allongé. Elle le détestait parce qu'elle le voyait faire tout son possible pour se démarquer de la tonalité générale du groupe, sachant qu'il pouvait se le permettre tant il en était partie intégrante – son père avait été officier de police – et connaissait la règle du jeu.

Désormais promu, il ne se souciait plus que d'une chose : montrer au monde que le chef, c'était bien lui.

Il raccrocha.

— Je prends en charge l'enquête pour un moment, Morrow, lui annonça-t-il de but en blanc sans même s'excuser. À cause de l'argent. C'est un détail préoccupant, pas simplement parce qu'il est là et que la somme est importante, mais parce qu'elle est en euros.

Nouveau mensonge. L'argent était bien un élément de l'enquête, mais la gloire ne lui suffisait pas, il avait autre chose en vue.

— A-t-on vérifié s'il y avait des traces de drogue ? lui demanda-t-elle.

— Ouais, on n'a trouvé quasiment aucune trace de quoi que ce soit. Une quantité inhabituelle de rien du tout. Les billets semblent sortir directement d'une banque. Laquelle, on ne sait pas encore, les numéros ne se suivent pas. On vérifie les retraits importants en euros dans tout le pays, mais cet argent pourrait provenir de n'importe où.

— Je pense à New York, personnellement.

— Ouais, il y a suffisamment de circulation d'argent là-bas pour que ce soit plausible.

Elle ne savait pas très bien comment aborder le fait que les hommes ne voudraient pas travailler pour lui.

— Monsieur : un problème, le moral des troupes. La lutte est acharnée pour en faire le moins possible ; ce n'est pas censé se passer comme ça.

Bannerman vérifia qu'il n'y avait personne derrière elle et baissa la voix.

— Je sais, j'avais remarqué. Demain, je les rassemble et je leur remonte les bretelles.

— Non, je vous en prie...

— Le moral des équipes est autant de mon ressort que du vôtre. S'ils ne sont pas capables de mettre du cœur à l'ouvrage, je serai contraint d'utiliser la manière forte.

La manière forte, une expression de grand chef. Comme la main lourde. À croire que les hommes allaient retrouver leur enthousiasme à coups de gifles. Ceux qu'elle avait sous ses ordres étaient plus âgés et ne manquaient pas d'assurance, il ne s'agissait pas de novices frais émoulus de l'académie de Tulleyallan.

— Vous vous trompez de public, monsieur, ils ne sont pas comme ça.

— Je ne veux pas que Harris en fasse trop, dit-il.

Et juste après, le regard en dessous, l'explication, le vrai sens de la phrase :

— Pourquoi ne faites-vous pas un peu plus confiance à Wilder ?

— Parce que c'est un connard.

Un regard. Un avertissement.

— Vous rentrez chez vous ? lui demanda-t-il.

— J'essaie, dit-elle en rassemblant ses affaires. Je crois que Sarah Erroll donnait l'impression qu'elle n'était qu'une BCBG un peu bêtasse, mais en fait, elle avait un double visage. Nous avons interrogé son avoué et elle...

— Je sais, j'étais devant l'écran vidéo.

Elle s'interrompit pour le regarder : il prenait effectivement la direction des opérations et elle ne pouvait rien y faire.

— O.K., dit-elle d'un ton revêche. Je vous verrai demain.

— Bonsoir.

En guise d'au revoir, elle profita du bruit de la porte pour s'autoriser un petit juron bien senti à son endroit.

Routher était de nouveau dans le couloir et elle se défoula en crachant son venin sur lui.

— Avez-vous l'intention de passer la nuit à traîner vos guêtres dans le couloir, Routher ?

Surpris par une agressivité aussi soudaine que violente, il se mit à bredouiller.

— Non… je… c'est vous que j'attendais. Les rapports préliminaires sont sur votre bureau et McCarthy s'occupe de son téléphone. La fille était une escort-girl.

— Et merde !

Morrow rejoignit son bureau, ouvrit la porte et balança son sac sur la table.

— Allez, venez.

* * *

Elle n'avait jamais rencontré spécimen plus morbide que Mark McCarthy dans les rangs de la police et était toujours sidérée qu'il n'ait pas bénéficié de l'appui de la brigade des stups pour un emploi d'agent infiltré.

Il sourit en la voyant s'approcher de son bureau.

— J'ai déniché des trucs intéressants, patron. On trouve des vies entières dans ces téléphones.

— Faites-nous partager vos trouvailles, dans ce cas, dit-elle en tirant une chaise pour s'y asseoir.

— Okayyy ! dit-il.

Il sortit le portable du sachet à indices en plastique, la poudre noire des relevés d'empreintes collée à ses doigts.

— D'abord, on a des empreintes sur le devant, et elles n'appartiennent pas à la femme. Et elles sont bien nettes.

— Le propriétaire a un casier ?

— Pas de correspondances pour l'instant.

— Putain ! dit Morrow avec plus de force qu'elle ne l'aurait voulu.

Tout ce qu'elle demandait, c'était l'adresse d'un quidam avec des antécédents judiciaires pour le même genre de crime, de manière à pouvoir rentrer chez elle.

McCarthy eut l'air blessé.

— Mais c'est quand même bien, non ? s'enquit-il.

— Ouais, ouais, quoi d'autre ?

— Le dernier appel, c'est le 999. Voici ce que nous ont transmis les urgences de la police.

Il avait tout préparé pour l'impressionner. Il déplaça sa souris d'avant en arrière et l'écran de son ordinateur s'ouvrit sur un fichier audio. Il sélectionna « Copier » dans le menu, fit glisser l'icône jusqu'à sa clé USB, laissa le chargement suivre son cours et ôta la clé pour la lui tendre. Après le désintérêt général manifeste qui avait marqué sa journée, Morrow fut très touchée.

— On y entend Sarah ?

— Ouais. En plus…

Il fit apparaître une liste de mails avec les noms des expéditeurs. La plupart étaient de Scott et avaient pour sujet « Glenarvon » ou « Règlement de succession », mais, à mesure qu'il gagnait le bas de l'écran, apparut une série de messages plus anciens, tous envoyés par « Sabine ».

— Vous voyez le début de leur intitulé ? Ils commencent par « re : ». Ça signifie qu'ils viennent d'une autre adresse mail. Et ils sont tous de la même nature.

McCarthy en ouvrit un. P. serait à Londres pour affaires, il avait entendu parler d'elle par un ami. Il connaissait les conditions et le prix et espérait qu'ils pourraient se rencontrer pour passer un bon moment. Il donnait le nom de son hôtel et un numéro de téléphone. Rencontre par Internet.

— Est-ce qu'elle a répondu ? demanda Morrow.

— Non. S'il y a une petite flèche sur le côté (il ferma le mail et revint aux listings), elle indique qu'on a répondu au mail. Ceux-ci sont restés vierges. Elle a cessé de répondre il y a à peu près deux mois.

— Quand sa mère est morte, dit Morrow. Et qu'elle a pu arrêter de payer les soins. Sa mère était sous surveillance constante à domicile vingt-quatre heures sur vingt-quatre et ça coûte très cher.

McCarthy acquiesça, mais, visiblement, l'explication ne lui avait pas traversé l'esprit. Elle se souciait peu qu'il sache ou pas, elle voulait juste qu'il transmette le message aux autres en passant.

— Il y a une caméra sur ce téléphone ?

— Ouaip !

Il retourna au menu principal et sélectionna le fichier Photos.

— C'est un vieil iPhone. Elle a dû être une des toutes premières à l'utiliser : la mémoire est minuscule, une centaine de clichés maxi. Nous sommes en train de vérifier son ordi portable (il montra un minuscule notebook argenté sur un autre bureau), mais elle a des mots de passe partout et ils sont tous différents.

Il y avait un total de quatre-vingt-sept photos dans l'appareil. Des personnes sur certaines mais aussi un certain nombre d'icônes bizarres. Une fois ouvertes, ils purent constater qu'elles correspondaient à des listings de Pages jaunes, un catalogue de couvreurs et de spécialistes en fosses septiques, vraisemblablement mis en mémoire pour se dispenser de noter leurs numéros de téléphone sur un papier. Celles qui restaient étaient récentes. Beaucoup d'images des rues de New York, du parc, ou encore de passagers mal cadrés lors d'une sortie en mer au large de Manhattan par une journée ensoleillée.

— Est-ce qu'elle transférait ses photos régulièrement ?

— Oui, pour autant qu'on puisse en juger.

— Je ne pense jamais à les vider. Mon portable est toujours rempli de vieilles photos.

Elle fronça le sourcil devant l'iPhone. Un truc clochait.

— Montrez-moi les dates des clichés pris à New York.

McCarthy passa la souris dessus et les dates s'affichèrent. Elles remontaient à la semaine écoulée.

— Elles sont toutes récentes, dit-il.

Morrow se mordilla la lèvre et regarda avec attention.

— Elle est allée là-bas sept fois cette année. Vous ne trouvez pas bizarre qu'elle soit encore suffisamment enthousiaste pour prendre des photos de la ville ? On dirait qu'elle voulait se faire passer pour simple touriste.

— Peut-être que c'était la vérité.

— Mais elle s'est rendue à New York à sept reprises au cours des derniers onze mois. Qui est-ce qui prend encore des photos comme ça au bout de la septième fois ?

— Elle faisait des trucs de touriste quand elle s'y trouvait, ça, c'est sûr. Elle allait dans les musées et tout ça, expliqua-t-il en montrant la valise sur une table en compagnie d'autres pièces à conviction. Elle a même acheté un catalogue. L'expo a dû lui plaire, parce que le bouquin pèse une tonne. Ça a dû tripler son poids de bagages.

Morrow s'attarda un instant sur la petite valise blanche trouvée dans le vestibule. Après l'avoir vidée, on l'avait laissée ouverte à côté de son contenu, un petit tas de vêtements soigneusement pliés, une trousse de toilette en plastique transparent et un imposant volume enveloppé de cellophane.

Elle se leva, s'approcha de la table et étudia les affaires de Sarah. L'énorme catalogue vert pâle du MoMA, toujours sous Cellophane, avec le reçu de caisse scotché, dont la date d'achat correspondait bien à son dernier voyage. Un change de sous-vêtements, la version bleue de l'ensemble bustier et culotte en dentelle rose retrouvé dans la maison, une robe argentée, une trousse de toilette avec crèmes et lotions transférées dans les petits flacons désormais exigés par les compagnies aériennes et regroupés dans un petit sac en plastique transparent fermé par une glissière. Elle prenait la pilule.

Il n'y avait pas trace d'être humain dans cette valise. Pas d'étiquette avec adresse au cas où elle se serait égarée, pas de photos ni de revues en cours de lecture, pas de petits pense-bêtes ni de vieux tickets, rien de superflu.

Elle essaya de soulever le catalogue d'une main, mais il était tellement lourd qu'elle eut mal au poignet. Elle ferma le couvercle de la valise, y jeta un coup d'œil, rouvrit et le glissa à l'intérieur du bagage avant de refermer. Le volume occupait quasiment la moitié de l'espace. Elle le ressortit pour le poser sur la table et l'examina de plus près. Quelque chose ne collait pas, la Cellophane était lâche, ses pliures un peu illogiques, hésitantes.

Sa clé de voiture en main, elle attrapa le bord du plastique et se mit à gratter pour le fendre avant de l'enlever puis se servit du bord de sa clé pour ouvrir le catalogue.

Elle sourit : à l'intérieur, un peu décentré parmi des photographies noir et blanc de collages cubistes défraîchis, une main avait découpé un petit lit parfait pour une grosse brique de beaux billets neufs et craquants de cinq cents euros enserrés par deux bandes élastiques. Sarah aurait pu se servir du même catalogue à chacun de ses voyages, le déballant et le remballant chaque fois, il lui suffisait d'en racheter un nouveau afin que le reçu porte la bonne date. Ce qui expliquait pourquoi elle avait fait enregistrer sa valise en soute. L'aurait-elle prise comme bagage à main que le catalogue – à l'œil nu flambant neuf – aurait révélé, une fois passé aux rayons X par la sécurité, un rectangle gris et une différence de densité dans le papier. Les photos de New York faisaient partie de sa couverture, une simple touriste qui aimait l'art et visitait les galeries.

Planté devant elle, de l'autre côté de la table, McCarthy fixait l'argent, hypnotisé. Routher s'approcha également et un jeune policier se leva de sa table pour se mettre sur la pointe des pieds et essayer de voir lui aussi.

Ils étaient tous là, bouche bée, le regard verrouillé à cette petite fortune, mais Morrow n'était pas dupe : leurs esprits étaient ailleurs, dans les officines de paris ou les halls d'exposition de voitures, là où leurs désirs profonds les conduisaient.

À la suite de quoi elle répartit les tâches entre les membres de l'équipe de nuit. Routher et McCarthy furent chargés de garder l'argent en attendant que le chauffeur du fourgon blindé accepte de sortir de son lit. Bannerman insista pour emporter en personne le catalogue au labo pour examen, même s'il semblait peu probable d'y retrouver des traces utiles pour l'enquête. Morrow se retrouva seule dans son bureau à étudier les fichiers obtenus à partir de l'iPhone.

Parmi les photos, elle en trouva trois d'un homme aux cheveux argentés et prit note mentalement de vérifier s'il en existait de lui à Glenarvon. La plus ancienne de toutes était un instantané de la mère de Sarah, minuscule femme-tortue dans une tenue d'un autre âge qu'elle avait dû porter du temps où elle avait des formes. Les plus récentes du lot la montraient face à l'objectif – qu'elle regardait avec déplaisir – en tenue de nuit bleu pâle et rose layette, des couvertures sur les genoux, dans le fauteuil de la cuisine, dans son lit, près d'une fenêtre. Des photos tendres. Sarah s'était accroupie pour se mettre au niveau du regard de sa mère, et la lumière qui s'y lisait était immanquablement douce. Sur certains clichés pris dans la cuisine, Kay apparaissait en arrière-plan, rondelette et maternelle, en train de sourire par-dessus son épaule à feu Mme Erroll. Morrow toucha son visage sur l'écran et se sourit à elle-même.

Les mails sur le téléphone de Sarah avaient quasiment tous trait à la maison. Scott semblait absolument déterminé à la tenir informer par écrit du moindre détail relatif à la vente et au règlement de la succession, l'occasion pour lui sans doute de comptabiliser chaque message dans la facture. Ses textes étaient ampoulés et tellement obséquieux qu'il aurait mérité des coups de pied. Morrow imaginait très bien combien ce niveau de déférence servile suscitait de mépris chez Sarah et elle éprouva une certaine allégresse à l'idée d'avoir pris ce type au piège.

Parmi les autres mails, beaucoup étaient adressés à Sabine et détaillaient divers arrangements en vue de retrouvailles dans des hôtels précis à des moments précis avec promesses de belles rigolades pleines d'ambiguïté quant à leur nature exacte. Les flics avaient toujours aussi peu de sympathie pour les travailleurs du sexe, hommes et femmes confondus, malgré le nombre de cours qu'on les envoyait suivre sur le sujet : à leurs yeux, tous ces individus posaient trop de problèmes, étaient trop incontrôlables et attiraient les fêlés comme des aimants. La seule manière pour eux de leur manifester un semblant de bienveillance se limitait à les appeler « filles » et « garçons », des enfants trop crédules qu'on avait contraints à faire ce métier. Sinon, ils mettaient ça sur le dos d'un accident ou d'une dépendance : ils faisaient ça pour la drogue, ou à cause de la drogue ou alors ils avaient besoin de drogue pour le faire, mais, quoi qu'il en soit, ils ne pouvaient pas s'en empêcher. Les travailleurs du sexe, de leur côté, habitués à offrir à leurs interlocuteurs les réponses que ceux-ci voulaient entendre, étaient toujours d'accord et confirmaient. Rares étaient ceux qui disaient faire ça pour l'argent, avait-elle remarqué. Rares étaient ceux qui reconnaissaient qu'il s'agissait d'un choix économique.

Morrow se couvrit le visage de ses mains et pensa à Sarah sur l'escalier. À un moment donné, elle avait dû comprendre ce qui lui arrivait, et son boulot, son « job », avait dû rendre cette prise de conscience encore plus effroyable. Car les travailleurs du sexe se sentaient responsables de leur sort, malgré les infamies qu'on leur faisait subir. Lors d'un viol ou d'une agression sexuelle, le policier qui rédigeait la plainte avait accompli la moitié du travail s'il réussissait à leur faire admettre qu'ils étaient bien victimes, tant ils avaient besoin d'entretenir l'illusion de rester aux commandes. Morrow se frotta le ventre. Ils en avaient tous besoin. Elle imagina Sarah, gisant sur le dos, un pied en train de descendre sur son visage, Sarah dont la dernière pensée consciente avait été un reproche qu'elle se faisait à elle-même.

Elle s'appuya contre le dossier et frotta ses yeux brûlants. Il se faisait tard. La pièce était sombre et le couloir silencieux. Elle voulait être chez elle, devant la télé, à essayer de trouver sa place sur le canapé avec Brian. Il lui restait une dernière corvée : elle mit ses écouteurs et écouta le fichier audio correspondant à l'appel aux urgences.

Si Sarah avait seulement parlé cinq secondes plus tôt, ils auraient pu lui sauver la vie.

Mais ce n'est pas ça qui était arrivé.

Comme il s'était écoulé un trop long temps de silence entre la composition du numéro et le premier mot de Sarah, l'opératrice avait classé l'appel dans la catégorie « muet », avant de l'enregistrer. Les appels muets étaient habituellement l'œuvre d'adolescents ivres, d'imbéciles cherchant à se faire remarquer ou de gamins de cinq ans qui jouaient avec le téléphone pendant que maman prenait son bain. Le basculement sur l'enregistreur était un moyen pragmatique et statistique qui, presque toujours, servait à décourager les casse-pieds qui faisaient perdre du temps à tout le monde. Presque toujours.

Morrow écouta et entendit la douce voix de Sarah dans un brouillard lointain. Elle revit lors du briefing les yeux froids et vides des flics qui n'attendaient que de regagner la chaleur et la sécurité de leurs foyers.

Elle écouta jusqu'au bout l'enregistrement du 999, puis le réécouta. Et se retrouva en larmes dans l'obscurité, à pleurer sur Sarah Erroll mais aussi sur son propre père et sur JJ, sur tous ceux que l'amour et la beauté avaient laissés pour compte.

Elle sécha ses larmes et prêta l'oreille, attentive à d'éventuels bruits dans le couloir, avant de rejoindre la porte d'entrée du poste. Elle contourna les plantes en pot géantes et suivit le mur jusqu'à sa voiture garée dans la rue de derrière.

Elle se glissa derrière le volant, verrouilla la portière et éteignit le plafonnier pour rester là sans bouger, honteuse, le corps et le cœur à vif, à se sentir trop poreuse et trop stupide, enceinte.

18

Thomas était épuisé mais à cran. Assis sur le canapé de son salon, une serviette autour des reins, il se sentait propre après sa douche et regardait la télé en changeant de chaîne toutes les trente secondes, cherchant… quoi ? Il ne le savait pas lui-même. *Les Griffin*[1]. Un truc court. Ses yeux enfiévrés suivaient les images à l'écran sans en perdre une miette, son esprit préoccupé par de vagues pensées à moitié formulées qu'il aurait été incapable d'affronter s'il n'avait eu qu'elles pour se concentrer.

Il regarda une vidéo d'un collectif de rap, des mecs laids autour de la piscine d'une résidence privée, occupés à envoyer paître de belles stripteaseuses. Il pensa à ses parents. Lars avait toujours incarné à ses yeux une nécessité vitale et douloureuse, ce besoin viscéral et obstiné de l'impressionner, malgré son intime conviction que la prochaine tentative serait, elle aussi, vouée à l'échec. Comme il n'était pas bon à grand-chose, cela occupait à plein temps la majeure part de son esprit. Il s'était souvent entendu dire par son père que son plus grand accomplissement dans la vie se limiterait à être « le fils de Lars ». Sauf que Lars n'était plus là et toutes ces merdes qui lui bouffaient la tête étaient parties en même temps que lui. Moira, quant à elle, s'était montrée froide et distante mais maintenant, elle était présente et chaleureuse. Si d'aventure, ils ne se parlaient plus jamais, si ce soir elle mourait d'une

1. Dessin animé américain pour adultes, diffusé en feuilleton à une heure très tardive sur la BBC 3.

overdose dans ses appartements, Thomas savait qu'il n'aurait pu souhaiter mieux que la soirée écoulée : ils avaient bavardé gentiment, ils s'étaient regardés bien en face, elle lui avait présenté ses excuses.

Il savait qu'il ne méritait pas plus la chaleur de Moira que la délicieuse satisfaction de savoir Lars disparu à jamais. Deux coups de chance incroyables, juste après ce qu'il avait fait. Ce n'était pas bien. Comme si Hitler gagnait à la loterie.

Il changea de fesse d'appui sur la serviette humide qui l'irritait et changea de chaîne. Des requins dans une eau bleue et trouble, la gueule ouverte, fonçant droit sur le caméraman, et il pensa à Sarah Erroll en haut des escaliers, à la vision de ses fesses nues quand elle avait agrippé la rampe en posant le pied sur la première marche, au choc qu'il avait reçu à l'épaule quand Squeak l'avait bousculé au passage, sa main tendue pour agripper les cheveux de la jeune femme. Des cheveux blonds. Avec des tas de nuances différentes, blond sombre, blond jaune, blond avec des traces de blanc et de rose, et puis blond teinté écarlate, et dans le poing de Squeak, le morceau de scalp quand il avait tiré Sarah en arrière.

Au son des trilles, il se redressa et regarda alentour avant de réaliser de quoi il s'agissait. Son portable. Dans le sac en toile toujours par terre dans sa chambre, à côté. C'est Mary, la bonne, qui l'avait laissé là quand Moira l'avait appelée pour lui signifier qu'elle était virée. Obéissant à la sonnerie, il alla jusqu'à son sac, sortit le téléphone et vit le nom affiché sur l'écran : Squeak.

Il leva l'appareil et le regarda sonner. Squeak voulait le menacer. C'était pathétique. Il allait lui resservir le même refrain, encore et toujours : tu t'es gouré de maison en m'emmenant là-bas... Thomas n'avait aucune envie de lui parler. Et pourtant, il avait besoin d'obéir à cette sonnerie et resta planté là, à regarder son portable, en imaginant Squeak dans les toilettes de sa chambre sans lumière, après l'extinction des feux du dortoir. Il devait être assis sur la cuvette, les salles de bains étant trop petites pour s'asseoir ailleurs. Les élèves étaient obligés de remettre leur portable au gardien en début de trimestre et ne le récupéraient qu'aux week-ends, mais Squeak avait un second téléphone, illégal donc, qu'il n'utilisait que pour regarder du porno. Thomas le voyait sur sa cuvette qui l'appelait sur son mobile porno et attendait qu'il réponde.

Il pressa la touche verte et porta l'appareil à son oreille.

— Mec ? murmura-t-il, sachant que Squeak risquait de s'attirer des ennuis s'il était surpris avec son téléphone interdit.

— Ouais, t'es là ?

— Ouais.

— Des regrets pour ton vieux ?

— Pas vraiment, non.

— Y s'est pendu ?

— Ouais. Sur sa pelouse.

Squeak souffla un rire étouffé, il était au courant pour la pelouse.

— 'tain de merde.

— Ouais. Con.

— Ouais. Connard.

Thomas regarda dans la pièce voisine, l'émission sur les requins : l'eau était rouge.

— Le roi des connards.

— Désolé pour plus tôt, souffla Squeak.

— Ouais.

— Je savais pas, j'pensais que t'avais craché le morceau à quelqu'un. Et que t'avais dit que j'étais dans le coup.

— Va te faire foutre, dit Thomas avec tendresse, tout en gratouillant une marque sur le mur de sa chambre.

— Ouais. J'ai eu la trouille.

— Nan, c'était juste… tu sais…

Thomas hocha la tête, il ne voulait pas que Squeak l'entende donner de l'importance à une chose qui n'en avait pas.

— Lars, ciao bye.

— Hmm, fit Squeak qui comprenait. Alors tout baigne entre nous ?

— Ben, bien sûr. Y a eu quoi aujourd'hui ?

Il entendit Squeak sourire.

— J'ai eu quatre-vingt-neuf pour cent à l'examen blanc de sciences sociales.

— Oh l'enfoiré !

— Je sais. Tu veux savoir ta note ?

— C'est quoi ?

— Quarante-six pour cent, répondit Squeak en s'esclaffant parce que c'était pathétique.

Et Thomas rigola avec lui. Ça n'avait pas d'importance. Les sciences sociales, de toute façon, c'était une matière de merde, mais ce n'était pas pour ça qu'il riait. Il riait parce que Squeak le charriait en se foutant de lui, signe que tout allait bien.

— Espèce de petit salaud arrogant, dit gentiment Thomas. Je rêvais de devenir chercheur en sciences sociales et voilà que tu démolis tous mes rêves.

— Eh ouais, sourit Squeak. Mais dis-moi, Ella, elle est rentrée ?

— Demain.

— Ouais, ben dis-lui que je pensais à elle...

Thomas ferma les yeux et eut un mouvement de recul ; à tous les coups, Squeak allait ajouter quelque chose.

— ... lui dis pas juste ce que je faisais en pensant à elle.

— Ouais, l'avertit Thomas. Douze ans, mon vieux, putain !

— Hé ! fit Squeak, un peu agacé apparemment de s'être fait reprendre. Au Texas, je pourrais l'épouser.

— C'est pas bien quand même.

— En Hollande...

— C'est pas bien, mec, dit Thomas, campé sur ses positions. C'est ma sœur. Je la déteste, mais c'est quand même ma putain de... tu comprends.

— Ouais, bon, va chier, répondit Squeak toujours agacé.

— Va chier toi-même, rétorqua Thomas en lui signifiant de laisser tomber.

— Ouais... (Squeak céda.) Va chier...

Squeak n'avait aucune intention cachée, les filles très jeunes, c'était pas son truc, et Thomas le savait parfaitement, et s'il faisait une fixette, c'était plutôt sur les nanas de l'âge de Mary, la bonne. Non, il fallait prendre la chose comme un compliment : manifester son intérêt pour la frangine d'un mec était sa manière de lui faire comprendre qu'il ne se trimballait pas avec un cageot ou une dondon. Mais Thomas n'appréciait pas que Squeak parle comme ça, sachant ce qu'il stockait dans son portable, des trucs avec des animaux, du sexe anal et autres, et dans la vraie vie, il tenait à ne pas se retrouver associé à des merdes pareilles.

— Vaut mieux que j'y aille, dit Squeak en raccrochant avant que Thomas n'ait eu le temps de répondre à son au revoir.

Thomas laissa tomber son téléphone sur le lit et le contempla avec reproche comme si c'était le portable porno de Squeak. Il tourna les talons et son regard se posa sur les fesses nues de Sarah Erroll : une main sur la rampe, elle pose le pied sur la première marche, il sent à nouveau le choc à l'épaule quand Squeak le bouscule, le bras tendu pour agripper la jeune femme. Puis ses doigts dans sa chevelure, les phalanges blanches tellement il serre fort, elle dont les pieds continuent à avancer avec sa tête toujours à la même place, puis elle qui bascule en arrière et slalome sur les marches jusqu'en bas de l'escalier, et Squeak accroupi, la retenant jusqu'à ce que ses cheveux lui restent dans la main, Squeak qui la suit dans sa chute et relève les yeux sur Thomas, excité, heureux, incrédule devant une bonne fortune aussi insolente, incapable de comprendre comment il a pu être aussi gentil garçon pour mériter ce cadeau, à croire que tous ses Noëls passés s'étaient donné rendez-vous au même moment pour le récompenser.

Thomas continua à fixer son portable et se sentit mal, petit écho du haut-le-cœur qui l'avait pris en voyant Squeak au bas des marches. Une sorte de tristesse pesante, une nausée qui transformait le monde en manège et sa tête en barrique pleine d'huile.

Quand ils étaient sur l'escalier, une idée l'avait frappé. Sur l'instant, il l'avait refoulée mais là, il l'affronta : une fois quelqu'un à terre, faire ça était à la portée de n'importe qui. N'importe qui.

19

Il était presque onze heures du soir, trop tard pour une visite, mais Morrow cherchait une petite étincelle de réconfort après une journée mélancolique. Elle continua à rouler.

Autour de Castlemilk, les routes étaient larges et rectilignes, conçues pour l'âge de l'automobile à un détail près : les moyens des habitants du quartier ne leur permettaient de s'offrir que le bus. Vastes comme des avenues, les rues servaient uniquement de champs d'exercice à des émules de Formule 1 au volant de voitures volées qui écrasaient les gamins sur leur passage, de sorte que la municipalité avait pris la décision de les barrer par de gros dos d'âne et d'élargir les trottoirs en créant des méandres sur la chaussée pour ralentir le circulation. Morrow avait beau avancer à moins de vingt à l'heure, elle se sentait malgré tout imprudente.

Elle passa devant le poste de police du quartier – encore une forteresse massive en briques marron –, remonta une petite côte abrupte et se rangea sur un parking vide prévu pour vingt voitures. Les appartements avaient l'air miteux, trois grandes tours peu rassurantes qui surveillaient la ville. Les colonnes vitrées correspondant aux cages d'escaliers étaient éclairées chacune d'une couleur différente, bleue au milieu, orange et mauve de part et d'autre. Leurs lumières violemment contrastées juraient avec les murs extérieurs aux teintes pastel, moutarde, vert petit pois et marron.

Elle sortit de sa voiture en se demandant si elle avait bien toute sa tête : venue seule rendre visite à un témoin, elle avait de surcroît garé sa voiture personnelle bien en vue des appartements. Elle étudia les alentours et vit des caméras de surveillance aux lampadaires à chaque coin. De là où elle était postée, elle en compta plus de dix et toutes avaient l'air opérationnelles.

S'il arrivait quoi que ce soit ce soir, ses patrons sauraient qu'elle était venue non accompagnée dans son véhicule personnel. Elle ne rebroussa pas chemin pour autant et vérifia le numéro de l'appartement dans son calepin avant de se diriger vers l'immeuble du milieu où elle appuya sur le bouton d'appel en regardant par les portes vitrées. Le hall d'entrée carrelé en blanc était aussi immaculé qu'une salle d'opération. Sur le mur, des panneaux de rappel à l'ordre interdisaient aux résidents d'avoir des chiens dans leurs appartements, de jeter des ordures dans les ascenseurs et de faire des graffitis. Apparemment, les locataires n'avaient pas vraiment besoin d'être rappelés à leurs devoirs. Même les panneaux étaient nets et propres.

— Oui ? grésilla une voix de jeune fille dans l'interphone.

— Bonsoir. Je suis bien à l'appartement de Kay Murray ?

La gamine se détourna du micro et cria :

— M'man ! Pour toi !

Morrow sourit en entendant les pas de Kay.

— … de Dieu, tu ferais mieux de demander qui c'est au lieu de me beugler dessus comme ça.

La fille s'éloigna, furieuse, et une porte claqua.

Kay s'éclaircit la gorge.

— Oui ? fit-elle.

— Kay ? C'est moi.

Temps de silence.

— Alex ?

— Ouais.

— Oh. Monte…

Le vibreur résonna furieusement et Morrow poussa le vantail. À l'autre bout du hall, elle appela l'ascenseur dont les parois coulissantes s'écartèrent sur une lumière chaude et orangée. Le sol de la cabine était propre, aucune flamme de briquet n'avait calciné le plastique des boutons et les relents de produit désinfectant étaient des plus discrets. Un environnement rassurant mais elle sentit malgré tout son estomac se nouer brutalement à la fermeture, quand l'ascenseur entama sa montée.

À son arrivée, il se rouvrit sur des spots à la lumière froide et une odeur persistante de curry émanant d'un sac accroché à une poignée du couloir. Des losanges turquoise délimitaient un passage sur le sol d'un rose criard. Les portes vitrées en verre cathédrale étaient turquoise, certaines éclairées, d'autres non. Morrow s'avança jusqu'au numéro huit.

Chez Kay, l'intérieur du vitrage était garni d'un rideau rose en filet plissé. La porte semblait ancienne, c'était bon signe : cela signifiait que Kay était là depuis longtemps, qu'elle payait son loyer et que personne n'avait défoncé le battant à coups de pied. Une entrée déglinguée et rafistolée était synonyme de locataires à problèmes.

Morrow frappa avant de se reculer. Derrière elle, les parois coulissantes de l'ascenseur bipèrent et elle vit la lumière orangée se réduire à une fente avant de disparaître.

Sans prévenir, le battant s'ouvrit complètement et un garçon grand et mince apparut sur le seuil, la détaillant de la tête aux pieds.

— Bonsoir !

— Je suis bien chez Kay Murray ? demanda-t-elle avec un sourire forcé.

— Seigneur, dit le garçon avec un large sourire devant ses chaussures bien cirées. C'est vrai que vous êtes flic.

Il pencha le buste et la saisit par le coude pour la tirer doucement dans le petit vestibule avant de refermer.

— Elle nous a dit qu'elle avait rencontré une vieille copine d'école aujourd'hui flic. Vous avez le même âge qu'elle ? Vous paraissez plus jeune.

— Je suis gonflée de partout parce que je suis enceinte, répondit-elle, ravie malgré tout.

Le vestibule était encombré d'emballages en carton vides, détergent, poudre à laver, chips et gâteaux secs, plus des plateaux sans couvercle qui avaient contenu des flacons de liquide vaisselle et de shampooing. Le tout s'empilait en vrac, sur quatre ou cinq épaisseurs, poussé contre la cloison. Morrow songea une seconde à des vols à l'étalage, à des produits tombés du camion et à des rapines chez l'employeur mais s'arrêta aussitôt ; c'est pour Kay qu'elle était là, pas pour exercer ses talents de flic.

Les portes du salon et de la cuisine étaient ouvertes sur sa droite. En face d'elle, trois portes supplémentaires, chacune décorée par son occupant : une noir mat, une autre peinte en rose avec des stickers de papillons à paillettes collés un peu partout et une poignée enveloppée dans un morceau d'organza rose élimé et graisseux, et la troisième, partagée en son milieu dans le sens de la longueur, mi-vert Celtic mi-bleu Rangers. Le supporter du Celtic s'était servi d'un feutre pour réclamer une partie du territoire de la frontière, mais celui des Rangers avait tenté d'effacer l'intrusion au moyen d'un chiffon humide pour ne laisser qu'un barbouillis verdâtre.

La porte de la salle de bains s'ouvrit et Kay apparut, le visage dégagé par ses cheveux humides peignés strictement en arrière, avec, sur les épaules, une serviette mauve fatiguée un peu élimée à un coin et marquée d'anciennes taches de teinture. Une de ses oreilles portait des traces de brun. Avec un regard furieux au garçon, elle donna un coup de pied dans un carton vide.

— Je passe mon temps à te répéter de descendre tous ces trucs, mais toi, tu te contentes de passer à côté et c'est tout ! Une de mes amies a une carte Costco, expliqua-t-elle avec un sourire nerveux à Alex.

— Tu as de la chance.

— Ouais, c'est super.

Elle serra la serviette autour de son cou, souleva un carton de chips vide, le posa sur le dessus de la pile et repoussa l'ensemble contre le mur d'un coup de pied.

— On a un club, on achète en gros et on fait le partage les marchandises une fois rentrés. Je ne sais pas bien si j'économise de l'argent ou si j'achète encore plus.

Elle montra l'ado qui avait ouvert la porte.

— C'est des estomacs. Je leur présente n'importe quoi, ils le mangent. La nourriture disparaît comme par magie. Ils se sont enfilé un saladier entier de boulettes de poisson.

— Elles sont même pas bonnes, commenta le garçon en tirant la langue.

Kay s'essuya les cheveux dans la serviette.

— N'empêche que vous les mangez quand même, lui rétorqua-t-elle.

Le gamin était du genre beau ténébreux, des yeux bleus et un air d'autorité avec ses deux sourcils qui n'en formaient qu'un. Morrow reconnut en lui quelques petites traces de Kay, mais guère. Brusquement très sérieux, il lui demanda :

— Écoutez, c'est pas des blagues : comment je fais pour être flic ?

— Oh non, et merde..., fit Kay en secouant la tête à l'adresse de son amie d'enfance.

Morrow haussa les épaules, ne sachant pas bien si le môme se moquait ou non.

— Posez votre candidature. Téléphonez et renseignez-vous sur la démarche à suivre. Mais attendez-vous à faire votre demande plusieurs fois, alors ne vous découragez pas.

Il réfléchit quelques instants et parut arriver à une décision :

— Je ne me laisserai pas décourager.

— Comme s'ils allaient te prendre, de toute façon, dit Kay, l'air gênée, en regardant Morrow.

— Pourquoi, qu'est-ce que j'ai qui va pas ?

Kay lui fit tss-tss et continua à s'essuyer les cheveux en passant entre eux dans le vestibule pour gagner la cuisine où elle mit la bouilloire en marche.

— Tu sais très bien.

— Sérieusement, qu'est-ce que j'ai qui va pas ?

Kay ignora la question.

— Alex, du thé ?

Aucun officier de police en service n'irait accepter une tasse de thé d'un membre du public. La visite n'en durait que plus longtemps, et on ne pouvait jamais savoir ce qui avait pu être ajouté au breuvage.

— Oui, je te remercie, répondit-elle pourtant, comme pour se prouver que sa visite n'avait rien d'officiel.

— Alors là, c'est sûr, dit le jeune garçon en s'adressant toujours à elle. Je vais téléphoner et demander un formulaire. M'man, tu m'aideras à le remplir ?

La porte rose s'ouvrit et une jeune adolescente apparut dans l'embrasure, l'œil bougon. Elle était la copie conforme de sa mère au même âge mais en plus potelée, ce qui la rendait encore plus jolie. Morrow lui offrit un sourire chaleureux.

— Salut.

Comme prise d'une timidité soudaine, la fille repoussa un peu sa porte en masquant à moitié son visage.

— Ta maman et moi étions copines quand elle avait votre âge.

— Oh.

Visiblement peu intéressée mais trop polie pour le montrer, elle laissa son regard s'égarer sur le mur.

— Elle te ressemblait trait pour trait, mais en moins jolie.

La gamine rougit, prise de panique, et s'enferma aussi vite. Son frère sourit et regarda la porte rose, sachant que sa sœur écoutait :

— Elle est craquante, non ? Elle le sait même pas, qu'elle est craquante.

Morrow se sentit tout émue. L'habitude de faire des compliments aux enfants était relativement récente en Écosse. Elle-même n'en avait jamais reçu le moindre jusqu'à sa rencontre avec Brian, mais c'était arrivé beaucoup trop tard, Brian, elle ne le croyait jamais vraiment.

— Très bien, Joe, soupira gentiment Kay, allez, dégage. On a des choses à se dire toutes les deux.

— Oh oui, c'est ça, fit Joe, en haussant le sourcil vers Morrow. Le bon vieux temps ? Les petits amoureux ?

— Sarah Erroll, dit Kay avec tristesse.

— Oh ! L'horreur.

Joe ne trouva rien de drôle à ajouter et battit en retraite vers la chambre de sa petite sœur : il frappa à sa porte et entra sans attendre de réponse. Elles entendirent sa voix et celle haut perchée de la fillette qui lui répondait.

Kay plongea la main dans le placard, sortit un mug, jeta un coup d'œil à l'intérieur, fit la grimace et le reposa avant d'en choisir deux dans le fond. Le plan de travail était jonché de paquets géants de chips et de gâteaux, l'évier encombré par les sachets de thé usagés, et tout sentait la fumée de cigarette.

Morrow s'appuya lourdement au montant de la porte de la cuisine.

— J'espère que ça ne te gêne pas que je sois là.

— Pas du tout, répondit Kay un peu mal à l'aise néanmoins en montrant la pagaille. Quand je reçois, c'est à peu près le mieux que je puisse faire question rangement.

La réponse polie de Morrow quant au bazar qui régnait chez elle se perdit dans le sifflement de la bouilloire.

Elle savait qu'elle ne devait pas se sentir désolée pour Kay. Il était bien, cet appartement. Les gamins communiquaient entre eux et avec leur mère, mais elle avait le sentiment qu'elles n'étaient dupes ni l'une ni l'autre : c'était bien une resucée des décors déprimants qui les avaient vues grandir toutes les deux. Des endroits envahis par la fumée de cigarettes, où traînaient partout des bouts de biscuits, des lieux chargés de colères retenues, d'affection réticente et d'ambitions tournées en ridicule.

Kay sortit deux sachets d'un paquet géant de thé Tetley et les laissa tomber dans les mugs avant de verser l'eau bouillante.

— Il est adorable, ton Joe. Beau gosse, dit Morrow, bien décidée à se montrer plus positive.

— Trop charmeur. Ça lui attire des ennuis, dit Kay avant de rectifier aussitôt. Non, c'est des bons gamins. Ils se font pas de crasses entre eux. C'est bon signe, je suppose.

Elle ajouta le lait sorti d'un carton de six litres qu'elle replaça dans le frigo.

— Du sucre ?

Morrow fit signe que non et Kay lui tendit son mug.

— Amène-toi.

Morrow la suivit dans le salon. Sur un canapé en cuir éraflé s'entassaient des piles de vêtements propres pliés, disposés soigneusement, et une table à repasser se dressait devant une vieille télévision massive. Sur les murs, dans des cadres à clips, était accrochée une collection de photos de toute la tribu, soirées et réunions familiales ou pièces de théâtre scolaires. Nombre d'entre elles avaient glissé derrière le verre en créant un effet d'avalanche, comme autant d'existences passées trop vite, emportées par un gigantesque brouillard indistinct.

Morrow vit Kay jeter un regard coupable aux marques sur le sol, à des traces graisseuses autour de l'interrupteur, là où des successions de mains s'étaient posées à leur entrée et à leur sortie.

Kay posa son thé par terre, cherchant un endroit où Morrow pourrait s'asseoir. Agacée, ses gestes saccadés trahissant son ras-le-bol, elle empila avec grand soin les différents tas de repassage les uns sur les autres avant de les mettre sur la planche à repasser pour lui dégager une place.

Morrow, son manteau toujours sur le dos, posa elle aussi son thé par terre et s'assit.

Kay s'installa dans le fauteuil et tourna vers elle un regard presque gêné en voyant son mug à même le sol.

— Ça fait pas un peu trop de liquide pour toi ? Une grosse boîte de sablés, ça te dirait pour faire passer ?

— Pas vraiment, lui sourit Morrow.

— Un multipack de Hula Hoops ?

— Nan, je suis bien.

Kay leva la main et lui dessina un arc-en-ciel devant la figure.

— Tous ces parfums…

— Non, je te remercie, j'ai mon dîner qui m'attend à la maison.

— T'es pas en avance, dis-moi. Mais c'est important de bien manger, non ? dit-elle avec un coup d'œil à son gros ventre.

Brusquement, elles se trouvèrent à court de sujets de conversation et Morrow se sentit tout à coup godiche, chose qui n'arrivait jamais quand elle était dans l'exercice de ses fonctions. Kay ne fut pas dupe. Percevant sa gêne et ses réticences, elle lui demanda :

— Dis-moi la vérité, Alex. Qu'est-ce qui se passe ?

— Qu'est-ce que tu veux dire ?

— Pourquoi tu es venue ici toute seule ?

Apparemment, Kay était au fait des procédures policières, elle savait que les flics se déplaçaient toujours par deux, et Morrow en fut un peu troublée.

— Je voulais te poser des questions sur Sarah, le genre de femme qu'elle était et tout ça.

— Son milieu ? Son mode de vie ?

— Ouais, tu vois, de quoi me faire une idée sur elle…

Mais Kay plissa les paupières et la fixa trop longuement, comme pour lire au-delà des mots.

Morrow ne bougea pas d'un cil, même un sourire aurait été de trop. Elle travaillait, elle vivait dans une maison à elle, elle avait une voiture. Elle s'en était sortie, à la différence de Kay. Elle se faisait d'ailleurs un peu de souci sur les vraies raisons de sa visite. Finalement, elle n'était peut-être pas venue là en quête de réconfort ou de nostalgie ni pour connaître la vraie Sarah Erroll. Qui sait si elle n'avait pas une autre idée en tête, une envie de se mesurer à Kay, à la recherche de la piètre confirmation que, tout bien pesé, son sort était plus enviable que celui de sa vieille amie.

Kay s'attarda sur son visage impassible et parut comprendre qu'Alex lui racontait des salades en sachant pourquoi. Elle cligna des paupières et se mit à dévider mécaniquement une succession de banalités :

— Sarah était gentille. Elle adorait sa maman, même si Mme Erroll pouvait être un beau chameau. J'aimais bien Joy. C'était son nom, à Mme Erroll : Joy Alice Erroll. Tout le monde l'appelait Mme Erroll.

Elle étendit une jambe devant elle et décolla son derrière du fauteuil pour tendre la main vers ses cigarettes et son briquet posés sur la table à repasser. Elle ouvrit le paquet et regarda le ventre de son amie.

— Ça te dérange ? lui demanda-t-elle.

— Te gêne pas.

Elles sourirent à l'unisson, chacune de son côté, car c'était mot pour mot un échange qu'elles avaient eu des centaines de fois, il y avait une centaine d'années de ça. Kay alluma sa cigarette, tira une longue bouffée et se pencha par-dessus l'accoudoir pour attraper un cendrier sale qu'elle nicha sur son genou.

— Est-ce que Sarah avait un petit ami ?

— Elle en a jamais ramené aucun à la maison, en tout cas. Mais je sais qu'elle avait quelqu'un. Elle recevait des textos et… suffisait de voir son sourire au téléphone…

Kay se souvenait, avec nostalgie.

— Quand t'es mère avec des ados, ça te donne presque un don de voyance. Probable qu'elle voulait pas qu'il rencontre sa mère.

— Sa mère était difficile ?

— Ouais... Pas besoin d'une mère difficile pour que les enfants cachent bien leur jeu. Les secrets, ils aiment ça. C'est naturel, non ? dit-elle en y réfléchissant, un sourire aux lèvres. Mais Joy était difficile, ouais, et elle était marteau. Mauvaise combinaison. Si elle ne détestait pas le mec, c'est lui qui l'aurait détestée.

Puis elle se mit à couiner en imitant la voix très classe d'une vieille dame de la haute.

— Kay, mais vous avez l'air absolument aa-ffreuse ! Et vous êtes tellement grosse, dites-moi !

— Est-ce que Sarah l'aimait bien ?

— Elle l'adorait. Même si elle n'avait plus toute sa tête, Sarah l'aimait, et c'est rare. Elle était enfant unique, tu sais ?

Kay baissa les yeux, se souvenant peut-être que les rapports d'Alex avec sa mère avaient été rien moins qu'heureux.

— Quand ça marche, c'est vraiment super.

— Comment peux-tu être sûre qu'elle aimait sa mère ?

— Son visage s'illuminait, sourit Kay. Dès qu'elle la voyait ou qu'elle parlait d'elle. Je ferais n'importe quoi pour ma maman, elle répétait toujours. Seigneur Dieu, qu'est-ce qu'elle me manque, Joy ! ajouta-t-elle en clignant vaillamment des yeux pour prévenir un flot de larmes. Juste... sa compagnie, tu comprends ?

— Vous étiez proches, toutes les deux ?

— Probablement pas, répondit Kay en contemplant son cendrier. C'est différent quand c'est Alzheimer. La personnalité change. Ce n'est plus le même être humain, les membres de la famille ne le reconnaissent plus. Mais malgré sa démence précoce, celle qu'elle était devenue, j'ai toujours été très attachée à cette personne-là.

— As-tu jamais vu des gens extérieurs dans la maison ? Des amis de Sarah ?

— Non.

— Quand as-tu vu Sarah pour la dernière fois ?

Kay exhala un filet de fumée et fronça le sourcil.

— Hmmm. Je veux pas me moquer, Alex, mais ça, c'est une vraie question de flic. Est-ce qu'on ne devrait pas attendre que quelqu'un d'autre...

— Oh, mais si, si. Tu travailles dans une autre maison du quartier désormais ?

— Ouais.

— C'est tous des riches par ici ?

— Pas aussi riches qu'ils l'ont été... Ils ont perdu beaucoup d'argent ; tu devrais leur poser la question, ils avaient tout investi en Bourse.

— Tu travailles pour Mme Thalaine ?

Kay secoua la tête.

— Tu vois, ça aussi, c'est une question de flic, lui dit-elle, le regard dur. Tu n'aurais pas dû venir ici toute seule.

Elle s'adoucit aussitôt, sachant qu'elle s'était montrée trop brutale.

— Dis-moi que c'est pas un crime sexuel.

— Pourquoi me demander ça ?

— Tu as bien demandé si elle avait des petits amis.

— Juste pour le contexte. Pour mettre les choses en perspective.

Kay hocha la tête en fixant sa cigarette.

— Bien. L'idée qu'on ait pu abuser d'elle m'est insupportable. C'était quelqu'un de bien, tu sais, convenable et tout.

— Convenable ?

— Très grande dame, dit Kay en se touchant le poignet. Toujours un mouchoir.

Un moment, elle se perdit dans ses pensées, la tête baissée, les yeux mouillés. Morrow la laissa retrouver son chemin en se demandant s'ils ne se trompaient pas sur le caractère sexuel des activités de Sarah. Sauf que, vu sous un autre angle, son côté grande dame avait pu être un excellent argument de vente.

— Ça n'aurait pas pu être un accident ? demanda Kay avec espoir.

Morrow ne répondit pas. Elle ne voulait pas paraître trop catégorique.

Kay sirota son thé et le silence retomba entre les deux amies. La porte d'entrée s'ouvrit et une voix de garçon s'écria :

— Salut, c'est moi !

Kay lui cria « Salut » en retour mais le garçon qui avait crié n'entra pas dans le salon. Joe et la gamine avaient eux aussi répondu et elles entendirent la porte de la chambre s'ouvrir sur un brouhaha de questions et de réponses.

Kay baissa la voix et demanda instamment :

— Quelle est la vraie raison de ta venue ici, Alex ? Pas de malentendu, c'est bien agréable de te revoir et tout ça, mais tu ne devrais pas être ici toute seule et on le sait l'une comme l'autre.

— Ouais, acquiesça Morrow.

— Ouais.

Kay tapota sa cigarette à petits coups rapides, rat-tat-tat, sur le côté de son cendrier, furieuse tout à coup.

— Ouais, pour être honnête, ça m'embête vraiment que tu sois venue toute seule. Si jamais tu retrouves le mec qui a fait ça, et qu'il s'en sort parce que tu m'as posé des questions ici, et qu'il n'y a personne pour corroborer ça et qu'ensuite, à cause de ça, le dossier d'accusation ne tient pas...

— Comment est-ce que toi, tu sais tout ça ? demanda Morrow, d'une voix forte et sans tendresse.

Kay se figea sur place, les yeux rivés sur son amie. Elle leva sa cigarette et tira une bouffée, mais sa main tremblait quand elle la reposa sur l'accoudoir du fauteuil.

— Je suis la présidente des *Crimespotters*[1] du quartier. Nous avons organisé une campagne. Contre la police de l'autre côté de la rue.

La fumée commença à sortir par sa bouche et son nez pour remonter lentement sur son visage et se coller à ses cheveux mouillés.

— Chaque fois qu'il y avait un cambriolage, les flics qu'on nous envoyait pour prendre les dépositions des victimes venaient toujours seuls, jamais à deux, tout ça pour permettre à leurs copains du même poste de dîner tranquilles.

Les yeux mi-clos, elle regarda Morrow en face.

1. Littéralement, ceux qui repèrent le crime. Organisation citoyenne de prévention de la criminalité.

— Le taux de résolution des cambriolages est tellement bas que je me demande s'ils ont jamais retrouvé un seul coupable. Beaucoup de gens dans ces tours ignoraient qu'un flic en solo voulait dire que personne n'allait se bouger le cul. Donc j'ai monté une campagne pour informer tout le monde de la règle de corroboration. J'ai distribué des prospectus à tous les habitants de la tour. Va faire un tour au poste et pose-leur des questions à mon sujet si tu veux. Ils savent qui je suis.

Si Kay avait raison, son affirmation était scandaleuse. Elle impliquait non seulement que les gradés renonçaient de fait à toute possibilité de résoudre les cambriolages, mais aussi que les agents de terrain mettaient leur vie en danger en venant seuls sans personne en renfort. Mais ce n'était pas la première fois qu'elle écoutait des plaintes du public, et elle avait reconnu cette étrange impression de sentir sa conscience battre lentement en retraite. Un réflexe de défense familial, avec toujours à la clé une resucée des mêmes excuses aux relents de réchauffé : ces gens ne connaissent pas la pression à laquelle nous sommes soumis, ils ne comprennent pas, eux-eux-eux contre nous-nous-nous. Elle avait déjà choisi son camp.

Kay se pencha en avant en voyant son amie se fermer comme une huître.

— Vaudrait mieux que tu retrouves le mec qui a tué cette jeune nana.

— Je le retrouverai.

— Parce que c'était une chouette nana.

— Je le retrouverai, répéta-t-elle, surprise de s'entendre dire une chose pareille, car elle n'avait aucun moyen de savoir si elle y parviendrait ou pas.

— M'man ?

La porte s'ouvrit et Joe jeta un coup d'œil dans la pièce, avec son frère derrière lui. Un frère qui ne lui ressemblait en rien : il était plutôt replet comme sa sœur, mais sans sa beauté, les cheveux teints en noir, plusieurs piercings aux oreilles, dont un gros clou sur l'une, et un tee-shirt noir avec une inscription en lettres blanches. Il était aussi plus petit et sourit à Morrow qu'il salua d'un signe de tête en la passant à la revue de détail, de la tête aux pieds.

— M'man, dit Joe, Frank a acheté un DVD. Est-ce qu'on peut utiliser la télé ?

— Je viens juste d'être payé, expliqua fièrement Frank.

— C'est quoi ?

— *Paranormal Activity.*

— Il est très tard. En plus, est-ce que Mary n'est pas un peu jeune pour ça ?

— Un petit peu.

— J'ai entendu dire que ça fichait vraiment la trouille.

— Je suis plus un bébé, cria la gamine depuis le couloir.

— D'accord, Mary, mais t'as pas non plus quinze ans, lui cria Kay à son tour, avant de baisser la voix : Frank, mets autre chose, il doit bien y avoir un truc qu'elle peut regarder avec vous.

La conversation se poursuivit autour de la sœur, mais Morrow n'écoutait pas.

Elle regardait les pieds des garçons et se sentait mal : tous deux étaient chaussés des mêmes tennis Fila, et elles étaient en daim noir.

* * *

C'était stupide, mais Morrow eut le sentiment de trahir Kay en fonçant vers le poste de police de l'autre côté de la rue.

Elle se gara sur l'arrière, verrouilla sa voiture et gagna l'entrée à pied. Les portes automatiques s'ouvrirent en chuintant. Elle entra, s'avança vers le comptoir de réception inoccupé et appuya sur la sonnette d'appel. Elle savait que les policiers l'observaient depuis le fond, derrière leur cloison vitrée. Elle hocha la tête à l'adresse de son reflet, sortit sa carte professionnelle et la présenta bien en évidence jusqu'à ce que la porte s'ouvre. Un agent entre deux âges sortit et la vérifia de près.

— Que puis-je pour vous, ma'am ?

— Je voudrais parler à quelqu'un. Vous connaissez les grandes tours d'appartements ?

— Oui.

— Kay Murray ? Joe Murray ? Frank ? Que pouvez-vous m'apprendre sur cette famille ?

L'homme haussa les sourcils et, les gardant relevés, réexamina une seconde fois la carte de Morrow avant de soulever la barrière d'accès.

— Entrez. Je vais faire venir l'inspecteur Shaw.

Il la laissa derrière le comptoir et appela son collègue par téléphone. Détail intéressant, ce n'était pas encore le changement de poste, mais ce flic semblait certain que Shaw se trouvait dans le bâtiment, comme si c'était dans ses habitudes ou qu'il n'était pas autorisé à en sortir. Lorsque Shaw finit par apparaître, elle reconnut un policier de la vieille école : élégamment coiffé, le maintien un peu sec, même âge qu'elle mais moins agressif et emprunté.

— Les Murray, c'est des plaies vivantes. La mère a mené une campagne de malveillance visant à discréditer ce poste et nous a mis à dos toute la population des tours. Il nous a fallu des mois pour réparer les dégâts.

— Vraiment ?

— Oui, une vraie fauteuse de troubles.

— Et les enfants sont comment ?

— Imaginez un peu, c'est eux qui distribuaient ses prospectus. Ils les glissaient dans les boîtes aux lettres de ceux…

Il s'arrêta là, le regard fuyant, à danser d'un pied sur l'autre, puis releva la tête d'un air soupçonneux, en se demandant visiblement si elle débarquait pour enquêter sur les pratiques du poste. Morrow ne le démentit pas.

— Les caméras de surveillance qui sont un peu partout, elles fonctionnent ?

Le regard en coin, il se repassait les bandes enregistrées où des agents solitaires remontaient vers les tours en traînant des pieds…

— Écoutez, dit-elle. Si vous ne répondez pas à ma question dans une minute, je vous embarque à London Road.

— Oui, répondit-il automatiquement.

Elle s'écarta, ouvrit la porte donnant sur la réception.

— Vous êtes sûr que vous vous préoccupez de la sécurité des jeunes agents, dans ce poste ?

Elle put lire une lueur de honte dans son regard.

— Jeunes, inexpérimentés, seuls dans un environnement hostile ? Qui auraient bien besoin d'un renfort ? Et vous, vous restez ici en lisant *The Digger*[1]. Même s'il ne se passe rien, ils en viennent à prendre ça pour une pratique acceptable, après quoi, ce sera leur tour d'envoyer des flics sur le terrain, et là, il arrivera un accident.

Elle s'arrêta, sentant qu'elle était sur le point de faire une allégation infondée.

— Si j'entends encore quoi que ce soit à propos de ce poste, reprit-elle, je reviendrai et je vous fous mon billet que je vous embarque illico, bordel, c'est compris ?

Il pinça les lèvres en l'entendant jurer, aussi en remit-elle une couche :

— Vous pouvez compter sur moi, putain.

Elle sortit, claqua la porte derrière elle et regagna l'entrée au pas de charge.

Il faisait froid dehors, le gel n'était pas loin. Arrivée à sa voiture, elle se retourna vers les tours.

Shaw lui en avait appris beaucoup sur les Murray. Tout ce qu'il n'avait pas dit était criant de vérité. Il n'avait rien de concret pour discréditer Kay, les enfants n'avaient jamais commis de délits. Elle n'avait pas de problèmes avec un ex-compagnon ou des voisins, elle ne picolait pas ni ne fréquentait les soirées de beuveries. Si ç'avait été le cas, il n'aurait pas manqué de l'en informer.

Dans tous les cas de figure, la famille Murray était bien mieux que la sienne.

---

1. Hebdomadaire de Glasgow traitant du crime organisé et de la corruption policière.

20

On se serait cru sur la banquise. Ils grelottaient dans ce hangar, les mains fourrées au fond des poches, la tête dans les épaules pour se protéger du froid glacial. Le sol et les marches de l'escalier étaient blancs de givre, mais Thomas et Moira ne s'étaient pas réfugiés dans le bureau. Ils faisaient le pied de grue sur la plateforme où Mary, la bonne, s'était postée la veille pour attendre l'arrivée du Piper, en essayant de se faire les plus grands possible : ils voulaient qu'Ella les reconnaisse immédiatement et comprenne qu'elle ne rentrait pas dans une maison irrespirable. Une idée de Moira : bien montrer qu'ils étaient unis.

Thomas sentit le vibreur avant d'entendre la sonnerie. Il essaya tant bien que mal de prendre son portable dans sa poche malgré ses gants, en vain, sourit en même temps que Moira de sa maladresse et finit par les enlever pour le sortir. Il s'attendait à lire sur l'écran « DonMcD » ou « Hamish », des gars qui se trouvaient en étude ce matin. Ça ne pouvait pas être Squeak, le matin, il servait la messe. Logiquement ça devait être Hamish qui l'appelait pour lui demander s'il allait bien, est-ce qu'il était O.K., est-ce qu'il avait de nouveau baisé sa bonne depuis son retour. L'identifiant de l'appel affichait « Squeak », et Thomas sentit ses doigts se relâcher sur l'appareil avant de le laisser tomber dans sa poche sans répondre.

— C'était qui ?

— Quelqu'un à qui je ne veux pas parler, répondit-il.

Il eut beau se tourner vers la porte du hangar, il sentait toujours le regard de Moira sur lui.

Son portable vibra une nouvelle fois contre sa cuisse avant de s'arrêter.

— Un journaliste ? suggéra-t-elle.

— Non, dit-il, incapable de la regarder.

Elle perçut sa gêne et essaya d'engager la conversation.

— Ils n'ont pas arrêté de me téléphoner, dit-elle, sans arrêt. Je ne sais pas comment ils ont eu mes numéros.

Le portable reprit vie soudain, et Moira roula les yeux au plafond.

— Ne réponds pas, Tom, c'est tout.

— Non, je ne réponds pas. J'ai le temps d'aller aux toilettes ?

— Dépêche.

Il faisait un peu plus chaud dans le bureau. Un chauffage au butane brûlait à côté d'un homme assis près d'une table, les pieds posés sur une poubelle. Il lisait un tabloïd à en-tête rouge, un torchon bon marché, le genre de canard qui ne faisait ses grands titres qu'avec des mots grossiers.

Thomas n'aurait jamais remarqué la une si l'homme, pâlissant à sa vue, ne s'était pas redressé sur son siège pour faire disparaître le journal au plus vite sous son bureau.

— Je peux voir ? lui demanda Thomas en tendant la main.

L'homme regarda la poche où le portable sonnait avec insistance. Thomas haussa les épaules et allongea de nouveau le bras.

L'homme lui donna le journal.

La photo représentait un grand carré de ciel gris. Au centre, une petite silhouette pleine de grain, flasque, pendouillant mollement comme un ballon de baudruche dégonflé : Lars pendu au chêne sur la pelouse. Thomas reconnaissait le cadrage, l'angle de visée bas à partir du sous-sol. Le cliché avait été pris de la fenêtre de la chambre de Mary.

Pas la moindre émotion devant cette image de Lars, la mollesse de son cou, son corps en barrique et ses jambes maigres. Il se dit qu'il devrait pourtant éprouver quelque chose, mais tout ce qu'il réussit à trouver au fond de lui se limita à une étincelle de compassion pour le chêne. Cette chose ne ressemblait pas à Lars. Elle ne paraissait pas menaçante pour un sou.

Il reposa le journal sur le bureau. L'homme baissa la tête et marmonna : « Désolé. » Thomas se contenta une fois de plus de hausser les épaules.

Il se sentait plus glacé qu'avant d'entrer et demanda où se trouvaient les toilettes. L'homme lui indiqua le fond du bureau.

Une petite pièce aux murs en béton brut qui exsudaient le froid. Il ferma la porte et resta debout à contempler leur surface humide.

Son téléphone se remit à sonner. Il mordit son doigt ganté, plus fort qu'il n'aurait dû, et se pinça la peau en dégageant sa main pour prendre le portable. D'un ongle, il ouvrit le clapet au dos et arracha la carte SIM pour faire taire cette saloperie. Il fixa le petit carré doré avec révulsion et le tint à bonne distance comme si Squeak s'y trouvait incarné, avant de le laisser tomber dans la cuvette et de tirer la chasse. Le carré doré fit deux fois le tour avant d'être aspiré.

Il continuait à fixer l'eau quand le grand titre à côté de la photo de Lars s'afficha dans son champ de vision. Quatre mots seulement, tous de taille égale. UNE HÉRITIÈRE SAUVAGEMENT ASSASSINÉE.

Il se transforma en statue, les yeux fermés, la tête penchée sur le côté, exactement comme s'il espérait ainsi déloger les mots de sa mémoire et les faire ressortir par son oreille, qu'ils disparaissent enfin de la première page. C'était pour ça que Squeak téléphonait. Et non pour le menacer, il voulait juste lui dire : « T'as vu ? » Il était parti servir la messe et avait aperçu le journal. Le père Sholtham, qui officiait le jeudi matin, lisait le *Daily Mail* et avait dû le laisser dans la sacristie. Pour autant, Thomas était heureux de s'être débarrassé de sa carte SIM : dorénavant, Squeak ne pourrait plus lui téléphoner et il se fichait pas mal de ne plus jamais pouvoir lui parler.

Il ouvrit la porte et revint dans le bureau, en regardant de nouveau le gros titre. UNE HÉRITIÈRE SAUVAGEMENT ASSASSINÉE.

Sans rien demander, il arracha le journal des mains de l'homme, le retourna et vit les mots en sous-titre. *Récit détaillé pages 3 à 7.* Il l'ouvrit à la page 3. Une photo d'elle, plus jeune, plus blonde, en bikini, d'un rouge qui jurait presque avec le bleu de la mer en arrière-plan. Elle était certainement sur un balcon et avait pris la pose de biais pour donner l'illusion d'être plus mince.

Sarah Erroll, disait-on, avait fréquenté une école de filles très huppée dont il n'avait jamais entendu parler. Une ancienne camarade de classe racontait des banalités sur elle – elle était serviable. L'article précisait qu'elle était fille unique, n'avait pas d'enfants ni de mari et s'était entièrement consacrée à sa mère âgée. *Des sauvages*, commentait un policier gradé qui ressemblait à une vedette de cinéma et apparaissait sur plusieurs pages. *Ceux qui ont fait ça frapperont de nouveau si nous ne les retrouvons pas avant,* expliquait l'inspecteur BeauGosse. *Je n'ai jamais vu de crime plus abominable.*

— Prends-le, mon gars, dit l'homme, si tu veux...

— Merci.

Thomas le prit moins pour le lire que pour empêcher cet individu de connaître les détails du crime et de se mettre des images dans le crâne. Mais, sur le point de partir, il se rappela : Lars était en première page et Moira l'attendait dehors. Il s'arrêta, le canard à la main, en se tournant vers l'homme pour lui demander conseil.

— J'veux pas que ma maman...

— Plie-le.

Ce qu'il fit, mais il était trop épais. Il sortit alors le supplément des sports pour le rendre à l'homme et replia ce qui restait en un petit carré qu'il glissa dans sa poche intérieure. Une fois la chose faite, il ressortit dans le hangar glacé en refermant soigneusement la porte derrière lui.

Moira releva la tête, les yeux brillants, pleine de tendresse et de chaleur. Mais, en voyant la figure de son fils, son sourire disparut.

— C'était qui au téléphone ?

— Non, ça va, lui répondit-il en tendant le cou pour tenter d'apercevoir l'avion.

— Thomas, qui c'était ?

— Personne. C'est rien.

— Tu n'as pas l'air bien tout à coup.

Il mit la main à sa poche et sortit le journal qu'il déplia devant elle.

— Oh, non. Oh, Mary, pour l'amour du ciel, quelle vipère ! Les clauses de confidentialité ne servent vraiment à rien…

— Elle n'a pas demandé de prime, non ?

— Non, dit Moira en étudiant le cliché. Je me demande ce qu'elle nous tient encore en réserve…

On aurait cru le bourdonnement d'un insecte qui se rapprochait. L'avion apparut au coin du bâtiment en roulant au pas dans leur direction jusqu'à ce qu'ils voient le visage du capitaine Jack à la vitre et la petite bosse de la tête d'Ella sur le siège arrière.

— Cache-le, m'man.

Moira se dépêcha de replier le journal avant de le lui rendre, et il le glissa aussitôt dans sa poche.

L'appareil ralentit et Thomas comprit que ça ne se passerait pas bien du tout. Il repensa à Amsterdam, Lars qui refermait la porte d'une chambre en l'abandonnant aux bons soins d'une fille déprimée originaire de Kiev. Elle et lui avaient passé la demi-heure suivante à chuchoter, chacun disant qu'il n'avait aucune envie d'être là. Thomas ne voulait pas non plus se trouver ici, à cet instant. Pareil, la même sensation.

Il s'accrocha à la rambarde pour raffermir sa position, ses doigts serrés sur le métal glacé qui lui brûlait la peau, heureux de cette douleur imprévue. Sarah Erroll n'avait pas d'enfants. Elle n'était pas l'autre épouse de Lars, elle n'était ni sa fierté ni son réconfort. Elle était comme Thomas, une note en bas de page dans son existence.

— Allez, souris, dit-il à sa mère.

Mais le visage de Moira s'était desséché tant elle était furieuse contre Mary.

Le Piper s'engagea au pas dans le hangar, et apparut le petit visage rond d'Ella chargé d'espoir, ses yeux cherchant à repérer les signes avant-coureurs de l'atmosphère qui l'attendait à la maison. Il lui suffit d'un regard : elle passa de sa mère à la bouche maquillée de brun pincée à son frère aux yeux tristes et coupables et se laissa retomber dans la cabine sombre.

L'avion s'immobilisa. Le capitaine Jack attendit que les moteurs s'arrêtent pour ouvrir la porte et descendre afin d'aider Ella à sortir.

Elle portait son pardessus d'uniforme gris avec chapeau cloche assorti et de petites chaussures noires aux semelles en caoutchouc beige. Thomas la vit qui essayait de ne pas pleurer en attendant son sac, plissant ses paupières serrées avant de les rouvrir, luttant contre le pli amer de ses lèvres.

Moira resta sur la plate-forme en gardant le sourire, déroutée de constater que leur présence à tous les deux ne rassurait en rien la petite.

Thomas descendit les marches et s'avança vers la sœur qu'il avait haïe dès sa naissance. Il décolla ses petits pieds du sol et la serra fort dans ses bras pour glisser des mots tendres au creux de son épaule agitée de sanglots, tandis qu'elle se raccrochait à lui, le corps comme une chiffe.

— Ne pleure pas, Ella, dit-il d'une voix aussi plate qu'une flaque. Ne pleure pas. Je vais tout arranger. Je te le jure.

21

À son arrivée au poste de police, toujours chaud comme une chambre d'enfant au petit matin, Morrow se sentait déjà fatiguée. La sueur perlait à sa nuque et à ses aisselles tandis qu'elle se débarrassait de son manteau et de son sac près de son bureau avant de refermer la porte derrière elle.

Elle contempla sa bannette de travail en cours, prit une profonde inspiration avant de s'asseoir et de la tirer devant elle, à l'image du pianiste qui se centre devant son instrument avant un récital. Face à la pile bien nette de papiers verts et jaunes, elle reconnut qu'elle ne voulait pas de cette affaire. Elle ne l'aimait pas. La compassion qu'elle avait éprouvée pour Sarah Erroll s'envolait en fumée, sa victime était plus retorse qu'elle ne l'avait imaginé. Et elle ne voulait pas rencontrer l'assassin.

Elle balaya la pièce du regard. Boiseries marron d'une laideur insigne, tables banales, chaises en plastique gris. Des boules graisseuses de pâte adhésive là où s'affichaient autrefois photos et posters, un bureau vide en face du sien. La pièce semblait stérile comparée au chaos flamboyant de la cuisine de Kay avec son évier plein de sachets de thé usagés.

Elle commença à s'attaquer aux rapports pour préparer son briefing du matin.

Comptes rendus du porte-à-porte : elle y chercha les notes sur la visite au domicile de Mme Thalaine ; Leonard et Wilder sur le terrain. Rien d'important concernant l'argent. Une petite mention de Kay et de sa promesse de monter jusqu'à la maison pour vérifier que rien n'avait été emporté.

Les livres de comptes de Sarah Erroll relatifs aux aides à domicile : elle gardait scrupuleusement le détail des salaires et des paiements. Un registre intitulé « Maman » sur un Post-it en couverture. Morrow jeta un coup d'œil au total : il se montait à des milliers de livres par an. Toutes les entrées n'étaient cependant pas de la main de Sarah, quelqu'un d'autre avait pris la relève, une écriture soignée.

Elle trouva également plusieurs rapports du labo, des clichés des empreintes de pas sur les marches, écarlates en réalité, mais le photographe avait assourdi la teinte qui semblait marron. La marque était caractéristique : trois cercles sur la cambrure, deux séries. Le rapport n'émettait aucune suggestion quant à la marque des chaussures, uniquement sur leur pointure : une paire de 42, l'autre de 43 ou 44. Morrow griffonna « Fila ? », regarda le mot et le raya. Elle regarda de nouveau en se demandant bien pourquoi elle exonérait ainsi les garçons de Kay et récrivit : « Fila ? »

Ils disposaient d'empreintes relevées sur le montant de la fenêtre, l'iPhone, la rampe. Deux séries distinctes, en fait, deux intrus, alors que l'argent dans le catalogue du musée n'en portait absolument aucune. Ils avaient également des clichés de marques de pneus non identifiées, relevées dans la boue devant la maison.

Ils avaient tout et ils n'avaient rien. Aucune de leurs pièces à conviction ne pouvait aider à identifier un suspect, elles ne serviraient qu'à confirmer sa culpabilité. Ils n'avaient toujours personne à mettre dans le cadre.

Elle entendait l'équipe de jour se rassembler à l'extérieur et échanger des saluts avec les gars qui se rentraient. Elle s'arma de courage et jeta un coup d'œil aux photos de la scène de crime : le choc fut toujours aussi violent.

Un coup sec à sa porte qui s'ouvrit aussitôt sur Bannerman, encore en manteau et avec son écharpe.

— Bonjour.

— Bonjour, monsieur.

— Je leur dirai quelques mots à l'issue de votre briefing.

— Ce n'est pas nécessaire, vraiment.

Il la regarda de haut sans bouger, leva les sourcils en signe de défi et sortit en refermant derrière lui.

Ce qui l'attendait ce matin n'était plus un simple briefing mais bien une vente promotionnelle : elle devait trouver le moyen de les obliger à s'intéresser de près à une prostituée sans famille, riche et élégante, retrouvée morte de ses horribles blessures. Après quoi Bannerman allait se pointer, démolir son travail et, de nouveau, les gars s'en ficheraient comme d'une guigne.

Elle se leva, ouvrit la porte du bureau et appela Gobby. Elle attendit, entendant les hommes passer le message jusqu'à ce qu'il arrive. Elle lui tendit un rapport de sa pile.

— Faites-m'en dix photocopies et apportez-les au briefing. Harris…

Harris était en avance – comme à l'accoutumée – et passa la tête à la porte quand il entendit son nom.

— Bonjour, dit-il.

— Salut, dit-elle, et bonjour à vous. Trouvez-moi des haut-parleurs pour mon ordinateur portable.

Harris repartit en ronchonnant. Une vraie galère, car le matériel était toujours sujet à controverse. Ou on ne le trouvait pas, ou on ne réussissait pas à le faire fonctionner, quand on n'avait pas acheté un appareil inadapté. Lorsque des agents prenaient suffisamment de galon pour être aptes à gérer les budgets d'équipement, ils étaient souvent totalement incompétents dès qu'il s'agissait des dernières nouveautés high-tech. Les entendre parler de l'équipement informatique acquis tout récemment était suffisamment révélateur : immanquablement, ils tiraient une grande fierté du prix qu'il avait coûté, mais jamais de l'usage qu'on était censé en faire.

Il était huit heures, les troupes entraient dans la salle d'enquête. Morrow rassembla ses papiers en une liasse bien propre, prit une profonde inspiration et s'engagea dans le couloir.

Elle tomba sur Routher dont le grand sourire se flétrit immédiatement en la voyant arriver.

— Entrez là-dedans, lui dit-elle.

La salle était petite, encore une pièce laide avec des postes de travail à se partager, un panneau d'affichage avec tous les documents relatifs à l'enquête et un tableau blanc sur le mur opposé.

Les gars de l'équipe de nuit étaient affalés sur leur siège au premier rang, au plus près de la sortie, ignorant délibérément Bannerman installé à un mètre d'eux : tout à côté du tableau blanc, bien en évidence, il s'était délibérément placé dans le champ de vision de tous, afin qu'ils sachent qui était le vrai chef. Mais il avait l'air bien seul, perdu tout là-bas. Il vit entrer Morrow et lui adressa un signe de tête tout à fait inutile, lui signifiant qu'elle était la bienvenue et pouvait commencer. Elle se retint pour ne pas le saluer en retour.

— Très bien, dit-elle. (Silence.) Sarah Erroll était riche, jolie, jeune et elle ne laisse aucune famille. Qui s'en soucie ? Moi, mais je pense que je dois bien être la seule de toute cette salle.

Un début bien peu conventionnel, suffisamment surprenant pour que les hommes se redressent sur leur chaise et tendent l'oreille.

— Mon travail aujourd'hui est plus que difficile. Je vais devoir essayer de vous manipuler pour qu'au final vous en ayez quelque chose à secouer. Et ça, c'est horripilant, ajouta-t-elle en les regardant.

Elle les vit sourire d'un air narquois aux tables qui leur faisaient face, coupables mais honnêtes.

Elle alluma son ordinateur et sur le tableau blanc apparut la photo de Mme Erroll en chemise de nuit, assise dans la cuisine.

— Voici sa mère, Mme Erroll.

Ils pouffèrent de voir Joy Erroll si vieille et de si méchante humeur.

— Voici Sarah.

Nouveau clic, pour une photo de Sarah de profil. Elle était dans la rue et regardait par-dessus son épaule en souriant, sa pommette à l'arrondi parfait mise en évidence par la torsion du cou, les yeux éperdus d'amour. Morrow laissa le cliché en place pour qu'ils l'aient devant les yeux pendant qu'elle poursuivait son briefing en détaillant ce qu'elle savait, la surveillance de tous les instants et les soins intensifs qu'exigeait l'état de sa mère, ainsi que le décès récent de la vieille dame. Elle leur parla des activités de travailleuse sexuelle de Sarah en précisant qu'elle y avait mis un terme quand sa mère était morte, les laissant juxtaposer les deux infos avec l'espoir qu'ils en tireraient de quoi éveiller en eux un soupçon de compassion.

Sans prévenir, elle projeta une photo de la scène de crime et put voir les yeux s'arrondir et les têtes se relever, tous les visages soudain incrédules et effarés devant la saloperie de truc qu'ils avaient en face d'eux, pendant qu'ils essayaient de lui rendre figure humaine.

On avait piétiné la tête de Sarah Erroll à de multiples reprises, et l'assaillant y avait mis tout son poids, de sorte que le nez n'était plus qu'un fragment blanc perle de cartilage nu, les yeux explosés noirs et méconnaissables, la chevelure un foutoir coagulé de sang et de blond. Parler d'incrédulité et d'effarement était faible – le degré de furie et d'acharnement qu'exigeait une telle boucherie était répugnant. Quelqu'un s'était tenu debout sur la marche à côté de la tête et, d'un pied, avait assené ses coups de pilon jusqu'à ce qu'il ne reste plus rien des traits du visage. Il manquait une oreille, le crâne était enfoncé au niveau de la bouche, et les dents étaient ramassées en tas au fond de la gorge béante. Détail presque incompréhensible, les lèvres étaient restées plus ou moins intactes.

Afin de leur offrir à tous un moment à graver dans leur mémoire, elle ajouta :

— Celui qui a fait ça s'est accroché à la rampe pour ne perdre l'équilibre, il a levé le pied et s'est mis à pilonner…

Puis, calmement et sans passion, elle reprit la chronologie des événements qui avaient conduit au meurtre : deux jeunes hommes avaient pénétré dans la maison par la fenêtre de la cuisine, ils étaient montés à l'étage, avaient inspecté son sac à main et trouvé le téléphone Taser. Elle projeta une photo du téléphone gisant dans la salle puis revint à Sarah en leur expliquant que les trois protagonistes s'étaient retrouvés au bas des escaliers où les deux garçons avaient roué la victime de coups jusqu'à ce que mort s'ensuive. Pas d'armes, rien que les pieds. Elle leur montra une diapo d'empreinte de pas, un gros plan des fibres de daim noir fait au labo. Elle leur montra également les marques de pneus boueuses trouvées à l'extérieur.

Harris fut chargé d'identifier les tennis – elle mentionna spécifiquement la marque Fila – et Wilder de vérifier les noms et les registres de l'entreprise de soins à domicile. Elle partagea le restant du travail parmi les membres de l'équipe de jour.

La constable Leonard leva la main pour poser une question, et les hommes ricanèrent sous cape devant un tel manquement au protocole. D'habitude, on gardait les questions pour la fin, lorsque le responsable de l'enquête en avait terminé de dévider son petit discours préparé à l'avance, mais Morrow fut surprise de constater que quelqu'un l'écoutait vraiment, et ravie par cette interruption. D'un signe de tête, elle lui confirma qu'elle pouvait y aller, en espérant seulement que sa question ne porterait pas sur les tableaux de service.

— Comment savez-vous qu'il s'agit de deux jeunes hommes ?

Morrow signifia à Gobby de distribuer les photocopies. Il en donna une à Bannerman qui y jeta un d'œil et releva la tête, furieux qu'elle ne lui ait rien demandé. Un coup de dés : quelqu'un dans la salle rentrerait chez lui et en parlerait à son épouse. Quelqu'un prendrait une pinte en compagnie d'un journaliste, ce soir, et laisserait filtrer des détails importants.

Une fois que tout le monde en eut reçu un exemplaire, elle demanda le silence.

— O.K., dit-elle, ouvrez vos oreilles. La dernière chose que Sarah Erroll ait faite sur cette terre (elle montra le tableau blanc pour qu'ils regardent la photo) a été d'appeler le 999. Elle n'a pas parlé immédiatement, et son appel est passé en enregistrement automatique.

Ils se réveillèrent. On leur présentait enfin un élément concret, quelque chose qu'ils n'auraient pas à décortiquer en détail et qui ne demandait pas de réflexion.

Morrow appuya sur Play et mit le volume aussi fort que possible sans que les crachotements de la bande rendent l'écoute impossible.

La salle se remplit de parasites étouffés : le son avait déjà été retravaillé afin de faire ressortir la voix de Sarah Erroll, sans pour autant que ce soit parfait comme l'aurait exigé un tribunal.

Sarah Erroll : Qu'est-ce que vous fichez zissi ?

Les hommes étaient nerveux mais ils sourirent devant la typo. La transcription qu'ils avaient devant les yeux avait été faite par quelqu'un qui n'avait jamais entendu d'accent anglais : tous les termes non familiers avaient été rédigés phonétiquement.

Un temps de silence, aucun mouvement, et Sarah avait dû se tourner vers le téléphone car la phrase suivante fut parfaitement claire.

S.E. : Écoutez, sortez de chez moi.

Contrariée, mais pas menacée. Une voix de fillette, un accent traînant du sud-est de l'Angleterre, encore un peu nasalisé par des restes de sommeil.

S.E. : La maison (indistinct) **pas vide.**

Nouveau temps de silence, mais le ton de Sarah avait changé quand elle reprit.

S.E. : Ma mère est décédée. Je vis toujours.

Puis une voix de garçon, cassée, mais pas encore tremblotante ni basse. Il parlait fort, il semblait sûr de lui.

Accusé 1 : Où sont tes gamins ?

Dans la salle, tout le monde se redressa sur son siège.

S.E. : Des gamins ?

Acc 1 : Tu as des enfants.

S.E. : Non je n'ai pas d'enfants.

Acc 1 : Si, t'en as, bordel.

S.E. : Vous vous êtes trompés de maison.

Acc 1 : Non, je ne me suis pas trompé.

S.E. : Écoutez, vous devriez partir. J'ai appelé la police (indistinct) **et les agents sont en route. Vous risquez de vous attirer de gros ennuis si vous restez zissi.**

Personne ne rit devant la typo, cette fois.

S.E. : Je sais pourquoi vous êtes zissi.

Elle parut alors s'écarter du téléphone, mais on l'entendait encore.

S.E. : Vous ne savez pas à qui vous avez affaire, vous avez commis une erreur.

Acc 1 : Stop. Recule, putain de merde.

Morrow appuya sur Pause. Les hommes regardèrent alentour, surpris par l'interruption.

— D'où vient cet accent ? demanda-t-elle.

Grand silence coupable, un test phonétique inattendu qui les avait surpris en pleine somnolence.

— Anglais ? fit Leonard, encore suffisamment étrangère au groupe pour proposer une opinion ; et autour d'elle, des confirmations de la tête pour bien montrer qu'on écoutait.

— Non, dit Morrow, exaspérée. Je ne suis pas en train de vous tester pour savoir si vous êtes attentifs. L'accent est bizarre, un peu mélangé. Je veux que vous y réfléchissiez. Analysez-le. Voyez si vous pouvez le situer, sinon en entier, au moins des bribes.

Elle réappuya sur Play.

Acc 1 : Stop. Recule, putain de merde.

Là ils étaient tout ouïe, l'expression de leurs visages aussi attentive à la conversation que s'ils se trouvaient dans la pièce avec Sarah, sur le point d'intervenir.

Des impacts de pas, boum boum, sur le sol dur, des pieds nus qui se rapprochent du téléphone, et Sarah qui soudain commande :

S.E. : (criant) **Sortez d'ici immédiatement.**

Morrow fixa le sol et sourit, fière de Sarah. Les victimes pouvaient éventuellement susciter de la sympathie, mais elles perdaient toujours le respect des policiers. Les vrais flics voyaient ça trop souvent pour continuer à s'en préoccuper.

S.E. : Qui êtes-vous ? Je vous connais. Je suis certaine de vous connaître, je vous ai vu en photo quelque part.

Acc 1 : Une photo ? (indistinct) **photo de moi ?**

Tous étaient désormais assis bien droit, réaction pavlovienne de flic à cette étrange voix pleine de fureur.

Acc 1 : Vous a montré une putain de photo de moi ?

Acc 2 : Ar (indistinct) **Arrête, mec.** (indistinct)

Acc 1 : Putain (indistinct) **téléphone.**

Temps de silence.

Acc 1 : Speak. Tu vas te bouger le cul, merde.

Morrow les observa qui écoutaient jusqu'à la fin, elle les vit se faire tout petits quand Sarah insista sur le fait qu'elle connaissait un des pères et traita les garçons de menteurs.

Elle les vit tressaillir en entendant le bruit de chute sur le lit, puis Sarah qui appelait la salle d'enquête à son secours en hurlant qu'il y avait deux garçons dans sa chambre et qu'elle en connaissait un. Puis la ligne fut coupée.

Elle les entendit reprendre leur souffle et regarder autour d'eux afin de s'assurer que la menace avait bien disparu. Elle chercha le regard de Bannerman pour lui demander la permission de faire rompre les rangs. Il pinçait les lèvres mais fit oui de la tête. Morrow se tourna vers le premier rang.

— Merci de votre attention, messieurs. Je crois que c'est la fin de votre service.

En les voyant se lever, elle constata qu'elle les avait émus : elle leur avait raconté une histoire à laquelle ils pouvaient désormais se raccrocher en leur offrant l'excuse dont ils avaient besoin pour admettre qu'elle méritait leur intérêt...

— Arrêtez, leur commanda Bannerman en s'avançant, la main levée, une moue de mépris aux lèvres. Et reprenez vos places.

À l'entendre, on aurait dit un proviseur furieux. Hésitante, ne sachant trop que faire, l'équipe de nuit se tourna vers elle. Elle ferma les yeux. Bannerman allait tout faire foirer.

— Il a été porté à mon attention, *messieurs* (il vit Leonard) et *madame*, rectifia-t-il avec un petit ricanement hors de propos, peut-être parce qu'il était nerveux, que votre préoccupation majeure se limitait à surveiller la pendule.

Il les tançait du doigt et elle les vit rentrer dans leur coquille, le nez sur la table, tout le bénéfice de son briefing envolé.

— Si je ne vois pas d'amélioration à cet état de fait, si vous ne mettez pas plus de conviction et de cœur à l'ouvrage dans cette enquête, il va falloir envisager des mutations et des mesures de licenciements.

Personne ne répondit, personne ne lui accorda le moindre regard. Sauf Harris au fond de la salle, bras croisés, la bouche serrée, dressé sur ses ergots, carré sur ses pieds, prêt à en découdre.

— Est-ce que c'est clair ?

— Oui, monsieur, répondit un vague chœur de voix, excepté Harris qui ne dit rien.

— Très bien, en ce cas, conclut Bannerman en levant la main pour leur donner congé.

— Merci du coup de main, lui lança Morrow, sarcastique, à haute et intelligible voix, avant que le brouhaha des chaises ne noie son commentaire.

Les hommes l'entendirent et échangèrent un regard avant d'éclater de rire au nez de leur commandant.

Plus que furieux, Bannerman la fusilla du regard. Il allait lui faire payer ça, chèrement. Et elle le savait.

22

Avant même d'être arrivé à la grille de la propriété, Thomas haïssait de nouveau Ella.

Apparemment, elle se donnait bien du mal pour ne pas fondre en larmes. De temps à autre, son chagrin s'amenuisait en un geignement pleurnichard, puis elle reprenait sa respiration, lâchait une longue plainte forcée et en remettait une couche. Du vrai théâtre, dramatique, outré et décousu, comme si elle avait quelque chose à dire et choisissait de sangloter plutôt que de faire la conversation.

Moira lui caressait les cheveux d'un geste tendre et régulier, en lui répétant sans cesse « chut », tandis qu'Ella beuglait si fort que sa voix commençait à se casser. Elle se retrouva à court de mouchoirs en papier, et le chauffeur de la limousine de location lui en tendit une boîte alors qu'ils étaient arrêtés par un embouteillage. Un peu gêné, il évita de croiser le regard de Thomas dans le rétroviseur.

Chose inhabituelle de sa part, Ella laissait Moira la serrer et la câliner, et elle s'accrochait toujours à elle quand ils s'arrêtèrent devant la maison. Le chauffeur tira le frein à main et, profitant de ce bref intermède silencieux où personne ne disait encore rien, elle se jeta par-dessus les genoux de Thomas pour entrevoir le chêne en criant, « Papa ! Mon papa ! » et se mettre à hurler comme une bête sans pouvoir s'arrêter.

Thomas se tourna vers la pelouse à son tour. « Papa ! Mon papa ! » L'exclamation lui avait paru familière et la mémoire lui revint : une réplique de *The Railway Children*[1], Jenny Agutter sur le quai enfumé et son père qui descendait du train.

Il sentit monter en lui une bouffée d'indignation avant de se souvenir du journal plié dans sa poche et aussi des choses qu'il avait faites, autrement plus honteuses et indignes qu'une réplique volée à un film.

Le chauffeur ouvrit la portière à Moira, qui dut s'arracher à Ella collée à sa poitrine en la repoussant délicatement à sa place. Son chemisier en soie était maculé de larmes. Elle descendit et tendit la main pour aider sa fille à sortir à son tour.

Un moment des plus révélateurs : le visage d'Ella se convulsait de chagrin, mais ses yeux calculateurs pesaient le pour et le contre. Elle regarda Moira, accorda un bref coup d'œil à Thomas et finit par tendre le bras pour saisir la main offerte de sa mère et s'y appuyer de tout son poids avant de descendre en traînant des pieds. Pas une once d'émotion : elle les avait jaugés comme un maquignon, et son choix s'était porté sur Moira, la plus digne de confiance.

Thomas avait dû lui paraître trop peu fiable, à l'image de Lars, visiblement. Pour la première fois, il comprit le point de vue de sa sœur et la manière dont elle avait pu percevoir les choses. Lui, Lars l'emmenait faire des courses et il l'avait accompagné à Amsterdam. À sa façon ostentatoire, il avait fait une donation à son école, la nouvelle aile des terminales. Il lui avait même donné un appartement bien à lui à l'écart de la maison, ainsi qu'une bonne personnelle, longtemps après le départ de sa sœur. C'est vrai, Lars et Moira allaient tout le temps rendre visite à Ella dans son internat, mais celui-ci était tout proche, alors que lui se retrouvait bien plus au nord, au fin fond de l'Écosse. Il n'avait jamais pensé que sa sœur était la grande perdante dans l'histoire, mais elle aussi par moments avait dû éprouver un violent sentiment d'injustice.

En la voyant se contorsionner tant bien que mal sur la banquette pour descendre de la limousine, il comprit que Lars et Moira, pas toujours de façon délibérée, étaient parvenus à dresser

1. Livre pour enfants d'Edith Nesbit, d'abord paru en feuilleton en 1905, puis adapté plusieurs fois à la télévision et au cinéma.

leurs deux enfants l'un contre l'autre et combien c'était dommage. Ella était tout ce qui lui restait et ils ne se connaissaient même pas, ils n'avaient jamais passé de temps ensemble.

La portière de Thomas était restée fermée.

Il chercha le chauffeur qui aurait dû la lui ouvrir, mais celui-ci, après avoir sorti la valise d'Ella du coffre en le laissant ouvert, la charriait jusqu'à l'entrée. Il ne devait pas savoir que son premier boulot était d'abord de faire descendre tous les passagers de son véhicule avant de prendre les bagages. Un chauffeur de location pour une compagnie de limousines. La cinquantaine, les cheveux blancs, probablement un agent immobilier raté à qui on avait donné une grosse bagnole et l'uniforme d'un autre.

Arrivée sur le perron, Moira chercha la bonne clé dans son trousseau sous l'œil d'Ella qui ne pleurait plus, un peu étonnée et surprise que sa mère emporte avec elle un jeu entier ouvrant toutes les portes. C'est la gouvernante qui aurait dû venir les accueillir, avant de se reculer dans l'entrée, prête à les débarrasser de leurs manteaux.

Thomas ouvrit sa portière sans l'aide de quiconque et descendit à son tour. Il la laissa ouverte et se dirigea vers la maison d'un pas nonchalant pour donner le temps à Ella et Moira d'entrer et de gagner leurs quartiers respectifs avant de les rejoindre. Il croisa en chemin le chauffeur qui revenait sur ses pas après avoir déposé la valise.

L'homme crut qu'il voulait lui parler et lui sourit avec gentillesse.

— Je suis désolé pour votre sœur. Elle ne va pas bien ? demanda-t-il à Thomas.

— Elle n'est pas vraiment dans son assiette.

Le chauffeur se retourna vers le perron où Moira glissait la clé dans la serrure à côté d'Ella qui pleurait, le visage figé.

— C'est plus grave que ça, fils.

— Notre père vient de mourir, dit Thomas pour essayer de justifier le comportement de sa sœur.

— Oh, fit le chauffeur, choqué. Je suis navré.

— Il s'est pendu. Là-bas. À cet arbre, poursuivit-il.

Cet homme avait raison. Même un choc réellement abominable n'expliquait pas totalement le comportement de sa sœur.

— Elle est jeune, ajouta-t-il.

Le chauffeur confirma dents serrées et marmonna « c'est terrible » en se retournant sur Ella. Elle franchissait le seuil sur les talons de Moira mais, avec ses cheveux en désordre sur sa nuque, sa tête penchée de côté et sa bouche béante, elle avait vraiment l'air bizarre.

Il n'appréciait pas que le chauffeur pût parler ainsi d'un membre de sa famille. Pour autant, il l'aurait simplement ignoré s'il s'était montré bêtement méchant, or ce n'était pas le cas. Et il n'avait pas non plus l'air stupide.

— Eh bien, au revoir, monsieur, dit le chauffeur.

Il allait partir quand Thomas lui tendit la main. L'homme la regarda et hésita. Les employés n'étaient pas censés avoir de contact physique avec les clients, mais Thomas tenait à croiser son regard, d'égal à égal, pour bien lui montrer qu'ils n'étaient pas tous désespérés.

L'homme hésita encore, puis la saisit et la secoua à plusieurs reprises en regardant Thomas dans les yeux avec un sourire.

— Au revoir, lui dit celui-ci avec, espéra-t-il, autant d'autorité que Lars mais plus de gentillesse. Et merci pour votre service.

Il fit volte-face et attaqua les marches du perron. La porte d'entrée était restée ouverte.

Dans la maison, Moira et Ella avaient laissé tomber leur manteau par terre à côté de la valise. On aurait dit qu'elles avaient fondu toutes les deux sur place pour ne laisser que leurs dépouilles. Il ramassa les vêtements et chercha un endroit où les suspendre.

Il s'approcha d'une grande porte et l'ouvrit. La lumière s'alluma automatiquement. Jamais encore il n'y était entré.

Un petit vestiaire carré avec, sur trois côtés, des portants avec cintres regroupés par personne, les chaussures d'extérieur sur un présentoir et une étagère en hauteur garnie de boîtes en bois impeccables, chacune avec une étiquette rédigée à la main : « Lars – gants », « Moira – chapeaux », « Écharpes ».

Il accrochait les manteaux quand la porte se rabattit lentement et se referma sur lui comme un piège. Il prêta l'oreille en attendant le déclic du contacteur, heureux que la lumière s'éteigne, et resta immobile, à jouir de l'instant, dans cette petite pièce obscure sans fenêtre.

Une phrase se forma dans son esprit avant de remonter progressivement à sa conscience :

Nous ne devrions pas être vus.

Sa tête s'affaissa mollement sur sa poitrine, et il resta dans cette position jusqu'à avoir la nuque douloureuse, sans bouger, malgré sa trachée écrasée qui l'empêchait de bien respirer et une sensation de brûlure dans le cou et les épaules qui gagnait progressivement ses bras. Il ne voulait plus jamais relever le visage et affronter le monde.

C'est alors que Lars lui parla. *Espèce de petit connard sans couilles. Reste là, espèce de petit connard bon à rien. Ne fais rien. Reste là, bordel, et c'est tout.*

Il redressa la tête et entrouvrit la porte d'une poussée pour rallumer la lumière. Lentement, il sortit le journal de sa poche.

Sur une autre page, Sarah Erroll était photographiée au cours d'une soirée, en compagnie d'autres filles aux visages grêlés par les pixels. De la voir ainsi sourire, mal à l'aise, il sentit que son vœu le plus cher était que la séance s'arrête et qu'elle n'ait plus à se montrer. Elle n'avait pas l'air très engageante, et il songea qu'elle était bien plus jolie dans la vraie vie.

On disait dans l'article que Sarah avait vingt-quatre ans, elle était donc plus jeune que Mary, la bonne. Après avoir quitté l'école à dix-huit ans, elle était partie travailler dans un bar à champagne de la City à Londres, le Walnut, qu'elle avait dû quitter pour rentrer en Écosse et s'occuper de sa mère.

Lars allait boire au Walnut. Une nuit, il y avait laissé une douloureuse légendaire : vingt ou cinquante plaques, de cet ordre-là. C'est là qu'elle avait dû faire sa connaissance. Possible qu'elle ait levé les yeux en lui offrant son sourire rêveur quand il s'était approché du comptoir. Possible que Lars ait reconnu en elle le désir d'être invisible et apprécié ça chez elle.

Il contempla sa photo et perçut, pour la première fois, qu'elle était une personne bien réelle, une individualité séparée qui existait indépendamment de Lars, de lui, de Squeak, de tout ça. Il la vit dans sa vieille maison merdique, debout dans un placard, la tête baissée avant qu'elle ne la relève sur un visage sanglant, complètement ravagé et plein de pixels.

Il poussa la porte d'un coup d'épaule et se dépêcha de gagner le vestibule. Il ne pouvait supporter l'idée de rester seul, aussi ramassa-t-il la valise d'Ella et grimpa-t-il l'escalier jusqu'au premier, où il s'engagea dans le couloir en gardant les yeux au sol pour éviter les miroirs.

Comme il venait rarement dans cette partie de la maison, il avait oublié combien elle était chaleureuse et agréable. Des portes grandes et massives, leurs plaques de propreté en cuivre brun roux gravées d'entrelacs de fleurs et de petits motifs solaires. Les chambres réservées à Ella étaient situées tout au bout, juste à côté de la suite principale. Il frappa avant d'entrer, d'autant qu'il ignorait si Moira était là elle aussi. Il entendit un reniflement et contourna la porte.

— Vos bagages, madame.

Les appartements d'Ella étaient hauts de plafond : un salon avec une profonde fenêtre en saillie, une chambre à coucher, plus une vaste salle de bains juste derrière. C'est elle qui avait choisi son mobilier : tout était rose. Même le cadre de la télé grand écran au-dessus de la cheminée.

Assise en solitaire au milieu de son canapé, à motifs roses eux aussi, les jambes joliment repliées sous elle, elle regardait par la fenêtre. Mince, charmante, ses cheveux blonds décoiffés et un visage d'elfe. Les yeux rouges à force d'avoir pleuré. En la voyant ainsi, Thomas comprit ce que Lars avait aimé chez Moira naguère.

Il posa la valise sur un repose-pieds, prête à être déballée.

— T'es qu'un foutu taré, dit-elle, très fort. Putain je te hais, espèce de putain de taré pervers.

Thomas se changea en statue. Elle regardait par la fenêtre et il essaya de voir si elle s'adressait à lui à travers son reflet. Elle pivota brusquement et s'écria avec véhémence :

— Thomas, je sais que tu es là !

— O.K., marmonna-t-il.

Elle sourit et détourna la tête. Thomas s'avança le long du mur et arriva à une table garnie de figurines de ballet en porcelaine. Il se sentait vexé et se posait des questions.

— J'ai l'air aussi taré ?

Elle lui jeta un coup d'œil en coin, l'étudia un moment.

— Non, dit-elle. Repose ça.

Il regarda sa main, soulagé de constater que le commandement d'Ella avait sa raison d'être : il tenait bien une figurine entre ses doigts et la serra plus fort pour voir sa réaction. Ella se mordit la joue et reconnut la petite statuette. À l'évidence, ce n'était pas l'une de ses préférées, car elle se contenta de hausser les épaules.

Thomas obéit et la reposa.

— Tous ces sanglots dans la voiture, t'en rajoutais un peu, non ?

Elle haussa les épaules.

— Lars t'a parlé de l'autre famille ?

— J'étais au courant, de toute façon, répondit-elle avec un sourire un peu hésitant, sans rien ajouter, attendant qu'il pose la question obligée.

— Et comment tu savais ça ?

— Oh, il m'emmenait chez Harrods, achetait huit robes et m'en donnait quatre. Putain de taré débile. Elle doit avoir mon âge, dans ce cas. Ou ma taille, alors.

— Lui, c'est sûr qu'il a mon âge. Il fallait que je sache…

— Hmmm, fit-elle, apparemment ravie d'avoir pris ce petit avantage sur son frère.

— Tu crois que Moira sait ?

Elle haussa une épaule avec indifférence. Maintenant qu'il s'était rapproché et pouvait regarder par la fenêtre, il s'aperçut qu'elle avait le chêne en ligne de mire et devait probablement s'adresser à lui et à Lars, et non pas à un homme invisible ou à qui que ce soit.

— Comment as-tu appris qu'il était mort ?

— Oh, c'est cette foutue idiote de Mme Gilly qui m'a fait sortir du cours de français pour me le dire. Et putain, en plus, il lui a en fallu, du temps, à tourner autour du putain de pot, avec ses « prépare-toi, ma chérie ». Bonjour le présage, après ça.

Ils pensaient l'un et l'autre que c'était Moira qui aurait dû leur apprendre la nouvelle. Ella lui lança un regard dur et murmura :

— Elle a arrêté ses…, dit-elle en montrant la porte de la tête, t'es au courant ?

— Ouais. En tout cas, elle a plus la bouche sèche.

— Et en plus, elle voit clair, confirma Ella.

Elle imita les mimiques de Moira quand elle fermait les yeux avant de les rouvrir tout grands, comme si ses gobes oculaires étaient en train de se dessécher.

— Quand est-ce qu'elle a… ?

— Depuis quelques semaines, elle a dit.

Tout en surveillant la porte, Ella chuchota :

— Paraît que les gens disjonctent quand ils arrêtent d'un coup. Y tuent leur famille et tout ça. T'en as entendu parler ?

— J'sais pas, répondit-il, absolument incapable de se souvenir.

— Ils prennent des armes, genre fusils de chasse, font le tour des chambres et t'explosent la figure pendant que tu dors, expliqua-t-elle d'un air préoccupé. Je veux dire, c'est moi la première sur la liste. Toi, t'es tout en bas, au sous-sol, mais moi, c'est la porte à côté…

— Elle a l'air O.K. Ella, tout à l'heure, tu faisais ton numéro, pas vrai ? T'es pas givrée.

— On a encore des armes à feu ici ? lui demanda-t-elle avec un sourire en coin vers la porte.

— Quelques-unes. Dans le coffre du bureau de Lars, au rez-de-chaussée.

— Hmmm, fit-elle en se mordillant la lèvre.

C'était bien agréable se pouvoir se parler comme ça entre frère et sœur.

— La gouvernante est partie. Tout le personnel de maison aussi, dit-il. Elle a licencié tout le monde.

— Mais c'est débile, répondit Ella, le front plissé. Qui est-ce qui va faire tout le boulot ?

— Ben toi. On a voté avant que t'arrives, et c'est toi qui fais tout maintenant.

— Non, mais sérieux, lui sourit-elle, qui est-ce qui…

— Il va falloir mettre la maison en vente. Et déménager.

Ella balaya du regard son petit univers, ses petits fauteuils, son mini-frigo rose, la télé, puis, se tournant complètement vers la fenêtre, elle demanda d'une voix rauque :

— Est-ce qu'on pourra retourner à notre école ?

Thomas estimait que non. Trois cents plaques par an, c'était que dalle. On ne pouvait pas se payer une école avec ça. Il n'eut pas besoin d'expliquer. Les yeux bien entraînés d'Ella se mouillèrent à nouveau de larmes.

— Putain, mais ça fait seulement un an que je suis là-bas, bordel. Je commence tout juste à m'y faire. Putain de merde, ajouta-t-elle, vraiment en rogne cette fois, hors de question que j'aille dans un collège public, ça, c'est exclu. Je vais me faire poignarder, violer ou je ne sais pas quoi. Je veux un précepteur privé, à la maison.

— Arrête tes conneries, Ella, on est fauchés. Il n'y a pas d'argent pour payer des cours privés. Y a plus d'argent pour *rien*.

— Ils ne peuvent pas m'obliger à aller dans le public, je vais être la tête de Turc de tout le monde.

Le soleil qui brillait derrière elle dessinait un halo autour de ses cheveux en faisant ressortir le bleu de ses yeux. Sa jupe d'uniforme avait remonté, laissant à nu une cuisse duveteuse. Elle était jolie, mince, élégante.

— Je pense pas que ça sera le cas.

Ella sentit venir le compliment, inclina son profil, en coquette avertie, pour mieux l'apprécier.

— Vraiment ?

— Non.

Elle attendit la suite, qui ne vint pas, et l'incita à poursuivre.

— Et pourquoi ça ?

Il s'approcha de la baie vitrée tout à côté de l'accoudoir du canapé et tira le rideau pour contempler la pelouse devant la maison.

— Je le sais, c'est tout. Dis-toi bien que tu seras la reine, putain, dans une nouvelle école. Ils sont pas internes, dans l'autre famille. Ils fréquentent l'école du quartier.

— Enfoirés. C'est Lars qui te l'a dit ?

— Ouais.

— Y z'ont de la chance.

Être externe, quand c'était un choix, ça signifiait que vos parents désiraient vous voir à la maison tous les jours, ça voulait dire des amis du coin, une vie sociale, ça voulait dire normal.

— À quelles écoles y vont ? Est-ce qu'on connaît quelqu'un parmi les élèves ?

— Il l'a jamais dit. Mais lui était censé venir à St Augustus. Le trimestre prochain.

— *En même temps* que toi, tu veux dire ? fit Ella, les yeux comme des soucoupes.

Thomas n'eut pas la force d'affronter son regard et se contenta d'acquiescer en silence.

— Et elle, elle devait venir dans la mienne, d'école ?

— Ouais.

Elle regarda le chêne avec un petit haut-le-cœur d'indignation.

— Sale con ! lui lança-t-elle avant de se tourner vers son frère.

Thomas savait, il avait déjà connu ça, ce grand lac noir, qui l'avait emmené à des endroits méchants. Il ne voulait plus y retourner.

— On m'aimait pas à mon école, murmura-t-elle. J'étais la reine de rien du tout. Y avait des tas de filles, c'était des vraies garces…

Sa voix mourut. Changeant subitement d'humeur, elle lui fit un grand sourire, et d'un bond, se mit à genoux en regardant le chêne avec son frère.

— J'ai vu le journal, dit-elle. Avec lui qui pendouillait comme un imbécile.

Pauvre arbre, se dit Thomas.

— C'est bon de t'avoir à la maison, dit-il en rougissant, tellement c'était important pour lui.

Ella souriait au chêne d'un air narquois.

— Toutes tes larmes dans la voiture, c'était pour te faire remarquer de Moira ?

Elle haussa les épaules comme s'il venait de la prendre en flagrant délit de mensonge.

— La photo a été prise de la chambre de Mary, pas vrai ? demanda-t-elle.

Il confirma de la tête, alors qu'en tout état de cause il n'aurait pas dû le savoir.

— Tu la baisais, non ? ricana-t-elle.

— La ferme.

— Je posais juste la question, c'est tout, dit-elle, l'air sournois.

— Hé, dit-il, et si on allait se promener sur la pelouse ?

Elle en resta bouche bée. Thomas singea son expression et se moqua d'elle.

— Oh-mon-Dieu ! dit-il d'une grosse voix de jugement dernier, ne-va-pas-sur-la-pelouse.

Elle gloussa et répéta.

— Fous-moi-le-camp-de-cette-putain-de-pelouse.

— La-pelouse, la-pelouse, entonna-t-il avant de reprendre une voix normale. Hé, tu sais pas ? On est descendus dans la salle aux congélos hier soir. On s'est pris des mini-pizzas et c'est Moira qui les a préparées pour dîner.

Ella fit un bond et le dévisagea, les yeux comme des billes.

— Oui, t'as bien entendu, des mini-pizzas, confirma-t-il avec un grand sourire. On les a mangées dans la cuisine. J'ai même pris une bière.

— Des mini-pizzas ? T'es sûr, fit-elle en levant pouce et index en un petit cercle. Comme les mini-burgers sur canapés dans une soirée ?

— Non, expliqua-t-il en levant les mains en un cercle plus large. Moins raffiné que ça. Des vraies mini-pizzas de supermarché. Moira les a cuites au four.

Ella regarda au-dehors, l'air incrédule.

— Elle est où, la salle aux congélos ?

— Sous la cuisine.

— Waouh !

Ella hochait la tête comme pour mieux digérer la grande nouvelle, et, de la voir ainsi, il eut l'espoir qu'elle réussirait à comprendre la joie qu'ils auraient désormais à vivre cette nouvelle vie, loin de l'ombre de Lars.

Avec un hoquet de surprise soudain, elle tendit sa main en cherchant la sienne, alors même qu'il se tenait derrière le canapé.

— Allez, viens, lui dit-elle, très excitée.

Elle venait de changer du tout au tout, elle était une autre, un personnage de film, une actrice plus sexe, Helena Bonham Carter, probablement. Ou Keira Knightley.

Thomas regarda sa main avec dégoût.

— Va te faire foutre, Ella.

Elle ne cherchait pas de bagarre, aussi laissa-t-elle retomber son bras en lui disant simplement :

— Allez, viens, on va aller courir dessus, sur cette putain de pelouse.

Par la fenêtre, Thomas contempla la mer interdite d'un vert éclatant.

* * *

Moira en avait assez. Elle fumait une cigarette devant sa fenêtre, au beau milieu de la matinée, chose qui ne lui arrivait jamais même dans ses moments sombres ; elle fumait et s'agaçait de la présence perpétuelle des enfants désormais là à plein temps, de leur manie de parler tout le temps en lui bouffant la vie avec leurs demandes incessantes. Ella s'en sortait à peine. Et ils étaient tellement bruyants. Une fois qu'ils auraient déménagé dans une maison plus petite, ils allaient faire venir leurs copains, et elle n'aurait même pas les moyens de payer quelqu'un pour s'en occuper. Elle allait devoir leur faire la cuisine, et des mini-pizzas tous les soirs ne suffiraient pas.

Elle continuait à fumer pour se calmer les nerfs quand elle entendit le boucan à la porte d'entrée en contrebas de ses appartements, une cavalcade, des cris. Elle se pencha pour voir ce qui se passait mais l'avant de la maison était caché par le rebord de sa fenêtre. C'est seulement lorsqu'ils furent tous deux sur l'allée qu'elle reconnut Ella et Thomas. Ils couraient à toutes jambes, Ella s'offrant de temps à autre un petit saut en l'air, son épaisse jupe d'uniforme en laine grise virevoltant autour de ses cuisses nues.

Ils rejoignirent la pelouse et s'arrêtèrent tout au bord, et Ella trempa son gros orteil dans l'herbe comme si elle voulait vérifier la température d'une piscine, puis ils prirent leurs marques, un, deux, trois, c'est parti, et s'élancèrent sur le gazon comme deux fusées en riant aux éclats, leurs trajectoires serpentines s'écartant pour mieux se rejoindre, un instant bien séparées, l'instant suivant, de nouveau réunies. Moira les regarda disparaître dans le creux de terrain abrupt avant qu'ils ne réapparaissent, haletants, mais toujours avec le sourire.

Ils s'avancèrent jusqu'au chêne, trouvèrent la branche à laquelle Lars s'était pendu, et se plantèrent juste dessous, chacun leur tour. Thomas tendit le bras pour la toucher et sauta pour combler les cinq centimètres qui l'en séparaient encore, et claquer le bois mis à vif par la corde.

Ella avait l'air si jeune et si petite. Elle regardait dans le vide, les yeux fixés sur la maison, le visage barré par un grand sourire vide, et Moira se mit à pleurer.

23

Le hall d'entrée du poste de police de London Road était l'hôtel des courants d'air. Un sol carrelé marron, un alignement de chaises boulonnées à demeure, toutes surmontées par un miroir sans tain. Comme pour offrir un contrepoint plus lumineux à cet accueil sinistre, se dressait sur un côté une absurdité, une effigie en carton découpé de taille humaine, une policière souriante.

Ce matin, les sièges étaient occupés par un groupe de femmes qui tiraient toutes la gueule. Avant même que Morrow n'ait pu gagner les salles d'interrogatoire, elles s'étaient constituées en comité pour lui faire part de leurs doléances : en la voyant sortir de l'aile de la Criminelle, l'une d'elles se leva, suivie par les regards pleins d'espoir de ses compagnes. Elle s'avança en anticipant le trajet de Morrow, tapa du pied et lui bloqua le passage.

— Hé, vous, c'est vous la responsable, ici ?

Les mains sur ses hanches imposantes, elle releva la tête pour la regarder de haut, prête à la bagarre. La taille aussi ronde que ses hanches et vêtue d'un haut mauve criard sur un pantalon noir, elle avait des cheveux courts dont la teinture vaguement bordeaux ne flattait guère son visage jaune.

— C'est vous ? Z'êtes la responsable ? reprit-elle, cherchant visiblement la bagarre.

Morrow ne se serait pas battue avec elle même avec dix agents en renfort et un gilet de protection contre les armes blanches.

— À votre avis, est-ce que j'ai l'air d'une responsable ? lui demanda-t-elle.

L'autre l'examina, vit qu'elle était enceinte et se sentait bien telle.

— On a toutes été convoquées ici à la même heure...

— Vous comprenez bien, l'interrompit Morrow, qu'il s'agit d'une enquête pour meurtre ?

— Et vous, rétorqua la femme en lui collant son nez à la figure, est-ce que vous pouvez piger qu'on est toutes en train de rater le boulot en restant assises sans rien faire juste à vous attendre ?

Sans en perdre une miette, le chœur de femmes opina du chef.

— O.K., dit Morrow en contournant l'obstacle pour s'adresser à la troupe. Vous serez toutes reçues en temps et en heure.

Mais la femme en mauve, convaincue que la victoire était à sa portée, se sentit suffisamment en confiance pour lui barrer le chemin une seconde fois.

— Et ça, ça veut dire ?

— De quoi parlez-vous ?

— En temps et en heure, ça veut dire quoi ? demanda-t-elle en avançant le buste, déterminée à ne pas se laisser démonter devant les autres.

Morrow vit la lumière changer derrière le miroir sans tain. Le sergent de permanence. Si la femme s'avisait seulement de lever la main sur un policier, il débarquerait en un rien de temps, heureux de cette excuse pour sortir de son cagibi.

Morrow n'avait pas de temps à consacrer à une prise de bec ni au remplissage de procès-verbaux pour des plaintes accessoires. Un peu trop confiante après le triomphe du briefing du matin, elle leva une main à l'adresse du miroir pour signifier au sergent de rester où il était. Elle sentit que les femmes rassemblées là n'avaient pas vraiment envie de partir, aussi décida-t-elle de profiter de l'occasion pour faire quelque chose de concret : elle s'avança et s'adressa à elles directement.

— Très bien, mesdames, leur dit-elle, en notant au passage qu'elles avaient remarqué son accent, très semblable au leur. Voici ce que je vous propose : Sarah Erroll a été assassinée il y a deux jours...

— Ça, on le sait, dit une femme dans le fond.

— Ce que vous ne savez pas, c'est la manière dont elle a été tuée.

Elle les passa en revue une à une, laissant leur imagination faire le reste.

— Je ne peux pas vous donner plus de précisions mais, en revanche, je peux vous dire ceci : nous devons absolument retrouver le meurtrier, au plus vite.

— Est-ce qu'on va être payées ? demanda la mauve en se rapprochant dans son dos pour tenter de raffermir son autorité.

— Pour quoi ? Pour trouver un assassin ? fit Morrow, indignée.

— Elle a pas tort, Anne Marie, lança une femme à la cheftaine en mauve.

Elle était assise sur le côté et regardait Morrow.

— Mais vous comprenez, lui dit-elle, on nous a même jamais adressé la parole. Juste dit qu'on devait attendre ici. On rate le boulot et on nous a demandé à toutes de venir ici à la même heure. Vous pouvez pas nous interroger toutes en même temps.

— O.K., très bien, fit Morrow en hochant la tête, les yeux au sol. Bien. Nous allons essayer de vous voir l'une après l'autre avant l'heure du déjeuner. Il y a un café qui fait des trucs à emporter deux pâtés de maisons plus bas, dit-elle en indiquant la porte puis à droite. Une ou deux parmi vous peuvent aller chercher des thés pour le reste du groupe, alors n'hésitez pas.

S'ensuivirent hochements de tête pour certaines, murmures pour d'autres. Vaincue, Anne Marie la mauve se faufila discrètement vers son siège.

— Oui, vous, reprit Morrow en la désignant du doigt, vous ne commandez rien, je tiens à vous voir en premier.

* * *

Au total, Anne Marie avait travaillé pour Mme Erroll moins de trois semaines. La paie était bonne, pas de doute, l'argent, elle crachait pas dessus, mais la vieille dame était beaucoup plus handicapée que ce que lui en avait dit l'agence, et la fille n'avait jamais réussi à accrocher avec elle.

C'est ce qu'elle expliqua à Morrow et à Leonard avec un certain manque de conviction, tout en fourrageant dans le col de son haut puis dans sa manche pour remonter sur l'épaule une bretelle de soutien-gorge égarée.

Au cours des trois semaines d'été où Anne Marie avait été là, Sarah Erroll était partie deux fois, la première pour New York, la seconde pour Londres. Elle n'avait jamais reçu d'amis. Personne ne l'avait appelée sur le téléphone de la maison ni ne lui avait laissé de message.

— Quel genre de personne c'était ?

— Ben… (Anne Marie haussa les épaules.) Je l'aimais pas.

— Et pour quelle raison ?

— J'étais d'avis qu'elle était un peu à côté de la plaque. Un peu dans les vapes. (Elle branla du chef.) La tête dans les nuages.

— Comment ça ?

— Quoi comment ça ?

— La tête dans les nuages, mais de quelle façon ? Avait-elle des ambitions ou parlait-elle de ce qu'elle voulait faire de sa vie ?

— Nan.

— De quelle façon vous paraissait-elle à côté de la plaque ?

— Ben, quand je me suis fait licencier, je suis allée la voir et j'y ai dit comme ça : « Écoutez, c'est pas juste, j'ai laissé tomber un boulot pour prendre celui-ci et maintenant v'là qu'elle me dit que j'étais virée… »

— Attendez, c'est qui, elle ? Qui vous a licenciée ?

— Elle. L'autre. Elle a dit que j'avais un poil dans la main et que j'étais assise sur le lit quand elle était entrée alors que Mme Erroll avait besoin d'être changée, mais que moi, je…

— C'est qui, l'autre ?

— Cette Kay Murray, dit-elle en faisant la grimace. Elle.

— C'est Kay Murray qui vous a licenciée ?

— Oui, bon, elle m'a jamais virée en réalité. Elle m'a juste prise dans un piège, comme qui dirait. Elle nous a préparé du thé et elle a fait comme ça : « Oh, je vois bien que vous n'êtes pas heureuse ici. »

Anne Marie, pleine de colère, gesticulait en tous sens comme si Kay s'était montrée déraisonnable, alors qu'elle avait fait montre d'une parfaite mesure.

— Et moi je lui fais, « eh ben, non », et elle, elle me fait, « dans ce cas, un autre poste vous conviendrait peut-être mieux et vous avez parlé du trajet et tout ça », et moi je lui fais, « ben, si vous pouviez me payer les déplacements »…

— O.K., la coupa Morrow. Donc vous êtes allée voir Sarah et qu'est-ce qu'elle a dit ?

— C'est Kay qui décide.

Morrow fut surprise d'apprendre que Kay disposait d'un tel pouvoir. Pour autant qu'elle sache, elle n'avait jamais reçu de formation spécifique et avait dit clairement qu'elle n'était pas proche de Sarah.

— Aviez-vous une clé ?

— Non. C'est Kay qui nous faisait entrer et qui refermait derrière nous. C'est elle qui avait la clé.

— Qui d'autre en avait une ?

— Personne. Y avait qu'elle. Kay Murray.

— Donc Kay et Sarah devaient être proches, non ?

— Non. Juste Kay et la mère, Mme Erroll.

— Joy Erroll ?

— Oui.

— Je croyais qu'elle souffrait d'Alzheimer ? intervint Leonard.

— Vrai. Ça veut pas dire pour autant qu'on peut pas avoir d'amitiés, hein ? lui répondit Anne Marie avec un air supérieur.

— Mais quel genre d'amitié c'était ?

— La mère rayonnait comme un soleil quand elle voyait arriver Kay. C'était vraiment de l'amour. Elle pleurait quand Kay rentrait chez elle le soir. Elle était pas capable de se rappeler son nom, mais elle savait quand Kay était pas dans la maison, expliqua-t-elle, avec un rictus amer. Ça fait bien pour nous autres, imaginez, quand on se retrouvait à veiller sur elle, hein ?

— Vous souvenez-vous de la grande salle carrée juste après le vestibule ?

— Oui.

— Qu'est-ce qu'il y avait dans cette salle quand vous étiez là-bas ?

— Juste un énorme placard noir. On aurait dit un truc qui sortait d'un film d'horreur. Avec des gros boutons qui pendaient.

— Vraiment énorme ? fit Morrow en hochant la tête pour l'inciter à le décrire.

— Un énorme, oui, confirma Anne Marie en comprenant que Morrow voulait des détails, avant d'ajouter avec obligeance : placard…

* * *

La femme suivante avait travaillé là-bas pendant cinq mois, jusqu'à l'accouchement de sa petite-fille, après quoi elle avait dû abandonner son emploi pour veiller sur le bébé, né prématurément, et la mère, en dépression post-natale.

— Vous savez comment c'est, dit-elle en regardant le ventre de Morrow.

Elle était petite, tonique et, détail étonnant, pas très propre. Même les trois boutons sur le côté de ses chaussures n'étaient pas à leur place. Elle portait un tee-shirt noir avec le logo ABBA en lettres d'or dont l'épaule gauche était devenue grise. Morrow sourit en comprenant que la couleur avait passé à force de laver les renvois de bébé.

La femme se souvenait du grand placard noir et déclara qu'il s'agissait d'une penderie, d'au moins trois mètres de haut, ce qui était faux. Ils avaient mesuré la marque sur le mur, elle arrivait à deux mètres dix. Elle ne savait pas ce qu'elle était devenue. Sarah Erroll était une personne adorable, pleine d'affection pour sa mère, même si cette dernière avait la tête qui s'embrouillait et n'était pas toujours très gentille.

— Qu'entendez-vous par « pas très gentille » ?

— Elle utilisait de ces mots ! répondit la femme en gloussant, le rouge aux joues.

— Vraiment ?

La femme serra les lèvres, comme si elle craignait de lâcher elle aussi une insanité.

— C'était le désordre dans sa tête, murmura-t-elle en confidence, ça se mélangeait là-dedans. Elle parlait comme une vraie dame, mais elle disait des mots sales. Mais de temps en temps, on se marrait bien avec elle, pas à dire.

— Est-ce que c'était agréable de travailler dans cette maison ?

— C'était vraiment chouette, répondit-elle après un instant de réflexion. C'est mon métier de faire ça, vous savez, et parfois, c'est un peu triste, de voir comme les gens sont traités.

— Mais pas là ?

— Non. On était très bien payées, et Kay était sa grande copine, je veux dire une vraie copine, et c'est pour ça que Mme Erroll était toujours traitée comme une personne. Je veux dire tout au début, Sarah nous a toutes fait asseoir et nous a dit que la maison avait toujours été une maison heureuse, alors elle voulait que les gens qui travaillaient là soient heureux eux aussi. Elle a expliqué que sa mère n'avait plus toute sa tête, mais qu'elle savait très bien si les personnes autour étaient heureuses ou pas. Elle m'a dit, si je devais me plaindre de quelque chose ou si j'avais des problèmes, d'aller en parler à Kay directement.

— Vous avez eu à vous plaindre ?

— Non.

— Est-ce que Kay était facile à vivre quand on travaillait avec elle ?

— Elle était bien. Il y en avait que pour la vieille dame. Elle l'habillait toujours dans ses tenues préférées, même si elles étaient plus à sa taille. Elle lui dénichait des vieux films qu'elles regardaient ensemble. Si Mme Erroll allait pas bien, elle lui racontait qu'elle venait de rencontrer la reine et ça lui remontait le moral. Elles cuisinaient ensemble et tout ça. Elles faisaient du pain et des scones.

— Kay et Mme Erroll s'appréciaient l'une l'autre ?

— Oh, mon Dieu ! dit-elle en roulant les yeux au plafond. Elles s'a-do-raient.

* * *

Deux autres aides à domicile n'eurent pas grand-chose à dire, elles n'étaient restées que quelques mois avant de rendre leur tablier, l'une à cause du trajet, l'autre parce que son dos l'avait lâchée et qu'elle ne pouvait plus rien soulever. Kay l'avait gardée comme simple femme de ménage parce qu'elle l'aimait bien, mais son état s'était dégradé et elle avait été contrainte de tout arrêter.

Morrow s'apprêtait à faire entrer la suivante quand Wilder vint l'informer que Jackie Hunter, la directrice de l'agence de l'aide à domicile, était en bas.

* * *

Jackie Hunter avait cinquante ans et l'air très divorcée. Son carré de cheveux noirs zébré de mèches chocolat luisait si fort qu'on aurait dit qu'elle l'avait volé à une femme plus jeune ; idem pour sa dentition d'une blancheur éclatante. Elle parlait d'une voix douce avec un accent tout à fait Giffnock, les mains posées l'une sur l'autre sur ses genoux, et hochait la tête en écoutant avec attention. Morrow la voyait très bien irradiant de sympathie et très à l'écoute de ses clients en pleurs.

Jackie expliqua que Sarah était venue la voir trois ans auparavant, lorsque sa mère avait eu sa première attaque, légère au demeurant. À l'époque, elle travaillait à Londres, dans la City, et habitait chez d'anciennes amies de lycée. Elle ne s'était pas rendu compte que sa mère perdait l'esprit. Mme Erroll était une femme fière et, comme beaucoup de personnes atteintes d'Alzheimer, elle cachait bien sa maladie. Sa mère n'était plus la même au téléphone, et Sarah l'avait bien remarqué, mais elle s'était dit qu'elle devait être simplement furieuse que sa fille soit partie habiter à Londres.

Jackie avait pris ses dispositions pour faire établir un diagnostic, et il était immédiatement apparu que l'état de Mme Erroll allait nécessiter bien plus de soins que prévu et que cela coûterait très cher.

— Comment Sarah a-t-elle réagi ?

— Je me souviens qu'elle a été bouleversée en apprenant la nouvelle, et elle m'a dit qu'elle n'en avait pas les moyens, il ne leur restait plus d'argent. Ou Sarah prenait sa mère en charge personnellement, ou elles vendaient la maison. Mme Erroll n'accepterait jamais d'aller s'installer ailleurs que chez elle. Puis, quelques semaines plus tard, elle m'a contactée pour me dire que je pouvais lui envoyer des gens pour l'entretien d'embauche. Quelqu'un avait accepté de payer les soins, un parent de la famille.

— Qui était ce parent ?

— Je l'ignore. Elle n'en a jamais plus fait état, dit-elle, le visage parfaitement neutre.

— À combien se montaient les soins, en gros ?

— Une assistance permanente, vingt-quatre heures sur vingt-quatre, peut coûter jusqu'à vingt mille livres par semaine, tout dépend du personnel et de son niveau de qualification.

— À quel niveau Sarah plaçait-elle ses exigences pour les entretiens ?

Jackie s'appuya au dossier de son fauteuil et croisa les jambes avec précaution en calculant mentalement.

— Deux aides à domicile à plein temps, des auxiliaires et une auxiliaire de nuit. Ce qui revenait à environ cinq mille livres par mois.

Le chiffre correspondait aux entrées du livre de comptes.

— Donc de l'ordre de soixante mille par an ?

Jackie confirma.

— Ça, c'est uniquement pour le personnel. N'entrent pas en compte le matériel, la nourriture ou les heures supplémentaires. La facture est lourde, très lourde. Elle travaillait dans un bar à Londres. Je crois qu'elle connaissait beaucoup de gens très fortunés…

Morrow ne tenait pas à lui dire d'où Sarah Erroll tirait son argent.

— Est-ce que vous aimiez bien Sarah ?

— Je ne l'ai plus vraiment revue ensuite. J'avais surtout affaire à Kay Murray.

* * *

Morrow mangeait à la cantine le repas que lui avait préparé Brian. Jambon et fromage sur pain bis avec une pomme. Il y avait du monde, mais elle trouva une place en solitaire à côté de la fenêtre et s'y installa avec deux pages de notes devant les yeux, un prétexte pour dissuader les gens de lui parler.

Elle jeta un coup d'œil alentour. Ils appelaient ça cantine, mais c'était juste une salle avec des distributeurs automatiques de boissons et des tables pour s'asseoir et manger la nourriture qu'on apportait. Jadis, il s'agissait d'une vraie cantine digne de ce nom, mais elle avait toujours connu le rideau de la cuisine fermé. Elle vit des groupes d'agents en uniforme assis et quelques enquêteurs de son équipe qui prenaient leur pause. Ils l'avaient vue à leur arrivée et s'étaient installés à bonne distance. Les plus sociables avaient accroché son regard et souri avant de l'inviter à se joindre à eux, sachant pertinemment qu'elle ne bougerait pas, mais les autres, les yeux fuyants, avaient joué les hypocrites et refusé de la regarder. Routher contemplait son paquet de chips comme s'il allait se mettre à pleurer. L'atmosphère avait changé dans le service, elle le sentait. Une guerre ouverte allait se déclarer contre Bannerman, et elle devrait choisir son camp. À un détail près : sa situation à elle était différente car elle se trouvait prise entre deux feux. À son retour de congé de maternité, il lui faudrait de toute façon faire avec le résultat. Et le choix qui s'offrait à elle n'en était pas vraiment un : si ses hommes ne la prenaient pas en grippe, ses supérieurs n'allaient pas manquer de la détester.

Elle étudia les agents en uniforme : amers, rigolards ou affamés, ils ne se compliquaient pas la vie et, en tout cas, leurs motivations étaient claires, ils pensaient à l'argent.

Elle s'attarda un instant sur les pages de son calepin. Le mot de passe de l'ordinateur portable de Sarah avait été contourné et ils y avaient désormais accès. Des tableaux soigneusement tenus à jour détaillaient méticuleusement ses revenus. Au plus fort de sa carrière de travailleuse, Sarah gagnait cent quatre-vingt mille livres par an, et chaque paiement – ils allaient de huit cent à trois mille – était inscrit. La tenue d'un tel registre prouvait sa grande naïveté car une arrestation était toujours possible et la police aurait trouvé ses fichiers.

Morrow mordit dans sa pomme et essaya de s'imaginer, acceptant de se laisser baiser par un inconnu sans attraits dans une chambre étrangère. Elle avait déjà bien du mal à concevoir que quelqu'un pût simplement la toucher sans lui coller aussitôt son poing dans la figure. Lorsqu'elle était encore en uniforme, elle avait arrêté des hommes qui utilisaient les services des travailleuses sexuelles : tous n'étaient pas repoussants, quelques-uns même plutôt pas mal. Ce qu'elle trouvait d'une laideur insigne, c'était cette interaction entre vendeuses et acheteurs. Même entre habitués qui s'aimaient bien, le contrat marchand restait toujours présent, comme un courant souterrain de mépris de part et d'autre.

Elle s'imagina à la place de Sarah, allongée sur un lit luxueux, contemplant un plafond luxueux pendant qu'un homme qui la méprisait un peu l'écrasait sous son poids et enfonçait sa queue en elle contre de l'argent. Et elle comprit pourquoi Sarah tenait un registre détaillé de ses passes : sur son lit luxueux, elle pensait à l'argent.

Dans l'avion qui la ramenait à la maison, elle pensait à l'argent. Lorsqu'elle rentrait et remplissait les cases de son tableur en notant les montants, elle rayait le souvenir d'un homme qui la méprisait.

Comment en était-elle arrivée à maîtriser un tel talent ? Question majeure qui tracassait Morrow. Comment avait-elle appris à garder ses mains collées à ses flancs en ne pensant qu'à l'argent ? D'une façon ou d'une autre, elle avait dû l'apprendre.

Elle releva la tête pour effacer l'image des yeux au plafond. Routher redescendait en compagnie de ses potes. Il avait de quoi faire. Il y avait d'ailleurs beaucoup à faire. L'enquête en était à un point critique : le crime était passé aux infos de la veille, ce matin les journaux ne parlaient que de ça et les propriétaires du quartier étaient tous du côté de la police. Ils commençaient à crouler sous les informations. D'anciennes camarades d'école et les fêlés de service téléphonaient pour informer la police de bribes de renseignements, à première vue sans aucun rapport avec l'affaire. S'il se révélait qu'un de ces tuyaux était en fait crucial ou significatif et qu'ils n'en tiraient pas parti, ils allaient tous se faire clouer au pilori. Ils se retrouvaient désormais contraints d'utiliser leur maigre personnel à tout vérifier, à la recherche d'un détail pertinent, lorsqu'il n'y avait rien d'autre à faire.

La double porte s'ouvrit et Harris entra en compagnie de Gobby : il la repéra et s'approcha, l'air content de lui. Les autres enquêteurs de la Criminelle les suivirent des yeux jusqu'à sa table et elle pensa à Anne Marie, la mauve.

— Donc, dit-il d'emblée, nous n'incluons pas l'argent retrouvé à l'intérieur du catalogue de musée : aujourd'hui, le grand total se monte à 654 576 livres.

— Oh, je sais pas, lui répondit Morrow, heureuse d'être sortie de son hôtel de luxe pour revenir à cette cantine minable. Est-ce que vous avez fait la conversion au taux d'un bureau de change ? Il me semble que les banques offrent un taux supérieur.

Gobby souriait de toutes ses dents dans le dos de Harris.

Lequel ne se laissa pas démonter :

— N'importe quelle banque du centre-ville vous en donnera un total qui sera toujours plus proche de mon estimation que de la vôtre.

— Vous n'êtes qu'un petit futé roublard, Harris.

Elle glissa la main dans son sac et sortit un billet de dix de son porte-monnaie.

— Vous êtes resté dans la maison toute la matinée ?

— Oui, dit-il en empochant les dix livres avant de s'asseoir avec Gobby en face d'elle. Les gars du labo ont terminé.

— J'y repasserai pour jeter un dernier coup d'œil.

— J'ai aussi trouvé des reçus de ventes aux enchères pour une partie du mobilier.

— Elle faisait le vide ?

— Oui.

Morrow mordit dans son sandwich.

— Est-ce que Kay Murray est montée à la maison aujourd'hui ?

— Non. Pourquoi, c'était prévu ?

— Ouais, tout à fait.

Harris consulta sa montre.

— Bon, mais il n'est que trois heures. Encore possible qu'elle arrive.

— J'ai appris qu'elle était très proche des deux femmes, dit Morrow en reprenant une bouchée. Je n'en avais aucune idée. Elle n'en a jamais rien laissé paraître.

— Plus importante qu'elle ne le laissait croire ? demanda Harris en hochant la tête.

— Beaucoup plus.

La porte de la cantine s'ouvrit et un froid glacial se répandit dans la pièce, les bavardages s'arrêtèrent, Harris se rassit bien droit comme un chat prenant la pose. Bannerman était sur le seuil et la cherchait. Elle le regarda s'approcher avec intérêt, vit le mouvement de recul de Harris et le regard de l'inspecteur-chef passer de lui à elle.

Bannerman se planta en bout de table et appuya les doigts sur le plateau.

— Ainsi donc, dit-il avec raideur, c'était une travailleuse.

Morrow opina, à contrecœur.

— Alors, ça pourrait être n'importe qui, dit-il avec un haussement d'épaules.

24

Morrow était debout, le derrière collé au moteur encore chaud, et contemplait Glenarvon sur son promontoire. Le soleil brillait et la vieille bâtisse avait l'air moins sinistre et décrépite. La pierre grise miroitait entre deux nuages, et sa solidité donnait à la maison une allure de vieux dirigeant d'entreprise, actionnaire majoritaire un peu joueur mais flegmatique et bienveillant.

Elle ne voulait personne qui vienne lui parler et avait envoyé Leonard interroger l'agent de permanence sur les gens qui étaient venus et vérifier le registre de toutes les entrées dans la maison. Leonard était tenue à l'écart des tensions qui régnaient dans le service et Morrow se sentait attirée par sa compagnie, elle la voyait comme un baume de neutralité. Elle s'arrêta face à la maison pour se vider la tête et gravit les marches en laissant remonter à la surface ses toutes premières impressions du lieu. Elle avait besoin de savoir qui était Sarah, mais la jeune femme lui échappait et restait une énigme. Bannerman lui avait réservé une place sur un vol pour Londres le lendemain, afin qu'elle puisse interroger les gens du bar où Sarah avait travaillé, comprendre sa personnalité et essayer de voir son dossier à la sécurité sociale. Elle avait besoin de savoir le genre de femme qu'elle était.

Des aides à domicile qui allaient et venaient, toujours par la grande porte. Aucune n'avait de clé, car Kay était toujours là pour les laisser entrer et sortir. Elle ne devait pas compter ses heures. Morrow était contente que Kay eût la clé : ça rendait peu probable qu'elle ait quelque chose à voir avec l'effraction par la fenêtre de cuisine.

En franchissant le seuil de la maison, elle entendit Leonard demander si Kay était montée. La réponse fut non. Elle allait devoir partir à sa recherche.

Le vestibule sombre, plus de valise, mais la veste était toujours là. Le vestibule sombre, une chaussure debout, l'autre sur le flanc. La grande salle, encore plus sombre, imposante. Sous la voûte en arche direction l'escalier. Elle sentit sa tête rentrer dans ses épaules au souvenir du corps de Sarah. La marque noire de sang coagulé qui restait du massacre était toujours là, par terre, s'étalant sur deux marches comme si elle cherchait à ramper jusqu'au faîte de la maison pour s'y cacher.

Un coup d'œil de côté. C'est là que se trouvait le téléphone Taser, mais avec cette pensée présente à son esprit, elle savait qu'elle évitait farouchement de regarder l'escalier.

Elle tourna la tête, délibérément.

Le sang sur le bord des marches, encore écarlate et gluant, mais, sur le côté, des coulures noires et sèches. Devant ses yeux, deux séries d'empreintes, une légèrement plus grande que l'autre. Celles de la pointure inférieure plus proches du trou noir où se trouvait la tête de Sarah. Incontestablement tout près. Les plus grandes, éloignées de Sarah, vers l'autre bout, près du mur.

Morrow se recula. Elles étaient effectivement tout à côté. Sur une marche, elle vit une empreinte gauche, une petite, une seule : l'un d'eux s'était tenu debout, presque à toucher la tête de Sarah, sur un pied.

C'est avec l'autre qu'il l'avait pilonnée.

Elle contempla les marques de pas et imagina les individus qui les avaient laissées, debout, les bras ballants, le visage impassible comme lors d'une séance de tapissage. Ils seraient interrogés séparément. Ils s'accuseraient mutuellement, c'est toujours ce qu'ils faisaient. Peu importe, ils seraient tous deux reconnus coupables, mais, cette fois, peut-être que l'un d'eux dirait la vérité en clamant qu'il était innocent.

Elle sortit prendre un peu l'air et trouva Leonard sur le perron.

— Où est-ce que Kay Murray travaillait hier ?

* * *

Morrow s'arrêta devant la grille pour reprendre son souffle. Le jardin était adorable. Devant la maison, le sol était une mer de gravillons blancs ratissés avec une allée en pas japonais qui dessinait une courbe jusqu'à la porte d'entrée. Les plantes en bordure éclataient de couleurs, roses et bleues, leurs fleurs retombant au-dessus du semis de petits cailloux d'un blanc de marbre délavé. Une haute clôture protégeait le tout de la vue des voisins, elle-même cachée par un treillis de fleurs orange vif.

Dans son rapport, Leonard avait défini l'habitation de Mme Thalaine comme « l'ancien bloc d'écuries de Glenarvon ». Morrow regarda d'un autre œil et reconnut une section du chemin qui remontait jadis à la maison de maître, une bande de terre nue en haut de la colline au-delà de la maison basse.

Celle-ci ne ressemblait plus à des écuries mais plutôt à une construction flambant neuve aux murs chaulés conçue à l'image d'un dessin pittoresque d'écuries. Elle ouvrit le portail et le tint ouvert pour Leonard : celle-ci était déjà passée là et il lui avait semblé logique de la faire revenir afin que Mme Thalaine la reconnaisse et sache qui elles étaient, ce qui leur éviterait de perdre leur temps en préliminaires.

Morrow sonna.

Après un petit temps d'attente, une femme mince vint ouvrir, impeccablement vêtue, ses cheveux gris méchés de blond, en pantalon de toile beige et pull assorti, un foulard en soie bleue noué lâche autour du cou et glissé sous l'encolure. Elle les regarda par-dessus ses demi-lunes et reconnut Tamsin Leonard.

— Bonjour. Heureuse de vous revoir.

Il n'y eut pas de préliminaires. Leonard avait promis de revenir pour informer Mme Thalaine de l'éventuelle présence d'un meurtrier dans le village, afin qu'elle et son mari évacuent leur domicile. Celle-ci tenait absolument à savoir si c'était le cas ou non et ne leur proposa ni thé, ni café, ni petite assiette de jolis biscuits : elle les fit asseoir dans le salon et les questionna immédiatement sur les progrès de l'enquête.

— Encore personne, alors ?

— Non, répondit fermement Morrow. Nous sommes tout à fait certains que ce sont des raisons particulières à Sarah qui ont conduit à sa mort et qu'il n'existe pas de menace pour les autres habitants.

— Donc cela ne me concerne pas ?

— Non.

— O.K., dit Mme Thalaine apparemment soulagée, jusqu'à ce que l'évidence la frappe. Mais dans ce cas, pourquoi êtes-vous revenues ?

— Je cherche Kay Murray.

— Kay, fit-elle, les paupières plissées.

— Vous la connaissez ?

— Bien sûr que je la connais. C'est ma dame à tout faire, dit-elle.

Elle gloussa à cette expression, mais Morrow refusa de se joindre à elle.

Elles se regardèrent un moment. Un oiseau picora dans la mangeoire accrochée à l'extérieur d'une fenêtre. Toc-toc.

— Connaissiez-vous Sarah ?

Mme Thalaine n'avait pas l'air d'apprécier le tour que prenait la conversation. Elle semblait se rendre compte que Morrow n'était pas du même bois que les autres officiers de police, et certainement pas de la catégorie la plus tendre. Toc-toc-toc.

— Sarah a grandi ici. Elle est bien sûr allée à l'école et nous ne nous mêlions pas de la vie des autres, mais elle a grandi tout près.

— Quel genre de personne était-ce ?

— Elle était fille unique. Timide en grandissant. À l'écart des enfants du quartier.

— C'est elle qui se tenait à l'écart ou on l'y contraignait ?

— Eh bien, mes enfants étaient invités là-haut pour les fêtes d'anniversaire, mais nous avions toujours le sentiment qu'ils n'étaient pas très bienvenus : on leur demandait de venir surtout pour faire nombre. Mon fils aîné aimait beaucoup Sarah. Il disait qu'elle était drôle. Elle faisait des imitations de ses gouvernantes, toutes des Françaises. Elle les faisait rire.

— La famille a connu des revers de fortune récemment, n'est-ce pas ?

— Tout le monde a connu des revers de fortune. Regardez quelqu'un comme Kay Murray, je veux dire, les gens en arrivent à faire de ces choses, n'est-il pas vrai ? Quatre enfants et pas de mari…

— Et avez-vous eu des revers de fortune récemment ? la moucha sèchement Morrow.

Mme Thalaine toucha son foulard du bout des doigts, au niveau de la jugulaire, ouvrit la bouche et la referma aussi sec. Toc-toc-toc, un battement d'ailes noires à la fenêtre : l'oiseau s'envolait, rassasié.

Mme Thalaine gonfla la poitrine.

— Nous avions investi toutes nos économies en actions, par l'intermédiaire d'une socité de courtage. AGI. Elle a tout perdu. Tout.

— Et pour quel montant ?

Mme Thalaine se tapota de nouveau la jugulaire.

— Six cent mille. Plus ou moins.

Elle se mit à pleurer mais refusa de se laisser aller. Les lèvres tremblotantes, elle sortit un mouchoir de soie de sa manche et se tapota le coin des yeux, en essayant de sauvegarder son maquillage.

Morrow aurait eu honte de l'admettre, mais c'était d'un ennui mortel de regarder Mme Thalaine pleurer sur son argent alors que les marches de l'escalier à Glenarvon étaient encore tapissées de fragments du visage de Sarah. Lorsque sanglots et hoquets s'atténuèrent, Morrow s'adressa à elle d'une voix douce :

— Et AGI a perdu l'argent ?

— Vous croyez ? Où a-t-il bien pu passer ?

Elle s'affaissa sur elle-même comme si tout cela était trop pour elle et jeta un regard froid à Morrow.

— Avez-vous la moindre idée sur celui qui a pu faire ça ?

— Qui connaissez-vous dans le village ? répliqua Morrow.

— La plupart des résidents âgés.

— Est-ce que la population est mélangée dans ce quartier ?

— Que voulez-vous dire ?

— Des personnes âgées, des familles avec des enfants ?

— Oui, tout à fait mélangée.

— Beaucoup d'adolescents ?

— Quelques-uns.

— Qui connaissez-vous avec des enfants adolescents ?

— Les Campbell ont deux filles, de dix-neuf et quinze ans.

— Pas de garçons ?

Mme Thalaine s'arrêta, regarda Morrow, comprit, sans trop savoir pourquoi, qu'elle ne voulait pas entendre ce qu'elle allait lui répondre :

— Kay Murray a trois garçons. Des adolescents.

— Je voulais dire dans ce quartier.

Mme Thalaine se remit à pleurer, en donnant cette fois libre cours à ses sanglots sans pouvoir s'arrêter.

— De toute façon, nous déménageons, expliqua-t-elle en pressant son mouchoir sur sa bouche entre deux exclamations entrecoupées de larmes. Nous allons être obligés de vendre notre maison de famille et d'aller vivre chez nos enfants. Il y a trente-deux ans que nous sommes ici. Et maintenant nous devons partir pour aller vivre chez nos enfants.

Morrow fut désolée de se montrer aussi indifférente à sa perte. Elle tendit la main et lui toucha le bras, en s'excusant des méchancetés qu'elle avait commises en pensée.

25

Kay emplissait les assiettes de viande hachée et de pommes de terre quand la sonnerie de l'interphone la fit sursauter. John attendait son copain Robbie, un petit gamin dont l'air perpétuellement coupable laissait supposer qu'il passait son temps à se branler, sans doute pas sur des trucs normaux. John lui ayant répété trois fois dans la soirée que Robbie montait faire ses devoirs, elle savait pertinemment que les devoirs n'étaient pas vraiment au programme. Après tout, tant qu'ils restaient à traîner dans la maison, elle pouvait toujours ouvrir la porte de la chambre à l'improviste et jeter un coup d'œil à ce qu'ils fabriquaient. En plus de ça, le frère de Robbie était connu de la police parce qu'il aimait la bagarre. Pas jolie jolie, la famille.

La sonnerie retentit une nouvelle fois et elle cria :

— John !

Il sortit de sa chambre, l'air complètement parano, et la vit avec la casserole de viande hachée au-dessus des assiettes. Soudain, elle éprouva un pincement d'inquiétude à l'idée qu'ils risquaient de fumer du hasch et prit bonne note d'aller renifler de plus près.

— La sonnette. C'est peut-être Robbie.

John décrocha le receveur et détourna la tête.

— Oui ?

La personne à l'autre bout de l'interphone parla trop longtemps pour que ce soit Robbie, le roi de la monosyllabe. Peut-être qu'il s'excusait. John appuya sur le bouton de la porte d'immeuble et raccrocha.

— Il ne vient pas ?

— Hein ?

— Est-ce qu'il vient, Robbie ? demanda-t-elle lentement en lui montrant la casserole de viande. Tu veux manger ?

— Non, c'est les flics, répondit-il, l'air vague.

— Les flics ? Encore ?

— Ils veulent te parler.

Il enfonça son tee-shirt dans son jean au creux des reins, comme s'il planquait un pistolet, et s'éloigna.

Sans perdre de temps, Kay vida une louche de viande sur les cinq assiettes puis servit les pommes de terre à l'eau et les haricots. Elle pressait du ketchup sur quatre d'entre elles quand on frappa au panneau vitré de la porte.

Elle gagna l'entrée et, au passage, cogna la porte de Marie avant de l'ouvrir dans la foulée pour s'entendre rabrouer par un « hé ! » indigné.

Deux visages déformés étaient visibles derrière le verre cathédrale, mais aucun ne ressemblait à Alex. Un flic plus petit, les cheveux courts, qui contemplait le couloir, l'autre qui fixait le verre comme s'il réussissait à voir quelque chose.

— Le repas est prêt, annonça Kay d'une voix forte dans le vestibule, occupée à fouiller un peu partout tout en surveillant la vitre. Pas de ketchup.

— Je veux pas…

— Viens pas nous faire chier, Marie.

Elle n'avait pas le temps et ouvrit la porte de Frankie et de Joe sans frapper.

— Le repas est prêt.

Elle les entendit remuer et quitter leur lit en grognant, ouvrit la porte de John et cria « viande hachée » pour couvrir le bruit de sa stéréo.

Les policiers la voyaient aller et venir et le plus petit leva la main pour frapper de nouveau, mais elle ouvrit le battant juste avant qu'il ne finisse son geste.

— Oui ? dit-elle.

Un homme et une femme. Lui, une bouche minuscule, trop petite pour son visage, et des cheveux sombres frisés. Elle, la policière qu'elle avait vue la veille, toujours petite et le teint sombre, avec un gros nez busqué, mais, devant sa porte, elle lui parut différente, plus familière, comme une femme avec laquelle elle pourrait se lier d'amitié.

Ils se présentèrent – l'homme, Harris, pour la première fois, et Leonard, qui souriait en lui présentant sa petite main – et demandèrent s'ils pouvaient entrer pour lui parler un moment de Sarah Erroll.

Kay soupira, maintint la porte en barrant l'entrée de son bras et se retourna, exaspérée, en criant aux gamins :

— Le repas est prêt !

Joe cria qu'il arrivait, et Marie passa la tête à sa porte, l'air maussade. Kay lui montra la cuisine.

— Ton dîner t'attend et il refroidit.

— J'ai pas faim, dit Marie d'un air dédaigneux.

Joe et Frankie sortirent de leur chambre en trottinant, saluant les policiers d'un signe de tête, et John émergea à son tour en les ignorant, la tête basse, le visage masqué par la visière de sa casquette.

— Si c'est comme ça, Marie, tu n'auras rien plus tard, dit Kay, prise d'une colère aussi soudaine que malvenue tant elle avait honte de la grossièreté de sa fille à son égard. Alors va pas t'imaginer que tu vas sauter ton dîner et bouffer des cochonneries toute la soirée.

Marie rentra dans sa chambre et claqua sa porte avec une telle violence que le battant rebondit, la démasquant ainsi à tous les regards, à l'image d'une assistante de magicien prise en défaut après avoir raté son numéro. Mortifiée, elle se servit de ses deux mains pour la refermer. Joe et Frankie virent la scène en revenant de la cuisine avec leurs assiettes et éclatèrent d'un rire tendre.

Kay sentit soudain toute sa combativité l'abandonner, comme cela arrivait parfois en fin de journée ; elle se tourna vers les policiers…

— Merci, m'man, s'écria alors Joe dans son dos, et elle se radoucit.

— Qu'est-ce que vous voulez ? leur demanda-t-elle en s'appuyant à la porte.

Harris tailla l'air d'un geste en montrant le salon.

— Nous aimerions entrer.

Kay se montra réticente. C'était son moment à elle, une heure ou à peu près pendant laquelle elle repassait, fumait, regardait la télé et entrait à l'improviste dans la chambre de John chaque fois qu'elle allait aux toilettes.

Mais ils étaient flics. Alors elle se recula et leur montra le living où elle les laissa entrer seuls pendant qu'elle passait à la cuisine prendre son assiette avant de les rejoindre. Elle n'allait quand même pas laisser refroidir son dîner pour leur faire du thé, se dit-elle. Putain, hors de question.

La femme s'était assise dans *son* fauteuil, avec pinte de bière, clopes et cendrier juste à portée.

— Ça, c'est ma place.

La femme se tourna vers son collègue, attendant son ordre. Il lui signifia de la tête que oui, elle pouvait se lever. Putain, ils étaient pires que des gamins. Leonard contourna la planche à repasser omniprésente pour s'installer sur le canapé, et Kay s'assit à son tour, son assiette en équilibre sur les genoux.

Comme la planche à repasser faisait barrière, elle tendit la jambe et la repoussa vers la télé en veillant à ne pas renverser son cendrier et la chemise à moitié repassée qui s'y trouvaient posés en équilibre. *Hollyoaks* commençait tout juste à la télé.

Elle coupa une pomme de terre bouillie en deux et regarda l'homme.

— De quoi s'agit-il ?

Harris s'avança sur le canapé trop mou.

— O.K., mademoiselle Murray, comme vous le savez, Sarah Erroll a été tuée le…

Il poursuivit mais Kay n'avait qu'une envie, se laisser emporter par la télé, son esprit bien plus occupé par les personnages du feuilleton, à se demander ce qui allait leur arriver.

— Vous voulez bien éteindre la télé ? demanda-t-elle à Leonard. La télécommande est sur la planche à repasser.

Leonard se leva, trouva la zapette et éteignit le poste en restant là un instant.

L'homme n'avait pas l'air trop content. Il inspira un bon coup et reprit :

— Pourquoi n'êtes-vous pas passée à Glenarvon aujourd'hui ?

Elle aurait dû. C'est ce qu'elle avait dit, mais elle n'avait pas eu le courage d'affronter Alex une nouvelle fois. Elle était toujours furieuse contre elle parce qu'elle était venue seule, sachant par avance qu'elle n'aimerait pas son appartement, son immeuble, le fait qu'elle fumait toujours.

Elle mit une bouchée de pomme de terre dans sa bouche et haussa les épaules.

— Pourquoi ? J'étais censée venir ?

— Absolument. Vous aviez déclaré que vous seriez là pour nous dire s'il manquait des choses. C'est ce que vous avez dit au sergent Morrow en présence du constable Wilder, et nous comptions sur vous.

Kay prit une fourchetée de viande hachée, la plongea dans le ketchup et se mit à mâcher. Ils avaient envoyé deux officiers de police cette fois, en civil, donc salaires plus élevés, elle en était sûre, et tout ça pour lui remonter les bretelles parce qu'elle n'était pas venue leur donner un coup de main. Elle haussa les sourcils, les mettant au défi de lui passer un savon.

— Je n'ai pas eu le temps de me retourner. Qu'est-ce que vous voulez que je vous dise ? Vous cherchez quoi, des excuses ? ajouta-t-elle en les regardant l'un après l'autre.

Harris ne répondit pas. Il fouilla dans sa mallette et sortit stylo et porte-bloc à pince devant Kay qui continuait à manger. Plus le même modèle de formulaire que celui qu'ils avaient rempli chez Mme Thalaine. Certainement un truc standard bon pour tout le monde.

— Pouvez-vous me donner votre nom complet ?

— Kay Angela Murray.

— Situation de famille ?

— Non mariée, répondit Kay, le nez dans son assiette.

Elle le vit remplir d'autres rubriques sans lui poser de questions – l'adresse et son âge, catégorie 45-60. Elle en avait trente-huit.

— Avez-vous toujours vécu seule ? demanda Leonard avec un petit sourire, plutôt gentil mais quand même compatissant.

— Qu'est-ce que vous voulez dire ?

— Les enfants…, dit-elle tristement.

— Je ne les ai pas eus toute seule, si c'est ce que vous voulez dire, répondit Kay en la fixant droit dans les yeux.

— Ça a dû être difficile, fit humblement Leonard.

Kay en avait sa claque d'entendre toujours le même truc. Elle en avait marre de tous ces gens qui présumaient que sa vie était difficile et qu'elle était malheureuse, simplement parce qu'elle n'avait pas de mari scotché à sa zapette en train de lui crier dessus. Elle ne dit rien.

Harris lui demanda son numéro de portable ainsi que sa date de naissance, et elle le vit modifier son âge sur sa feuille.

— Et ce sont tous vos enfants ? demanda-t-il avec un signe de tête vers les chambres.

Kay ricana sans bruit, encore mal remise de son humiliation dans l'entrée.

— Vous croyez vraiment que je laisserais une gamine étrangère me répondre sur ce ton-là ?

— Non, je pensais à des enfants de l'Assistance.

— Non.

— Il y a Marie et elle a… ?

— Treize ans. C'est la plus jeune. (Elle le vit noter.) Ensuite, John, quatorze ans. Puis Frankie et enfin Joe, respectivement quinze et seize ans.

— Bien rapprochés, dit la fliquette stupide en hochant la tête avec sympathie.

— Vous avez des enfants ? lui demanda Kay après avoir repris une bouchée.

La femme secoua la tête. Le début de la trentaine. L'âge idéal pour commencer à paniquer.

— Vous ne savez pas ce que vous ratez, ajouta-t-elle.

Une phrase qui ne marchait qu'avec les gens sans enfants. L'homme, lui, en avait, sûr et certain. Il prit un air sceptique.

— Vous ne vivez pas avec leur père ? demanda-t-il.

— Non.

— Vous êtes en contact avec lui ?

— Non.

Il soutint son regard, attendant qu'elle lui dise qu'il y avait plusieurs pères différents, ce à quoi elle se refusa. C'était pas ses oignons, bordel. C'est Sarah Erroll qui était morte, pas elle. Elle revint à son assiette.

— Mademoiselle Murray, nous enquêtons sur le meurtre de Sarah Erroll, comme vous le savez, et toutes les aides à domicile que nous avons interrogées ont déclaré que c'était vous, la responsable du personnel à Glenarvon.

— Ah bon ?

— Comment ça se fait ?

— Qu'est-ce que vous voulez dire ? lui demanda-t-elle, sachant qu'il avait une idée derrière la tête.

— Eh bien (il sourit) êtes-vous qualifiée pour ça ?

Kay lécha un peu de ketchup piquant et vinaigré sur ses lèvres.

— Non. Je m'entendais bien avec Sarah, et elle me confiait la charge de veiller sur sa mère quand elle travaillait à Londres. Moi et Mme Erroll, on s'entendait vraiment bien.

— Sarah vous a-t-elle dit comment elle gagnait sa vie ?

Kay haussa les épaules, elle ne s'était jamais posé la question. Comme ça devait être un métier technique auquel elle n'aurait rien compris, elle n'avait pas demandé.

— Elle m'a jamais rien dit.

Il scruta son visage avec insistance en cherchant à voir si elle disait la vérité, ce qu'elle trouva insultant, et poursuivit :

— Dans la cuisine, la table dans la cuisine de Sarah...

Un temps d'arrêt. Apparemment, il attendait une réponse.

— C'est une question ?

— Auriez-vous remarqué quelque chose de bizarre à propos de cette table ?

Elle fit un effort de mémoire.

— Impossible à nettoyer ? Elle avait des marques. C'est ça que vous voulez savoir ?

— Est-ce que vous laviez le sol de la cuisine ?

— Parfois.

— Et vous passiez la serpillière sous la table ?

— Pour tout vous dire (elle ne comprenait plus rien), je ne me mettais pas à quatre pattes mais j'y passais la serpillière s'il y avait besoin. Pourquoi ? Y avait une porte secrète en dessous ou quoi ?

Il ne répondit pas.

— La penderie dans la grande salle a disparu...

— Sarah l'a vendue.

Il nota.

— Chez Christie's, je crois que c'était la salle des ventes de Christie's. Le nom était inscrit sur le côté du camion. Il a fallu qu'ils se mettent à quatre pour la charger.

— Et elle vendait beaucoup de choses de la maison ?

— Vous avez dû écouter les ragots du village, je me trompe ? Les gens étaient furieux qu'elle vende ses trucs, comme si la maison leur appartenait. Mais est-ce que vous avez une idée de ce que ça coûte d'avoir des gens à demeure pour veiller sur une personne âgée qu'on chérit ? Une vraie fortune, voilà ce que ça coûte.

— Elle a vendu beaucoup de mobilier et d'objets de la maison ?

— Ouais. De toute façon, elle n'avait pas l'intention de rester, dès que sa mère ne serait plus là, elle partirait vivre à New York. Elle m'a dit que je pourrais venir lui rendre visite.

— Vous étiez donc si proches, toutes les deux ? demanda-t-il, étonné.

— Un peu, répondit-elle, agacée de le voir aussi surpris.

L'invitation était de pure forme, de celles qui ne portent pas à conséquence, comme si Sarah aurait aimé la voir se pointer à New York avec son tablier de travail.

— À votre avis, quel genre de personne était Sarah ?

— Pleine de bonté envers sa mère.

— Elle était gentille ?

Kay réfléchit une seconde et hésita.

— Elle veillait sur elle. Elle dépensait beaucoup d'argent qu'elle n'avait pas pour s'occuper d'elle.

Il tenta de lui en faire dire plus.

— Elle était intelligente ? Déprimée à cause de sa mère ? Elle se sentait seule ?

— Je sais pas, répondit-elle, n'ayant jamais eu de temps à perdre à se préoccuper de ce qui passait dans la tête de personnes étrangères. Je prends les gens comme ils se présentent. J'aimais bien sa compagnie. Elle parlait pas beaucoup. Notre seul sujet de conversation, c'était Joy, ce qu'elle avait mangé, quand elle avait dormi.

— Le salaire doit vous manquer, non ?

— Bien sûr. Mais j'aurais fait ça gratuitement. Moi et Mme Erroll… (Elle remua sa nourriture dans son assiette sans raison particulière.) La meilleure amie que j'aie jamais eue…

— Elle ne se mélangeait pas un peu les idées ?

— Oh que si, dit-elle, assaillie brutalement par une bouffée de chagrin violente à la pensée de sa disparition. Mais quand on n'a plus toute sa tête, on se retrouve un peu nue, déshabillée des conneries qu'on entretient d'habitude soigneusement. Toutes les histoires qu'on se raconte, comme quoi on a fait de grandes choses ou de beaux voyages, tout ça, elle s'en souvenait plus. Elle *était*, un point, c'est tout. Et ce qu'elle était, c'était adorable.

Elle contempla son assiette encore à moitié pleine. Le simple fait de repenser à Joy lui avait noué la gorge, et elle se sentait incapable d'avaler une bouchée supplémentaire. Elle posa son assiette à côté de son fauteuil et prit son verre. La sonnerie de l'interphone retentit brièvement, et elle entendit John aller dans l'entrée et décrocher avant de pouffer et de commander l'ouverture de la porte de l'immeuble.

— Hmmm, fit Harris en étudiant son formulaire. Deux des aides à domicile que nous avons interrogées ont déclaré que vous les aviez renvoyées.

— Qui ça ? Anne Marie Thingmy et une autre, une petite, sèche comme un clou ?

Il n'offrit pas de réponse, le visage vide.

— Anne Marie était une fainéante, une grosse vache aimable comme une porte de prison, et la petite, elle était en retard tous les jours. Employer des gens qui arrivent pas à l'heure, c'était pas possible, Joy ne pouvait pas rester seule ne serait-ce qu'une minute. Elle réussissait encore se déplacer quand l'envie lui en prenait, et la maison était pleine d'obstacles. Dehors, il y a un à-pic à même pas quinze mètres. Si jamais elle était sortie…

— Sarah possédait-elle des choses de valeur dans la maison ?

— Pas à ma connaissance.

— Hmmm, fit-il, comme si la réponse était significative.

Robbie venait d'arriver, et elle l'entendit chuchoter avec John dans l'entrée. Elle n'avait qu'une envie, dire à ce petit salopiaud obsédé par sa queue de foutre le camp et de rentrer chez lui.

Remarquant que Kay se préoccupait plus du nouvel arrivant que d'autre chose, Harris tourna la tête à son tour vers la porte.

— Toutes ces boîtes, là-bas, dans l'entrée ? demanda-t-il. D'où viennent-elles ?

Kay leva sa pinte de bière et le fusilla du regard par-dessus son verre. Elle but une gorgée avant de le reposer.

— Vous croyez qu'elles viennent d'où, à votre avis ?

— Je ne sais pas. Pourquoi ne pas me le dire ?

— Vous croyez que je les ai piquées ? Que je suis une voleuse ? Que j'en suis réduite à faucher des cartons vides ?

Il cligna des paupières, lentement.

— Pourquoi ne pas me répondre, tout simplement ?

— Parce que c'est insultant, ce que vous insinuez. Pourquoi ne pas demander à Alex Morrow ce que je lui ai expliqué quand elle aussi a voulu savoir d'où ils venaient, ces foutus cartons ?

En le voyant plonger le nez dans son formulaire, elle comprit qu'il ignorait tout de la visite d'Alex, le soir où elle était venue la voir seule, de sa propre initiative. Elle n'avait pas l'intention de cafter. Mais un principe reste un principe, peu importe l'affection qu'on pouvait éprouver pour la personne à qui on l'appliquait. Sauf que Harris savait désormais, il avait vite compris.

Dans le vestibule, elle entendit John fermer sa porte sans ménagement et se leva aussitôt.

— Je vais vous demander de partir maintenant. Si cela ne vous dérange pas.

Elle alla jusqu'à la chambre de John et rouvrit sa porte en grand.

— Tu as fini de dîner ?

Un temps de silence, puis John répondit d'une voix chantonnante et coupable :

— Terminé !

— Dans ce cas, rapporte les couverts et lave-les.

Elle se retourna vers la cuisine où Marie n'avait pas touché à son repas en train de se figer dans son assiette.

Les policiers étaient dans l'entrée, sur le point de s'en aller, et Harris remettait son porte-bloc dans son sac. Joe et Frankie sortirent de leur chambre, Joe portant les couverts sales. Kay fut gênée en apercevant l'assiette du dessus, léchée jusqu'à la dernière miette, avec de grosses marques de langue sur son pourtour et vit les deux policiers qui jaugeaient les deux ados d'un œil critique.

— Eh bien, mère, lança Joe sans réfléchir, encore un triomphe culinaire ! Alors comme ça vous partez ?

Harris n'eut même pas la courtoisie de relever la tête quand Joe s'adressa à lui. Son regard passa de Joe à Frankie.

— Nous aurons besoin de vous revoir.

— Quand vous voulez, répondit Kay, détestant la façon dont il avait reluqué ses garçons, avant de le prendre par le coude pour le pousser gentiment vers la porte. C'est quand vous voulez.

Elle referma derrière eux et les vit s'attarder de l'autre côté de la vitre sans échanger une parole. Ils finirent par s'éloigner et elle attendit la fermeture de l'ascenseur. Du coin de l'œil, elle remarqua que la porte de la chambre de John se rabattait tout doucement.

Furieuse, elle se tourna vers elle, l'ouvrit d'un grand coup de pied qui la fit rebondir contre le mur et lança d'une voix sifflante :

— Je sais ce que vous fabriquez là-dedans.

— Laisse-le donc à sa petite branlette, m'man, lui dit Joe juste derrière elle, c'est la nature qui parle.

À ces mots, Frankie éclata d'un rire tonitruant, et même Marie s'esclaffa bruyamment dans sa chambre. Il y avait des mois qu'elle n'avait pas entendu ça.

* * *

Même s'ils n'étaient pas certains que le directeur de l'hôtel pouvait les voir, Morrow et McCarthy en revanche le voyaient parfaitement : maigre et froid, et d'une prévenance si parfaite qu'elle ne pouvait venir que d'une trop longue pratique. Il fixait la webcam, le regard dans le vide, le cou aussi droit et immobile que s'il était tenu par un appuie-tête de photographe edwardien. Il cillait rarement en répondant à leurs questions concernant Sarah Erroll, et, devant son air hautain et très irrité, Morrow espéra qu'il ne la voyait pas trop bien car elle n'était pas sûre de réussir son examen de passage.

Morrow et McCarthy étaient contraints de parler très, très lentement afin de surmonter les problèmes d'accent, évitant les termes écossais et les coups de glotte pour articuler les finales des mots.

— Que pouvez-vous nous dire sur Sarah Erroll ? demanda Morrow dans un anglais châtié qu'elle trouva ridicule.

Il répondit sans hésitation, comme s'il lisait un monologue sur un prompteur : Sarah Erroll avait séjourné dans l'hôtel à de nombreuses reprises. Elle s'était toujours comportée en cliente des plus courtoises et charmantes. Non, rien en aucun cas ne pouvait laisser suggérer qu'elle s'adonnait à la prostitution. Chaque fois qu'elle venait ici, elle retrouvait toujours le même monsieur. De temps à autre, il restait en sa compagnie.

— Je vois, dit lentement Morrow, en choisissant ses mots pour lever toute ambiguïté. Par « rester en sa compagnie », vous voulez dire qu'ils couchaient ensemble ?

— Selon toute vraisemblance.

— Connaissiez-vous l'homme en question ?

Le directeur eut un petit sourire affecté, alors qu'en fait il paraissait plutôt vexé.

— Le monsieur se faisait appeler « Sal Anders ». Ce n'était pas son vrai nom.

Un petit temps de silence pour qu'elle lui pose la question, ce qu'elle trouva agaçant.

— Quel est son véritable nom ?

— Lars Anderson, répondit-il, en s'adressant à lui-même un signe de tête désapprobateur. Je puis vous le dire maintenant car ce monsieur est passé.

— Passé où ?

Il parut perplexe.

— Euh, de vie à trépas. M. Anderson est mort.

— Quand ? demanda Morrow.

— Mais cette semaine, répondit-il abasourdi, son incrédulité perceptible de l'autre côté de l'Atlantique. Tous les journaux d'ici en ont parlé. Je crois que c'est arrivé en Angleterre.

— Il était célèbre ?

— Très célèbre. (Un temps de silence.) Ici. Il est mort en Angleterre.

— Ouais, mais nous sommes en Écosse. Et l'Écosse n'est pas l'Angleterre, c'est peut-être pour cela que l'événement a eu moins de retentissement chez nous.

Face à cette insulte à son intelligence, le directeur de l'hôtel cligna des paupières et reprit, exactement du même ton que précédemment :

— J'en ai parfaitement conscience, dit-il. Mais l'affaire a fait beaucoup de bruit, comment est-il possible que vous ne soyez pas au courant ? Allied Global Investments ? Des milliards de livres envolés en fumée ? Lars Anderson ?

Morrow eut la vague impression d'en avoir entendu parler, mais elle se tourna vers McCarthy.

— Ce ne serait pas le financier ? dit celui-ci.

— C'est effectivement lui qui est au cœur du scandale financier, confirma le directeur en hochant la tête. Il s'est pendu il y a deux jours. Vous savez, ici, il ne s'agit que d'une rumeur, mais nous avons entendu dire que la presse britannique avait publié des photographies du suicidé au bout de sa corde. Nous n'avons pas ce genre de presse chez nous. C'est tout à fait différent…

Morrow lui demanda comment il pouvait affirmer que le véritable nom de son client était Lars Anderson. Avait-il vu une carte de visite ou quelque chose ? Le directeur remua sur son siège et répondit que c'était son métier de connaître ces choses-là.

— Disposez-vous de la moindre preuve pour étayer cette affirmation ?

— J'ai les reçus de carte de crédit à la boutique de l'hôtel.

— À son vrai nom ?

— Oui.

— Pourquoi donner une autre identité à la réception, puis régler des achats avec sa carte personnelle ?

— Je ne pense pas, expliqua-t-il avec condescendance, que ce monsieur se soit soucié de garder son identité secrète. Je pense qu'il s'agissait de sa part d'un geste de pure forme. Ce faisant, c'est à *nous* qu'il signifiait de garder le secret.

McCarthy se redressa sur sa chaise en se rappelant soudain :

— Oh, oui, je crois qu'il était marié, non ?

— Il me semble…

Morrow commença à récapituler les renseignements obtenus pour bien s'assurer qu'ils n'avaient pas commis d'erreur afin de rédiger la déposition et de la transmettre par fax pour qu'il l'authentifie : Sarah et Lars Anderson avaient une liaison... Non. Il l'arrêta immédiatement. Ce n'était pas une histoire d'amour. Ils couchaient peut-être ensemble, mais c'était tout sauf une passion amoureuse. Il lui avait offert un bracelet acheté à la boutique de l'hôtel. Un amant ne fait pas une chose pareille. Un tel cadeau impliquait qu'il avait eu une pensée pour elle en entrant dans l'hôtel, mais elle ne devait certainement pas occuper son esprit à plein temps quand il n'était pas en sa compagnie. Morrow dit qu'il était peut-être tête en l'air. Le visage du directeur resta impassible. Comment savait-il que le bracelet était destiné à Sarah ? Il ricana presque, sincèrement amusé cette fois, parce que Sarah l'avait donné à la femme de chambre en guise de pourboire.

— Donc cette relation était quoi ? Orageuse ?

— Vraisemblablement, un arrangement mutuel..., suggéra-t-il.

Il commençait à la fatiguer avec ses petites nuances subtiles sur les relations sociales.

— Ça veut dire quoi, nom d'un chien ?

Le directeur cligna des yeux, elle aussi le fatiguait.

— Ils se servaient l'un de l'autre.

— O.K., dit Morrow en se levant. Je vais laisser mon collègue récapituler votre déposition avec vous et il vous la faxera pour que vous le signiez.

Elle sortit sans lui dire au revoir et se rendit dans la salle d'enquête.

Par-dessus une épaule, Routher regardait les autres bosser.

— Vous, lui ordonna-t-elle en griffonnant « Lars Anderson » sur un morceau de papier qu'elle lui tendit. Je veux une recherche dans les journaux sur ce nom. Et un tirage papier dans vingt minutes, ajouta-t-elle en regagnant son bureau.

À peine dix minutes plus tard, Routher frappait à sa porte et entrait avec le journal du matin et des tirages d'imprimante encore chauds.

— Je suis cette histoire depuis le début, annonça-t-il, très excité. C'était vraiment un sale escroc.

Morrow acquiesça en lui laissant croire qu'elle connaissait le nom de Lars Anderson, mais elle n'était pas très portée sur la lecture des journaux.

— Madame ? Regardez, c'est pareil que « *here* » et « *hair* ». Lars, ça sonne comme « *liars*[1] ».

Elle le regarda et dut admettre qu'il avait raison.

— Bien. Tout n'est pas à jeter, vous pouvez encore servir.

Routher sourit, prêt à repartir.

— Revenez, lui ordonna-t-elle. Fermez la porte.

Méfiant, il s'exécuta et resta debout devant elle.

— Alors (elle montra la porte d'un signe de la tête), qu'est-ce qui se passe ?

— Comment ça ? fit-il avec raideur.

— Qu'est-ce que vous complotez tous ?

Son menton commença à trembloter et il piqua une suée.

— Routher, lui dit-elle doucement, si un visage pouvait se chier dessus, c'est exactement ce que vient de faire le vôtre.

Il ne trouva pas ça drôle du tout. On aurait dit qu'il allait fondre en larmes.

— Sortez, lui commanda-t-elle.

Il se dépêcha de filer en refermant la porte derrière lui. Il allait passer le mot en expliquant aux autres qu'elle était au courant, elle savait qu'il se tramait quelque chose et risquait de découvrir le pot aux roses.

Morrow s'attaqua au premier article. Elle fut choquée par la photo du pendu à son arbre en première page – elle ignorait qu'on pouvait publier une chose pareille. Elle ne connaissait qu'une seule règle relative aux articles de presse sur les suicides : ne pas les publier à cause des imitateurs, le risque de contagion était trop grand.

La lecture des articles terminée, il en ressortait que Lars Anderson était un financier de la City devenu la cible d'une campagne de haine dans la presse. Le *Sunday Times* expliquait son arnaque et elle eut beau relire l'article trois fois, elle ne parvenait toujours pas à s'expliquer ce qu'il avait fait pour perdre autant d'argent, les sommes se comptaient en milliards. Apparemment, de ce qu'elle avait compris, il avait proposé aux gens des emprunts immobiliers

1. *Here* : « ici », *hair* : « cheveux » ou *here* prononcé avec un accent snob. *Liars* : « menteurs ».

à des taux bien supérieurs à leurs capacités de remboursement, mais elle ne voyait pas pour autant ce qui faisait de lui tout particulièrement le mal incarné. Ses clients auraient peut-être dû vérifier avant de signer s'ils pouvaient se le permettre, se dit-elle.

Quoi qu'il ait fait, il avait gagné beaucoup d'argent. Elle avait regardé les photos, terrestres et aériennes, de sa maison du Kent, les vues d'avion de sa maison de vacances en Afrique du Sud et des clichés d'agence immobilière de l'intérieur. Rien de bien impressionnant. Son épouse apparaissait également, au volant de sa voiture, en train de se promener, toujours avec des lunettes noires, effrayée mais très comme il faut.

Il y avait plusieurs clichés identiques de Lars. Elle se demanda pourquoi. Quelques-uns où il se dépêchait de monter dans une voiture, le visage caché par un journal roulé. Mais une photo le représentait prenant la pose, dans toute sa splendeur.

Un homme aux cheveux argentés, le front haut, debout devant un hélicoptère avec pilote. Son manteau était ouvert, il portait un attaché-case et donnait l'illusion de s'être arrêté délibérément pour être pris sur le vif avant de grimper à bord de l'appareil pour se rendre dans un lieu important. La photographie était soigneusement cadrée, sa pose et son maquillage tout aussi étudiés, mais son petit bedon et son nez en chou-fleur violacé restaient malgré tout visibles. Lars regardait droit dans l'objectif, hautain, malfaisant. La plupart des gens auraient souri en essayant de paraître agréables, mais c'est ainsi qu'il voulait que le monde le voie. C'était révélateur. Les journaux s'étendaient à loisir sur sa fortune et détaillaient la liste de ses biens comme s'ils en étaient éblouis.

Aux dires des journalistes, AGI et ses comptes bancaires personnels avaient été gelés par le service des fraudes en attendant l'enquête. Mme Thalaine avait mentionné AGI, c'est là qu'elle avait entendu le sigle. Deux jours auparavant, Anderson avait quitté le tribunal civil qui lui interdisait désormais à jamais de diriger la moindre société à responsabilité limitée. Une enquête du Serious Fraud Office signifiait en outre qu'il n'aurait plus jamais le droit d'exercer à quelque poste que ce soit. Il était rentré directement chez lui et s'était pendu. On l'avait découvert quatre heures avant que Sarah ne soit assassinée.

En consultant les vignettes photos de l'iPhone de Sarah, elle retrouva les images de l'homme aux cheveux argentés prises à New York. Elles étaient floues, mais, en plissant les yeux, elle reconnut Lars Anderson.

Elle décrocha son téléphone, sélectionna une ligne extérieure et appela le Serious Fraud Office à Londres. Fermé. Le message disait qu'il n'était ouvert que jusqu'à 17 h 15. Ils se la coulaient douce.

Un coup brutal, familier, à sa porte.

— Entrez, Harris.

Il ouvrit et passa la tête.

— Harris, vous êtes toujours d'accord pour aller à Londres demain ? J'ai essayé de prendre rendez-vous au SFO mais il est fermé.

Il avait l'air tout excité, son manteau encore sur le dos.

— Madame, Kay Murray a des antiquités chez elle. Leonard dit qu'elles valent beaucoup d'argent, ce sont des raretés, et les garçons ont des tennis assorties en daim noir. Elle est d'une hostilité pas possible. Il va falloir la convoquer et l'entendre au poste.

26

Morrow était dans son bureau, occupée à mordiller nerveusement un fragment de chair à vif au coin de sa bouche. Elle avait un mauvais pressentiment : l'interrogatoire de Kay allait déboucher sur une chose affreuse, épuisante et triste, qui ne sortirait plus de sa mémoire.

Ce n'étaient pas les meurtres sanglants qui la tenaient éveillée dans l'obscurité, clignant de ses paupières brûlantes, ni les histoires de pervers sadiques qui avaient arraché des yeux de leurs orbites, brisé des doigts ou fait du mal à un enfant. Non, les affaires qui restaient gravées étaient celles dont le déroulement semblait inéluctable, celles qui lui faisaient douter de la possibilité d'une justice comme de la valeur d'une enquête policière. Le meurtre de Sarah Erroll commençait à lui faire cet effet-là.

Elle se leva et chassa ses appréhensions, ouvrit la porte et s'arrêta à l'extérieur de la salle d'enquête. Les hommes se sentaient un peu plus à leur aise, convaincus que le boulot touchait à son terme. Les clichés de la scène de crime n'étaient plus le centre de tous les regards, plus personne ne les évitait. Ils avaient résolu l'affaire, se disaient-ils.

La porte de Bannerman était légèrement entrebâillée. Elle frappa et passa aussitôt la tête avant qu'il n'ait eu le temps de demander qui c'était. Ô surprise, il parlait à leur grand chef, McKechnie, dont elle ignorait même la présence dans le bâtiment.

McKechnie était de la vieille école, aussi à cheval sur la procédure qu'un prêtre sur son credo. La taille épaisse, le menton petit.

Le visage barré d'un grand sourire, Bannerman se penchait sur son bureau, tandis que McKechnie s'appuyait au dossier de sa chaise, onctueux et suffisant, les mains sur sa bedaine. Un lien fort avait toujours existé entre eux. C'est McKechnie qui l'avait pris sous son aile et il se trouvait là, aux premières loges pour assister à la mise à mort des mains de son prodige.

— Bon travail, Morrow, dit-il en cherchant le regard de Bannerman pour confirmation.

Lequel sourit avant de confirmer :

— Excellent travail. Demain, j'aurai besoin de Harris ici.

Le billet d'avion de Harris pour le vol de Londres avait déjà été acheté et n'était pas transférable.

— Mais nous n'y passerons que la matinée, expliqua-t-elle, nous serons de retour en milieu d'après-midi.

— Je le veux ici demain matin. Vous prendrez Wilder avec vous.

Bannerman voulait la tenir à l'écart de Harris, qu'il cherchait à isoler. En mettant délibérément le sujet sur le tapis devant le grand patron, de sorte qu'elle ne pouvait pas discuter : la moindre protestation de sa part la rangerait aussitôt dans le camp des rebelles. Sans tambour ni trompette, la guerre venait de commencer.

— Très bien, dit-elle en battant des paupières pour l'interrompre. Je ne participe pas aux interrogatoires.

Bannerman acquiesça.

— J'ai déjà expliqué que vous connaissiez la suspecte.

— Non, euh, dit-elle en serrant avec force le chant de la porte, en réalité, Murray n'est pas suspecte.

Bannerman lui concéda ce point en acquiesçant de nouveau.

— Je rectifie : la mère des suspects. Bien qu'il soit possible (il jeta un regard à McKechnie) qu'elle le devienne à son tour. Ce sera à nous de décider au moment opportun.

— Et les garçons passent ensuite ? Eux aussi sont sur la sellette ?

— Ouais, on a envoyé leurs chaussures pour analyse et rapporté toutes les antiquités qu'elle avait un peu partout dans la maison.

Il expliqua à McKechnie :

— Une de nos nouvelles recrues les a repérées lors d'une visite de routine.

À l'entendre, on aurait dit que c'était tout le British Museum qu'ils avaient retrouvé chez Kay. Personnellement, elle n'avait guère vu d'antiquités dans l'appartement, lors de sa visite.

— Qu'y avait-il exactement ? demanda-t-elle.

Bannerman poussa vers elle une liasse de photos couleur tirées sur papier ordinaire. Elle s'avança et les feuilleta.

L'encre avait bavé. Les divers objets avaient été photographiés à côté d'une règle avec un numéro d'ordre : exactement comme s'ils avaient été volés.

Le premier article était un coquetier en argent. Il avait été trouvé sur le dessus d'un placard de cuisine, couvert de poussière graisseuse. On y voyait encore de minuscules poils collés au rebord supérieur.

Le suivant était une montre Art déco au verre rectangulaire entouré de diamants.

— Découverte dans une chaussette sous son lit, expliqua Bannerman à McKechnie en aidant Morrow à passer au cliché suivant, l'endroit de la trouvaille.

Sous le lit, la couche de poussière était épaisse. Divers objets perdus traînaient éparpillés un peu partout sur la moquette bleu marine, une paire de collants roulés en beignets jumeaux, un emballage d'ampoule vide, une revue sur les célébrités. La chaussette orange était tout contre la plinthe.

Puis venait une coupe émaillée à l'extérieur. Elle avait été trouvée sur la planche à repasser, et on l'avait photographiée tout à côté d'une marque de brûlure marron sur un motif fleuri aux couleurs éclatantes. Kay s'en servait comme cendrier. Une simple recherche sur Internet avait suffi à déterminer qu'elle valait des milliers de livres.

— On ne peut pas dire que ce soit un butin digne de ce nom, lâcha Morrow d'un ton acerbe.

Les deux hommes ne répondirent pas, mais elle savait que sa remarque n'était pas passée inaperçue. Elle s'en fichait. De toutes les façons, elle ne s'était jamais sentie tenue en grande estime par ces messieurs et, bientôt, elle ne serait plus là. Sa main s'égara d'elle-même sur son ventre pour la rassurer mais elle se rattrapa et la laissa retomber.

Poliment, Bannerman changea de sujet en regardant McKechnie.

— C'est bon ?

— C'est quand vous voulez, sourit McKechnie à son protégé.

Ils se levèrent et passèrent à côté d'elle en sortant, McKechnie bienheureux parce qu'une affaire très médiatisée se trouvait sur le point d'être bouclée, Bannerman parce qu'il avait la responsabilité du bouclage. Morrow les suivit. De loin.

* * *

Une seule rangée de chaises avait été installée dans la salle de surveillance vidéo. Quatre au total. McKechnie s'installa au milieu.

— Monsieur, voici la constable Tamsin Leonard. Elle est à l'origine de la perquisition, c'est elle qui a repéré le cendrier.

Morrow était furieuse contre elle. Tout en sachant pertinemment qu'elle avait tort de l'être : Leonard avait juste remarqué la coupe, ce n'est pas elle qui l'avait placée là. N'empêche qu'elle lui en voulait. Mais elle s'était rachetée, au-delà de ce qui était attendu d'elle : contrairement à l'usage, elle l'avait créditée sans ambiguïté de la découverte et présentée à un supérieur trois grades au-dessus d'elle en donnant son nom et son prénom.

Ils s'assirent, Morrow d'un côté de McKechnie, Leonard de l'autre.

Routher réapparut après avoir vérifié la caméra de la salle d'interrogatoire et alluma la grosse télévision qu'il régla sur la caméra 1.

Le brouillard de parasites disparut de l'écran, remplacé par un plan de la pièce étroite haute de plafond. L'objectif était dirigé sur la porte et les deux sièges vides disposés face à elle, avec Bannerman et Gobby de dos, leurs visages cachés. Ils ôtèrent leur veste et posèrent des cassettes de magnétophone sur la table. Tandis que Gobby remplissait trois verres d'eau, Bannerman se retourna et sourit à la caméra. Un geste un peu trop désinvolte au gré de McKechnie – en signe de désapprobation, il changea de position sur sa chaise.

Tout le monde attendait. Il y avait de quoi suffoquer dans un espace aussi étriqué, ses hauts murs, cette table étroite et deux hommes imposants assis d'un côté qui attendaient face à la porte, en espérant que le candidat suivant allait rater son oral.

La porte s'ouvrit lentement, et le visage de McCarthy apparut. Il avait l'air préoccupé, ne dit rien, fit mine de vérifier que la troisième chaise était bien à sa place. Kay entra d'un pas traînant et s'assit d'un côté de la table en posant les mains sur le plateau. Elle croisa brièvement le regard soucieux de McCarthy et lui signifia d'un battement de paupières qu'elle allait bien. Morrow se demanda s'ils se connaissaient, tous les deux.

Kay regarda Bannerman et Gobby, tour à tour.

— Bonjour, dit-elle poliment, la voix neutre.

Gobby la salua de la tête, plusieurs fois. Bannerman répondit sur le même ton poli, mais ses paroles résonnèrent comme une mauvaise blague.

— Bonsoir, madame Murray. (Il lui présenta les cassettes.) Nous allons placer ces cassettes dans le magnétophone afin d'enregistrer cet entretien.

McCarthy entra dans la salle de visionnage et tira une chaise face à l'écran en se plaçant derrière Morrow. Elle tourna la tête et il haussa les sourcils pour lui demander s'il pouvait rester. Elle y consentit sans mot dire et il revint sur la télé, le front soucieux, préoccupé. Morrow en fut touchée : McCarthy ne connaissait pas Kay, il l'aimait bien, c'était tout.

Kay inspecta le décor tandis que Bannerman et Gobby défaisaient les emballages des cassettes et les glissaient dans l'appareil. Estimant que personne ne la surveillait, elle parut lever la tête, cherchant une fenêtre, une autre porte, une sortie, puis ses yeux accrochèrent la caméra. La seconde qui suivit, le temps qu'elle remarque la petite lumière rouge et comprenne que la caméra était en marche, elle parut affolée, comme prise au piège.

Bannerman se rassit, dicta le nom des personnes présentes, le jour, l'heure et le lieu. Il avertit Kay que l'entretien serait filmé et surveillé à distance par des officiers de police dans une autre partie du bâtiment. Elle regarda droit sur la caméra, les yeux pleins de haine, à croire qu'elle y voyait ses accusateurs.

Morrow cligna des paupières pour faire disparaître cette vision brutale.

— Donc, attaqua Bannerman, en souriant, c'était visible même de dos. Vous comprenez pourquoi nous nous trouvons ici, n'est-ce pas, Kay ?

Kay ne lui rendit pas son sourire.

— Parce que vous avez trouvé chez moi des objets dont vous estimez que je ne devrais pas les avoir ?

— Non, dit-il en rompant le duel de regards. Non, à cause de la mort de Sarah Erroll. C'est pour cela que nous sommes ici, parce que Sarah Erroll a été assassinée dans sa maison. Vous aviez accès à cette maison et aux comptes de la victime et (petite pause pour souligner le dernier petit détail) parce que vous possédez à votre domicile des objets qui apparemment ne vous appartiennent pas.

— De quel genre, les objets ?

— Hmmm.

Il consulta une page de ses notes gribouillées, ouvrit une chemise, présenta une image photocopiée du coquetier à la caméra. Il décida de ne pas s'appesantir sur le sujet pour l'instant, referma la chemise et releva les yeux.

— Commençons par le commencement, dit-il.

McKechnie murmura un « Oh ! » étouffé et Morrow sympathisa : Bannerman allait faire durer le plaisir. À vue de nez, deux heures, estima-t-elle. C'est ce qu'il fallait compter pour faire craquer quelqu'un après un interrogatoire soutenu. Deux heures de détails personnels, d'horaires de bus, de petites erreurs sur les numéros de téléphone, avant que l'ennui ne devienne insupportable et que le suspect ne lève les bras en signe de reddition avec joie. Il était déjà onze heures moins cinq.

— Comment en êtes-vous venue à travailler pour Mme Erroll ?

Kay cligna des yeux, laissa passer une seconde et répondit très fermement :

— Non. Nous ne commençons pas par le commencement. Passons au sujet prin...

— Non, dit à son tour Bannerman, sachant que McKechnie le regardait. Nous commencerons au commencement...

— Non, en aucun cas, répéta-t-elle avec la même fermeté. Et je vais vous dire pourquoi : parce que j'ai quatre gamins, deux d'entre eux sont au rez-de-chaussée et ils sont terrifiés, et les deux autres se trouvent chez un voisin et ils ont tous école demain matin.

— Je pense qu'il est plus important que..., commença-t-il d'une voix forte.

— Vraiment ? Eh bien, vous voyez, moi pas, le coupa-t-elle, sa voix plus forte.

Morrow se pencha en avant, un coude sur les genoux, la main sur sa bouche pour masquer son sourire.

— Parce que, poursuivit Kay, je sais ce qui s'est passé. J'étais là. Je connais mes garçons et je sais que tout ça ne rime à rien.

Elle aurait pu remporter le point si elle avait poussé son avantage, mais, brusquement, tout son courage l'abandonna. Une bulle de panique sembla se lever de sa poitrine et la repoussa contre son dossier de chaise, tordant sa voix en un faible geignement.

— Et je sais que vous allez le découvrir. Et que vous allez laisser mes garçons rentrer à la maison. Et dormir un peu.

Elle pleurait maintenant, le visage déformé. Une main plaquée sur ses yeux, elle se secoua en grimaçant, la bouche ouverte.

— Il est inutile d'avoir peur, dit Bannerman, un peu contrarié.

Les yeux toujours cachés, Kay reprit son souffle.

— Mais putain, c'est quoi ces conneries ?

Ce n'était visiblement pas la carpette que McKechnie s'attendait à voir. Il avait cessé de regarder l'écran et se préoccupait du pli de son pantalon.

Des bulles de salive aux lèvres, les yeux dégoulinant de larmes, elle baissa sa main.

— Y a toutes les raisons du monde pour avoir peur, bordel.

— Qu'avez-vous fait, Kay ? Vous pouvez nous le dire.

— Non ! Certainement pas, répondit-elle en arrêtant de s'essuyer le nez du revers de la main. Je n'ai pas la trouille parce que j'ai fait quelque chose. J'ai la trouille parce que *je ne vous fais pas confiance*. Tous autant que vous êtes. Et je sais que je n'ai rien fait et que mes gars n'ont rien fait et je n'ai pas confiance en vous autres pour le découvrir.

Mauvais début. Bannerman ne s'était pas attendu à trouver face à lui une Kay capable de s'exprimer aussi bien. Il s'appuya lourdement à son dossier, la regarda renifler avec un frisson par tout le corps. Une fois qu'elle se fut calmée, il dit :

— Reprenons au commencement.

Kay renifla de nouveau, sa terreur s'atténuant à mesure pour céder place à la colère.

— Comment avez-vous obtenu cet emploi chez Mme Erroll ?

Kay se mouilla les lèvres et contempla la table. Elle regarda la caméra, elle regarda Gobby et finalement Bannerman.

— O.K., lui concéda-t-elle, en baissant les bras, nous y voici : je travaillais chez Mme Thalaine et chez les Campbell, je faisais leur ménage. J'ai rencontré une autre femme de ménage qui s'appelle Jane Manus, une jeunette, sur le quai de la gare, un soir, et elle m'a dit que Sarah Erroll demandait des aides à domiciles pour sa mère…

— Qui est Jane Manus ?

— … payées dix livres de l'heure. Donc j'ai raté mon train et je suis montée jusqu'à la maison et j'ai frappé et c'est Sarah qui est venue ouvrir et je lui ai dit, j'ai entendu dire que vous cherchiez quelqu'un, je n'ai pas de qualifi…

— Qui est Jane Manus ?

— … qualifications ni d'expérience. Mais je sais bosser et j'aime bien les personnes âgées. Mettez-moi à l'essai. J'ai travaillé gratos pendant trois jours. Des demi-postes. Et moi et Mme Erroll, on a accroché toutes les deux et elle m'a donné le boulot.

Morrow jeta un coup d'œil à Leonard dans le dos de McKechnie et vit à son minuscule sourire qu'elle avait pris le parti de Kay.

— Madame Murray, vous ne comprenez pas bien ce qui se passe ici, dit Bannerman en levant la main pour la faire taire. C'est moi qui pose les questions, et vous répondez à ces questions parce que nous avons besoin de renseignements. Nous savons ce qu'il faut demander…

— Il vous faut le détail de toute ma carrière de femme de ménage ?

— Il nous faut du *contexte*.

Morrow l'avait déjà vu faire par le passé : il employait des mots que Kay n'était pas censée comprendre. La fraction de seconde nécessaire pour saisir leur sens précis lui donnait l'avantage en changeant la nature de l'entretien : ce qui était une conversation ne l'était plus, et le suspect perdait pied. Mais il n'avait pas bien pris la vraie mesure de Kay. Pas du tout, en fait. Elle était vive et comprenait vite.

— Votre contexte, vous le trouverez auprès de quelqu'un d'autre. Moi, j'ai des responsabilités. J'ai besoin que ça se termine vite, dit-elle.

— Eh bien, gloussa-t-il de façon déplaisante, je pense qu'il est juste de dire que ce sont nos besoins qui ont la priorité ici. Nous conduisons une enquête sur un meurtre…

— Et je vous aide en cela. J'en suis ravie.

— Vous n'en avez pas l'air.

À ces mots, Kay le regarda avec un dégoût non dissimulé.

— Et qui donc le serait ? Mes fils sont au rez-de-chaussée à attendre qu'on les questionne là-dessus. Quinze et seize ans. Ils ne devraient même pas savoir que ces choses-là arrivent. Et ne vous avisez surtout pas de leur montrer des saletés de photos de cadavres. Je vous ai déjà parlé à quatre reprises, c'est la quatrième fois.

— La troisième, dit-il en consultant ses notes. Nous ne vous avons parlé que trois fois. Les constables Harris et Leonard sont venus chez vous, vous avez rencontré Morrow et Wilder dans l'avenue et aujourd'hui.

Kay se rassit au fond de sa chaise et regarda la caméra en se mordillant les joues.

— Êtes-vous portée sur l'exagération, Kay ?

Elle ne répondit rien et Bannerman sentit qu'il venait de trouver un point faible.

— Avez-vous exagéré la richesse de Sarah lorsque vous avez parlé d'elle à vos garçons ? L'argent que vous gagniez chez elle doit vous manquer, non ? (Petit temps de silence.) Saviez-vous qu'il y avait de l'argent dans la maison ?

— Non.

— Vous ne dites pas la vérité, n'est-ce pas, Kay ? Vous deviez certainement savoir où se trouvait une partie de cet argent. C'est vous qui régliez les salaires des autres employées. Vous teniez les livres de comptes, nous avons comparé votre écriture.

— C'est Sarah qui me sortait l'argent. J'inscrivais le montant dans le livre de comptes et elle me laissait ce dont nous avions besoin.

— Elle vous laissait la somme exacte ?

— Oui, en liasses, pour une semaine. Je ne le touchais même pas, cet argent.

— Vous avez peut-être fait venir vos garçons sur votre lieu de travail, vous leur avez montré l'argent et ils sont montés là-haut pour s'en emparer, ils ont paniqué et c'est Sarah qui en a subi les conséquences.

— Mes garçons ne sont jamais venus sur mon lieu de travail.

— Bien. Voyons un peu. Combien gagniez-vous quand vous travailliez pour Sarah ?

— Dix livres de l'heure.

— Combien d'heures faisiez-vous par semaine ?

— Huit heures par jour, cinq jours par semaine.

— Donc, une quarantaine d'heures. Soit au total quatre cents livres avant les impôts ? C'est beaucoup. Était-ce beaucoup pour vous ?

Kay regarda la caméra, elle était triste.

— Madame Murray, était-ce beaucoup pour vous ?

Il lui demandait si elle était pauvre. Elle regarda ses mains.

— Oui, répondit-elle à voix basse.

À la suite de cela, elle parut se soumettre. Elle répondit aux questions par monosyllabes, releva rarement les yeux, cessant de faire appel à plus de politesse et de compréhension. Cet argent représentait beaucoup pour elle, mais elle se débrouillait. Elle ne recevait aucune pension des pères des enfants. Oui, ils étaient de pères différents. Oui, ils étaient tous nés à environ un an d'intervalle. Hormis un rictus de mépris, elle ne réagit pas quand il murmura qu'elle allait vite en besogne avant de lui demander comment ils se comportaient et s'ils séchaient l'école.

Morrow aurait pu rédiger un mot vite fait et envoyer Routher le porter dans la salle d'interrogatoire, pour informer Bannerman qu'elle était passée au domicile de Kay et que sa visite, ajoutée aux autres, était bien la quatrième : Kay avait bien dit la vérité. Elle n'en fit rien. Faire passer une telle note ne signifierait qu'une chose pour Bannerman : Morrow était du côté de Kay. S'il apprenait cela, il l'interrogerait encore plus fermement, non pas pour contrarier Morrow mais tout simplement parce qu'il croirait que Kay emportait les suffrages des personnes présentes dans la salle de surveillance vidéo.

Kay décrivit la mort de Joy Erroll d'une voix monocorde. La vieille dame se préparait à prendre son bain, Kay était seule et elle était partie chercher le palan en la laissant assise en peignoir dans la salle de bains. À son retour, Joy était tombée de sa chaise et elle l'avait allongée en position latérale de sécurité, mais c'était une méchante attaque, et elle était morte avant même l'arrivée de l'ambulance.

Bannerman lui demanda ce qu'elle avait fait alors, mais Kay était de retour dans la salle de bains et tenait la main sans vie de son amie.

Il dut tapoter la table pour la sortir de son rêve éveillé. Il l'interrogea sur l'argent sous la table.

— Sous la table ?

— La table de la cuisine. Dessous, nous avons trouvé sept cent mille livres sur une étagère.

Ce que fit Kay alors ne fut pas à son avantage. Elle ne s'exclama pas, ne parut pas surprise mais balança la tête en prenant conscience de la somme.

— Sept cent… ?

— Mille livres.

— Tant que ça ?

On vit Bannerman, de dos, bomber le torse.

— Oui, dit-il.

Il pensait avoir mis le doigt sur une chose importante, comprit Morrow. Une personne innocente serait restée bouche bée, elle aurait posé des questions sur la table.

— Saviez-vous qu'il se trouvait là ?

— Non.

Il feuilleta les photographies, les sortit de la chemise et les posa sur la table devant elle en lui montrant la première.

— Nous avons trouvé cette montre dans une chaussette sous votre lit. Où l'avez-vous eue ?

Elle prit le cliché et le regarda à son tour.

— Sarah me l'a donnée quand sa mère est morte.

— Comment ça se fait ?

— Après l'enterrement, elle m'a fait monter dans sa chambre et m'a montré une boîte à bijoux…

— Quel genre de boîte ?

— En soie verte, ancienne. Un peu dépenaillée.

Elle releva la tête pour savoir s'il voulait plus de détails.

— De forme hexagonale, ajouta-t-elle.

— Et qu'a-t-elle dit ?

— Prenez un objet.

— La montre était-elle le bijou le plus cher de la boîte ?

— Je ne sais pas. Je ne connais pas grand-chose dans ce domaine.

— Quel domaine ?

— Les bijoux Art déco.

— Mais vous saviez que c'était de l'Art déco ?

— C'est Sarah qui me l'a dit.

— Pourquoi avoir choisi cet objet-là ?

— La forme, répondit-elle avec une tristesse infinie.

— Mais vous ne la portiez pas ?

— Non.

— Pourquoi l'avoir gardée dans une chaussette sous votre lit ?

— À cause des cambrioleurs.

— Ceci (il posa la photo de la coupe émaillée devant elle et elle soupira), où l'avez-vous eu ?

— Mme Erroll voulait que je l'aie. Elle me l'a donnée parce qu'elle savait qu'elle me plaisait.

— Mais Mme Erroll n'avait plus toute sa tête…

— Et quand Sarah est revenue, je lui ai demandé si je pouvais la prendre. Elle a posé la question à sa mère et m'a dit oui.

— Et ça ? Le coquetier en argent ?

Kay secoua la tête.

— Je ne crois pas avoir jamais vu ça. Je ne sais pas d'où ça vient.

— Il était posé sur le haut d'un placard de votre cuisine. Ce n'est pas vous qui l'avez mis là ?

— Je ne sais pas quoi vous dire, répondit Kay, défaite, en s'affalant sur sa chaise. Il me faut une cigarette.

Bannerman arrêta, précisa à l'intention du magnétophone que la séance s'interrompait le temps d'une pause, et McCarthy se précipita dans la pièce pour emmener Kay fumer une cigarette.

McKechnie ne put s'empêcher de mettre son grain de sel.

— Morrow, faites examiner le coquetier, qu'on cherche les empreintes des garçons. Il est logique de penser qu'elle ignorait sa présence chez elle et que ce sont les garçons qui l'ont rapporté pour le cacher.

— Non, intervint Leonard. Il était couvert de poussière graisseuse. Il a laissé une marque sur le dessus du placard à l'endroit où il était posé. Il était là depuis des mois.

McKechnie leva la tête et la vit pour la première fois. Il s'attendait à la voir se ratatiner sur place devant lui mais ce ne fut pas le cas. Elle soutint son regard jusqu'à ce qu'il se lève et sorte de la salle. Morrow s'étira sur sa chaise et sourit. C'était bien agréable de voir quelqu'un d'autre merder.

27

Thomas descendit les marches dans le noir, en tâtonnant du bout du pied, Ella collée à ses basques.

— Tom ! Tom ! Allume la lumière ! dit-elle, excitée, effrayée, agaçante.

Mais la tirette de la lampe se trouvait au bas de l'escalier. Il glissa la main le long du mur en plâtre nu, ses doigts sensibles aux minuscules perles d'humidité exsudées par la terre des fondations, juste derrière.

Il tira le cordon.

L'ampoule clignota deux fois, deux éclairs de flash sur trois cercueils d'un blanc brillant explosant sur sa rétine avant que la lumière ne se stabilise. Ella s'était transformée en une autre, une fille qu'elle avait vue dans un film ou un ballet. Elle eut comme un haut-le-cœur devant les congélateurs, le souffle coupé, passa devant son frère en s'accrochant à son épaule comme pour se protéger. Cette nouvelle personne n'arrêtait pas de le toucher, pas dans le mauvais sens du terme, non, juste un peu collante, comme si elle faisait des pointes et avait besoin de lui pour garder l'équilibre. Il le supportait parce que ses sautes d'humeur envahissaient la place et il ne voulait pas l'indisposer.

— Qu'est-ce qu'il y a là-dedans ? demanda Moira, debout en haut de l'escalier, en montrant du doigt le congélateur rempli de plats préparés.

Ella souleva le couvercle et recula d'un pas à la vue de toute cette nourriture. Elle passa la main dessus, le givre craquant sous ses doigts.

— C'est quoi tout ça ? demanda-t-elle à Thomas avec un sourire.

— Tout ça, c'est de la nourriture, dit-il froidement. Moira, qu'est-ce qui te plairait ?

— Est-ce qu'il y a des pappardelle aux champignons ?

Il inspecta le dessus. Tout était proprement étiqueté. Rien de ce qu'il cherchait. Il souleva le panier pour regarder dans le fond. Cinq portions marquées pappardelle aux champignons s'alignaient dessous, bien rangées.

— Ouais, dit-il en plongeant la main pour ressortir trois boîtes. J'en ai trouvé.

Ella bondit, les lui arracha des mains et remonta les marches quatre à quatre en gloussant comme si elle venait de faire une chose très drôle et dangereuse. Elle contourna Moira d'un bond en lui riant au nez comme si elles étaient de mèche toutes les deux et disparut.

Moira sourit passivement. Lorsqu'elle tourna les talons pour rejoindre Ella dans la cuisine, son sourire s'évanouit et elle baissa les yeux avec tristesse, à croire qu'elle souriait de cette façon pour des prunes depuis longtemps.

Thomas referma le congélateur, tira sur le cordon de la lampe et remonta prudemment les marches. Moira et Ella se tenaient de part et d'autre de l'îlot en granit noir de la cuisine. Ella le vit ressortir et couina de plaisir en faisant un bond en arrière, l'air d'une enfant surprise dans sa cachette.

— Je ne te poursuis pas, Ella, dit-il calmement.

Ella attendit une seconde, regarda par la grande fenêtre et éclata de rire, comme si elle venait d'entendre la plaisanterie la plus drôle du monde. Moira sourit automatiquement, imitant la lampe dans le placard à vêtements.

— Qu'est-ce qu'il y a de si drôle, bordel ? demanda Thomas à sa sœur.

Ella s'arrêta de rire en tournant la tête de côté.

— Qu'est-ce qui te fait rire ?

Il traversa la pièce et se posta face à elle, au plus près, mais elle se contenta de fixer le vide par-dessus son épaule.

Thomas perdit patience, lui donna une bourrade à l'épaule, plus fort qu'il n'aurait voulu. Effrayé par la chaleur qu'il sentit monter à sa nuque, il s'écarta et jeta un regard noir à la nourriture congelée sur le plan de travail.

— La nourriture ? C'est la nourriture qui est drôle ?

Il en saisit une portion qu'il lui balança sans l'atteindre, et la boîte tomba lourdement avant de glisser sur le sol.

Ella ne bougea pas, mais son sourire disparut.

— C'est moi qui suis drôle ? lui cria-t-il.

Dans le silence de la cuisine, sa voix se répercuta sur les plans de travail en granit. Ella avait les doigts qui tremblaient.

— Putain, qu'est-ce qui tourne pas rond chez toi, espèce de conne givrée ?

— Tom, cesse de l'asticoter, dit Moira d'une voix soyeuse. Nous allons décongeler cela au micro-ondes et nous allons souper.

Une alarme très aiguë trilla gentiment.

— C'est quoi, ça ? demanda Ella.

Thomas revint vers la pièce en sous-sol et vérifia qu'il n'avait pas laissé la porte du congélateur ouverte.

— Non, dit-il.

— Une alarme de voiture ? suggéra Moira.

Ella montra le mur où une lumière rouge clignotait en rythme en même temps que les sonneries.

— C'est le téléphone fixe, dit-elle triomphalement.

Thomas alla décrocher.

— Tu vois ? T'es bien de retour dans cette putain de cuisine, Ella, pas ailleurs.

— Tom, dit Moira, si c'est un journaliste, tu raccroches aussitôt.

— Allô ?

Une voix de femme. Peu amène, apparemment.

— Ouais, bonjour. Qui est à l'appareil ?

— Thomas.

— Ouais. Serait-il possible de parler à un membre de la famille Anderson ?

Moira haussa les sourcils en guise de question.

— De la part de qui ?

— Je suis l'autre épouse de Lars Anderson.

— Ne quittez pas, dit Thomas en plaquant l'appareil sur son ventre.

— C'est qui ? demanda Moira en s'approchant, la main tendue, prête à prendre la communication.

Il força un petit sourire à ses lèvres.

— C'est juste Donny McD, de l'école, qui essaie de se faire passer pour un foutu journaliste. Je vais répondre dans le salon.

— Oh, fit-elle sans être dupe, en baissant néanmoins sa main avant de reculer. Et arrête de jurer, c'est vulgaire.

— Ouais, répondit-il en hochant la tête avant de sortir. Ne quittez pas.

Il gagna le salon, la main suspendue au-dessus de l'interrupteur. Il n'alluma pas et resta dans le noir.

— Allô ?

— Qui est au bout du fil ? voulut savoir la femme. Qui êtes-vous ? demanda-t-elle avec autorité.

— Je suis Thomas Anderson, le fils de Lars Anderson. Et vous êtes qui ?

— Je vois, je vois, je vois.

Une maîtresse femme, de toute évidence, au point qu'il se sentit un peu intimidé.

— Mon père m'a parlé de vous.

— Vraiment ? dit-elle en se radoucissant. Vous a-t-il dit que j'ai aussi un fils de votre âge ?

— Oui. Phils, c'est ça ?

— Oui, Phils. Phils…

— Mon père m'en a parlé.

Elle renifla en entendant la référence à Lars et marmonna quelque chose sur sa disparition, tandis que Thomas traversait la pièce pour se poster devant la fenêtre. Il faisait sombre et il avait plu. La pelouse était aussi luisante qu'une fourrure de blaireau. Il ne devrait pas se sentir intimidé. Il devrait essayer de parler normalement.

— Excusez-moi, mais comment vous appelez-vous ?

— Theresa.

Un prénom prolo, irlandais, mais elle lui donnait une sonorité espagnole en accentuant la première syllabe et en roulant le R. Th*er*esa.

— Et votre nom de famille ?

— Theresa Rodder.

Un patronyme qui n'avait rien de distingué, au contraire de sa voix. Il la voyait laisser tomber sa mâchoire en étirant la prononciation de son nom de famille.

— Th*er*esa, dit-il en imitant respectueusement son ton affecté. Puis-je venir vous rendre visite ?

Temps de silence. Il l'imagina complètement horrifiée à cette perspective, jusqu'à ce qu'il entende le tintement d'un verre contre une bouteille et le glouglou d'un vin, un bruit de liquide, en tout cas.

— Oui, Thomas, j'aimerais beaucoup cela.

Thomas colla sa joue contre la vitre froide de la fenêtre.

— Puis-je venir demain ?

— Absolument.

— Est-ce que Phils sera là ?

— Non, il sera à l'école.

— Oh, je vois. Comment s'appelle votre fille ?

— Betsy.

— Donc, Th*er*esa, quelle est votre adresse ?

Elle la lui donna. Il ne reconnut pas l'endroit mais se la répéta à plusieurs reprises dans le noir : 8 Tregunter Road, SW10. Elle raccrocha sans donner d'heure précise.

Thomas traversa la vaste pièce, en piquant une petite suée tandis qu'il essayait de se rappeler l'adresse en serrant le téléphone contre sa poitrine. Il gagna rapidement le bureau de Lars. En fait, ce n'était pas à proprement parler son bureau, rien qu'une grande pièce avec une énorme bibliothèque, même s'il ne lisait jamais. Le bureau y était assorti, en bois blond luisant avec des nœuds. De la loupe de peuplier. Thomas chercha un stylo dans le tiroir supérieur et nota l'adresse sur une carte de Lars estampée à son nom. Puis il appela le 1471 et obtint le numéro de téléphone, au cas où il se perdrait.

Tout en écrivant, son regard fut attiré par un objet noir brillant dans le tiroir. Il le sortit. Une peausserie fine et chaude. Le portefeuille de Lars. Lars l'emportait toujours avec lui. Thomas l'imagina exactement à cette même place, ses pieds à l'emplacement des siens, puis il referma lentement le portefeuille et le glissa dans sa poche revolver gauche, rien que pour voir. Il pesait, tirait sur son pantalon, mais son poids était un réconfort, comme un fragment de l'assurance de Lars. Soudain, celle-ci lui manqua.

La lumière s'alluma au-dessus de sa tête. Moira se tenait sur le seuil.

— Qu'est-ce que tu fais dans le bureau de papa ?

L'air de rien, Thomas plia la carte et la mit dans sa poche.

— J'ai égaré le numéro de Donny, j'étais venu le noter. Je lui ai dit que je viendrais le voir demain.

Moira croisa les bras, l'air sceptique.

— Pourquoi Donny n'est-il pas à l'école ?

— On l'a renvoyé dans ses foyers avant moi. Son beau-père a un cancer.

Elle savait que c'était un mensonge et plissa les paupières.

— Je ne pense pas un instant que ce soit Donny qui t'ait téléphoné. Pourquoi n'ai-je jamais entendu parler de la maladie de son beau-père ?

Thomas s'éclaircit la gorge sans conviction.

— Ils ne tiennent pas à ce que ça se sache. Ils se tracassent pour le prix des actions ou quelque chose.

Moira réfléchit à sa réponse avant de lui dire :

— Je ne te crois pas. C'est un mensonge éhonté que tu viens de faire, Thomas. Le cancer.

Thomas haussa les épaules et contourna le bureau.

Quand il ressortit en la frôlant au passage, elle souriait et entonna dans son dos :

— Je crois que quelqu'un a une petite amie.

28

Bannerman boucla vite fait les interrogatoires de Frankie, puis de Joe, mais il n'eut pas beaucoup à se forcer : ils ne disposaient pas de preuves ni de témoins contre eux et n'avaient rien de concret sur quoi fonder leur questions. La séance ressembla à une partie de pêche. Dans la mesure où il était déjà si tard, il leur consacra chacun vingt minutes pour leur demander où ils se trouvaient le soir du meurtre de Sarah, qui pouvait le confirmer et quelle tenue ils portaient ce soir-là, s'ils étaient jamais allés sur le lieu de travail de leur mère et d'où venaient selon eux le cendrier, le coquetier et la montre.

Les deux frères avaient passé le début de la soirée à la maison, puis ils étaient sortis, et dans la mesure où l'heure précise de la mort de Sarah Erroll n'était toujours pas déterminée, ils restaient des coupables possibles. Ni l'un ni l'autre n'avaient entendu parler d'argent dans la maison.

McKechnie était rentré chez lui en tirant la tronche, mais Morrow et McCarthy étaient restés dans la salle vidéo. Ils avaient regardé Kay au côté de Joe puis de Frankie. Ils la virent faire bonne figure en feignant d'être calme pour ses enfants, comme s'il s'agissait d'une affaire de routine : quoi de plus naturel que de les questionner au milieu de la nuit au sujet d'un meurtre brutal ? Les voyant effrayés, par deux fois elle avait répété la même phrase :

— Ils ont juste besoin de savoir que ce n'était pas toi, fiston, pour découvrir qui a fait ça.

Mais, même sur l'image pleine de grain transmise par la caméra placée haut sur le mur, il était visible qu'elle ne croyait pas un mot de ce qu'elle disait.

Joe s'en sortit très bien. Il regarda Bannerman bien en face et fit tout son possible avec Gobby en lui adressant directement ses réponses à deux reprises, mais en pure perte : Gobby ne sortit pas de sa coquille.

Frankie, son cadet d'un an, était moins mature. Il avait peur et accueillait les questions l'œil mauvais et le visage maussade, au point que sa mère dut à plusieurs reprises l'inciter à répondre. C'est pourtant lui qui aurait dû se montrer le moins réservé des deux car il avait un alibi : il travaillait. Il avait passé toute sa soirée à livrer des pizzas, assis dans une voiture en compagnie d'un gros lard du nom de Tam. Il fallait qu'ils soient deux parce que Tam était le beau-frère du propriétaire du magasin, il avait besoin de ce boulot, mais, comme il était trop gros pour monter les escaliers, il refilait une part de son salaire à Frankie pour qu'il fasse le livreur à domicile. Frankie gagnait dix livres par soir, plus une pizza une fois son travail terminé.

À la fin des interrogatoires, tandis que Bannerman expliquait à Kay et à Frankie qu'il aurait besoin de les revoir mais qu'ils pouvaient rentrer chez eux ce soir, Morrow sut au fond de ses tripes que les deux ados étaient innocents. Elle savait reconnaître une mascarade bien préparée entre membres d'une même famille : pas de regards entre eux, des réponses aux questions importantes apprises d'avance, souvent des phrases se faisant écho de l'un à l'autre. Lorsqu'il y avait collusion entre plusieurs suspects, aucun ne vérifiait sur son téléphone ni ne demandait à sa mère où il se trouvait le soir en question.

Il était minuit quand Bannerman coupa le magnétophone et éjecta la cassette, à classer parmi les pièces à conviction. McCarthy raccompagna Kay et ses fils jusqu'à la sortie, laissant Morrow seule devant l'écran de contrôle.

Bannerman et Gobby se levèrent avant d'étirer leurs jambes, décrochèrent leur veste du dossier de leur chaise et ramassèrent leurs papiers. McCarthy attendait près de la porte, mais Kay passa son bras autour des épaules de Frankie et l'aida à se remettre debout.

— Il se passe quoi, maintenant ? demanda-t-elle.

— Vous pouvez rentrer chez vous, répondit Bannerman, grand seigneur.

— Comment je peux rentrer chez moi ? J'ai laissé mon sac sur la table de la cuisine.

— J'ai ma carte de transport, m'man, lui dit Frankie.

— Mais ce n'est pas ça qui me permettra de rentrer, hein ? Ni Joe non plus. Comment je fais pour rentrer chez moi ? demanda-t-elle à Bannerman avec espoir.

Elle voulait qu'on la raccompagne en voiture. Elle se faisait de douces illusions, ça n'arriverait jamais.

Bannerman avait enfilé sa veste et franchissait le seuil.

— Vous ne pouvez pas prendre un taxi et payer quand vous serez arrivée ?

McCarthy toucha le coude de Kay et de la tête, lui fit signe de sortir.

— J'habite au huitième étage, le chauffeur ne me laissera jamais sortir de sa voiture.

— Envoyez un de vos garçons à votre place et restez dans le taxi.

Bannerman et Gobby se bousculèrent en les cognant au passage, elle et son fils, pour se dépêcher de gagner l'obscurité du couloir.

* * *

Morrow éteignit l'autoradio. Elle prenait l'avion de 6 h 30 pour Londres le lendemain matin et elle devrait rentrer à la maison, mais elle ne pouvait supporter l'idée de les laisser en plan, seuls sur la route. Le quartier était plutôt mal famé, des murailles de façades nues ponctuées d'allées sombres et de taillis sauvages au milieu de terrains vagues. Un endroit où il était dangereux de marcher la nuit. Elle les vit tous les trois, les deux garçons encadrant leur mère, qui descendaient la rue sombre, Kay la tête baissée, les épaules voûtées, recroquevillée sur elle-même, et Joe qui plaisantait en lui donnant un petit coup de coude. Ils prenaient au plus court pour regagner Castlemilk, à presque sept kilomètres de là. Kay n'avait pas l'argent pour un taxi.

Morrow les dépassa, s'arrêta et tira sur le frein à main. Elle ferma les yeux pour s'accorder une seconde de répit. La suite risquait d'être désagréable.

Lorsqu'elle les rouvrit, Joe la regardait par la vitre, le front soucieux. De la tête, elle lui montra la banquette arrière. Il se redressa et consulta sa mère à mi-voix. Kay se pencha à son tour, furieuse et les yeux mouillés, et se releva aussitôt en s'adressant à ses garçons.

Frankie ouvrit la portière passager et passa la tête :

— Qu'est-ce que vous voulez ?

— Je vous ramène chez vous.

Il claqua la portière, mais ils ne s'éloignèrent pas pour autant et chuchotèrent entre eux. Kay rajusta la sangle de son sac à main sur son épaule.

La portière arrière s'ouvrit et Joe fut le premier à monter en se glissant jusqu'à la vitre opposée, suivi de Kay, puis de Frankie. Une fois la voiture fermée, ils mirent leur ceinture et, malgré leur entassement, réussirent à les verrouiller.

Personne ne dit un mot avant Rutherglen. Morrow avait peur de regarder dans le rétroviseur. Elle voulait mettre la radio mais craignait d'entendre une musique entraînante qui risquait de la faire passer pour plus dure qu'elle n'était.

— C'est gentil de votre part, finit par dire Joe sans prévenir.

— La ferme, murmura Kay.

— Mais c'est vrai, m'man, c'est vraiment bien de sa part.

— Putain de saleté de trouduc.

Kay ne précisa pas qui des occupants de la voiture était la putain de saleté de trouduc, mais c'était inutile.

Le trajet parut très long. À un moment, Kay fondit en larmes et renifla en veillant à ne pas faire trop de bruit. Par habitude, Morrow jeta un coup d'œil au rétro et vit l'ombre du bras de Frankie se poser sur les épaules de sa mère. Elle détourna les yeux. Elle pourrait être chez elle. Elle pourrait être dans son lit chaud avec Brian, à faire le tri dans sa tête, à se trouver des justifications, à se convaincre qu'elle ne faisait que son boulot, rien de plus, et qu'elle était obligée de faire ces choix difficiles pour Sarah.

Lorsqu'ils arrivèrent finalement à l'escalier en bord de route qui conduisait aux grandes tours en surplomb, Kay dit, comme si elle était dans un taxi :

— Ici, ça ira très bien.

Morrow était trop fatiguée pour une prise de bec et ne répondit rien. Elle remonta la colline et s'arrêta.

Frankie ouvrit la portière et descendit avant même qu'elle n'ait tiré le frein à main. Kay le suivit. Il n'était pas dans la nature de Joe de s'en aller sans rien dire.

— Je pense sincèrement que c'était très bien de votre part. Merci.

Elle n'attendit pas de les voir ouvrir la porte de l'immeuble. Elle reprit la route, un peu trop vite.

29

Thomas s'engagea dans Tregunter Road et s'arrêta. Il serrait les poings dans ses poches, une suée furieuse lui picotait les paumes. De grosses voitures et de grosses maisons, avec de grandes fenêtres. Il avait espéré que ce serait un foutoir minable, un changement brutal de couleur locale comme il s'en produisait à Londres, au détour d'un coin de rue dans un quartier parfaitement correct et digne, quand on tombait soudain sur un trou à merde. Ici, c'était tout à fait le contraire.

Il venait de quitter une rue en arc de cercle aux demeures mitoyennes d'une opulence ridicule, qui avaient dû attirer les cambrioleurs comme des aimants, à les voir tapies craintivement à l'abri de leurs volets métalliques derrière leurs murs hérissés d'alarmes et de caméras vidéo. La rue qui se présentait à lui semblait plus humaine, des gens y vivaient.

Les maisons sur Tregunter Road étaient grandes, mais certaines étaient bâties accolées par deux et aucune ne disposait de garage : la plupart des jardins de façade avaient été convertis en places de parking. L'une d'elles disposait de deux interphones sur sa porte, signe qu'elle avait été transformée en appartements. Les portes avaient des boîtes aux lettres, leurs sonnettes tout à côté. Des étrangers au lieu pouvaient s'y avancer. Les gens qui habitaient là avaient des vies modestes et agréables. C'était là qu'elle vivait.

Thomas connaissait déjà le quartier. Lars aimait à l'emmener déjeuner à Fulham et, à deux reprises au moins, il avait commandé à son chauffeur de passer par là. L'itinéraire lui avait paru étrange sur le moment, ce n'était pas leur chemin. Il s'en souvenait car, pour une fois, Lars avait justifié son ordre, chose qu'il ne faisait jamais. Il avait dit qu'ils éviteraient ainsi la circulation sur Fulham Road et tous les putains de piétons de King's Road. Thomas se rappela avoir regardé les maisons jaunes en se demandant bien pourquoi Lars avait jugé bon de s'expliquer, avec ce petit sourire narquois aux lèvres.

Il comprenait, à présent. C'est là qu'elle habitait. L'autre Thomas – Phils –, c'est ici qu'il vivait.

Il n'y avait personne dans la rue. Thomas avançait d'un pas pesant, tête baissée, le visage caché par la visière de sa casquette achetée à un étal de marché devant la gare de Charing Cross, les yeux sans cesse à l'affût d'un mouvement ou d'un piéton éventuel. Il put ainsi remarquer que, là aussi, des caméras discrètes veillaient.

Il trouva le numéro 8.

Un muret en pierre le séparait de la rue. Dans le jardin en façade, apercevant un skate-board abandonné dans un buisson, il vérifia l'adresse une seconde fois : Ella et lui n'avaient jamais été autorisés à laisser traîner leurs affaires à la vue de tout le monde.

Mais c'était le bon numéro. La maison, mitoyenne d'un côté, était haute, en briques jaunes encadrées d'une bordure en plâtre blanc, comme toutes les autres dans la rue. Bel effet de les voir toutes pareilles, on aurait dit un uniforme. Les rideaux de la fenêtre en façade étaient ouverts, leur drapé d'une symétrie parfaite. Ce n'était pas elle qui avait fait ça. Elle avait toujours son personnel de maison.

Voyant une voiture approcher à un pâté de maison de là, il se dépêcha d'ouvrir la grille et d'avancer jusqu'au perron pour monter en trottinant les marches, comme s'il rentrait chez lui, avant le passage du véhicule.

Une porte noire avec de solides ornements en laiton : une boîte aux lettres, un judas et un heurtoir massif à tête de lion. Il n'entendit aucun bruit à l'intérieur de la maison et leva le heurtoir qu'il laissa retomber deux fois.

Un bruit de pas, la lumière qui change dans l'œilleton. Il avait présumé qu'elle avait du personnel, mais ce n'est pas la bonne qui ouvrit.

Elle était plus jeune qu'il ne s'y attendait. Mince, avec des seins d'une rondeur à éveiller les soupçons. Un pull gris clair sur un jean blanc. Les cheveux bruns tirés en arrière en queue de cheval et pas de maquillage. Il n'arrivait pas à imaginer Lars avec cette femme-là : elle ne paraissait pas assez guindée ni suffisamment âgée. Elle ressemblait à Sarah Erroll, sauf qu'elle était jolie et très grande.

— Bonjour ?

Elle ne le reconnut pas, mit une main sur sa hanche et soupira, agacée, voyant qu'il ne répondait pas.

— Écoutez, je peux vous aider ?

Thomas regarda derrière elle, dans le vestibule. Haut de plafond et imposant, avec de hauts rayonnages sur tout un pan de mur, mais, sinon, un vrai capharnaüm : des vestes d'adultes et d'enfants balancées n'importe comment sur des chaises et la rampe d'escalier, un téléphone sorti de son support gisant sur les marches comme si elle l'avait abandonné là au beau milieu d'une conversation pour une affaire urgente, tout à côté d'un mug avec une coulure marron séchée sur le flanc.

Thomas n'arrivait pas à se convaincre qu'il était bien dans la bonne maison. Aux yeux de Lars, toutes ces minuscules infractions étaient des crimes, des crimes abominables, des comportements qui déclenchaient des scènes terribles. C'était un formaliste absolu, un maniaque des convenances. Ella et Thomas n'avaient jamais la permission de jouer dans les pièces communes. Même dans leurs quartiers privés, dès qu'ils cessaient leurs jeux, ils devaient faire venir la bonne pour qu'elle range. Un jour, Thomas s'était fait chasser d'une pièce par un Lars hurlant, parce qu'il avait osé couper le nez d'un quartier de brie alors même qu'il n'y avait pas d'invités. Si, une fois ici, Lars n'était plus le même, cet homme-là, il tenait à le connaître.

Il leva les yeux vers le large escalier et soudain, surgissant de nulle part, il vit l'image de cette femme, son jean blanc éclaboussé de sang et son scalp arraché encore accroché à son crâne, Sarah Erroll après, mais seulement quelques détails d'elle, les entailles dans sa peau, les cheveux collés aux plaies ouvertes. Il eut la nausée, la peur au ventre.

La femme le regardait et son intérêt diminuait rapidement. Il se retourna vers le vestibule, convaincu qu'il s'était trompé de maison.

— O.K., dit-elle en commençant à rabattre la porte.

À cet instant, Thomas reconnut le modèle du mug, style Chelsea, et les rayonnages eux aussi en loupe de peuplier, comme dans le bureau de Lars à la maison. Il mit le pied dans l'ouverture, attrapa la porte et la rouvrit brutalement.

Le regard de la femme passa de sa chaussure à son visage. Elle était visiblement en colère mais ne cria pas.

— Désolée, dit-elle d'un ton léger, en le fixant droit dans les yeux, tandis que son bras droit disparaissait derrière la porte. Quel est votre nom ?

— Vous m'avez appelé hier soir, répondit-il.

Elle fronça le sourcil d'un air désapprobateur. Sa peau était incroyablement lisse, on aurait dit du papier. Il était incapable de lui donner un âge – elle paraissait jeune, mais s'habillait plus âgée, elle bougeait comme quelqu'un de plus vieux.

— Non, chéri, dit-elle lentement d'une voix traînante, je crois que tu n'es pas à la bonne porte.

— Mais je suis Thomas Anderson.

— Oh. Seigneur. Mon Dieu. Thomas !

Elle l'attrapa par la manche et le tira dans le vestibule.

— Je suis tellement navrée, je ne t'avais pas reconnu. Tu es plus grand que ton père. Et tu es beau.

Il vit ce qu'elle avait saisi derrière la porte : une batte de baseball, qu'elle tenait dans sa main. Elle la reposa à la même place.

— Comment es-tu arrivé ici ? Ta mère sait que tu es venu ?

Thomas restait parfaitement immobile. Le vestibule était sombre maintenant que la porte avait été fermée. Il ne bougea pas, prêta l'oreille, n'entendit pas le moindre bruit, pas de déplacements d'air ni de radio nulle part : il n'y avait personne dans la maison. Ils étaient parfaitement seuls.

Elle se toucha la poitrine, pressant la main au creux du coussin de ses nichons étrangement sphériques.

— Je suis Theresa.

Il regarda par-dessus son épaule en hochant la tête et prit son temps avant de marmonner :

— Putain de catholique.

— Pardon ? dit-elle en se penchant en avant.

Il ne voulait pas le répéter et se tut.

— Tu as demandé si j'étais catholique, c'est ça ? sourit-elle, hésitante, un peu nerveuse, voulant se convaincre qu'il ne s'agissait là que d'une petite pique ou une plaisanterie.

Il ne répondit pas.

— Eh bien, oui... je suis catholique, si c'est ce que tu veux savoir. Relapse, ajouta-t-elle en louchant presque, le visage ridiculement triste.

Thomas ne voulait pas la voir et gardait la tête baissée. Mais elle tendit la main et lui prit le menton comme elle aurait soulevé une patte de chien, en détaillant son visage, ses yeux, son nez, sa bouche, sa carrure.

— Tu ne ressembles pas du tout à ton père, dit-elle.

Elle grimpa dans son estime quand il entendit ça, alors même que la ressemblance avec Lars était bien là, il le savait pertinemment. Il tenait de lui ses bas morceaux, sa bouche en trait de crayon et ses sourcils broussailleux.

— Un petit peu quand même.

— Oui, peut-être un petit chouïa..., lui confirma-t-elle en plissant les yeux.

— Les enfants ne sont pas à la maison ? demanda-t-il.

— Non.

Elle bondit dans le vestibule et attrapa une photo : un garçon et une fille, tous deux avec des cheveux blond-blanc d'Aryen et une peau hâlée par le soleil. Le garçon était à peu près de son âge, en plus grand et plus beau. Il ne souriait pas mais affichait une assurance certaine, tout à fait justifiée, au demeurant. Probable qu'il connaissait des filles de son âge et se tenait au courant de la musique du moment, il devait aller voir des groupes en concert et des choses comme ça.

La fille était plus vieille qu'Ella, pas aussi jolie mais moins empruntée et pas du tout l'air givrée. Tous deux étaient debout, les épaules collées l'un à l'autre, deux amis sur une plage de sable blanc avec une mer d'un bleu de cristal en arrière-plan.

— C'est l'Afrique du Sud, ça ?

— Plett, oui, dit-elle en s'écartant de lui, sur ses gardes. Oui. La maison…

— Oh ! fit Thomas en regardant de nouveau la photo. Je ne suis jamais allé là-bas… j'étais en classe.

— C'est joli, mais je préfère la France.

— J'aime bien la France, dit-il d'une voix presque normale.

Elle lui sourit.

— Écoute, je suis désolée pour ce coup de téléphone. J'ai dû te paraître très… inamicale.

Il réfléchit une seconde et haussa les épaules.

— Il n'y a pas de problème, répondit-il en examinant l'agencement.

— Je ne croyais pas que tu viendrais… je pensais que tu serais à l'école.

Il eut un mouvement de recul.

— Je me suis fait virer et renvoyer dans mes foyers, expliqua-t-il, crispé.

— À cause de… ?

— Ouais.

— Pourquoi a-t-il fait ça, Thomas ? soupira-t-elle.

Il ne répondit pas. Il était convaincu que Lars s'était suicidé pour indisposer tout le monde, en particulier les hommes d'affaires qui avaient conspiré contre lui pour qu'on l'interdise d'exercice. C'était tout à fait son style. Rien que pour marquer un point, il avait mis sa propre mort à profit. Mais il n'était pas sûr que Theresa veuille entendre ça.

Il hésita si longtemps que c'est elle qui répondit à sa place :

— Il n'a pas pu supporter la pression.

L'interprétation était d'une gentillesse insigne. Finalement, elle ne devait pas bien le connaître, Lars. Il se mordit les joues, le regard furieux tourné vers l'intérieur de la maison.

— Pauvre, pauvre homme, dit-elle en se retournant à son tour. Thomas, je sais qu'il y a longtemps que tu es interne et c'est le genre de chose qui fait grandir très vite, mais réponds-moi, dit-elle très sérieusement, avant d'ajouter : est-ce que tu es trop mûr pour aimer les crêpes ?

* * *

Le restaurant de crêpes offrait un décor pseudo hollandais, des tables en bois garnies de sabots et de tulipes. Tout y était orange. Elle commanda trois cafés noirs pour elle et des gaufres au sirop pour lui. Elle ne voulait pas manger, lui expliqua-t-elle, mais lui piquerait volontiers un coin de sa gaufre si elle avait un petit creux. À voir son regard affamé qui suivait les assiettes pleines de nourriture servies dans la salle, il estima qu'elle avait déjà un creux mais devait suivre un régime.

On lui apporta ses gaufres sur un plat décoré d'un moulin à vent, et il les trouva délicieuses, son petit déjeuner était déjà loin. Il garda sa casquette à visière basse en mangeant tandis qu'elle buvait ses trois mugs de café l'un après l'autre.

C'est elle qui fit la conversation. Elle avait rencontré Lars il y a bien longtemps, au cours d'une soirée. Au début, il ne lui avait pas plu. Il ne cessait de corriger les gens, il parlait fort et elle l'avait trouvé ennuyeux et rustre. Elle avait décidé de rentrer et cherchait un taxi quand sa voiture s'était arrêtée, et il lui avait offert de la déposer. Convaincue qu'elle ne le reverrait jamais, elle lui avait répondu d'aller se faire voir, elle préférait rentrer à pied plutôt que de monter dans sa voiture. Il lui avait fait livrer des fleurs le lendemain, puis le surlendemain et ainsi chaque jour pendant une éternité. Elle dit à Thomas que ça commençait à bien faire, et il ricana, « Ah, ça, oui ! », elle ne savait plus où les mettre ! Elle vivait avec sa sœur et la maison croulait sous les roses qui se mouraient. Elles tombaient sur la moquette et faisaient des taches. Elle avait téléphoné à Lars pour lui dire d'arrêter et une chose en avait entraîné une autre… Elle parut honteuse à cet instant. Très longtemps, elle avait ignoré qu'il était marié, jusqu'à ce qu'elle tombe enceinte. Il pourrait peut-être mieux comprendre, lui dit-elle, quand il serait plus âgé, mais parfois, il arrive qu'on fasse des choses qui, vues de l'extérieur, ne sont pas bien, alors qu'elle n'avait jamais voulu faire de mal à quiconque.

Il acquiesça en silence, sentit les larmes monter, et elle lui reprit le menton pour l'obliger à la regarder.

— Tu comprends ce que je veux dire, n'est-ce pas ?

Il ne répondit pas, sans pour autant dégager son menton.

— Parfois, dit-elle gentiment, il est bien agréable de parler à quelqu'un qui n'appartient pas à son cercle intime.

Puis elle étendit les doigts et posa la main sur sa joue pour une caresse. Une main douce et chaude qu'il aurait voulu saisir, et après, il aurait pu tout lui raconter, à cette femme, lui parler de Sarah Erroll, qu'elle le conseille sur ce qu'il devait faire désormais, putain de merde.

Il ne bougea pas. Il se contenta de lui demander comment elle s'était sentie ensuite, lorsqu'elle avait réalisé que Lars était marié et avait déjà des enfants. Theresa répondit qu'à l'époque il n'avait pas encore d'enfants, Moira était seulement enceinte, comme elle. Elle avait été obligée d'accepter ce qui arrivait et d'aller de l'avant. Mais, voulut savoir Thomas, vous n'avez pas été furieuse contre lui parce qu'il vous avait mise dans cette situation ? Elle haussa les épaules. Certains individus font de vous leur complice, dit-elle, mais c'est une erreur de croire qu'ils agissent délibérément. Ce n'est même pas vous la fautive, c'est simplement dans leur nature, ils sont ainsi faits.

Thomas termina ses gaufres, et elle avait eu son content de café. Il régla l'addition avec l'argent pris dans le portefeuille de Lars et la vit regarder la liasse de billets neufs, les yeux rivés sur eux de la même façon que sur les assiettes de crêpes.

Ils sortirent se balader. Elle l'emmena faire un tour dans un magasin de meubles qu'elle aimait bien, puis ils allèrent dans une boutique d'antiquités en échangeant des commentaires sur ce qu'ils aimaient et détestaient. Ils traversèrent la rue et entrèrent dans une jardinerie où elle se lança sur le sujet tout en humant les plantes. Ses parents étaient des passionnés. Ils avaient eu un jardin d'ornement qui était resté ouvert au public pendant des années. Theresa lui expliqua qu'elle avait la main si peu verte qu'elle réussissait à faire crever des plantations de menthe. Il ne comprit pas bien ce que cela signifiait, mais il rit malgré tout, parce qu'elle riait. C'était bien agréable, on aurait dit deux amis. Si elle avait été sa mère, les choses auraient pu être différentes. Il aurait été calme et décontracté, il aurait fait du skate-board. Peut-être qu'il aurait eu des hobbies et plus de confiance en lui en se montrant moins godiche avec les filles.

Il se dit que sa présence devait commencer à lui peser. Ils étaient ensemble depuis presque une heure et demie quand il la vit consulter sa montre derrière les bonsaïs.

Soucieux de ne pas gâcher un aussi bon moment, il s'approcha d'elle pour lui dire qu'il devait rentrer. Pouvait-il la raccompagner chez elle ? Elle dit oui, ce serait un plaisir, et c'était très délicat de sa part de le lui proposer.

Sur le chemin du retour, elle glissa son bras sous le sien.

30

Le Walnut était situé dans la City de Londres, une rue en courbe bordée exclusivement de hauts immeubles de bureaux, sans la moindre devanture de boutique en rez-de-chaussée. Le club très sélect passait quasiment inaperçu, tout juste annoncé par une petite plaque sur le mur, illustrée par la gravure d'une noix et un bouton de sonnette. Ils montèrent une volée de marches de mauvais augure jusqu'à une porte gardée par un bodybuilder en costume sombre impeccable, à l'accent très classe, aux manières fermes et courtoises tout à la fois.

Il examina leurs pièces d'identité, appela pour vérifier que Howard Fredrick les attendait bien et les laissa entrer par la porte en velours vert cloutée d'un grand geste théâtral du bras.

Le club était minuscule, étonnamment étriqué pour un lieu public, une petite pièce, sans plus. Trois bancs semi-circulaires en velours noirs étaient installés contre un mur, accolés pour former une vague continue. Les autres murs complètement dégagés étaient en verre fumé, petite astuce de décoration qui créait une illusion de vie et de chaleur dans une pièce quasiment vide. Un homme de petite taille à la bedaine imposante assis sur le banc le plus éloigné écoutait, mort d'ennui, une très jolie jeune femme qui babillait d'un air enjoué entre deux gorgées de vin blanc. Devant chaque banc était disposée une petite table basse au plateau en verre opaque éclairé de l'intérieur, avec une découpe au centre destinée à recevoir un seau à champagne. Face aux tables se dressait un bar étroit bien garni, lui aussi en verre, lui aussi éclairé, ses lumières illuminant la femme préposée au service d'une lueur radieuse.

Dans sa tenue très sage, chemise blanche et tablier de barmaid noir, ses cheveux blonds remontés en queue de cheval dressée comme un panache, elle ressemblait un peu à Sarah, pensa Morrow : mince, le visage longiligne, le maquillage presque inexistant. Elle leur sourit, et sa surprise de voir Morrow et Wilder, complet et tailleur bon marché et coupes de cheveux très provinciales, s'effaça dès qu'elle s'avança vers le bar pour les accueillir, la bouche entrouverte sur un sourire qui ne demandait qu'à s'élargir, la main à plat sur le comptoir, ouverte à tous leurs désirs.

Howard Fredrick jaillit du fond de la pièce et fondit sur eux pour les intercepter. Le regard droit et plein de conviction, il leur serra la main avec chaleur et inclina la tête comme pour mieux graver leurs noms dans sa mémoire en les recevant comme le messie. Il leur montra du geste une porte sur le côté du bar et les invita dans son bureau.

Joli. Presque aussi grand que le bar, deux fenêtres donnant sur la rue, une superbe table de travail en noyer avec fauteuil assorti, un petit coffre-fort et des classeurs. Il les attendait : le dossier personnel de Sarah était posé devant lui, à côté d'un verre d'eau.

Il ne leur proposa rien à boire, pas même un thé, mais leur désigna les fauteuils qui lui faisaient face en s'asseyant à sa table.

— Merci d'être venus, dit-il, peut-être par la force de l'habitude. Vous vous intéressez à Sarah Erroll ?

— Oui, répondit Morrow sur la défensive, ne sachant pas bien comment reprendre les rênes ni même si elle le désirait vraiment. Elle travaillait ici ?

— J'ai son dossier, dit-il en ouvrant la chemise. Elle a travaillé ici sept mois avant de nous quitter pour regagner l'Écosse parce que sa mère était malade…

— Combien d'heures faisait-elle par semaine ?

— Cinq services par semaine, répondit-il après consultation du dossier. De sept à huit heures chacun.

— Quel était l'horaire de ses services ?

— De 20 heures à 2 heures du matin, dit-il en regardant Wilder. Notre licence nous autorise 4 heures, mais il est rare que nous restions ouverts aussi longtemps.

Wilder acquiesça sans mot dire, à croire que c'était la raison de leur visite et qu'il était satisfait de la réponse.

— Vous êtes souvent présent ? demanda Morrow.

— Chaque minute de chaque jour.

Il sourit à ses propres paroles, un sourire vide, et Morrow eut le sentiment qu'elle n'entendait que des réponses toutes prêtes, rien de plus.

— Est-ce que vous la baisiez ?

— Non, dit-il, pas démonté pour un sou. Je ne baise pas le personnel.

— Qui baisait-elle ?

Fredrick se recula contre le dossier de son fauteuil, croisa les mains sur son ventre et la regarda. Morrow lui rendit son regard. Il avait les cheveux teints en noir, peut-être pour masquer un peu de gris, mais, d'une certaine façon, ça lui allait bien, et une peau très olivâtre. Néanmoins, il n'y avait pas à se tromper : il était bien londonien, son accent juste assez prolo pour être authentique, mais pas suffisamment marqué pour qu'il ait choisi de l'adopter. Il avait la quarantaine, plutôt en forme physiquement, ni maigre comme un fumeur, ni mince comme un amateur de cocaïne. Il passait certainement beaucoup de temps à la salle de gym.

— Je ne garde pas de notes sur ce genre de choses, dit-il avec un rictus de dédain en touchant le dossier en kraft.

— Pourriez-vous me répondre sans réfléchir ?

— Non, fit-il, et elle sentit qu'il disait vrai. Je possède ce bar depuis neuf ans, nous employons toujours des filles dont l'apparence physique est quasiment la même et, pour être honnête, au bout d'un moment, elles se fondent en une seule comme un brouillard. Je ne me souviens guère d'elle.

Il n'ajouta rien de plus, croisa de nouveau les mains sur son ventre plat et haussa les sourcils en attente de la question suivante.

— Vous avez un numéro de sécurité sociale pour elle ?

— Elle a déclaré qu'elle était étudiante, dit-il en lui faisant passer une feuille de papier portant griffonné un numéro. Voici le numéro d'étudiante qu'elle nous a donné. UCL[1]. Vérifiez.

Elle comprit ce qu'il lui laissait entendre.

— Il est faux ? demanda-t-elle.

— Ouais, j'ai téléphoné ce matin, c'est celui de quelqu'un d'autre.

— Elle était amie avec d'autres filles ?

Il haussa les épaules et consulta son dossier.

— Elle a trouvé ce travail grâce à son amie Maggie, une ancienne camarade d'école.

— Où pourrions-nous trouver Maggie ?

— C'est elle qui est derrière le bar en ce moment.

— Elle travaille toujours ici ?

— Pas *toujours*, elle est revenue.

— Où est-elle allée ?

Il colla sa langue contre sa joue, l'œil amusé.

— Elle s'est mariée. Un gars qu'elle a rencontré ici. Et qui s'est révélé être un connard. Elle est revenue. Pour une période brève.

— Comment savez-vous qu'elle sera brève ?

Fredrick la regarda en la voyant pour la première fois. Il réfléchit un instant, pesant – elle le sentit – le pour et le contre, à savoir s'il serait sage de se montrer honnête avec elle.

— Pour être tout à fait honnête, je n'aime pas que les filles restent trop longtemps, dit-il en agitant vaguement la main. Ça rend le bar… trop fade.

— Elles finissent par s'ennuyer ? Leur travail s'en ressent ?

— Non, ce sont les clients qui s'ennuient au bout d'un moment. Vous savez, des filles dans une pièce, jour après jour, au début, elles la bouclent mais, passé un temps, elles se mettent à causer, et c'est elles le seul sujet de conversation, non ?

— De quoi parlent-elles ?

— De leurs problèmes, de leurs petits amis, leur famille, qu'est-ce qu'on en a à foutre ?

1. University College of London.

Il était clair que lui s'en fichait. Il semblait mort d'ennui rien qu'en faisant la liste des choses qui l'ennuyaient.

— Les hommes qui viennent ici veulent boire et oublier leur travail, beaucoup ont des épouses à la maison, ils ne veulent pas entendre ces conneries-là ici, pas vrai ?

— Que veulent-ils en venant ici ?

— Boire, trouver un peu de glamour, ne plus avoir à s'occuper de rien, répondit-il en gonflant la poitrine. Nous sommes un club privé plus qu'un bar, il faut avoir une recommandation pour entrer.

— Lars Anderson venait boire ici, n'est-ce pas ?

La question lui coupa complètement la chique. Il regarda de nouveau Morrow et Wilder, examina leurs vêtements, leurs chaussures, leurs yeux rougis et tourna la tête vers la porte.

— Rocco a bien vérifié vos identités, n'est-ce pas ?

— Le portier ?

— Ouais.

— Effectivement.

Il tendit la main, agita les doigts dans leur direction.

— Pourrais-je les revoir ? demanda-t-il.

Ils lui montrèrent leurs pièces d'identité officielles qu'il vérifia soigneusement : d'abord les photos, puis leurs cartes qu'il leur demanda d'enlever de leur étui pour en examiner le dos, allant même jusqu'à essayer de tordre celle de Wilder pour savoir si le plastique était de qualité. Il la lui rendit, apparemment content de lui.

— Savez-vous comment je reconnais que vous n'êtes pas journalistes ? leur demanda-t-il en faisant durer le plaisir.

— Non, monsieur Fredrick, dit Morrow, le regard incendiaire, plus qu'agacée, comment savez-vous que nous ne sommes pas journalistes ?

— Parce que c'est vous la chef, sourit-il. Une femme. Une femme enceinte.

Il se rassit bien au fond de son siège, très satisfait de sa déduction, alors qu'elle n'en avait strictement rien à branler de savoir si c'était sa qualité de femme, ou de femme enceinte, qui ne faisait pas d'elle une journaliste. Fredrick était propriétaire d'un club dont les gens voulaient être membres et il passait beaucoup de temps en compagnie de buveurs. Ces deux facteurs conjoints semblaient l'avoir conduit à se prendre, à tort, pour un personnage intéressant.

— Lars Anderson buvait ici, n'est-ce pas ? dit-elle, en reprenant sa même intonation pour lui montrer que sa patience avait des limites.

— Oui.

Elle le regarda. Il la regarda. Elle lui aurait volontiers servi le détail de sa journée, le réveil à 5 heures pour un départ à 6 h 30, les nausées, Wilder qui avait failli rater l'avion parce qu'il était allé aux toilettes, la chaleur dans le métro pour arriver en centre-ville, le bruit et les embouteillages de Londres à l'heure de pointe, et tout ça pour débarquer ici et se faire traiter comme si elle était envoyée par le service de nettoyage. Elle aurait pu expliquer à Fredrick les raisons pour lesquelles il devrait lui dire ce qu'il savait et lui signifier quelles seraient pour lui les conséquences s'il ne s'exécutait pas, mais elle se sentit mourir d'ennui à la simple pensée de lui remettre les pendules à l'heure. Aussi se rassit-elle au fond de son siège.

— Putain de Dieu, marmonna-t-elle en secouant la tête. Vous allez le cracher ou quoi ?

Fredrick apprécia, il sourit.

— Lui et Sarah ?

— Lui et Sarah, confirma-t-elle lourdement de la tête.

— Ils s'entendaient bien. J'ai vu sa voiture la prendre à la sortie du travail deux ou trois fois.

— Elle en a parlé ?

— Non. Elle n'aurait jamais fait ça. Discrète. Gentille fille, ajouta-t-il en hochant la tête.

— L'auriez-vous vue monter dans la voiture de quelqu'un d'autre ?

Il fit la moue, réfléchit.

— Non. Elle ne faisait pas l'escort quand elle travaillait ici.

Il comprit que Morrow était au courant.

— Vous saviez qu'elle était escort ?

— Oui. Elle est partie d'ici quand elle a commencé.

— Comment le saviez-vous ?

Il referma sèchement la chemise en kraft.

— C'est pour cette raison qu'elle est partie. Elle était là-dedans avec une fille, Nadia. Je savais ce qu'elle avait en tête. Je lui ai dit, pas ici, Sarah, je ne le permettrai pas. Si tu te lances là-dedans, tu peux foutre le camp. Ce qu'elle a fait.

— Qui est Nadia ?

Il regarda la porte derrière eux, refit la moue.

— Je peux la faire venir si vous le désirez.

— Pourquoi feriez-vous cela ? demanda Morrow, uniquement parce qu'elle voulait connaître la raison.

Il haussa les épaules.

— J'aiderai toujours la police si je le peux, répondit-il, incapable de la regarder en face.

* * *

Maggie Bref-retour-derrière-le-bar ne fut pas particulièrement bouleversée par la mort de Sarah Erroll. Morrow se demanda si elle avait compris que Sarah avait été assassinée, peut-être ne lisait-elle pas les journaux, mais, après l'avoir questionnée un moment, il apparut clairement qu'elle savait. Elle répéta ce qui se disait : c'est affreux, quelle abomination, mais son expression restait vide et apathique.

Maggie avait quitté le boulot pour épouser un homme d'affaires qu'elle avait rencontré là, quand elle travaillait au bar. Une soirée avait été organisée sur un bateau, et toutes les filles du Walnut invitées. Il avait deux ans de moins qu'elle et était déjà millionnaire. Elle croyait sincèrement qu'il allait faire un malheur. Mais il y avait eu le krach et il s'était débrouillé comme un manche en ne retirant pas ses billes à temps et, désormais, il n'avait plus rien, et même moins que rien, vu qu'il jouait leur propre argent. Elle était contente d'avoir pu retrouver son ancien travail. Howard était un bon ami. Elle semblait ignorer que c'était temporaire.

Morrow lui demanda comment elle avait connu Sarah.

— Nous étions à l'école ensemble, j'avais quelques années de plus qu'elle. Je l'ai rencontrée chez ma sœur, et elle cherchait du travail : elle avait ce qui fallait pour, et je savais que Howard cherchait quelqu'un. Je l'ai amenée ici et je lui ai obtenu un entretien. Elle a commencé le soir même.

— Quel genre de personne était-elle ?

— Quelqu'un de gentil, dit Maggie, sans expression aucune. Discrète, dure à la tâche, toujours prête à donner un coup de main...

— Comment était-elle à l'école ?

— Discrète, répondit-elle avant de rectifier. En fait, moi, je ne l'ai pas connue, il faut demander à ma sœur.

— Pouvez-vous me donner son numéro ?

Maggie dut sortir son portable de sa poche pour le trouver. Une fois que Morrow eut noté le numéro dans son calepin, elle releva les yeux et vit Maggie qui regardait le mur du fond du bureau – sa pommette éclairée de côté. Elle avait des rides d'expression et des plis sur le front, mais ils semblaient rassis et inutilisés, comme des traces d'expressions qu'elle ne retrouverait sans doute jamais. Morrow comprit soudain : la figure de Maggie était paralysée. Ce n'était pas une garce glacée, elle s'était fait injecter du Botox partout.

— Quel âge avez-vous ?

— Vingt-sept ans, dit Maggie qui rentra très lentement le cou dans les épaules en répondant.

— C'est bien jeune, remarqua Morrow d'un ton neutre, en se demandant bien pourquoi elle éprouvait une telle urgence à sauver cette fille d'elle-même.

Au fond des yeux de Maggie, Morrow crut entrevoir une brève lueur de dédain.

— Pas vraiment, dit-elle.

* * *

Fredrick était furieux contre Nadia, absolument furieux. Il la laissa entrer devant lui dans le bureau en la bousculant d'une poussée dans le dos, un rictus aux lèvres quand il désigna son fauteuil de bureau en lui ordonnant de s'y asseoir. Nadia le laissa faire son petit chef comme s'il s'agissait d'un jeu sexy. À voir son allure, elle aurait pu l'acheter et le revendre dix fois. Un long manteau de mohair blond jusqu'aux chevilles, peu de bijoux, rien qu'une parure, collier et boucles d'oreilles assorties, en or jaune, à motif en zigzag. Une peau cuivrée sans défaut, une crinière épaisse et somptueuse de cheveux noir et chocolat, rien qui fasse cheap ou perruque comme pour Jackie Hunter.

Lorsqu'elle s'assit, son manteau s'ouvrit sur une robe en lainage rouge, dévoilant des jambes et des genoux parfaits. Elle adressa un sourire plein de reproche à Fredrick.

— Êtes-vous Nadia ? demanda Morrow, avec le sentiment qu'ils devaient lui paraître bien ternes et très ordinaires tous les deux.

Nadia se tourna vers elle avec un sourire né d'une longue pratique.

— Je suis Nadia, effectivement. Howard me dit que vous aimeriez parler de Sarah et de son business ?

— Hmm, connaissiez-vous Sarah ?

Nadia chercha le regard de Fredrick pour savoir quoi répondre et n'y gagna qu'une grimace revêche.

— Non, je crains qu'il y a eu erreur de la part de Howard, malencontreuse, car je ne connaissais pas Sarah.

Son accent sonnait moyen-oriental ou brésilien, Morrow ne savait pas bien.

— Il a bien dit que vous la connaissiez.

Nadia chercha de nouveau son regard, un sourire dans les yeux.

— Arrête, bordel, dit-il. Elle est juste morte, bordel. Ce n'est pas toi qu'ils veulent.

Nadia lui concéda le point, toujours enjôleuse.

— O.K., Howard, voici la vérité : je la connaissais, elle était mon amie, O.K. ?

— Comment l'avez-vous connue ?

Elle agita la main par-dessus son épaule.

— À une soirée. Elle servait les boissons, Howard, il leur donne parfois du travail supplémentaire…

Ils se tournèrent vers lui pour confirmation mais il fusillait Nadia d'un regard noir.

— Donc on se rencontre, on cause, elle jolie et pas beaucoup d'argent, alors je lui dis comme ça, tu peux te faire un business, légal, sur Internet, personne connaît ton business, rien que des rencontres privées. *Juste pour le plaisir.*

Elle accentua la dernière partie de sa phrase comme s'il s'agissait d'un argument de défense absolu.

— Oui ? Pour le plaisir.

— Comment a-t-elle réagi à cette suggestion ?

Nadia jeta un coup d'œil à Fredrick.

— Très contente de ça…

— Non, c'est faux, intervint Fredrick. Elle était effondrée.

— Elle vous en a parlé ? demanda Morrow.

Mais Fredrick ne la regardait même pas.

— Nadia a beaucoup de mal à distinguer la vérité du fantasme. C'est un gros problème chez elle.

Nadia sourit tendrement au-dessus du bureau.

— Elle sait pas elle-même si elle raconte de foutus mensonges ou pas, c'est pas vrai, hein ?

À voir l'expression qu'elle lui lança alors, vieille comme le monde et aussi entendue, Morrow comprit que Nadia avait joué au chat et à la souris avec Fredrick. Et elle l'avait croqué.

— Pouvons-nous parler à Nadia en tête à tête, s'il vous plaît ?

Il n'apprécia pas. Réfléchit pour tenter de trouver un prétexte, puis se repoussa du mur avec les épaules, gagna la sortie d'un pas arrogant, se retourna pour dire quelque chose, y songea à deux fois, ouvrit la porte et sortit. La porte se referma.

Nadia fit la moue, en écho à celle de Fredrick un peu plus tôt.

— Il est très émotif comme…

— En effet, l'interrompit Morrow. Nadia, je me fous et je me contrefous de ce qu'il y a entre vous deux, et je me contrefous également de la manière dont vous gagnez votre vie, nous sommes bien d'accord, ma poule ?

Nadia la passa en revue, vit le tailleur bon marché et son ventre rond, les cheveux sans fioritures et en conclut qu'elles étaient tellement à l'opposé l'une de l'autre que Morrow ne serait jamais une menace. Elle hocha doucement la tête.

— Je veux savoir deux choses : comment elle s'est mise là-dedans et ce que représentait Lars pour elle. C'est clair ?

Nadia tira sur sa robe.

— Il était un de ses amis, Lars, un monsieur ami.

— Un client ?

Elle haussa les épaules pour dire oui.

— Il était bon avec elle ?

— Très bon, répondit Nadia, les yeux écarquillés.

— Non, je ne vous demande pas s'il la payait bien ou s'il lui offrait des cadeaux. Je veux dire, était-il bon avec elle ?

Elle haussa de nouveau les épaules, signifiant cette fois qu'il y aurait du vrai et du faux dans sa réponse

— C'est un homme riche, il est pas si bon mais pas méchant. Vous connaissez les hommes… comment ils sont…

— La misandrie, dit Morrow.

— Miss qui ?

— La misandrie. C'est le contraire de misogynie. Un préjugé aveugle contre les hommes fondé uniquement sur leur sexe. Ce n'est pas sain, Nadia. Difficile d'avoir une relation heureuse avec ça.

— Oh, dit poliment Nadia, ça, c'est intéressant. Je savais pas qu'il y avait un mot pour le dire.

— C'est bien le danger à long terme de votre profession, non ?

Elle secoua la tête.

— Je ne sais pas…

— Referez-vous jamais confiance à un homme ? lui demanda Morrow en se penchant vers elle.

Nadia constata qu'elle la comprenait un peu.

— Vous ne pouvez pas savoir à quel point l'argent attire…

— Les mineurs ont le cancer du poumon, dit Morrow en s'appuyant à son dossier.

Elles se sourirent un instant.

— Peut-être êtes-vous moins abîmée que moi : je suis officier de police, nous non plus, nous ne faisons pas confiance aux femmes.

Nadia sourit, réfléchit, pouffa discrètement.

— Même les filles qui font pas ça… tout le monde est pas heureux dans une relation. Au moins, quand je me sens seule, je me sens seule mais je suis riche.

— Comment était Sarah ?

— Une chouette fille. Elle voulait pas faire ça au début. Son choix, mais elle avait besoin de l'argent. Sa mère était malade, elle pouvait pas se permettre des aides à domicile. Elle m'a demandé comment commencer. Je lui ai dit.

— Que lui avez-vous dit ?

Un petit frémissement de regret à voir ses lèvres.

— Je l'invite à une soirée, avec des filles habituées. Elle baise deux mecs. Ensuite elle s'y met.

— Était-elle toute retournée ensuite ? Howard Fredrick dit qu'elle était effondrée.

— Elle était loin d'être heureuse, mais c'était pas du viol. Elle pleurait pas. Elle en avait marre après, mais on en a toutes marre après, au début. C'est un boulot dur. C'est pour ça que tout le monde le fait pas. C'est parfois très dur. Un boulot solitaire. Et y vous affecte.

Elle regarda Morrow.

— Mis-antrie, c'est ça ?

— Misandrie, la corrigea Morrow. Est-elle revenue travailler après cela ?

— Elle a fait deux services. Elle en parle à Howard. Il est furieux après moi. Y me dit de foutre le camp du bar après. C'est bête pasque c'est pas là que j'ai connu Sarah, je l'ai connue à une soirée, mais après il me fait, plus de soirées avec les filles, il savait pas qui elles allaient rencontrer et ainsi de suite.

Elle jeta un regard vers la porte.

— Il croit que c'est des purs-sangs, à voir comme il les traite.

— Le personnel du bar ?

— Non… c'est juste qu'il aime pas ce que je fais pour gagner ma vie.

Elle toucha ses cheveux, pour se calmer, et Morrow comprit que Nadia attachait de l'importance à l'avis de Fredrick.

— Vous et Howard… ?

Nadia plissa une seconde le front et fit oui de la tête à son épaule.

— On a été proches pendant un temps.

— Il est absolument furieux contre vous.

Elle regarda la porte pour vérifier qu'elle était bien fermée.

— Y peuvent me baiser, dit-elle d'une voix sifflante et rageuse, le visage dur plein de colère, mais y peuvent pas me posséder.

Elle se rassit au fond de son fauteuil et sourit à Wilder en reprenant son personnage d'escort-girl.

— Ça les rend dingues.

* * *

Les rues de la City étaient tellement silencieuses qu'on se serait cru à Glasgow pendant un match entre le Celtic et les Rangers. Quelques touristes suivaient la carte pleine de couleurs qu'ils tenaient à la main, prenaient des photos, filmaient avec leurs téléphones. Le peu de circulation se limitait à des bus et des taxis noirs.

Morrow fut heureuse de retrouver Heathrow, heureuse d'être assise dans la salle de départ en compagnie d'autres habitants de Glasgow qui rentraient au bercail, bronzés, en tenue d'été, parlant aux inconnus et riant bouche ouverte, surveillés par les équipages de cabine en bel uniforme élégant.

Assis à côté d'elle, Wilder lisait un tabloïd avec la même solennité qu'une bible, tandis qu'elle s'imaginait Sarah Erroll au cours d'une soirée, sur le dos, en train de penser à l'argent et à sa mère pendant qu'un homme d'affaires rougeaud la défonçait. Un accident du destin : Sarah avait besoin d'argent, elle était tombée sur Nadia, elle avait découvert qu'elle pouvait le faire. Au lieu de quoi, elle aurait pu aussi bien tomber sur un agent de change et s'apercevoir qu'elle était douée pour la Bourse.

31

Kay remua la clé en tous sens dans la serrure, ça ne marchait toujours pas. Elle essaya de la sortir et de la remettre à plusieurs reprises puis de souffler dessus. Toujours rien. C'était bien la première fois : la clé entrait parfaitement mais elle refusait de tourner. Elle eut envie de défoncer la porte des pieds, des poings ou d'un coup d'épaule.

Elle s'arrêta, reprit son souffle et se rappela à plus de mesure. La nuit précédente l'avait fatiguée. À leur retour, elle était passée chez la voisine récupérer Marie et John, avant de faire rentrer tout son petit monde et de l'envoyer au lit. Puis, une fois dans le canapé, elle était restée devant la télé, grillant cigarette sur cigarette jusqu'à cinq heures du matin. Elle savait que les petits ne dormaient pas, c'est tout juste si elle ne les entendait pas cligner des yeux dans le noir. À quatre heures moins dix, quand elle était allée aux toilettes, Joe et Frankie chuchotaient encore. Elle était revenue s'asseoir et avait bu de la tisane en continuant à fumer, incapable d'aller se coucher, à penser à sa famille, à réfléchir à l'impression que la police en avait retirée.

Elle savait qu'ils faisaient prolo, elle-même était parfois un peu débraillée, mais elle avait toujours pensé qu'ils étaient présentables. Qui sait, elle se trompait peut-être. Peut-être respiraient-ils l'envie, la convoitise, et la vulgarité ? Peut-être ressemblait-elle à une femme entre 45 et 60 ans. Frankie pouvait paraître un peu bizarre et John évoquer un violeur en devenir. Peut-être que Marie était grosse et Joe lèche-cul. Jamais encore elle n'avait connu pareille crise de confiance à l'égard de ses enfants. Elle en eut la nausée.

Pour se prouver à elle-même qu'elle était tout à fait présentable, elle s'était levée après trois heures de sommeil et les avait tous réveillés pour le petit déjeuner avant de les envoyer à l'école dans des vêtements propres et repassés. Puis, après s'être habillée, elle s'était brossé les cheveux avant d'aller prendre le bus pour Thorntonhall. Sur l'impériale, elle avait collé sa joue à la vitre branlante, ses cheveux imprégnés des haleines condensées d'inconnus, en se faisant le vœu d'écouter Margery sans rien raconter des événements de la nuit précédente. Elle lui tapoterait la main en lui disant de ne pas s'en faire. Elle s'oublierait, ferait son travail correctement et de bonne grâce.

Mais la clé de Margery ne marcherait pas. Quand elle rouvrit les yeux, elle avait pris plusieurs profondes inspirations et s'était un peu décontractée, en se tordant de côté pour faire face à la porte-fenêtre de la cuisine.

Margery l'observait, les bras croisés. Elle portait son pantalon jaune, celui qu'elle regrettait d'avoir acheté tellement il était cher mais qu'elle adorait. Elle le mettait rarement, uniquement pour les grandes occasions. Un pantalon pattes d'eph', passé de mode depuis trente ans.

Kay leva la main pour la saluer, mais Margery ne bougea pas, parfaitement dans l'alignement des vitres, en la regardant bien en face. Kay attendit qu'elle lui montre la serrure ou la fasse passer par la porte-fenêtre, au lieu de quoi Margery décroisa les bras en pointant le doigt vers la grille.

Kay se retourna. La grille était bien fermée, elle ne l'avait pas laissée ouverte. Mais Margery restait plantée sur place, raide comme un piquet, le doigt toujours tendu, en articulant silencieusement « *Non* », « *Partez* ».

Il y avait quelqu'un avec elle dans la maison.

Laissant tomber son sac en plastique sur les gravillons, Kay se précipita vers la porte-fenêtre et secoua la poignée, tirant alors qu'elle aurait dû pousser, pour tenter de l'ouvrir. Comprenant son erreur, elle tourna la poignée et poussa violemment, au point de cogner le battant contre le plan de travail.

— Sortez ! s'écria Margery en reculant, une main accrochée à l'évier.

— Qui est avec vous ? demanda Kay en se dirigeant vers le salon.

— Personne.

Kay s'immobilisa, prêta l'oreille. Elle connaissait bien les bruits de cette maison, et, hormis Margery, il n'y avait effectivement personne.

— Sortez.

Kay était en sueur, elle haletait et se sentait vulnérable devant cette femme debout, appuyée à l'évier, l'air décontractée.

— Pourquoi ?

Margery s'avança jusqu'à la table comme si c'était une urgence et rectifia légèrement la position d'un petit vase en cristal contenant une unique rose jaune. Elle regarda Kay, étirant les lèvres en un sourire sans pitié.

— La police est revenue. Vous savez pourquoi.

L'espace d'un instant, Kay n'entendit plus rien que le cognement sourd du sang dans ses veines. Elle le sentit dans ses joues, ses yeux, sur tout son visage.

Elle vit Margery Thalaine, plantée dans sa cuisine à trente mille livres, montrant les dents à sa femme de ménage, et elle comprit alors ce que cette femme avait devant les yeux : une ratée, une bonne à rien mal fagotée.

— Vous vous trompez, murmura-t-elle alors qu'elle aurait voulu crier. Ce n'est pas bien.

— Sortez, dit Margery d'une voix égale et indifférente, lui signifiant de ne plus revenir, ni demain ni jamais.

Kay aurait pu dire des choses qui l'auraient blessée, évoquer le fait qu'elle avait été son amie et s'était montrée beaucoup plus gentille qu'elle n'aurait dû à son égard. Le fait qu'elle lui devait encore de l'argent pour les serpillières et le détergent. Et même, à un moment de faiblesse, lui rappeler que M. Thalaine avait quitté Berlin en avion en 1938 et lui demander comment elle pouvait prendre le parti des autorités aussi facilement.

Mais elle n'en fit rien, trop bouleversée pour parler. Elle se contenta de sortir par la porte-fenêtre et la referma doucement derrière elle en fixant la poignée, sans regarder l'intérieur de la cuisine.

Puis elle alla jusqu'à la porte d'entrée et glissa la main dans les poignées de son sac en plastique qui se tendaient vers elle comme des mains d'enfant. Elle franchit la grille, la tête haute jusqu'à son arrivée au carré des poubelles au coin de la rue où elle alluma une cigarette. Elle se tourna vers la haie pour cacher son visage pendant qu'elle fumait.

Une profonde bouffée rêche arrêta les larmes qui se pressaient derrière ses paupières. Elle l'avait à peine exhalée qu'elle en tirait une seconde. Sa panique n'avait rien à voir avec l'attitude de Margery, sa méchanceté et son dédain pour l'avoir ainsi délibérément rabaissée. Elle était paniquée parce qu'elle avait perdu son emploi, avec quatre enfants à chausser et à nourrir, plus le loyer qu'il fallait payer et ces putains d'impôts locaux. C'était uniquement une question d'argent. L'argent, rien d'autre. Je peux me dénicher un autre boulot, se dit-elle, tout en sachant que des emplois comme celui-là ne couraient pas les rues : elle était bien payée, et les horaires lui convenaient. Un autre boulot, ça signifiait un poste de nuit chez Asda : elle ne rentrerait qu'au matin, et les gamins seraient livrés à eux-mêmes à la maison – elle ne pourrait même pas savoir s'ils s'y trouvaient réellement ou pas. Ou qui se trouvait avec eux.

Elle tira une autre bouffée. Non. Des boulots, il y en aurait d'autres. Elle avait toujours les Campbell. Peut-être connaissaient-ils quelqu'un qui avait besoin d'une femme de ménage. Peut-être.

Elle laissa tomber sa cigarette et constata qu'elle l'avait terminée en quatre bouffées. Impressionnant ! Elle l'écrasa, reprit son courage à deux mains, rectifia sa coiffure et emprunta l'allée qui conduisait chez les Campbell où elle passa par le jardin en évitant de marcher sur la pelouse jusqu'à la porte de la cuisine.

Molly Campbell s'y trouvait justement. Elle l'attendait, elle la guettait, et Kay comprit aussitôt. Margery était passée par là et lui avait cassé du sucre sur le dos : Molly allait lui redemander sa clé.

Avec un sourire pitoyable, Molly ouvrit sa porte.

— Bonjour, Kay.

Elle inclina la tête de côté, soupira et se recula pour la laisser entrer dans sa cuisine en lui montrant une chaise qu'elle avait écartée de la table. Kay s'y assit et essaya d'écouter pendant que Molly lui donnait son congé, en lui donnant le détail des impôts qu'elle payait, expliquant pourquoi il était préférable pour tout le monde que Kay ne revienne jamais ici. C'étaient les impôts : Margery avait expliqué que Kay « quittait » son emploi et que, sans ce travail-là, celui-ci n'en valait pas la peine. C'était mieux pour tout le monde. Elle avait sorti une assiette de biscuits.

Kay fit de son mieux pour l'écouter, mais le chagrin d'avoir perdu Joy montait dans sa poitrine comme une grande vague de chaleur et de désespoir. Elle sentait une petite main décharnée dans la sienne et voyait la dentition de Joy, jaunie par le thé, quand elle riait avec bonheur. À sa mort, il ne lui restait plus que cinq dents, on aurait dit de petites chevilles. Ses gencives avaient rétréci, et elle ne voulait plus porter son râtelier. Elle sentait son poids quand elle la soulevait pour la mettre sur la cuvette des toilettes, ses deux bras autour de son corps si frêle, les petits bras de Joy autour de son cou, et Joy qui, étonnamment à propos, se mettait à chanter un air de big band en prétendant qu'elles dansaient ensemble.

Kay fondit en larmes. Elle rassembla ses affaires, se leva, ouvrit la porte et sortit dans le jardin.

— Oh, non, dit Molly Campbell en voulant la rattraper. Kay, je suis tellement désolée, s'il vous plaît, rev…

— Non, ça va, répondit Kay en lui signifiant de la main de rester où elle était.

— S'il vous plaît, revenez, rentrez vous asseoir une minute.

— Non, non.

Regrettant la chaleur du corps de Joy contre le sien et tout cet amour qu'elle avait perdu, elle trifouilla dans son sac au milieu de ses larmes et finit par trouver la clé qu'elle déposa dans la main tendue de Molly.

— Ce n'est pas pour ça, dit-elle en se sentant ridicule – après tout, il ne s'agissait que de deux matinées par semaine, nom de Dieu –, ce n'est pas à cause du travail.

Elle se dépêcha de partir, à petits pas pressés, contournant une nouvelle fois la pelouse, ne cherchant qu'à s'enfuir au plus vite pour pouvoir cacher sa figure au reste du monde.

* * *

Elle fuma à l'arrêt de bus, chose qu'elle ne faisait jamais. Margery Thalaine pouvait passer en voiture et la voir, mais elle s'en fichait désormais, elle ne la reverrait jamais.

Elle réussit à ne pas pleurer, repoussant au fond de son esprit la pensée que c'était peut-être bien la dernière fois qu'elle venait ici. Elle n'avait plus de boulot dorénavant et ne risquait pas de trouver un travail chez Asda sans références. Peut-être que Molly aurait des remords et accepterait de lui en fournir.

Elle attendait, le visage engourdi par l'humidité de ses larmes, quand son téléphone sonna dans son sac à main. Elle ne répondit pas, attendit que le bus arrive et s'installa contre une fenêtre.

Donald Scott lui demandait de l'appeler, s'il vous plaît, en rapport avec le règlement de la succession Erroll. Elle dut fouiller sa mémoire pour retrouver qui il était. L'avoué des Erroll. Il venait voir Joy à la maison. Demandait toujours des biscuits avec son thé et ne les mangeait jamais. Il le prenait un peu de haut dans son message, parlait de la police, de la coupe et de la montre. Kay tança son téléphone d'un petit tss-tss de la langue. Comme si une coupe et une montre allaient faire la moindre différence dans le règlement d'une telle succession. Mais l'idée lui vint alors de l'appeler pour avoir une référence de sa part. Il savait qu'elle avait fait du bon travail avec Mme Erroll. Peut-être qu'elle pourrait obtenir de lui un bon certificat et se trouver un emploi dans une maison de personnes âgées. Elle pourrait même bénéficier d'une formation spécifique.

Espoir infime, mais il fit boule de neige : Scott était également homme de loi, la référence serait excellente. Elle regarda la route cette fois et ce paysage familier, les haies, les virages, les arbres. Apaisée, elle comprit où avait été son erreur : Margery regrettait de s'être confiée à elle. En acceptant de l'écouter, Kay avait franchi la limite qui séparait l'employée de la confidente, et il est toujours plus facile de justifier sa propre méchanceté à l'égard d'une amie intime. Margery devait probablement chercher une excuse pour se débarrasser d'elle, comme si on pouvait la nouer par les poignées avant de la balancer à la poubelle.

Ce boulot-là de toute façon se serait terminé dans peu de temps, dans tous les cas de figure. Margery était fauchée, et les heures de ménage chez les Campbell couvraient à peine ses frais de transport, ce qui voulait dire qu'elle aurait laissé tomber ça aussi.

Appuyée à son dossier, elle sentit dans ses poumons la brûlure des cigarettes et son chagrin. Un nouveau départ. Capable et compétente. Mère de quatre enfants. La seule ombre au tableau était la veille au soir. On viendrait les chercher pour interrogatoire encore une fois. Ça pouvait arriver à n'importe quelle heure du jour ou de la nuit. La police pouvait débarquer à l'école des garçons et les emmener. Elle pouvait arriver chez un de leurs amis et les embarquer : une marque infâmante qui vous restait collée aux basques quand on était ado. Elle songea aux enseignants qui regarderaient dès lors ses garçons d'un autre œil, à ses fils qui se retrouveraient exclus parce que leurs amis leur demanderaient de ne plus venir chez eux.

Kay décida de faire quelque chose, parce qu'on ne lui avait jamais enseigné à rester passive.

* * *

Elle était de retour chez elle, avec Frankie et Joe assis, pressés comme deux sardines devant la minuscule table de la cuisine. Joe et Kay avait pris les sièges, laissant Frankie perché trop haut sur un petit escabeau trop grand.

— Je sors cet après-midi, leur dit-elle avec conviction, sachant qu'elle donnait l'image rassurante d'une mère qui tient les rênes. Est-ce que vous savez ce que vous avez à faire ?

Frankie regarda la liste de ce qui l'attendait.

— Pour faire tout ça, ce n'était pas la peine de nous forcer à quitter l'école, m'man.

— Oui, dit Joe en consultant sa liste. La plupart de mes potes y sont encore et il va falloir que j'attende qu'ils sortent pour pouvoir aller leur parler.

— Les garçons, dit-elle, ne le dites pas aux petits, mais j'ai eu une belle frayeur la nuit dernière et j'ai besoin de régler ça aujourd'hui. J'ai téléphoné aux flics et on y retourne à l'heure du thé : il va falloir que vous soyez ici à quatre heures et demie pour prendre le bus ensemble.

Joe cligna des yeux devant sa liste et la regarda, perplexe.

— On sait que tu as eu très peur, m'man.

— On a tous eu très peur, ajouta Frankie tranquillement.

— Comment ça se fait que tu sois pas à ton travail ? lui demanda Joe.

Il n'était pas venu à l'esprit de Frankie qu'en temps normal elle était chez Mme Thalaine.

Kay voulut prendre une cigarette, changea d'avis et se retourna vers eux.

— Je vais changer de profession, dit-elle. Je vais devenir infirmière.

* * *

Kay descendit du bus à Squinty Bridge, et traversa le fleuve en direction de Bromielaw. Un vent tonique soufflait sur l'eau depuis la large étendue plate de Govan, remontant la barre des immeubles. Même à l'abri de la profonde porte cochère, il soulevait le pan de son manteau et rabattait ses cheveux sur ses oreilles. Les voitures passaient rapidement, pressées d'arriver à l'autoroute, cinq cents mètres plus loin.

Kay se dit qu'elle faisait une erreur mais elle appuya sur le bouton d'appel, malgré tout.

— Qui est-ce ? demanda une voix de femme dans l'interphone.

Kay donna son nom, et la femme lui demanda de répéter avant de raccrocher. Kay attendit. Un bus passa et ralentit, s'arrêtant à cent mètres. Elle songea une seconde à le rattraper en courant, mais l'interphone reprit vie en crachotant :

— Montez.

Elle regarda les portes en verre dans l'attende d'un signal quelconque, mais rien. Elle poussa du bout des doigts et le battant s'ouvrit sur le hall d'entrée.

C'étaient pourtant des appartements de prix dans ce bâtiment, mais l'entrée était dégoûtante comparée à celle de son immeuble. Elle se surprit à émettre de petits bruits déplaisants à la vue du sol gluant et des mégots dans les pots de plantes. Il devrait être interdit de fumer là, c'étaient des parties communes. Quelqu'un avait même fait des trous de cigarette dans les feuilles des plantes artificielles. Les gamins ne s'amuseraient pas à ça avec les leurs, ils se feraient courser immédiatement.

Elle monta dans l'ascenseur et se retourna face aux portes en attendant qu'elles se referment. Puis elle s'éclaircit la gorge et remit sa coiffure en place en voyant son reflet : une vieille, entre 45 et 60 ans, usée et mal fagotée. L'ascenseur s'arrêta, les portes hésitèrent une seconde avant de se rouvrir, et elle regretta soudain d'être venue.

Au début, elle crut qu'il s'agissait d'un autre hall d'entrée, aussi vaste et haut qu'un aéroport.

Un mur de vitrages sur une hauteur de deux étages offrait une vue imprenable sur l'aval du fleuve, face à la mer. Les murs environnants étaient en grès jaune, et il n'y avait pratiquement pas de mobilier, hormis un énorme canapé. Mais elle vit la femme, debout à trois mètres d'elle, dans la diagonale de la pièce. Un emplacement étrange pour accueillir quelqu'un qui sortait de l'ascenseur, l'œil ne s'y portait pas spontanément. Elle voulait que les gens la cherchent.

Cheveux décolorés, rouge à lèvres rose, talons. Elle agita la main comme une enfant en levant juste l'avant-bras, la tête ballant de gauche et de droite.

— Bonjour !

Kay acquiesça et regarda alentour à la recherche de quelqu'un d'autre.

— Je m'appelle Crystyl.

— O.K.

Putain, elle n'avait pas de temps à perdre avec ça. Elle voulait juste faire une bêtise, sortir de là vite fait, rentrer chez elle et fumer en paix.

— Danny se trouve dans son bureau, dit Crystyl en levant la main vers une porte sur le même mur que l'ascenseur.

Kay s'y avança. Comme elle était légèrement entrouverte, elle la poussa, et la femme se dépêcha sur ses talons branlants en faisant tout un cinéma.

— Je vais le prévenir...

Kay leva la main.

— Tout va bien, ma poule, dit-elle avant d'entrer au plus vite, pour échapper à la donzelle et à son baratin.

La pièce était basse de plafond, un repaire privé. Des spots halogènes saisissants au plafond. Une moquette épaisse, les murs habillés de rayonnages en pin avec, entre deux montants, un énorme bar avec miroir. La plus grande télé qu'elle ait jamais vue occupait tout le mur du fond. Les joueurs de foot avaient la taille des vrais sur un terrain.

Danny McGrath n'avait pas vieilli. Il n'avait pas passé de longues nuits à surveiller des poussées de fièvre qui n'étaient rien du tout, ne s'était pas attardé le soir pour coudre à la dernière minute des costumes pour les concerts scolaires. Il n'avait jamais fait deux services de travail d'affilée, le premier pour payer la nounou, le second pour régler le loyer. Il s'était fait plaisir et avait travaillé pour s'offrir ce qu'il voulait, comme cette énorme télé devant laquelle il se trouvait ou le fauteuil confortable en cuir qu'il occupait, étalé de tout son long. Les bouteilles d'alcool de prix, toutes pleines, étincelaient sur les étagères en verre derrière lui. Il avait l'air jeune, frais et dispos.

Il se redressa sur son siège en la voyant apparaître et utilisa sa télécommande pour mettre sur pause le match qu'il regardait. Il ne prit pas la peine de se lever et ne l'invita pas à s'asseoir. Il devait savoir que la visite ne durerait pas bien longtemps.

— Kay, ma belle, comment vas-tu ?

Elle garda les mains dans ses poches et admira en hochant la tête tout ce qu'elle voyait alentour.

— Joli, dit-elle.

Mais elle avait l'œil et savait reconnaître un mobilier bas de gamme fabriqué en usine qui ne durerait pas.

— Qu'est-ce que je peux faire pour toi ?

C'était une erreur. Elle commettait une erreur. Elle retint sa respiration.

Elle contempla le mur du fond et dit ce qu'elle s'était répété pendant le trajet en bus.

— Il faut que je te demande un service.

Ils échangèrent un regard. Danny fit oui de la tête.

— De quoi s'agit-il ?

— Ta sœur, dit-elle en fixant la blancheur lunaire de son ventre qui ressortait de sous son tee-shirt. J'ai besoin que tu lui parles. Elle veut mes garçons pour un truc et c'est de bons gamins, ils n'ont rien fait.

Danny s'éclaircit la gorge.

— Je vois pas Alex.

— Elle les veut pour un meurtre. Ce n'est pas eux qui l'ont commis.

— Kay, ma belle, je la fréquente pas. Je la laisse tranquille, elle s'écarte quand elle me voit.

Mais Kay avait les larmes aux yeux. Elle était stupide d'être venue là. Elle paniquait, elle était complètement stupide.

— On pourrait croire que comme elle attend…

Elle se mit à pleurer. Elle aurait mieux caché son désespoir si elle s'était trouvée face à quelqu'un qu'elle respectait.

Danny la regarda pleurer.

— Elle est de nouveau enceinte ?

— Des jumeaux.

— Je n'ai jamais remarqué…

— Ça se voit déjà.

— Ah, bon, mais elle avait un manteau, dit-il en jetant un coup d'œil vers la télévision.

— Tu vas rien lui dire, c'est ça ?

Il fit tss-tss, changea de fesse dans son fauteuil en cuir.

— Alex et moi, on vit dans deux mondes bien à part. Si je pouvais t'aider, je le ferais. S'il y a autre chose que je peux faire… Je paierai les avocats s'ils sont inculpés, qu'est-ce que t'en dis ?

Kay réussit à prendre une profonde inspiration. Sous ses pieds, l'épaisse moquette crissa quand ses fibres changèrent de position. Elle voulait fiche le camp de là. Elle n'avait encore jamais rien demandé à Danny, et c'était bien une erreur de venir là aujourd'hui.

— O.K., dit-elle en se reculant vers la porte.

— Seize ?

— Hein ? fit-elle, le souffle coupé.

— Il a bien seize ans, non ?

— Qui ça ? demanda-t-elle, la main sur la poignée.

— Joseph. Il a seize ans ?

— Ouais, répondit-elle en se retournant face à lui. Il a bien seize ans.

Ils se regardèrent tous les deux. Danny releva lentement ses sourcils.

— Tss-tss, lui fit à son tour Kay. Va pas te flatter, Danny. Joe est beau.

Mais Danny n'allait pas se laisser démonter. Elle ne le lui avait jamais dit, mais il savait pourtant que Joe était de lui. Il détourna la tête, se racla la gorge.

— Il est comment, comme garçon ?

Il pensait à JJ. Kay le vit soudain sous son vrai jour. Les yeux rouges, une bedaine bien installée, des chevilles un peu enflées. Danny : 45-60.

Kay s'approcha de lui et le fit sursauter en posant sur sa joue sa main en coupe.

— Danny, Joe est un garçon adorable, absolument adorable.

Puis elle prit sa tête entre ses mains en le voyant qui se retenait comme un enfant pour ne pas éclater en sanglots.

Gêné, il se leva, chassa ses mains et se mit de dos en reniflant pour s'essuyer la figure sur sa manche.

— Mon chou, dit Kay. Mon chou ?

Il ne pouvait pas se retourner vers elle.

— Quoi ?

— Je n'aurais pas dû venir.

— Non. Ça va.

Elle ouvrit la porte à la hâte tant elle voulait être sortie avant qu'il ne se reprenne, mais il était déjà à côté d'elle, avec une liasse de billets de vingt livres qu'il essayait de presser dans sa paume.

Kay regarda l'argent en gardant ses mains dans ses poches.

— Reste bien loin de nous, dit-elle avant de s'en aller.

32

Ils mangèrent leurs sandwichs dans le bureau de Bannerman pendant qu'elle l'informait du contenu de leurs entretiens au Walnut. Il n'écoutait pas. Elle décida de garder pour elle les détails de la fameuse première soirée de Sarah, trop intimes, estima-t-elle, pour les étaler devant quelqu'un qui s'en fichait complètement. Excité comme une puce, Bannerman attendait qu'elle eût terminé afin de lui présenter sa grande théorie, qui, visiblement, lui était apparue comme un trait de génie. Il ne voulait pas se laisser enfermer dans une accumulation sans fin d'informations qui finirait au bout du compte dans un mur : sa théorie était le moyen d'échapper à cette galère. Morrow était plus que dubitative.

Voilà ce qu'il suggéra : les garçons Murray étaient entrés par effraction à Glenarvon par la fenêtre de la cuisine, peut-être à l'incitation de leur mère. Une effraction serait la preuve que Kay n'avait rien à voir dans l'affaire puisqu'elle avait la clé. Ils n'avaient laissé aucune empreinte dans la cuisine. Ils avaient gravi les escaliers conduisant à la chambre de Sarah Erroll, et Frankie, le plus jeune, pris d'une envie soudaine, s'était précipité aux toilettes, dans la salle de bains. Il avait posé le pouce sur l'abattant de la cuvette en y laissant une empreinte parfaite. Puis les deux garçons avaient commis leur crime et jeté leurs vêtements sur le chemin du retour. Incapables de trouver l'argent, ils n'avaient emporté qu'une coupe et une montre. Le coquetier n'entrait pas dans le butin du vol : d'abord, il n'était pas en argent massif, mais simplement plaqué, et il traînait depuis des années sur le dessus du placard de la cuisine de Kay.

Morrow secoua la tête.

— Dire qu'ils sont entrés par effraction pour laisser croire qu'ils n'avaient pas les clés paraît un peu tiré par les cheveux. Peut-être que les coupables ne les avaient pas, les clés, tout simplement.

— Mais c'est pour nous mettre sur une fausse piste : on allait automatiquement penser qu'ils ne les avaient pas.

— C'est un peu sophistiqué pour des cambrioleurs qui ont complètement perdu les pédales et défoncé à coups de pied la tête de la victime, vous ne pensez pas ?

— Après quoi, ils ont paniqué et pris la montre et la coupe.

— Encore une fois, un peu sophistiqué. Et ensuite, ils vont mettre la montre dans une chaussette et utilisent la coupe comme cendrier.

Il vit clairement qu'elle était tout sauf convaincue.

— Elle a déclaré qu'ils n'étaient jamais allés là-bas, dit-il en lui faisant passer le cliché de l'empreinte. Nous avons trouvé la marque du pouce de Frankie sur le couvercle de la cuvette.

— Mais pas ailleurs ?

— Absolument nulle part. Ils portaient des gants ?

— Iriez-vous mettre des gants pour les enlever ensuite aux toilettes ?

Il avait préparé son coup, c'était visible à son sourire suffisant. Il tendit la main, la paume en bas, le pouce à son opposé, fit le geste de soulever un abattant contre une cloison. Il haussa les sourcils.

— Il a pissé. Une effraction, l'excitation, un besoin urgent…

— Il n'a pas pissé, dit-elle sans autre précision ; elle réfléchissait.

Harris aurait compris ce qu'elle voulait dire, mais, apparemment, pas Bannerman. Il était fréquent que les cambrioleurs et les voleurs occasionnels se vident les boyaux dans la maison qu'ils visitaient, souvent dans des endroits aussi bizarres que le sol du salon ou la cuisine. L'adrénaline remuait les tripes en accélérant les mouvements de l'intestin grêle. Habituellement, dès leur entrée, les intrus se sentaient si brutalement submergés par l'excitation qu'ils se montraient incapables de marcher pour trouver les toilettes et s'y rendre pour faire leurs besoins. Contrairement à ce que pensaient beaucoup de victimes, ce n'était pas une manifestation d'irrespect ni de défi. Rien à voir avec une déclaration délibérée, juste un impératif biologique. Il paraissait peu probable que les deux jeunes présumés coupables soient montés uriner dans une cuvette avant de tirer la chasse et d'aller commettre leur meurtre. En plus, les techniciens avaient bien trouvé des empreintes sur le téléphone, mais elles n'appartenaient pas à Frankie. Il l'aurait dit si ça avait été le cas.

Elle examina le cliché du pouce sur le plastique blanc. Incontestablement, c'était celui de Frankie : l'analyse agrafée au dos indiquait soixante points de comparaison établis, et ce n'était qu'un premier examen de routine.

— Elle déclare sur la vidéo que ses garçons ne sont jamais venus dans la maison, ajouta Bannerman.

Il avait raison, Kay l'avait effectivement dit, mais l'affaire était bigrement complexe pour ne la fonder que sur une empreinte.

— Shirley McKie, rappela tranquillement Morrow.

Il la regarda comme si elle l'avait menacé de lui coller son pied dans les couilles.

— Je précise simplement, ajouta-t-elle, que nous ne disposons dans le cas présent que de cette seule et unique empreinte. Il ne faudrait pas qu'un pareil mic-mac se reproduise.

Pour la police, le nom de l'inspectrice Shirley McKie était synonyme d'une histoire d'horreur. Elle appartenait à la Criminelle du Strathclyde, et l'empreinte de son pouce avait été trouvée sur une scène de meurtre où elle n'avait jamais mis les pieds. Un détail qui serait resté sans importance si les pièces à conviction de la police scientifique contre le suspect de ce meurtre ne s'étaient pas elles aussi limitées à une seule de ses empreintes sur le lieu du crime. La condamnation avait été annulée, et la suspension contestée de McKie avait plongé les services de police dans une spirale sans fin : s'ils ne parvenaient pas à prouver que l'homme mentait et qu'il se trouvait bien sur le lieu du crime, toutes les condamnations fondées sur des empreintes de suspect au cours des quarante années précédentes seraient remises en question, ouvrant la voie à un nouveau jugement sur de nombreuses affaires. C'était une ignominie, mais les grands chefs avaient décidé de jeter une des leurs dans la fosse aux lions. À la suite de quoi Shirley avait pris un avocat et été exonérée de toute faute ou accusation. Elle était ressortie libre du tribunal. Tout le monde s'attendait à ce que la même chose se reproduise.

Bannerman tourna une page de ses notes, il allait changer de sujet.

— L'« amie » de Leonard (il releva les yeux), est-ce qu'elle est…

— Est-ce qu'elle est quoi ? dit Morrow, agressive, comme si elle ne s'était jamais posé la question personnellement. Amicale ?

Il fit la grimace et laissa tomber.

— Mais quand même, à les voir, elles ne ressemblent pas à celles des films.

— Quoi ? Vous voulez dire se gratouiller l'une l'autre avec de longs faux ongles sales ? C'est quoi le problème avec son amie ?

Il n'apprécia pas de se voir soupçonné d'avoir eu accès à de la pornographie.

— Je l'ai eue au téléphone, elle nous prépare une présentation. Nous avons fait agrandir les photos et il semblerait qu'il y ait une marque sur une des deux semelles. Elle pense qu'elle sera capable de séparer les déplacements des deux meurtriers. Et de déterminer qui a fait quoi.

— Bien. Nous les inculperons tous les deux de complicité de meurtre si vous estimez qu'elle sera présentable à la barre des témoins.

— Elle glousse beaucoup.

— Ah.

Mauvais effet.

— À l'entendre, on lui donnerait quinze ans.

— Quel âge a-t-elle en réalité ?

— Vingt-trois ans. J'ai vu sa photo sur Internet.

— Est-ce qu'elle fait très jeune ?

— Sa photo sur Facebook la montre seins nus sur une plage. Mais elle a l'air vraiment jeune.

Ils ne pourraient pas la faire venir à la barre comme experte si elle paraissait jeune ou écervelée. Les jurés ne l'aimeraient pas, par association le dossier de l'accusation risquait de paraître inconséquent et les journaux adoraient avoir une excuse pour publier en page d'information une photo de fille aux seins nus. Ce qu'ils ne manqueraient pas de faire si son témoignage devenait pièce à charge pour l'accusation.

— Personne de plus présentable dans son labo que nous puissions utiliser ?

— Non, c'est elle personnellement qui met au point cette nouvelle technique, mais ça ne manque pas d'intérêt, apparemment. Pourquoi (Morrow réfléchissait à haute voix) refusons-nous d'envisager la possibilité d'un client qui l'aurait attaquée ?

Il hocha la tête, réfléchissant lui aussi à la question très sérieusement.

— Quelque chose qui tourne mal, un jeune homme peut-être, il n'arrive pas à bander, il est furieux contre elle, revient et la tue ?

— C'est une possibilité, non ?

— Non, c'est débile. Elle ne retrouvait jamais ses clients à son domicile et elle avait cessé de répondre à leurs mails. Le fait que ce soit arrivé dans sa maison signifie que ce n'est pas l'un d'eux, non ?

Un coup à la porte les interrompit, Harris ouvrit et passa la tête. Il fut incapable de regarder Bannerman.

— Madame, un journaliste au téléphone. Il veut parler à un responsable de l'enquête.

Il eut droit à deux regards peu amènes. Les coups de fil des journalistes, ils en recevaient tous les jours, et Harris était censé les filtrer et les adresser au service presse et médias.

— Il est de Perth.

— Pourquoi voudrais-je lui parler ?

— Il nous dit que Sarah Erroll n'avait pas sa culotte quand elle est morte.

* * *

Greum – il lui épela son prénom – Jones avait la voix d'un homme entre deux âges enthousiasmé par son travail. Il appartenait à un petit journal local, après avoir suivi une formation spécifique à la suite d'un licenciement dans une branche d'activité qui n'intéressait pas Morrow le moins du monde. Il avait des membres de sa famille dans la police. Il n'avait pas encore publié son article mais voulait transmettre l'information au cas où elle serait utile.

Il faisait un papier sur la fermeture d'un centre communautaire. En temps normal, il ne se serait pas donné la peine de se rendre sur place, ils n'étaient que quatre en tout dans son journal, et le temps leur était toujours compté, mais comme le centre était situé près du domicile de sa tante, il s'était dit qu'il en profiterait pour lui rendre une petite visite. Il y était donc allé. Le centre en question organisait des thés dansants pour les retraités mais avait dû y mettre un terme dans la mesure où le prêtre qui les organisait s'était enivré et avait emporté le peu d'argent liquide qu'il y avait pour s'acheter de la vodka. Une histoire qui pouvait faire du bruit.

Morrow commençait à se demander pourquoi elle avait accepté de répondre à ce coup de fil quand il en vint au fait : il était allé voir le prêtre en question et l'avait trouvé bourré, en pleurs devant un journal et montrant l'article sur le meurtre de Sarah Erroll. Il lui avait expliqué qu'ils étaient arrivés pendant qu'elle dormait et elle n'avait pas de culotte. Greum avait vérifié dans tous les articles publiés sur Sarah : aucun ne mentionnait ce détail. Est-ce qu'il avait raison ? Est-ce qu'elle dormait ? Est-ce qu'on l'avait retrouvée dénudée jusqu'à la taille ?

Une personne impliquée dans l'enquête avait parlé. C'était clair. Mais cela pouvait être n'importe qui : les agents ou les chefs aussi bien que l'équipe de scène de crime, les secrétaires, les scientifiques ou les médecins, absolument n'importe qui. Ils avaient pu parler contre paiement, ou alors il s'agissait d'un petit jeu de pouvoir lié à Bannerman et Harris.

Greum répéta sa question : était-elle nue jusqu'à la taille ? Morrow répondit qu'elle n'avait pas de commentaire à faire.

Le prêtre avait également insisté sur le fait que rien n'avait été volé dans la maison. Morrow commença à prendre des notes en écoutant. Ils lui avaient défoncé le visage à coups de pied jusqu'à le rendre méconnaissable, c'est comme ça qu'elle était morte. Et un bout de son oreille avait été arraché et se trouvait sur la marche sous son épaule.

Morrow se leva brusquement et se dépêcha dans le couloir, en direction de la salle d'enquête, où elle examina le tableau blanc et les photos de la scène de crime, en gardant tout ce temps Greum en ligne : elle lui demanda le nom du prêtre, où il travaillait, s'il était un habitué de la bouteille. Aucune des photos ne montrait le détail du lobe d'oreille. Elle retourna dans son bureau et sortit la série de clichés complète. Il n'y en avait qu'une avec le lobe en évidence. Elle avait été prise après que le corps de Sarah eut été déplacé. Et ces clichés-là, aucun flic ne les avait vus.

— Greum, je doute que cela puisse nous mener bien loin, dit-elle en essayant de garder une voix neutre. Ces faits sont dûment répertoriés.

Il fut déçu mais essaya de se montrer grand seigneur.

— Oh, vraiment ?

— Oui, je le crains. Mais merci beaucoup de nous avoir téléphoné.

— Bon, j'étais plein d'espoir, pourtant. Je pensais tenir un bon article.

— Allez, ne vous en faites pas. On dirait que cet homme a déjà suffisamment d'ennuis comme ça.

— Ça, c'est sûr.

Ils se dirent au revoir et raccrochèrent.

Morrow se rappela le bénitier derrière la porte à Glenarvon. Uniquement pour s'assurer que Greum n'était pas resté en ligne, elle en choisit une autre pour appeler les flics locaux et obtint un policier de son grade à Perth.

Le sergent Denny se montra revêche et ne l'aida pas beaucoup. Il accepta d'envoyer quelques agents parler au prêtre, mais il savait de source sûre que le bonhomme était un saoulard, et on ne peut quand même pas croire sur parole un prêtre ivrogne accusant quelqu'un, pas vrai ?

Elle raccrocha et alla voir Bannerman.

— Monsieur, dit-elle, hors d'haleine, en s'appuyant au chambranle.

Bannerman releva les yeux.

— Il y a à Perth un prêtre qui décrit par le détail les blessures infligées à Sarah Erroll…

Il se recula dans son siège, haussa les sourcils en guise de question et elle comprit ce qu'il lui demandait.

— Non, dit-elle, pas dans la presse, non. Je suis formelle, et même si l'amie de Leonard présente un risque de fuite, ce que le prêtre a dit n'est pas sur les photos.

— Et c'est ce que vous pensez ?

Son humeur semblait avoir changé du tout au tout depuis qu'elle avait quitté la pièce quatre minutes auparavant. Il était furieux, pas contre elle, mais contre quelqu'un de bien particulier.

Elle soupira et se laissa aller lourdement contre le montant de la porte. Elle n'était pas en position de le défier sur quoi que ce soit, moins encore sur ses états d'âme, mais elle fit non de la tête.

— Je vais à Perth...

— Non, vous n'irez pas.

— Je ne peux pas faire cette enquête si...

— Vous pouvez faire ce que je vous dis de faire.

Ils se défièrent du regard si longtemps que les jumeaux commencèrent à gigoter.

— Et vous me dites de faire quoi ?

— Nous poursuivrons la piste Murray jusqu'à ce que nous sachions ce qui s'est passé là-bas, répondit-il.

Morrow s'imagina un luxueux plafond vu depuis un lit luxueux.

— Monsieur, j'intègre l'information de Perth aux notes du dossier. S'il se révèle qu'elle est bien pertinente, c'est votre affaire.

Bannerman lui donna son congé d'un geste méprisant de la main, l'air de lui dire, foutez-moi le camp.

— Oui, pourquoi ne pas faire ça, dit-il.

Elle referma la porte avant qu'il ne change d'avis. Une fois dans le couloir, elle s'autorisa un petit sourire de triomphe.

33

Assise à la table à côté de Frankie, Kay patientait en examinant la pièce sans chaleur, aussi froide dans ses coloris que dans son mobilier. Toute l'architecture du bâtiment semblait avoir été conçue comme une déclaration d'hostilité, depuis les contreforts sur la rue jusqu'à l'austérité glacée du lieu où ils devaient attendre, chaleureux comme une cellule de prison.

Frankie était assis voûté sur sa chaise, le dos si rond qu'il en paraissait étrangement difforme. Elle suivit la courbure de son échine comme pour vérifier qu'il était toujours là, depuis la nuque jusqu'aux petits bourrelets sur les hanches. Ça, c'étaient les pizzas. Il en dînait trois soirs par semaine : il appréciait son travail et l'argent qu'il y gagnait, avec la sensation d'apprendre ce qu'il en serait d'être un homme et de faire son chemin tout seul. C'était un brave garçon. Elle lui frotta le dos, corrigeant sa posture sous le prétexte d'un geste affectueux. Il la fit cesser en se secouant et regarda la caméra au coin de la pièce.

— Non, lui dit-elle en pointant le doigt. La lumière n'est pas encore allumée, chéri. La caméra ne fonctionne pas.

Une fois certain qu'elle avait bien enlevé sa main, il s'affala encore plus sur la table, les mains écartées.

— Finissons-en au plus vite une bonne fois pour toutes, lui dit-elle, à moitié convaincue, ensuite on pourra rentrer à la maison et reprendre notre vie.

Il se tourna vers elle alors, scrutant son visage pour voir si elle croyait ce qu'elle disait, et comprit que ce n'était pas le cas. Elle haussa les épaules, exaspérée.

— C'était ton idée de venir ici, lui dit-il.

Kay leva les mains.

— Je me suis juste dit, tu comprends, on peut rester assis à la maison toute la journée, à se ronger les sangs et se faire embarquer à dix heures du soir, ou alors on peut venir ici à une heure raisonnable et boucler cette histoire.

Mais ce n'était pas tout à fait la vérité. Si elle se trouvait là en compagnie de ses garçons, lavée de frais et les cheveux bien coiffés, avec les papiers qu'ils avaient préparés et les déclarations qu'elle avait rassemblées, c'était aussi pour prouver à quelqu'un qu'ils étaient honnêtes et menaient une vie propre. Elle était suffisamment intelligente pour savoir à qui elle espérait en apporter la preuve.

— Je vais rater mon boulot, dit-il.

— Je sais, mon grand. (Rien que pour ça, elle ne l'en aima que plus.) Je sais. C'est juste un seul soir.

Ils entendirent du bruit derrière eux dans le couloir et tournèrent la tête pour voir apparaître l'homme, Bannerman, avec Alex Morrow trottinant derrière lui, les yeux au sol, une petite liasse de papiers devant sa poitrine. Kay se leva pour les accueillir et donna un coup de coude à Frankie pour qu'il se mette debout. Alex avait l'air toute petite et ronde aujourd'hui, derrière son chef grand et mince, et Kay se demanda s'il savait qu'elle les avait ramenés chez eux dans sa propre voiture. Probablement pas.

Il s'assit le premier, suivi par Alex, mais l'un et l'autre gardèrent les yeux baissés, sans croiser le regard de Kay ni celui de son fils, sans dire bonjour, ni merci d'être venus, ni rien. Ils s'occupèrent de leurs cassettes. Une femme entra, vérifia la caméra, leur dit que c'était bon et sortit sans même jeter un coup d'œil à Kay.

Ces gens étaient des ignorants. Voilà la seule manière d'expliquer leur manque de chaleur humaine ou de politesse élémentaire. Margery Thalaine, Molly Campbell, Alex Morrow et cette tache assise à la table. Des ignorants.

L'homme se présenta une nouvelle fois, Bannerman, au cas où ils auraient oublié. Il dit qu'il s'agissait d'un entretien non officiel et les remercia de leur venue, mais la reconnaissance ne l'étouffait pas, apparemment, et à voir son air ledit entretien non officiel ne risquait pas de se dérouler à la bonne franquette. Frankie avait le visage couvert de plaques roses et se grattait la main. On aurait dit un coupable.

Sa mère lui donna un coup de coude à la taille, l'obligeant à se pencher vers elle, et lui dit de se redresser. Il lui jeta un regard furieux, et elle se rasséréna, c'était mieux.

— Tout d'abord, dit Bannerman comme s'il s'agissait d'un détail de rien, quelle est votre pointure ?

Frankie se tourna vers Kay.

— Quarante et un, lui dit-elle.

— Je fais du quarante et un, répondit-il en relayant l'info.

Bannerman prit note. Il voulut une resucée de son emploi du temps le soir où Sarah avait été tuée : où il était allé, combien de temps il avait passé à ses diverses activités. Frankie lui tendit la chemise rouge flambant neuve que Kay lui avait remise.

— C'est quoi, ça ? demanda Alex.

— Euh... (Il se tourna une nouvelle fois vers Kay, qui préféra le laisser répondre tout seul.) C'est... euh... des trucs que ma mère m'a fait...

Frankie était passé dans l'après-midi chez Pizza Magic afin d'obtenir une photocopie de leurs reçus de livraison pour ce fameux soir. Fat Tam lui avait rédigé une déposition par écrit, un petit mot plutôt, disant que Frankie était resté avec lui toute la soirée et qu'il n'était jamais sorti de la voiture pendant plus de dix minutes. Le texte avait été écrit au dos d'un formulaire de commande de pizza, sur un papier bon marché destiné à se replier en deux sur un carbone, et il n'avait pas l'air très officiel. Mais Tam l'avait paraphé d'une belle signature fleurie, comme si le bout de papier devenait ainsi une preuve digne de ce nom. Il disait également, et il l'avait souligné, que le frère de Frankie n'était jamais monté dans la voiture avec eux deux et qu'ils ne l'avaient pas vu de la soirée.

Bannerman regarda la déclaration de Tam, un rictus au coin des lèvres. Il le déplia et finit sa lecture. Ses sourcils montèrent au plafond quand il vit la belle grosse signature de Fat Tam.

— Ceci, dit-il en levant le bout de papier, est non seulement inutile, c'est grave. Vous n'avez pas le droit d'aller demander aux gens de vous rédiger des déclarations.

— Et pourquoi pas ? demanda Frankie sur la défensive en touchant la chemise rouge.

— Parce que cela pourrait être perçu comme subornation de témoin.

— Qu'est-ce que je suis censé faire alors ?

— Laissez-nous faire notre travail, tout simplement, répondit Bannerman avec un petit sourire amer, d'abord à Frankie, puis à Kay.

— Chez nous, les flics ne le font pas, leur travail, dit Frankie à Alex d'un air mécontent, redevenu lui-même.

Avec un coup d'œil sur sa gauche, là où la caméra filmait, Alex tendit le cou vers lui pour l'encourager et lui signifier de poursuivre.

— Quand il y a un cambriolage dans les apparts, ils envoient qu'un seul agent pour prendre les dépositions et regarder les portes et tout ça, et on a découvert que ça voulait dire qu'ils ne traitaient même pas la plainte pasque ça faisait baisser leurs statistiques.

Bannerman ouvrait des yeux comme des soucoupes, ce n'était pas du tout ce qu'il voulait entendre.

— En quoi est-ce pertinent… ?

— Alors vous m'excuserez, l'interrompit Frankie, quinze ans et déjà grand seigneur, si je parais un peu méfiant quand vous me dites de « vous laisser faire votre travail », parce que l'expérience que j'ai de la police a surtout été mauvaise.

Alex se recula sur son siège.

— Existe-t-il des traces écrites de ce que vous avancez, Frankie ?

À entendre la façon dont elle avait posé sa question, Kay comprit spontanément qu'Alex avait bien mis son nez dans cette histoire et savait désormais que les traces existaient bel et bien. Elle sentit brusquement monter en elle un grand élan de gratitude.

— Une déposition a été enregistrée, oui, au poste de police du quartier…

Bannerman se pencha entre les deux interlocuteurs.

— Nous ne sommes pas ici pour parler de ça.

Frankie, le bec cloué, regarda Kay. Il lui avait fait confiance pour la chemise et, d'un seul coup, tout ça ne servait à rien. Elle ne savait plus que faire.

— Est-ce que vous êtes proche de votre frère ? reprit Bannerman, d'une voix telle que sa question sonna comme une menace.

— Oui, répondit Frankie, de nouveau inquiet.

— Diriez-vous que vous êtes très proches ?

Un ton sinistre cette fois, et Frankie hésita.

— Oui, je dirais ça.

— Vous traînez vos guêtres ensemble ? Vous faites des trucs ensemble ?

— On partage la même chambre. On a pas le choix.

— Vous avez les mêmes goûts, les mêmes idées ?

Frankie haussa les épaules, ne comprenant pas bien.

— Je suppose, dit-il.

Bannerman hocha la tête et nota quelque chose. Alex se mouilla les lèvres.

— Vous portez les mêmes vêtements ?

Frankie le regarda. Puis Alex et enfin sa mère, et ses inquiétudes disparurent d'un coup. Il se mit à rire, comme un gamin joyeux.

— Qu'y a-t-il de si drôle ? demanda Bannerman, parfaitement impassible.

— Quoi ? Vous voulez parler des chaussures que vous nous avez prises, nos tennis ?

— Oui, vous portiez les mêmes tennis, vous vous habillez pareil ?

— J'ai quinze ans, répondit Frankie, toujours rigolard.

Il se tourna vers Kay, plein de respect, mais sa mère aussi souriait : il n'y avait rien de drôle, elle était juste soulagée de voir son gamin guilleret d'un coup.

— Monsieur Bannerman, dit-elle, je suis leur mère. C'est moi qui leur achète leurs vêtements.

Il parut gêné.

— Où avez-vous acheté ces tennis-là précisément ?

— J'en ai pris quatre paires chez Costco. Une pour chacun.

Il nota.

— D'ailleurs, reprit-elle, ils sont vachement contents que vous les ayez prises parce qu'ils les détestent, ces tennis, tous autant qu'ils sont.

— M'man, on dirait des chaussures orthopédiques, lui dit Frankie.

— Elles sont bien faites, répondit Kay, et elles sont imperméables.

— Les ados se fichent bien qu'elles soient imperméables, m'man. C'est des godasses de naze.

— Très bien, dans ce cas.

La mère et le fils se souriaient et Kay vit qu'Alex souriait avec eux.

— Les nazes n'auront pas les pieds mouillés.

— T'as aucun style, m'man. C'est pour ça que je me suis trouvé ce boulot, pour nous acheter des tenues décentes.

Nouveau grand sourire entendu. Il ne dépensait jamais son argent en fringues. Il le claquait toutes les semaines en sortant ses frères ou sa sœur, ou en achetant des films à prix réduits, mais c'était un tel soulagement de pouvoir se parler.

Très agacé, Bannerman reprit la direction des opérations, cherchant à connaître d'autres détails, mais le mauvais charme était rompu. Frankie avait retrouvé le giron de sa mère et repris confiance, de nouveau tel qu'en lui-même.

Non, il n'avait jamais fait partie d'une bande. Il ne manquait jamais l'école. Il coopérerait de toutes les façons possibles. Il serait heureux de les accueillir à la maison si nécessaire, ils pourraient fouiller ses affaires s'ils le désiraient, interroger qui ils voulaient à son sujet.

Alex lui demanda s'il était jamais allé à Perth, ce que Kay trouva plutôt étrange. Bannerman également, apparemment, car il l'écouta poser des questions sur le sujet et s'intéressa aux réponses du garçon. Frankie n'était jamais allé à Perth. Il ne fréquentait pas d'église, même s'il était allé à une soirée disco à la loge orangiste locale deux ans auparavant, mais c'était uniquement parce que son copain avait des tickets et est-ce que ça comptait, ça, comme fréquentation d'église ? Alex lui répondit que non. Frankie parut gêné et dit qu'il n'irait plus aujourd'hui, estimant que ce n'était pas bien. En fait, maintenant, il était supporter du Celtic[1], ils pouvaient demander à qui ils voulaient.

---

1. À Glasgow, il y a deux équipes de football : le Celtic, soutenu surtout par les catholiques, et les Rangers, par les protestants.

— Est-ce que vous êtes autorisés à poser des questions sur la religion ? intervint Kay.

— Ouais, répondit gentiment Alex. Vous pensez aux entretiens d'embauche, pendant lesquels il est interdit d'interroger un candidat sur sa religion ?

Bannerman demanda à Frankie s'il était déjà allé à Glenarvon. Rien qu'une fois, dit-il. Et c'était quand ? En milieu de trimestre, Mme Erroll venait de décéder, et de toute façon, il n'avait pas cours. Il était allé à l'enterrement et ils étaient partis de la maison parce qu'il y avait de la place dans la voiture. La vieille dame n'avait pas beaucoup de famille et sa mère était tellement bouleversée qu'il avait tenu à l'accompagner.

Par ses questions, Bannerman laissa entendre que c'était un point absolument essentiel de l'entretien.

— Où êtes-vous allé dans la maison ?

Frankie ne se souvenait pas. Ils étaient restés dans la pièce de devant la majeure partie du temps…

— Êtes-vous monté à l'étage ?

Frankie fit oui de la tête.

— Quoi ? fit Kay. À quel moment tu es allé au premier ?

— J'ai été aux toilettes.

— Comment ça ?

— J'ai pas réussi à trouver celles du rez-de-chaussée.

Bannerman lui posa alors des questions très personnelles : comment avait-il fait ses besoins, s'était-il assis ou était-il resté debout ? Frankie se sentit gêné, parce que sa mère était présente, mais il répondit malgré tout : il était resté debout. Est-ce que l'abattant était fermé quand il était entré ? Il ne se rappelait pas. D'habitude, quand il urinait, levait-il l'abattant ? Il supposait que oui. Kay vit sa main droite se soulever sous la table quand il y réfléchit.

Ils s'arrêtèrent brusquement à ce moment et firent sortir Frankie. Joe entra à son tour et s'assit à côté de sa mère.

Elle vit tout de suite qu'il manquait d'assurance, parce qu'il lança sa grande offensive de charme. Il serra la main d'Alex et de Bannerman en leur demandant comment ils allaient. Alex sourit et répondit qu'elle allait bien, et lui ? Joe se méprit et répondit qu'il se sentait stressé et aussi légèrement fatigué après la nuit d'hier. Il était revenu tôt de l'école et il avait la tête qui tournait un peu.

Ils lui posèrent les mêmes questions qu'à Frankie : Joe connaissait sa pointure, du quarante-trois. Il avait passé la soirée avec ses potes et il avait lui aussi une chemise, bleue, pleine de déclarations de témoins prévenus qui risquaient de lui porter préjudice s'il passait en jugement. Bannerman lui précisa à lui aussi que c'était une faute.

— Nous avons essayé de vous faire gagner du temps, dit Kay avec l'espoir de ne pas paraître trop arrogante.

Bannerman se ferma comme une huître, claqua sèchement la chemise et la poussa vers Joe.

— Ne faites plus ça.

Il n'avait jamais fait partie d'une bande, sa mère l'aurait tué.

— Êtes-vous déjà allé à Perth ? lui demanda Morrow.

— Oui, répondit-il sans hésiter.

— Quand ça ? lui demanda Kay.

— Il y a deux mois de ça. Un match à l'extérieur en rugby à sept.

— Je ne m'en souviens pas, dit sa mère.

— Mais si. Tu m'as préparé des sandwichs. Tu te souviens, on s'était disputés sur le prix du trajet parce que je n'avais pas de réservation et il n'y avait plus de place dans le bus.

— Non.

— J'ai dû payer le plein tarif en train parce que je n'avais pas réservé, et tu as dit que j'aurais dû savoir que je ne trouverais pas de place dans le car…

— Ça, c'était Carlisle.

— Oh. T'es sûre ?

— Ouais, c'était Carlisle.

— Êtes-vous allé à Perth ?

Il se tourna vers Kay pour la réponse. Elle fit non de la tête.

— Non, dit-il. J'y suis jamais allé.

— Vous connaissez quelqu'un là-bas ?

— Non.

Il ne s'était jamais mêlé de religion d'aucune façon, même s'il avait supporté les Gers[1] et un jour, il avait eu un coup de cœur

1. Diminutif des Rangers.

pour une fille catholique, est-ce que ça comptait ? Non, lui répondit Alex, ça ne comptait pas. C'est bien, lui dit Joe, parce qu'il n'avait même jamais osé lui adresser la parole et ce serait honteux de se retrouver en prison pour meurtre parce qu'on a eu le coup de cœur pour une fille croisée dans la rue. Il rit en espérant qu'ils allaient tous se joindre à lui et parut triste et effrayé en constatant qu'ils ne réagissaient pas.

Kay écoutait, lui touchant le bras quand elle le sentait vulnérable ou inquiet. Sa colère commençait à s'apaiser. Elle se rendait doucement compte que Margery se serait de toute façon retournée contre elle, même si Alex n'était pas passée la voir. Margery était une snob, une drôle de vieille, et elle lui aurait probablement donné son congé sous peu. Ses moyens ne lui permettaient plus de s'offrir les services d'une femme de ménage cinq fois par semaine.

Elle remarqua qu'Alex se touchait le ventre de temps en temps et changeait de fesse sur son siège avec un petit sourire quand ses bébés remuaient. Elle contempla sa rondeur et n'eut plus la force de la détester. Et Joe avait raison : la veille, ça avait été très gentil de sa part de les déposer devant leur immeuble.

Avant même que les interrogatoires ne soient terminés et qu'on les fasse sortir du poste pour leur indiquer le bus à prendre au bout de la rue, elle avait pris sa décision : elle irait voir Danny et lui dirait d'oublier tout ce qu'elle lui avait dit.

34

Ils préparaient l'enterrement. Moira et Ella étaient allongées sur le lit côte à côte, une couverture sur les jambes, ensemble au lit mais pas dans le lit, Moira un stylo à la main et un bloc-notes en équilibre sur les genoux, Ella chevilles croisées, un paquet géant de marshmallows posé debout au creux de ses cuisses. Ils avaient trouvé un cellier grand comme un dressing, rempli de nourriture que la famille n'avait jamais vue et que le personnel devait se garder pour lui : des assortiments de biscuits bon marché, de marshmallows et de biscuits à apéritif Wotsits.

Thomas ne voulait pas s'asseoir sur le lit en leur compagnie, même si la place ne manquait pas : il trouvait que ce n'était pas bien. Il se promenait à la périphérie de la chambre à coucher de ses parents, une pièce qui ne lui était pas familière, à peine entrevue au passage mais jamais explorée quand ils étaient enfants. On ne lui avait pourtant jamais interdit d'y mettre les pieds et il ne savait pas pourquoi il ne l'avait pas fait. Même en cet instant, il éprouva un petit frisson d'effroi à la pensée de Lars entrant à l'improviste et ouvrant les yeux tout grands pour rugir ses remontrances.

Le gigantesque lit bateau, en loupe de peuplier jaune, trônait au milieu de la chambre, l'énorme et imposante fenêtre juste derrière comme une tête de lit.

Moira avait décidé d'enterrer Lars à Sevenoaks. Aux yeux de Thomas, ça ressemblait à une petite vengeance mesquine de sa part : il lui avait dit que Lars aurait peut-être préféré être enterré en ville, dans la mesure où il adorait Londres, et, de toute façon, ils allaient déménager une fois la maison vendue, mais Moira n'avait pas voulu en démordre : puisqu'il aimait cet endroit, ce n'était que justice, mais ses yeux cachaient un sourire quand elle avait dit ça. Elle prenait Lars au piège de l'endroit où lui-même l'avait emprisonnée.

Ella mangeait ses marshmallows lentement, en mordillant la guimauve à petits coups de dents, tandis que Thomas se promenait dans la chambre et touchait les objets ayant appartenu à Lars en se demandant s'ils existaient aussi en double dans l'autre maison. Il regarda Moira sur le lit : elle était heureuse, allongée à côté d'Ella, à prendre des notes sur l'enterrement, ceux qui devaient venir, comment les choses devaient se passer. Il se sentait mal pour elle sachant que Theresa allait bientôt appeler. Possible que Moira soit déjà au courant, mais elle n'aimait pas affronter les événements imprévus. Elle risquait de reprendre des antidépresseurs, et ils la perdraient de nouveau.

— Il y a des gens de l'école que tu aimerais inviter aux funérailles de papa, Tom ?

Thomas fit non de la tête.

— Même pas Squeak ?

— Non, répondit-il en touchant une brosse à cheveux. C'est trop loin.

— Hmmm.

Naguère, elle aurait envoyé le Piper le chercher, pour sa simple présence auprès de Thomas, mais c'était désormais un temps révolu. Ils ne pouvaient plus se permettre ce genre de luxe.

— Son père pourrait peut-être le faire venir en avion ?

— Non, j'aime mieux pas.

— Et Donny ? Tu l'as invité ?

— Donny ? répéta-t-il en la regardant comme si elle avait perdu la tête.

— Donny, lui expliqua Moira en faisant la moue, son beau-père qui a un cancer, avec qui tu as passé la matinée…

Thomas rougit, il se sentit horrible, le cœur au bord des lèvres, mais Moira sourit en songeant qu'elle l'avait pris à son propre piège, en lui signifiant de la tête qu'elle avait compris.

— Tu pourrais l'inviter, tu sais. Ta petite amie.

Pff, lui fit-il en détournant les yeux parce que Theresa ne pouvait pas être sa petite amie. Une idée tordue et terrifiante. N'empêche, il y avait pensé. Dans le train qui le ramenait à la maison, il n'avait même pensé qu'à ça, quasiment. Il ne se voyait pas la toucher, à proprement parler. Il avait plutôt en tête des images troubles pleines de tendresse, sa chevelure épaisse, cette façon qu'elle avait de rouler des épaules quand elle marchait, un petit déjeuner dans cet endroit ridicule qui servait des crêpes après une nuit passée ensemble. Il était allé aux toilettes dans le train et s'était branlé vite fait en pensant à tout autre chose, un film qu'il avait vu, de manière à pouvoir regagner sa place et reprendre sans danger son rêve éveillé.

— Tu ne veux pas l'inviter ?

— Non.

Elle l'observa, plus grave soudain.

— Tu ne fricotais pas avec Mary, la bonne, j'espère ?

— Va te faire foutre, cracha-t-il, furieux parce qu'elle était au courant et venait de mettre ça sur le tapis.

— Parce que cette femme a vendu ces photos de ton père aux journaux.

— Je ne veux pas voir Mary, pour l'amour du ciel…

— C'est une vipère.

— Putain de merde, tu vas la fermer, dis ?

En voyant son visage, Moira comprit qu'il était sérieux et retourna à son bloc-notes.

Épuisée de ne pas être le centre de toutes les attentions depuis au moins une minute et demie, Ella se blottit en chien de fusil sur les oreillers gigantesques.

— O.K. Quoi, comme chansons ? dit-elle.

— Quelles chansons, la corrigea Moira.

— Non, fit Ella en tapant ses petits talons sur le lit. Je crois qu'on peut dire quoi.

Là, elle faisait sa mijaurée, à parler comme un bébé. Thomas se tenait à distance respectueuse. Elle en rajoutait des tonnes, au point qu'il faillit lui coller son poing dans la figure. Ses humeurs changeaient tout le temps, d'un extrême à l'autre – dans une conversation, elle riait pendant les silences et posait des questions stupides : est-ce qu'il va pleuvoir demain, comme elle s'appelle, cette couleur.

Il pensa à Phils et à sa sœur, Bethany. Eux resteraient cool face à ça. Il s'imagina en Phils boudeur, en Phils skate-boarder, en Phils grandissant-à-Chelsea. Thomas essaya de se représenter un garçon équivalent dans sa classe à l'école, mais il n'en trouva aucun, parce que Phils n'était pas interne, et les externes, c'était toujours différent. Et si Ella était Bethany, elle aussi serait cool. Elle se montrerait honnête avec Thomas-Phils. Elle dirait qu'elle était triste parce que leur papa était mort, et contente en même temps. Probable que Bethany avait confiance en Theresa, elle n'en remettrait pas des couches, pas plus qu'elle n'imiterait des actrices de cinéma pour savoir quelles attitudes prendre. Bethany saurait comment se comporter.

— *Star of the Sea*[1] ?

— Non, dit Ella, quelque chose...

Elle ne trouva pas le mot mais lança les mains au plafond comme si elle jetait des confettis.

— Quelque chose qui remonte le moral !

— Un air entraînant ?

— Oui, un truc entraînant. Entraînant, entraînant !

— *Jérusalem* ?

— C'est un hymne, ça ?

Moira n'en était pas sûre.

— Mais il l'aimait bien, dit-elle.

— Entraînant, fit Ella en confirmant de la tête.

— O.K., dit Moira en en prenant bonne note. Et ensuite ? Est-ce qu'on devrait organiser un souper de funérailles ?

— C'est ce que font les gens ?

Thomas n'en savait rien. Comme il n'avait jamais assisté à un enterrement, il prêtait l'oreille.

— Eh bien, on peut contacter des traiteurs. Mais tu crois que les gens viendraient ? C'est une incertitude diplomatique. Papa avait des ennuis, et plus personne n'a peur de lui désormais...

1. Littéralement « Étoile de la mer », autre nom de la Vierge Marie, et hymne célèbre.

Loin, très loin, au rez-de-chaussée, le téléphone se mit à tinter doucement. Thomas fut le premier à la porte.

— Je prends, dit-il.

— Non, répondit Moira en se penchant pour décrocher l'appareil sur la table de nuit. Allô ?

Elle écouta, l'air ravie puis perplexe. Thomas sentit son cœur se serrer comme un poing dans sa poitrine et regarda l'heure au réveil sur la table de chevet. Il n'était que 18 h 30, il avait laissé Theresa à treize heures. Ils s'étaient quittés tout juste cinq heures auparavant, cinq heures et demie, et il n'avait guère pensé à autre chose depuis. Elle non plus, sans doute. Peut-être pensait-elle à lui de cette même façon, c'était un signe du destin, et ils réussiraient à abattre tous les obstacles sur leur route, de la même manière qu'elle et Lars les avaient surmontés pour fonder sa deuxième famille.

— Un instant, dit Moira en se tournant vers lui, le regard froid et lucide, avant de sourire en lui tendant le téléphone. C'est pour toi.

Il prit l'appareil et alla à l'autre bout de la chambre avant de le porter à l'oreille.

Un souffle d'asthmatique à l'autre bout de la ligne. Une respiration d'homme. Ce n'était pas Theresa.

— Thomas. Est-ce que c'est toi ?

La voix était lente et fatiguée, une voix d'homme, brisée. Celle de Lars, elle avait changé après sa pendaison, il appelait de la morgue.

— C'est toi ? dit-il.

Il sortit sur le palier en refermant doucement la porte derrière lui.

— Thomas, c'est le père Sholtham.

Thomas retint son souffle. Un nom à des années-lumière de là. Le père Sholtham était le prêtre de l'école. La rumeur courait qu'il avait été ivrogne, et marin avant sa prêtrise, et aussi boxeur, il avait tué un homme. Il était plein de charisme et n'en avait rien à branler du personnel de l'école, que ce soit Doyle ou les autres. Lors d'une assemblée de parents d'élèves, Thomas l'avait vu un jour, sur la scène, glisser la main dans une poche et se gratter les couilles au vu de tout le monde.

— Mon père ?

— Tu es bien là, Thomas ?

— Euh, oui, mon père.

Il se sentit flatté que le père Sholtham l'appelle chez lui. Il y eut un temps de silence à l'autre bout de la ligne, mais Thomas ne voulait pas qu'il s'en aille.

— Avez-vous… Comment avez-vous obtenu mon numéro, mon père ?

— M. Doyle…

— Oh, je vois.

— Thomas… Je ne sais pas comment…

Son début de phrase laissa place à une profonde inspiration. Un reniflement ensuite, un bruit mouillé, comme s'il était en pleurs ou avait de gros problèmes.

Thomas n'avait aucune envie de discuter ici, sur l'escalier du rez-de-chaussée, il voulait se concentrer et parler sans avoir à surveiller la porte de la chambre.

— Mon père, voulez-vous rester en ligne et attendre un instant ?

— D'accord.

Thomas descendit les marches en courant, le téléphone à la main. Il savait que les voix portaient loin dans la grande salle : il avait entendu Lars et Moira se lancer à la figure des choses abominables dans le salon. Aussi se dépêcha-t-il de gagner la cuisine où il descendit l'escalier de la salle aux congélateurs sans allumer la lumière pour s'asseoir sur la dernière marche.

— Mon père ?

Le père Sholtham pleurait en bredouillant comme un enfant :

— Tom, Tommy ? Peux-tu me parler ?

— Mon père, pourquoi pleurez-vous ?

— Oh, mon Dieu !

Thomas écarta le téléphone de son oreille et comprit soudain : le prêtre était bourré. C'était pathétique et décevant.

— Thomas, murmura le père Sholtham. Je sais ce que tu as fait.

Thomas se changea en bloc de glace.

— Désolé, mon père, de quoi parlez-vous ?

— À elle, à cette femme… (Un sanglot l'interrompit.) Dieu du ciel.

— Mon père, où êtes-vous ?

— Nulle part ! répondit le prêtre, furieux à cette question. Ne va pas croire… Je ne veux pas que tu croies…

Sûr qu'il la tenait, sa cuite, ce serait un jeu d'enfant de lui faire perdre les pédales.

— Vous êtes un peu ivre, mon père, je me trompe ?

— Effectivement. (Un gros reniflement.) Effectivement.

— Mon père, vous ne devriez par parler de ça, vous ne croyez pas ?

— Thomas, il y a des péchés…

— Vous pourriez être excommunié pour avoir parlé de ça, si vous l'avez entendu dans des circonstances particulières…

— Je suis déjà perdu, Thomas. Je préférerais être perdu que de te…

— O.K. Écoutez. Je pense que, ivre ou sobre, il faut vous faire aider. Je pense que vous avez besoin de conseils spirituels sur ce sujet, mon père, et sans perdre de temps.

— Tu as raison, dit le prêtre en reprenant son souffle. Tu as raison.

— Aucun mal n'a été fait jusqu'ici, mon père, je vais oublier cette conversation…

— *Aucun mal ?* (C'est tout juste s'il pouvait encore parler.) Aucun mal n'a été fait ?

— Je veux dire au sujet de ce qui nous occupe, déclara Thomas très fermement. Concernant ce sujet précis, le fait que justement vous en parliez. Vous avez besoin de voir quelqu'un et vite.

— C'est ce que j'allais faire, j'attendais…

— D'avoir cessé de boire ? Eh bien, peut-être arrêterez-vous une fois que vous l'aurez fait.

Thomas se blottissait contre ses genoux et les pressait avec force dans sa poitrine, s'empêchant presque de respirer, les yeux verrouillés serrés.

— Thomas ?

— Hmmm.

— J'ai peur pour toi.

— Hmmm.
— J'ai peur que tu refuses d'aller en confession.
C'était risible.
— Et quelle en est la probabilité maintenant, à votre avis ?
Le père Sholtham n'eut rien à répondre à ça.
— Mon père ?
— Oui ?
— Quand l'avez-vous entendu ?
— Pourquoi ?
— J'ai besoin de savoir.
Entendant le prêtre grogner d'indignation, apparemment guère ému par son argument, il ajouta aussitôt :
— Si vous me le dites, je me confesserai.
— Vraiment ?
— Oui.
— Parce que, Thomas, il ne suffit pas de te confesser, tu dois te repentir sincèrement…
— Mon père, comment pourrais-je ne pas me repentir ?
Ils murmuraient désormais, à croire qu'ils se trouvaient juste séparés par une grille de confessionnal, avec une chapelle pleine de merdeux fouineurs à un mètre d'eux.
— Je ne peux pas prendre une confession par téléphone, Thomas.
— Je sais, j'irai me confesser ici, je trouverai quelqu'un sur place. Quand avez-vous entendu ça, vous pouvez me le dire ?
Sholtham réfléchit à sa position l'espace d'un instant d'ivresse, un peu plus long que la normale.
— À l'heure du déjeuner. À la réunion du chœur.
— Le mardi, non ?
— À midi, oui, pourquoi ?
— Étiez-vous ivre à ce moment-là ?
— Dieu me pardonne, oui. Vas-tu te confesser, Thomas ?
— J'irai si vous y allez.
Le vieil homme se mit à pleurer en entendant ces mots. Il pleura longtemps, psalmodiant à moitié des expressions toutes faites droit sorties du vade-mecum de tout prêtre qui se respecte : sois béni, Dieu, aie pitié.

Thomas l'apaisa par ses paroles et lui fit promettre d'aller à confesse en jurant qu'il irait lui aussi.

Après avoir raccroché, il ne bougea pas, pétrifié, immobile, plié en deux sur la dernière marche, à contempler le sol en béton.

Avant même qu'ils ne se retrouvent sur la plage de galets, Squeak avait déjà tout raconté à Sholtham. Il avait trouvé le prêtre ivre, s'était confessé à lui et lui avait dit que Thomas avait tué la fille. Squeak n'avait jamais cessé de préparer son plan d'évasion personnel.

Thomas ne voulait plus être pris, maintenant que Theresa allait téléphoner. Que penserait-elle si elle apprenait qu'il avait fait ça ? Elle aurait peur de lui. Elle le prendrait pour un monstre et jamais il ne pourrait expliquer ce qui s'était passé dans cette pièce. Pas même à elle.

Faire ça était à la portée de n'importe qui, surtout de Squeak.

35

Brian Morrow contemplait la haie sur l'arrière de la maison pendant que la machine à laver finissait son cycle. Il avait mal chargé les vêtements et le dernier essorage était bruyant : le poids du linge mouillé provoquait des vibrations qui faisaient claquer la grande fenêtre de la cuisine. Cette haie avait besoin d'un coup de fouet ou de quelque chose, les feuilles jaunissaient alors que c'étaient des arbustes persistants. Il revint à sa liste posée sur la table, trouva un crayon et nota « voir haie » tout en bas. Il cocha tout ce qu'il avait fait : lessive, rangement du placard à linge, déjeuner. Il n'oubliait plus de manger, il avait juste noté « déjeuner » pour le plaisir : une tâche de plus à marquer et un plus grand sentiment d'accomplissement. Aux dires de son thérapeute, il était important de s'acquitter d'un nombre de tâches précises au cours de la journée, et il lui avait conseillé de faire une liste la veille au soir, modeste, pas trop ambitieuse, et ensuite de tenter de s'y tenir en éliminant à mesure. Il y gagnerait d'être plus motivé, avec la sensation d'avoir réussi. Il n'avait plus vraiment besoin de la liste, mais il aimait ça.

Le cycle d'essorage bruyant diminua d'intensité, et il entendit qu'on sonnait à la porte. Il posa la liste sur la table et gagna le couloir. Une ombre derrière la porte vitrée. Un homme, pas de colis dans les bras, il ne livrait rien. Un costaud.

Il ouvrit. Un grand gaillard, un peu enrobé, vêtu d'un pantalon de survêtement noir et d'un sweat-shirt.

— Je peux vous être utile ? lui demanda-t-il.

L'inconnu fit oui de la tête, et Brian reconnut soudain en lui le visage de son épouse, les fossettes, le menton, la couleur bond miel de ses cheveux presque rasés. Danny McGrath.

— Je suis…

— Je sais.

Brian repoussa légèrement le battant, lui signifiant ainsi qu'il n'était pas le bienvenu. Danny avait bien choisi son moment pour venir : il savait Alex au travail et ne risquait donc pas de la voir lui claquer la porte au nez. Il savait également que son mari était à la maison et – Brian le sentit – qu'il était encore vulnérable après la dépression dont il se remettait doucement. Brian se repassa mentalement la maison en revue : ils n'y gardaient pas d'argent, Alex n'aimait pas les bijoux, et il ne possédait pas de livret de chèques de la sécurité sociale.

— Qu'est-ce que vous faites ici ? demanda-t-il à Danny.

— J'ai entendu des choses sur vous autres, dit Danny. Je vous ai apporté un petit truc.

Il se recula de la porte. Derrière lui, sur la marche, était posé un énorme carton fermé par de l'adhésif du magasin Mamas and Papas, avec le reçu scotché sur le dessus. Une poussette pour jumeaux. Ils en avaient regardé sur Internet et Brian savait que c'était la plus chère.

— Oh, dit-il, en repoussant néanmoins le battant d'un petit cran supplémentaire.

Alex ne voulait pas voir dans la maison de mobilier pour bébés au cas où ils perdraient leurs petits, pas plus qu'elle ne tenait à ce que Brian rencontre Danny. Elle en serait toute retournée si elle était là.

Danny se replaça de nouveau devant le carton et regarda le couloir par-dessus la tête de Brian.

— Je peux entrer vous parler ?

— Non. Alex ne voudrait pas.

— Non ? Elle ne veut pas de moi ici ? dit-il en se détournant, l'air embêté.

— Ça vous plairait, vous, qu'elle entre chez vous quand vous n'y êtes pas ? lui demanda Brian en regardant la rue par-dessus son épaule.

Danny ne répondit pas.

— Ça ne vous plairait pas. Et vous vous montreriez soupçonneux si elle vous rendait visite en choisissant précisément un moment où elle vous saurait absent.

Danny releva la tête en arrière et le regarda de toute sa hauteur, une grimace de dégoût aux lèvres, comme si Brian lui soulevait le cœur, puis il se retourna vers la rue.

— Le petit est à la crèche ?

— Le petit ?

— Votre fils.

— Vous êtes venu me menacer chez moi ?

— Je ne vous menace pas, rétorqua Danny, penché en avant, je vous demande juste comment va votre fils.

— Mon fils ? fit Brian, la tête ballante.

— Oui, c'est quoi son nom, déjà ? Gerald ?

Brian le fixa sans ciller. *C'est quoi son nom* ? Il s'attarda trop longtemps sur sa bouche. Malgré sa trouille, il affronta Danny McGrath, en l'honneur de Gerald. Un moment volé à l'avenir qu'il n'aurait jamais avec lui. Un geste de bon père, celui qui abat le chien fou dans la rue d'une seule balle, qui chasse les petits durs, qui rabat son caquet à l'instituteur malveillant. Brian montra la grosse boîte contenant la poussette à deux places.

— Virez-moi ça d'ici.

Le regard étonné de Danny passa de son cadeau à Brian, en attente d'une explication

— Gerald est mort, lui dit Brian, les yeux rivés au carton bleu marine et gris un peu flou avec sa photo de deux bébés souriants. Une méningite. Brutalement.

Incapable d'affronter le regard de Brian, Danny toussa, une main sur son visage.

— Ouais, fit Brian, habitué à ce genre de réaction. Donc vous imaginez bien notre inquiétude à cette grossesse, avec des jumeaux et tout ça. Je ne veux pas voir Alex complètement bouleversée. Nous pouvons nous passer de ça, ajouta-t-il.

Il montra Danny du doigt, de la tête aux pieds, comprit combien son geste était insultant et désigna la poussette.

— Oui, fit Danny, et… euh… il y a des gens qui n'aiment pas avoir des affaires de bébé à la maison avant la naissance.

— Il n'y pas que ça, répondit Brian. Vous débarquez comme ça, chez nous, sans prévenir, qu'est-ce que vous venez faire ici ? Laissez-nous tranquilles. Allez-vous-en.

— Je ne peux pas, dit Danny accablé, en faisant non de la tête. J'ai besoin de votre aide.

* * *

Ils s'installèrent dans la cuisine, à siroter du café instantané en grignotant des biscuits au lait malté. Danny tremblait, et Brian n'avait pas eu le cœur de le laisser sur le pas de porte. À première vue, cela ne concernait pas Gerald – Danny ne l'avait jamais vu – mais bien un gros souci personnel.

À le voir assis buvant son café léger très sucré à petites gorgées, il paraissait plus petit dans la cuisine. Pas menaçant pour un sou, juste l'air pauvre, comme si personne ne lui avait jamais appris à s'habiller convenablement. Il paraissait beaucoup plus vieux qu'Alex, non à cause des traits de son visage, mais de sa peau, fatiguée et sèche. Une peau de fumeur.

— C'est une belle maison, dit-il.

Brian balaya sa cuisine du regard. La maison était banale. Années 1930, mitoyenne d'un côté, avec fenêtre en saillie circulaire dans l'entrée et de longues et larges baies vitrées en façade et sur l'arrière.

— J'en ai toujours voulu une comme ça.

Brian avait grandi dans une maison similaire, ce qui expliquait pourquoi elle lui avait tant plu quand ils l'avaient visitée. Alex l'avait aimée parce qu'elle était lumineuse – située sur une colline, le jardin orienté sud, baignée de soleil par l'arrière – et le quartier, tranquille.

Ils n'y avaient rien fait quand ils avaient emménagé, heureux de s'y installer en l'état : la cuisine tout en bois des années 1980, la salle de bains sans fioritures, les murs orange du couloir.

— On n'est pas dérangés ici, dit Danny.

Brian poussa l'assiette de biscuits vers lui, il n'en restait plus qu'un. Danny chercha son regard et Brian acquiesça sans mot dire. Un biscuit pour bébé. Pour Alex, qui digérait mal.

— Elle ne veut pas vous voir ici.

— Je n'ai pas non plus envie d'y être, répliqua Danny en mordant le biscuit.

— Alors pourquoi êtes-vous là ?

Il mastiqua son bout de biscuit et but une gorgée.

— Mon fils, expliqua-t-il.

— Petit John ?

— Oui. J'ai besoin qu'Alex voie cette femme, elle a besoin de savoir tout ce que le gamin a traversé et j'ai aussi besoin que vous disiez à Alex que...

— Je ne sais même pas si je lui parlerai de votre visite, l'interrompit Brian.

Danny encaissa le coup, hocha la tête. Il termina son café et reposa délicatement sa tasse sur la table en la faisant tourner.

— Elle a une enquête en cours et j'ai reçu une visite. Quelqu'un qui y est impliqué. On est venu me voir, on veut que je fasse pression pour qu'elle arrête de regarder dans une direction particulière.

Brian ne comprit pas.

— Vous lui demandez d'arrêter son enquête ?

— Non, répondit sincèrement Danny. Je la préviens, c'est tout. Si des gens viennent me voir, moi, ça veut dire qu'ils peuvent aussi aller en voir d'autres. Je veux qu'elle sache qu'on lui demande de laisser tomber les fils Murray.

Brian eut quelque réticence à suggérer ce qu'il avait en tête, aussi laissa-t-il passer un temps de silence.

— Ce ne serait pas *vous* par hasard qui lui demanderiez ça ? demanda-t-il.

— Je ne suis pas assez stupide, répondit Danny, sceptique, pour croire un instant que ça pourrait marcher.

Ils se sourirent, et Danny fut le premier à rompre le charme.

— Dites-lui juste ça : il y a derrière tout ça des trucs qui se passent et qu'elle ignore. Les garçons Murray sont de braves gamins. Mais quelqu'un est prêt à tout.

* * *

Brian surveilla son départ par la fenêtre en façade, et vit l'Audi s'éloigner. Un 4 × 4 aux vitres teintées : une voiture de gangster. Il le vit sortir lentement de l'impasse et s'arrêter au bout de la rue, mettre son clignotant et tourner pour regagner la ville.

36

Avec la ferme intention de se tenir à l'écart de Bannerman, Morrow se cantonnait à son bureau bien tranquille où elle reprenait des pistes potentielles de l'enquête qui n'avaient pas encore abouti. Elle écouta la sonnerie, s'attendant à moitié à avoir le répondeur, mais on décrocha à l'autre bout, et elle entendit une voix de fille, légère et chantante, avec, en fond sonore, une station de musique classique.

— Al-lô ?

— Oh, bonjour… Euh… Je m'appelle Alex Morrow, j'appartiens à la police du Strathclyde et j'appelais à propos…

— Oh, mon Dieu, Sarah ! J'avais oublié, Sarah-farah, oh mon Dieu…

— Euh… Pourrais-je vous parler une minute ? Avez-vous un peu de temps à m'accorder ?

— Ouais…

Elle l'entendit qui s'asseyait et baissait sa musique pour n'en garder qu'un murmure.

— Ouais, bien sûr.

— Euh… Je voulais juste vous demander quel genre de personne c'était.

— Qui ça ? Sarah ?

— Oui.

— Personne ne vous a parlé d'elle ? Vous avez dû parler à des gens qui la connaissaient, non ?

— Hmmm, fit Morrow, incapable de savoir elle-même ce qu'elle attendait de ce coup de fil. Désolée, reprenons depuis le début :

pourriez-vous me donner votre nom et votre adresse, uniquement pour nos dossiers ? Tout ce que je sais pour l'instant, c'est que vous êtes la sœur de Maggie…

— Demi-sœur. C'est ma demi-sœur.

— O.K.

— Je m'appelle Nora, nom de famille Ketlin. Elle, le sien, c'est Moir. Deux pères différents.

Elle lui parut tellement à cheval sur ce point de détail que Morrow répéta les noms comme si elle prenait des notes très détaillées. Elle écrivit l'adresse de Nora, et elles échangèrent leurs e-mails respectifs, juste au cas où.

— Vous êtes donc allées à l'école ensemble, c'est bien ça ?

— Avec Sarah ?

— Ouais.

— Ouais, elle était dans ma promo. Mais pas dans mon bâtiment, on ne se connaissait pas très bien en classe, on était dans des groupes différents, mais on a appris à se connaître une fois nos études terminées. On traînait à Londres toutes les deux, sans trop savoir ce qu'on allait faire de nos vies, ce genre de choses. Notre école nous avait formées à être surtout des épouses, rien de très poussé sur le plan intellectuel…

— Comment était Sarah ?

— C'était quelqu'un de très gentil.

Morrow laissa tomber son crayon.

— Nora, dit-elle en se frottant les yeux, c'est à peu près tout ce que j'entends sur Sarah. Tout le monde me parle de sa gentillesse. Elle était si nunuche que ça ?

— Non, fit Nora, un peu interloquée par le terme. Non… elle… non… elle n'était pas nunuche. Sarah était…

Un instant, il n'y eut que leurs deux souffles en ligne.

— Écoutez (Nora s'était penchée en avant, la voix soudain plus basse collée au téléphone), il faut que vous compreniez de quel milieu Sarah était issue : ce n'était pas une vieille famille, mais une bonne famille. Réservée. Des manières parfaites.

— Saviez-vous qu'elle travaillait comme escort ?

— Oui, en fait.

Morrow en fut surprise.

— Elle ne me l'a pas dit en ces termes. Un jour que je cherchais l'adresse d'une librairie sur son téléphone, je suis par hasard tombée sur ses mails. La discussion a été chaude.

— Qu'a-t-elle dit ?

— Qu'elle avait besoin de cet argent et n'avait aucune formation particulière, mais qu'elle n'allait pas épouser un branleur de la City pour lui pomper son fric. Elle a expliqué qu'elle pouvait arrêter de faire l'escort n'importe quand. Si elle épousait un type friqué, il faudrait qu'elle en passe par un foutu divorce. De cette façon, l'argent était *son* argent, et elle en avait besoin pour payer les soins à sa mère.

— Vous savez qu'elle gagnait à peu près trois fois plus que nécessaire pour ça.

—Je suis au courant. Elle en économisait la plus grande partie pour sa vie d'après, une fois qu'elle aurait arrêté. Elle avait l'intention de déménager à New York et de s'y réinventer. Ne me faites pas dire ce que je ne dis pas, ce n'était pas non plus une martyre. Elle portait toujours des tenues superbes et voyageait uniquement en première classe.

Morrow se surprit à sourire.

— Apparemment, elle en avait dans la culotte.

— Non, répondit simplement Nora, je ne dirais pas ça. Ce qu'il faut comprendre avant tout, c'est que Sarah était honnête. Elle disait qu'elle tenait ça de sa mère qui ne mâchait pas ses mots, elle appelait un chat un chat. Peut-être parce qu'elle était déjà âgée à la naissance de sa fille.

— Est-ce qu'elle aimait sa mère ?

— Elle l'adorait. Exactement comme si elle n'avait qu'elle dans sa vie, sauf que… (Elle s'interrompit.) Elles étaient très proches toutes les deux.

— Sauf qui ?

— Eh bien (Morrow vit sa grimace.), euh… elle…

— Lars Anderson ?

Nora fit un bruit désagréable du bout des lèvres et souffla bruyamment.

— Sarah vous a fait promettre ?

— Oui.

— Promettre de ne rien dire ?

— Oui.

— Il est mort lui aussi, vous savez ?

— J'ai vu ça.

— Pensez-vous que leurs morts soient liées ?

— Non. Lars était une *merde,* cracha-t-elle comme si le mot ne lui était pas familier. Hormis sa petite personne, il n'en avait rien à foutre de personne. Je ne le vois pas se soucier d'elle, vivante ou morte, franchement.

— Mais elle l'aimait ?

— Elle l'aimait vraiment. C'est bien ce qu'il y avait de si méprisable chez lui : il réussissait à leur faire croire à toutes qu'elles étaient chacune l'unique, qu'il avait sincèrement besoin de prendre sa place dans leurs existences, il allait même jusqu'à leur déclarer son amour. Un sale tour qu'il leur jouait. Je l'avais dit à Sarah à l'époque, je lui avais expliqué : « Ce mec n'est qu'une merde, Sarah, une vieille merde et un gros lard », mais elle n'a rien voulu entendre. Je crois qu'elle avait besoin d'aimer quelqu'un et elle s'était décidée pour lui.

— Elle lui prenait de l'argent ?

— Non. Elle refusait même ses bijoux. Elle voulait qu'il sache qu'elle l'aimait lui, pas son pognon. Et ça, il le savait. Il détournait de l'argent et le lui donnait pour qu'elle le cache. Il savait que jamais elle n'y toucherait, elle s'en faisait un point d'honneur. Elle voulait faire la différence.

— Par rapport à qui ?

— À tout le monde, aux autres femmes, aux familles. Il avait deux familles. On n'en a pas parlé dans les journaux, mais tout le monde est au courant. Une qu'il tenait bien rangée à l'écart à Sevenoaks et l'autre à Londres.

— Avait-il des enfants ?

— Ouais, quatre à ma connaissance.

— Des garçons ?

— Probablement. Je sais que l'un d'eux était élève dans son ancienne école en Écosse.

— Où ça en Écosse ?

— Euh… à Perth, je crois.

* * *

Elle vit Harris qui l'observait de la salle d'enquête quand elle se dirigea vers le bureau de Bannerman. Elle frappa et se retourna pour accrocher son regard avec un sourire. Il ne lui sourit pas en retour.

Bannerman lui dit d'entrer. Il lisait un rapport de police sorti d'une chemise en papier kraft.

— Monsieur, dit-elle fermement, vous vous souvenez du prêtre à Perth ?

Il poussa un soupir, visiblement peu désireux de remettre Perth sur le tapis.

— Eh bien, poursuivit-elle, Lars Anderson, l'homme sur les photos de l'iPhone… Il a deux fils. L'un d'eux est interne à Perth.

Elle se recula et lui sourit. Attendit. Vit ses yeux devenir vitreux. Et revenir à la feuille de papier qu'il avait devant lui.

— Je veux que vous appeliez le Serious Fraud Office, le SFO, lui dit-il. Il nous faut des renseignements sur le passé et l'histoire d'Anderson.

Une vraie corvée, réservée d'habitude aux agents non gradés.

— Vous êtes déterminé à ignorer cette piste.

— Morrow, vous êtes obstinée, vous cherchez absolument à savoir si tout le monde est allé à Perth : nous avons téléphoné à Perth, Sarah Erroll n'y a jamais mis les pieds, vous avez fait des rapports détaillés sur le peu que nous avons obtenu, alors laissez tomber.

Morrow ressortit en claquant la porte. Quand elle se retourna, elle tomba sur Harris debout à l'entrée de la salle d'enquête, qui n'en perdait pas une miette.

* * *

Un agent de la Met[1] très sceptique prit son nom et déclara qu'il allait devoir la rappeler en passant par le standard du poste afin de

1. Metropolitan Police.

vérifier si elle était bien membre de la police du Strathclyde. À l'entendre, elle le sentit très imbu de sa personne et guère coopératif pour un collègue : il lui signifia sans détours que les renseignements qu'il serait prêt à partager avec elle étaient très limités et qu'elle avait de la chance de pouvoir les obtenir.

Il fut soulagé quand elle lui précisa clairement qu'elle ne voulait pas de détails précis sur la société. Et encore plus heureux quand elle lui apprit qu'il y aurait peut-être quelques centaines de milliers de livres à réclamer à la succession de Sarah Erroll.

— Et la piste papier ?

— Euh… (Elle tenta de trouver un moyen pour lui raconter des conneries mais n'en eut pas la force.) Ça veut dire quoi ?

— Des reçus pour l'argent, des justificatifs de transaction, ce genre de choses. Qu'est-ce que vous avez ?

— Quoi, vous voulez dire comme des reçus de caisse ?

— Ou simplement manuscrits, ça suffirait.

— Hmmm… il n'y a strictement rien, j'en suis presque sûre. Et c'est un gros problème ?

— Oui, dit-il en rigolant. S'il n'y a pas de traces écrites, l'argent ne peut pas être récupéré.

— Je vois. C'est probablement pour cette raison qu'il se trouve là, non ?

— Vous n'avez rien ?

— Eh bien, nous pouvons prouver qu'ils étaient ensemble dans un hôtel de New York.

— Cela ne servira à rien. Pouvez-vous nous faxer une photo d'elle ?

— Oui, et vous avez quelque chose à me proposer en retour ?

— Hmmm… que diriez-vous d'archives comptables sur des fonds manquants ?

— Parfait. Plus précisément, de gros paquets d'euros manquants dans une banque de New York ?

Il hésita, elle entendit un cliquètement de clavier en fond sonore.

— Eh bien, je rentre chez moi dans une minute, mais là tout de suite, je peux vous dire que j'ai plusieurs retraits substantiels en grosses coupures d'euros dans une succursale de Manhattan.

— Pourquoi faire une chose pareille ? Pourquoi ne pas simplement sortir l'argent ici ?

— Moins de pistage là-bas et il savait que nous le surveillions.

— Donc New York était la solution de facilité ?

— La plus sûre, probablement. Mais il lui fallait ensuite faire entrer l'argent en fraude au Royaume-Uni.

Il lut quelque chose, elle l'entendit se dire à lui-même : « Voyons voir. »

— Ouais, ce compte est un compte personnel. Un compte courant pour frais généraux.

— Ce qui veut dire ?

— Une caisse noire.

— Une caisse noire ? Ça fait une sacrée quantité d'argent pour une caisse noire.

— Vous ne croiriez pas les masses d'argent que ces gens réussissent à dépenser.

— C'est comme de la menue monnaie alors ?

— Exactement ça.

— Mais il y en a pour des centaines de milliers de livres.

— Je sais. En ce moment, tous les hommes d'affaires du monde entier sont justement occupés à les vider, ces fameux comptes. Le SFO ne les surveille pas vraiment de près et, habituellement, les sommes engagées représentent une goutte d'eau dans la mer, ce qui explique pourquoi il y a si peu de contrôles de sécurité. De temps à autre, le service vérifie les chiffres et s'assure simplement que personne dans la banque ne siphonne l'argent. Tant qu'il faisait des retraits périodiques sans s'en cacher, personne ne serait même allé vérifier.

— Donc, sans reçus, on en est où ?

— Eh bien, hors du cadre de nos enquêtes. Mais nous aimerions bien que vous nous communiquiez tout ce que vous avez, où ils se retrouvaient, à quelle fréquence et ainsi de suite.

Elle réussit à couper court à la conversation et appela la Criminelle de Perth pour obtenir des informations sur le prêtre ivrogne. Elle se fit balader de service en service en reconnaissant au son les transferts de poste à poste, comme une succession de ricochets : personne n'était passé le voir. Elle était toujours au téléphone et rongeait son frein en écoutant un air de musique classique quand Harris frappa brusquement à sa porte et entra en refermant derrière lui.

Il crut qu'elle était en pleine conversation et s'agita comme un beau diable pour lui faire comprendre qu'il ne dirait rien et attendrait qu'elle ait fini.

— J'écoute un enregistrement de Vivaldi, l'informa-t-elle.

— Madame, dit-il avec un coup d'œil à la porte fermée, Bannerman veut savoir ce que vous faites.

Elle raccrocha.

Harris attendait, plein d'espoir. Depuis son interrogatoire de Frankie et de Joe, Bannerman passait pour le dernier des débiles et houspillait les hommes, s'en prenant à elle pour qu'on ne le soupçonne pas de traitement de faveur. Il était sans cesse sur le dos de ceux qui bossaient, remettant systématiquement en question tout ce qu'ils faisaient. Une injustice exaspérante : il ne lui venait pas à l'esprit que les officiers de police, bien plus que les employés de bureau ou les vendeurs d'assurances, pouvaient posséder un sens inné de la justesse de certaines choses.

— Vous savez, madame, marmonna Harris à voix basse en haussant les sourcils, vous n'êtes pas la seule à vous sentir comme ça.

— Ah ! fit-elle, la main levée pour l'arrêter tout de suite.

Les querelles des autres qui lui retombaient dessus, elle connaissait.

— Désolé, vous avez l'air un peu agacée.

— Je suis toujours un peu agacée, dit-elle en se levant. Pour moi, ce n'est pas un problème spécifique à Bannerman. J'ai toujours détesté tous les chefs que j'ai eus.

Elle prit un crayon et un bloc-notes sur son bureau, glissa son sac à main dans le tiroir du bas et s'assura que le verrou s'engageait bien quand elle referma.

Harris hochait encore la tête quand elle releva les yeux.

— Pas moi, dit-il.

37

Thomas resta un moment dans la pièce des congélateurs, à réfléchir au coup de téléphone du père Sholtham. Il n'aurait pas su dire combien de temps exactement, mais il eut l'impression qu'il se trouvait là depuis une éternité.

Squeak était enfant de chœur, mais il n'était pas croyant, il disait qu'il faisait ça pour les voyages à l'extérieur. Il était aussi fervent catholique que Lars ; pour son père, la religion ressemblait à une carte de membre d'un country-club du monde d'après : il méprisait les non-catholiques, sincèrement convaincu qu'ils finiraient en enfer, et bon débarras. Thomas luttait contre le réflexe de prier, en particulier maintenant que tout se mélangeait dans sa tête. Peut-être que Squeak traversait lui aussi cette phase. Peut-être s'était-il réellement confessé à un prêtre ivre le lendemain matin. Il se pouvait tout simplement que Squeak ait retrouvé la foi dans un moment de désespoir. Thomas secoua la tête. Non, Squeak était un roublard qui complotait dans son dos. Il avait mis sa combine sur pied avant même qu'ils ne se voient sur la plage, car il ne voulait pas être pris. Et il avait tellement d'avance sur lui que Thomas se sentit vaincu avant même que le combat ne commence.

Il se releva et rejoignit d'un pas lourd la cuisine illuminée.

Theresa n'avait toujours pas téléphoné. Il jeta un coup d'œil à l'horloge. Sept heures dix. Elle pouvait encore appeler, mais elle n'était pas pressée. S'il n'avait tenu qu'à lui, il l'aurait appelée depuis des heures. La légèreté de cette matinée en ville l'abandonna d'un coup, et tout lui parut plus morne.

Il prit la bouteille de Coca au frigo, se servit un verre et le but en décidant de retourner au premier : la montée des marches était difficile et il en profita pour se ressaisir et mettre au point son histoire pour Moira. Il lui dirait que le coup de fil venait du père de sa petite amie en ville, lequel voulait lui poser des questions sur leur rendez-vous parce qu'elle était arrivée en retard à ses cours, et c'est lui, son père, qui avait dû rédiger une excuse expliquant son absence en éducation physique. Thomas supposait que les choses se passaient ainsi quand on était externe. Il fallait des justifications écrites pour tout. Il se dit que le détail sur l'éducation physique rendait son mensonge plus vraisemblable, un mensonge qui devait être solide tant Moira avait l'habitude qu'on lui mente.

En revenant dans la chambre à coucher, il comprit immédiatement qu'il tombait au beau milieu d'une catastrophe. La mère et la fille avaient l'air si totalement détachées l'une de l'autre qu'elles auraient pu aussi bien se trouver dans deux pièces différentes.

Assise au bord du lit, Moira se détournait d'Ella comme si une chose horrible et sexuelle s'était produite. Il revit en pensée la fille déprimée de Kiev dans cette triste chambre à Amsterdam.

Ella était tout près de la fenêtre, derrière le lit, et contemplait la pelouse.

Le visage gris cendre, Moira leva les yeux sur Thomas, et lui demanda pourquoi il n'emmènerait pas Ella dans la salle familiale, ils pourraient peut-être regarder un film tous les deux ? Sans trop comprendre, il s'assit à côté d'elle et posa la main sur son dos en essayant de lire au-delà de l'horreur.

— M'man ?

Moira essaya de sourire.

— Ella est…

Mais elle ne savait pas ce qu'était Ella.

Il se remit debout et regarda dans la vitre le reflet de sa sœur qui commençait à se former aux rayons du soleil couchant. Elle pleurait, bouche ouverte, tous les traits du visage tirés vers le bas à l'image d'un masque de tragédie grecque.

Elle se mit à secouer la main droite en l'air, comme si elle venait de manger un aliment trop chaud, puis ses gestes gagnèrent en amplitude et elle commença à taper le vitrage du revers, de plus en plus violemment. Il fallait mettre un terme à ces stupidités.

— Ella ?

Elle n'écoutait pas. Elle dit vaguement quelques mots dont il ne distingua rien à cause du bruit des chocs assenés à la vitre.

Il alla jusqu'à elle, la tira brutalement par l'épaule pour l'obliger à lui faire face et cria « Stop ! », mais elle continua, toujours en larmes, sa main toujours cognant, à retourner les sangs de tout le monde. Il cria encore, plus fort cette fois :

— Ella ! Putain, tu vas arrêter, ou quoi ? On est tous tristes, pour l'amour du ciel. Tu ne peux pas tout ramener à toi !

Il se sentit content de lui, parce que c'était bien ça, le cœur du problème, et il l'avait énoncé à la perfection. Mais sa sœur était agitée de soubresauts, le corps tremblant de la tête aux pieds, comme dans un début de crise. Il leva la main et la gifla avec violence.

Elle s'arrêta de trembler.

Thomas leva la tête et se vit dans la fenêtre latérale. Il était grand, la poitrine large, les muscles de son bras tendus, écrasant la petite fille de toute sa hauteur, le visage tordu par une grimace de profond agacement. On aurait dit Lars.

Ella parut se dissoudre sur le parquet, les bras étendus devant elle. Il baissa les yeux. Elle avait des cicatrices plein les poignets, des cicatrices méchantes, de longues griffures jusqu'à l'avant-bras.

Il essaya de la soulever. Elle s'affala de nouveau en tas par terre et s'enroula en chien de fusil autour de la cheville de Thomas en sanglotant, ses larmes coulant dans les cheveux jaunes de ses tempes, sa joue endolorie par la gifle reçue.

Thomas s'accroupit et attendit qu'elle se fatigue et cesse de se tortiller, jusqu'à ce qu'elle contemple fixement sa cheville sans rien voir pour autant. Il sut à cet instant qu'il avait devant les yeux la vraie Ella.

Et il comprit soudain les coups de fil angoissés qu'ils recevaient de son établissement pendant l'année scolaire. Voilà pourquoi Lars et Moira allaient la voir bien plus souvent que lui. Raison pour laquelle ils baissaient la voix quand ils parlaient d'elle. Et les gardaient séparés, à bonne distance l'un de l'autre. Il y avait longtemps, très longtemps qu'elle était malade. Elle était folle, totalement imprévisible, et elle faisait peur. Il regarda Moira et compris pourquoi sa mère avait tout fait pour qu'il soit le premier rentré à la maison.

Ils auraient dû le mettre au courant. Il ne savait pas, il croyait bêtement que c'était une morveuse pourrie-gâtée, il ignorait qu'elle était complètement fondue. Ils auraient dû lui dire.

Il toucha l'épaule d'Ella, exactement comme Doyle l'avait touché.

— Je suis désolé, Ella. Je croyais que tu faisais semblant, lui dit-il, sans rien ajouter d'autre.

Ella attendit que Moira aille dans la salle de bains et referme la porte. Puis elle se releva lentement et resta debout, comme une chiffe molle, quelques larmes dégoulinant encore de son nez sur le sol, en laissant des marques dans l'épaisse moquette.

— Viens, lui dit-il en la prenant par la main pour lui faire quitter la chambre.

Elle vit sa propre porte, la porte de sa chambre, et s'y arrêta pour avancer doucement son gros orteil vers le bas du chambranle.

— Est-ce que tu veux entrer là ? lui demanda Thomas.

Comme elle ne répondait pas, il eut peur de la laisser seule et l'emmena au rez-de-chaussée. Il la précéda pour l'aider à descendre les marches, en lui tenant les deux mains comme s'il guidait une vieille dame très âgée. Il vit les marques sur ses poignets, certaines très anciennes et d'autres si récentes qu'on y voyait encore les croûtes de cicatrisation.

Ils étaient arrivés en bas de l'escalier lorsque Moira les appela pour leur dire qu'elle était fatiguée et se mettait eu lit, ils régleraient cette histoire demain. D'accord ? Thomas ? Chérie ?

— D'accord, m'man.

Il l'entendit fermer soigneusement la porte et l'imagina en train de la verrouiller, alors qu'il ne savait même pas si elle était équipée d'un verrou.

Dans le salon familial, ils s'assirent côte à côte, blottis épaule contre épaule sur le canapé blanc givré, pour regarder *Mission impossible II*. Ella tenait ses mains paumes en l'air en affichant ses cicatrices et Thomas eut envie de la réprimander tant son geste lui semblait faussement tragique, mais il comprit vite en voyant son visage qu'elle n'en avait rien à foutre qu'il les voie ou pas. Elle ne disait rien mais hochait la tête à sa propre intention quand les personnages du film arrachaient leurs masques.

— Tu ne vas pas bien, lui dit Thomas au moment du générique.

Elle laissa retomber sa tête contre sa poitrine, comme prise d'une très grande fatigue, et Thomas songea qu'il n'avait encore jamais vu personne d'aussi triste qu'elle.

— Ella ?

Elle ne le regarda pas.

— Tout va bien se passer. Je vais veiller sur toi, désormais.

Elle ne répondit pas, mais il constata qu'elle avait entendu et compris, et, visiblement, ce qu'il venait de lui dire était important à ses yeux. Il pourrait être Theresa pour elle, un parent digne de ce nom, quelqu'un qui serait là tout le temps et qui s'assurerait qu'elle ne se mutilerait pas.

Il la remonta au premier, son bras sous le sien, jusqu'à ses quartiers, en la guidant par le coude. Ils franchirent le salon rose et gagnèrent le lit. Elle s'y assit tout au bord et il souleva ses petits pieds pour l'allonger, puis alla s'asseoir dans la pièce voisine en laissant la porte ouverte, pour surveiller sa poitrine se soulevant et s'abaissant en rythme jusqu'à ce qu'elle s'endorme.

Il éteignit toutes les lumières pour ne garder que la lampe latérale du salon et laissa la porte entrouverte avant de sortir un instant. À travers la porte de la chambre conjugale, la télévision de Moira rigolait bruyamment. Il frappa mais elle ne répondit pas.

Et Theresa qui n'avait toujours pas téléphoné.

38

Morrow gara sa voiture dans l'allée en pente et tira le frein à main à fond en laissant la Honda en prise. Le raidillon était tel que deux précautions valaient mieux qu'une.

Les rideaux du salon étaient tirés, leurs bordures laissant transparaître des lueurs chaudes et orangées dans la nuit. La lumière du couloir était également allumée. Des moments qu'elle préférait dans sa journée, c'était le deuxième : son arrivée à la maison sachant que Brian s'y trouvait. Se mettre au lit arrivait en tête de liste.

Elle descendit, verrouilla la voiture et jeta un coup d'œil alentour. Pas un bruit. Le quartier était tranquille, un bel endroit pour élever une famille. Tout sourire, elle déverrouilla la porte et entra en s'écriant : « Salut, c'est moi ! » Elle rangea son trousseau de clés dans sa poche et accrocha son manteau dans le placard.

— Bonsoir, toi, lui dit Brian en venant à sa rencontre. Alors, c'était comment, Londres ?

— Sinistre, répondit-elle. Bannerman n'a pas voulu que j'emmène Harris parce qu'il voit des révolutions un peu partout...

— Le bar était comment ?

— Belles femmes et hommes laids. J'ai aussi revu Kay et ses garçons.

— Il n'y a pas eu de problèmes ?

— Non, ils se sont débrouillés comme des chefs.

Un pied dans le couloir, l'autre dans la cuisine, il s'appuyait au montant de porte. Une posture inhabituelle de sa part. Il donnait l'impression de cacher un secret, l'air un peu sainte-nitouche, comme s'il lui bloquait le chemin parce qu'il lui avait préparé une soirée impromptue dans une cuisine pleine de monde.

— Quoi ? lui fit-elle avec un signe de la tête.

Il reculait toujours devant les conflits alors qu'elle aimait bien la bagarre, mais pas à la maison. Lui, en revanche, détestait toute forme d'antagonisme.

— Viens, entre, dit-il après une profonde inspiration.

Elle le suivit dans la cuisine en s'attendant à une surprise. Mais non, rien, la pièce était toujours la même, même table et même mobilier terne laissé en place par le vieux couple, l'habituelle lavette laissée à sécher au robinet, son habituel dîner dans un bol au micro-ondes.

— Qu'est-ce qui se passe ? lui demanda-t-elle avec un sourire.

— Je veux que tu t'asseyes, répondit-il, l'air inquiet.

Elle prit une chaise, et il s'assit à côté d'elle en se mordillant la lèvre inférieure.

— Danny est venu ici aujourd'hui.

Elle tourna brutalement la tête comme si elle craignait que son frère ne soit encore là et s'aperçut qu'elle chuchotait quand elle lui demanda :

— Ici ?

— Ouais.

— Tu l'as rencontré ?

— Ouais.

— Quand ?

— À l'heure du thé, cinq heures et demie, dans ces eaux-là.

— Pourquoi tu ne m'as pas téléphoné ?

— Je voulais pas t'embêter.

Brian n'avait pas l'air offusqué, ni effrayé, ni même soucieux. Elle lui caressa la joue d'un geste protecteur, et il sourit devant son côté mère poule. Ils restèrent assis, collés l'un à l'autre, blottis serrés, soupçonneux.

— Je n'aime pas qu'il vienne ici.

— Je sais.

— Je ne tiens pas à ce qu'il te connaisse.

— Je vais bien, dit-il en lui prenant la main.

Elle lui pressa les doigts.
— Je suis désolée.
— Inutile, répondit-il en lui pressant les siens à son tour.
— C'était à propos de JJ ?
— Oui, et aussi de Kay Murray.
— Kay Murray ?
— Quelqu'un est venu le voir pour lui dire de te faire passer un avertissement : tu dois laisser les garçons Murray tranquilles.
— C'est lui qui me l'ordonne ?
— Non, il te dit juste qu'un *autre que lui* veut que tu laisses tomber.
— Il ne peut pas venir ici et me dicter ma ligne de conduite, ricana-t-elle.
— Et c'est ce qu'il a fait, tu crois ?

Morrow haussa les épaules. C'était bien la première fois que Danny se comportait de la sorte. Elle s'appuya au dossier de sa chaise et réfléchit aux interprétations possibles. Danny pouvait dire la vérité, mais cela ne lui ressemblait pas. S'il mentait, il fallait qu'elle s'interroge sur les raisons de ce mensonge. Il voulait donc qu'elle cesse de s'intéresser aux garçons Murray mais refusait de le dire directement. Elle réalisa soudain que Joe avait seize ans. Alex avait déjà perdu tout contact avec eux, mais Danny et Kay se fréquentaient probablement encore à l'époque. Elle envisagea un instant la possibilité que Danny soit le père de Joe. Sauf que Joe ne lui ressemblait guère. Et il ne se comportait pas du tout comme lui. Puis elle se rappela l'appartement, le peu de moyens dont disposait Kay, le fait qu'elle achetait quatre paires de chaussures chez Costco, toutes identiques, parce qu'elles étaient étanches et dureraient l'hiver. Elle travaillait comme femme de ménage et aide à domicile et subvenait visiblement toute seule aux besoins de sa famille. Elle ne recevait rien de Danny. Kay était fière : elle n'aurait jamais rien accepté de lui.

Finalement, peut-être que Danny ne mentait pas, il la prévenait qu'un autre que lui, sachant qu'ils étaient frère et sœur, tenait à ce qu'elle fiche la paix aux Murray. Et ce quelqu'un pouvait être Kay Murray en personne.

— Elle n'a pas confiance en nous, dit-elle.
— Qui ça ?

— Kay Murray. Elle ne fait pas confiance à la police, dit Alex en secouant la tête. Est-ce que Danny pourrait être le père de Joe ? Joe est absolument adorable.

— Vraiment ?

— Est-ce qu'il connaît Joe ?

— À l'entendre, j'ai pas eu l'impression.

— Pourquoi, il a dit quoi ?

— Les garçons Murray, répondit Brian avec un haussement d'épaules. Il les a toujours appelés les garçons Murray. Quelqu'un veut que tu les laisses tranquilles.

Elle resta perdue dans ses pensées un moment jusqu'à ce que Brian reprenne :

— J'ai fait un bon petit ragoût d'agneau. Tu veux que je le réchauffe ?

— S'il te plaît.

Il se leva, ferma la porte du micro-ondes et surveilla la cuisson, trois minutes, la cuillère à la main. Morrow pensait à Kay : leurs retrouvailles ce soir-là dans l'avenue, la joie de Kay apprenant qu'elle était officier de police, le fait qu'elle ait pu rentrer chez elle, à pied ou en train, en songeant que son amie d'enfance était aujourd'hui dans la Criminelle et que, pour son fils, ce serait peut-être un métier envisageable qui changerait son existence.

Possible que Joe soit son neveu, et pourquoi pas ? Elle rit. S'il s'avérait qu'elle était bien parente par alliance de Kay, elle trouva dommage de ne pas l'avoir su : elle aurait adoré cette excuse pour rester en contact avec elle.

Au signal de fin de cuisson, Brian ouvrit le micro-ondes, remua le contenu du bol et remit la minuterie. Quand il se rassit, il souriait :

— Il te ressemble.

— Tu crois ?

— Ouais, dit-il en lui touchant les lèvres, le même menton…

— Il n'a pas le droit de m'interdire…

— Alex, lui dit-il en se penchant vers elle pour poser sa main sur son ventre. Il ne t'interdit rien du tout. Il demande une trêve.

— Tu ne le connais pas…

— Non, c'est vrai, mais je sais reconnaître quelqu'un qui vient te demander ton aide. Et je vois aussi que tu réponds non.

39

Thomas s'assit dans le salon familial, le téléphone à la main, en songeant, putain de bordel, que cent ans auparavant les gars de son âge émigraient. Pendant la Première Guerre mondiale, ils mentaient sur leur date de naissance et s'engageaient dans l'armée pour aller au front, à son âge. À l'école, on les bassinait tout le temps avec la résilience, et les manières de l'acquérir, avec en exemple le Prix du Duc d'Édimbourg et toutes ces conneries. Le Duc d'Édimbourg, il y était en plein. Et rien que pour ça, ce foutu prix, on devrait le lui donner.

La tête pleine de projets, il décida d'appeler un médecin le lendemain matin pour Ella. Et au moins, maintenant, il savait qu'avec ou sans médocs, Moira n'était qu'une sale conne irresponsable. La raison pour laquelle il tenait le téléphone en main était simple, il voulait répondre avant elle. Il le tenait d'ailleurs depuis si longtemps que le combiné en métal froid était désormais à la température de sa peau.

Theresa ne se souciait guère de lui parler. Si ç'avait été le cas, elle aurait déjà téléphoné. N'empêche qu'il voulait malgré tout qu'elle appelle et parle à sa mère, qu'elle apprenne à Moira qu'elle n'avait rien de si spécial, bordel. Putain, mais Moira n'était pas la putain de favorite, alors comment pouvait-elle ignorer une gamine de douze ans en pleine dépression et vouloir qu'elle débarrasse le plancher pour regagner son internat, afin de pouvoir regarder son film.

Il se leva, alla dans le couloir et trouva la veste qu'il portait le matin même. Dans la poche intérieure, il retrouva, pliée en deux, la carte de visite de Lars – avec nom en relief – sur laquelle il avait noté l'adresse et le numéro de téléphone de Theresa. Il s'arrêta au bas des escaliers et tendit l'oreille. Pas un bruit dans la chambre d'Ella. En revanche, la télévision de Moira marchait plein pot.

Sur la pointe des pieds – sans raison aucune –, il gagna la pièce des congélateurs, alluma la lampe et s'assit dans la chaleur ronronnante pour composer le numéro.

Il écouta la sonnerie, le cœur battant la chamade dans sa gorge. Un garçon répondit.

— Oui ?

Thomas ouvrit la bouche mais il lui fallut un moment pour former ses mots.

— C'est Phils au bout du fil ?

— Oui. C'est qui ?

— Thomas Anderson.

Ils s'écoutèrent respirer un moment, deux demi-frères, chacun attendant que l'autre dise quelque chose. Phils écarta le combiné de sa bouche et dit d'une voix traînante, modèle crétin classieux :

— M'man, c'est ce garçon... le *fils*.

Theresa prit l'appareil.

— Où as-tu eu ce numéro ? demanda-t-elle d'une voix coupante.

— J'ai fait une recherche hier soir, dit-il en regardant la carte.

— Et dans quel but ?

Il ne comprit pas ce qu'elle voulait dire. On aurait dit qu'elle avait changé du tout au tout. Il voulait simplement lui parler, savoir comment sa journée s'était passée et finir par lui demander pourquoi elle n'avait pas encore appelé Moira. Il était prêt à lui accorder des excuses, peut-être était-elle trop fatiguée pour téléphoner ? Pas de problème, elle pouvait appeler demain.

— Dans quel but, Thomas ? Qu'est-ce que tu manigances ?

— Mais rien du tout, tu avais dit que tu appellerais ma mère...

— *Elle* ? Pour quelle raison irais-je l'appeler, elle ?

— Ben je sais pas, tu avais dit que tu appellerais...

— Une femme (elle était furieuse) tellement préoccupée de sa petite personne qu'elle a été complice d'abus sexuels sur un enfant ?

Une seconde, Thomas crut que c'était Phils qui avait été abusé, par Lars, mais ça n'avait aucun sens.

— Qu'est-ce que tu...

— As-tu, oui ou non, couché avec ta bonne ?

À l'entendre, il crut qu'elle parlait à quelqu'un d'autre, comme si elle était elle-même une autre. Mais elle attendait la réponse.

— Theresa ?

— Est-ce que, oui ou non, tu connais Mary Morrison ?

— Mary, la bonne ?

— Et elle t'a bien baisé, non ? Elle dit que c'est Lars qui le lui a ordonné. Il l'a menacée si elle ne s'exécutait pas. Mais quel genre d'individus êtes-vous ? Ne rappelle plus jamais ici.

Et elle raccrocha.

Thomas fixa le sol, le combiné toujours contre son oreille, en écoutant le bourdonnement de la tonalité. Mais qu'est-ce qui s'était passé, nom de Dieu ?

Il se repassa le film de leurs adieux : avait-il fait un geste qui l'ait offensée ? Prononcé des paroles qui l'avaient choquée, à propos de Lars ou de lui-même ? Elle avait dit que Lars pouvait être très con, et il avait simplement acquiescé. En fait, il n'avait acquiescé à rien, il s'était juste contenté de ne pas prendre sa défense. C'était peut-être ça, alors. Peut-être s'attendait-elle justement à le voir la contrer. Peut-être avait-elle été déçue par son attitude. Il songea à l'adorable foutoir dans son entrée et à ses jolis seins ronds, en regrettant tout ce qu'il avait pu faire pour lui déplaire.

Elle avait parlé de Mary, la bonne. Mary avait dû aller la voir chez elle pour lui raconter tout ça, avec l'espoir d'en tirer de l'argent, mais c'étaient des conneries, purement et simplement. Il était bien possible que Lars l'ait payée pour baiser son fils, mais il ne l'aurait pas la menacée. Et lui avait quinze ans, il n'était plus un enfant.

Il se releva et éteignit la lumière. Il remontait l'escalier vers la cuisine quand le téléphone sonna de nouveau.

— Allô ?

Theresa, toujours à cran et hostile.

— Écoute, lui dit-elle, j'ai réfléchi. Il faut qu'on règle ce problème.

— Personne n'a menacé Mary.
— Tu es un enfant, Thomas.
— J'ai quinze ans.
— Tu n'es toujours qu'un enfant.
— Ouais.

Il pensa à elle aujourd'hui, reposant la batte de base-ball, passant son bras sous le sien et le frôlant de ses tétons pendant leur promenade.

— Ça ne t'a pas empêchée de me coller tes seins à la figure ce matin, je me trompe ?

Elle laissa passer un temps de silence, reconnaissant en quelque sorte tacitement qu'il n'avait pas tort, avant de reprendre, en confidence cette fois :

— Toute cette affaire avec Mary donne de ta mère une très mauvaise image. Pour l'instant, elle fait figure de victime, mais si les gens savaient…

— Et en plus, tu étais prête à me taper dessus à coups de batte de base-ball avant de réaliser que tu me connaissais : tu crois que ça cadre bien avec le pauvre petit gamin que je suis censé être ?

Elle entendit sa voix tranchante comme une lame et cria :

— Il est hors de question que Phils et Betsy soient obligés de quitter leur école, tu peux prendre les paris là-dessus !

— Je n'ai jamais dit qu'ils devaient…
— Et je veux une part sur la revente de la maison.
— Quelle maison ?
— Celle dans laquelle tu te trouves en ce moment.

C'est lui qui lui avait appris qu'ils allaient être obligés de vendre. Il comprit brusquement qu'elle lui avait tiré les vers du nez toute la matinée. Elle lui disait combien c'était bizarre, tout était changé maintenant, où allaient-ils aller en vacances désormais ? Quelle école les enfants fréquentaient-ils ? Irait-il faire ses études à l'étranger s'il allait à l'université ? Elle avait même compati quand il lui avait expliqué qu'il ne leur restait que le Piper. Elle connaissait probablement Mary bien avant ça, elle était au courant de l'affaire, depuis le début, elle l'avait roulé dans la farine.

— Dis à ta mère que mon avoué prendra contact avec elle le moment venu.

— Dis-lui, putain de toi-même, Ther*ee*sa, dit-il, et il raccrocha.

Il laissa tomber le téléphone sur le plan de travail et s'écarta en le fixant de tous ses yeux. Garce. Putain de garce. Sarah Erroll était morte à sa place et c'était sa faute à elle, putain de merde, tout était de sa faute.

Que lui avait-il dit d'autre ? Il ne savait plus ce qu'il faisait, il ne pouvait pas s'occuper d'Ella ni se tracasser à cause de Squeak, il n'avait pas la moindre idée de ce qu'il faisait désormais. En levant les yeux vers le haut plafond, il sentit la défaite s'insinuer en lui comme un mauvais frisson. Il n'était qu'un gamin. Il ne savait pas ce qu'il faisait. Pour l'instant, sa déroute lui était personnelle, mais très bientôt, dès qu'elle irait voir un avocat et que les journaux l'apprendraient, tout serait rendu public. Durdur.

Paniqué, il alla au premier voir sa mère. Sa télévision marchait toujours, mais il passa devant la chambre d'Ella sur la pointe des pieds et frappa doucement. Aussitôt, la télé s'éteignit et la lumière jaillit de sous la porte.

Thomas appuya sur la poignée, elle n'était pas verrouillée. Il ne regarda pas dans la chambre, de crainte que Moira ne soit nue ou quelque chose.

— Moira ? chuchota-t-il.

— Hmmm ? répondit-elle d'une voix faussement ensommeillée, au bout d'un long moment.

— Ella… elle dort maintenant.

Moira avait la ferme intention de poursuivre sa mascarade jusqu'au bout.

— Quo… Qu'est-ce que tu dis, chéri ?

Theresa avait passé la matinée à sourire en lui soutirant tout ce qu'elle pouvait. Il avait sincèrement cru qu'elle l'aimait bien. Moira, en revanche, n'était même pas capable de fabriquer un mensonge convaincant en faisant mine de dormir.

Furieux, il passa la main à l'intérieur de la chambre et alluma.

Moira était complètement habillée, assise sur son lit avec, sur les cuisses, un cendrier d'où s'échappait une volute de fumée. Il fut surpris. Il ne savait pas qu'elle fumait. Il en oublia une seconde ce qu'il voulait dire.

— J'ai dû m'assoupir, lui expliqua-t-elle avec un petit filet de sourire.

— Ella est en train de dormir.

Elle essaya de sourire franchement, en pure perte : il ne lut que l'amertume sur son visage.

— Exactement comme tu devrais le faire, lui dit-elle, à l'image d'un personnage de mère dans un livre de contes.

— Qu'est-ce qu'elle a, Ella ?

Moira parut surprise, à croire qu'elle n'avait encore jamais rien remarqué.

— Elle est givrée, dit-il prudemment. C'est quoi, ce qu'elle a ?

— Elle est… nerveuse.

— Elle n'est vraiment pas bien.

Moira lui offrit un large sourire, esquiva son regard, puis revint sur lui, son sourire encore plus triste. Elle se donnait vraiment du mal. Il voyait clairement qu'elle se donnait du mal et que la coupe était pleine depuis bien longtemps.

Thomas voulait tout lui dire. Une femme est morte en Écosse. Ella est complètement foldingue. Theresa est l'autre épouse de papa. C'est un requin. Elle a des seins ronds et de beaux enfants. Elle te dévorera toute crue sous nos yeux, et je ne peux pas te sauver, parce que je suis un enfant.

Mais il ne révéla rien. Bien au contraire. Il ne dit que ce que Moira voulait et avait besoin d'entendre :

— Bonne nuit, m'man.

Le visage de Moira s'éclaira d'un sourire chaleureux plein de reconnaissance, et elle se laissa glisser un peu plus profond au creux de son lit.

— Bonne nuit, chéri.

Délicatement, Thomas ferma la porte et se retrouva seul dans le couloir sans lumière.

40

Quelque chose turlupinait Morrow. Il faisait frisquet lorsqu'elle sortit de chez elle pour gagner sa voiture : lentement, sans grâce, elle glissa l'étrangeté qu'était devenu son corps derrière le volant et resserra son manteau avant de fermer la portière, sentant peser sur elle la chape d'une chose sans nom. Elle démarra et se servit uniquement du rétroviseur pour faire sa marche arrière car elle était gênée dès qu'elle tentait de se tourner.

Elle s'arrêta au bas de la colline. Prit une profonde inspiration, secoua la tête et se demanda ce qui n'allait pas. Un sentiment de malaise bizarre et anormal, d'une qualité inhabituelle. Elle redémarra et reprit la route, plus lentement que d'habitude. La radio ronronnait ses infos sur la circulation, les bouchons, les annonces d'anniversaire d'enfants, des rumeurs d'accident sur la M8. Elle l'éteignit et s'engagea en ville dans des rues vides à cette heure si matinale.

Elle avait le sentiment de conduire en compagnie d'un passager avec lequel elle se serait disputée. Alors qu'elle était seule. Débile.

Elle cessa de ruminer pour se concentrer sur la conduite, les feux rouges, les céder-le-passage, freinant comme l'exigeait le manuel du parfait pilote lorsque des piétons traversaient la chaussée inconsidérément ou que d'autres automobilistes tournaient sans prévenir.

À son arrivée au poste de police, elle se savait furieuse contre elle-même, mais ignorait toujours pourquoi. Rien à voir avec le passage de Danny chez elle ou sa rencontre avec Brian, elle ne se sentait pas souillée par sa visite chez elle. C'était Perth, quelque chose en rapport avec Perth.

Elle se gara dans la cour, remonta la rampe, passa devant la réception et salua tous les membres de l'équipe de nuit, en essayant de garder à l'esprit cette bribe d'indice.

Elle franchit le hall d'entrée et gagna les bureaux de la Criminelle où elle vit la porte de Bannerman ouverte, sa lumière allumée et lui à l'intérieur, en pleine lecture.

— Monsieur ?

— Morrow ? Vous êtes là de bien bonne heure.

— Vous aussi.

Il attendit qu'elle parle mais elle ne savait trop que dire.

— Vous voulez quelque chose ? lui demanda-t-il.

Elle n'en savait rien au juste.

— Hmmm. Perth. C'est Perth qui me tracasse.

Il soupira et tapota les papiers qu'il avait devant lui, impatient de s'y replonger.

— Très bien, rappelez-les et vérifiez.

— Oui, répondit-elle en se demandant bien ce qui ne collait pas. Je vais appeler, oui…

— Pourriez-vous me laisser, maintenant ?

— Désolée.

Elle battit en retraite, referma la porte et la regarda. Il allait encore dire que c'était sa grossesse, la grande fautive. Quoi qu'elle fasse, dès lors qu'elle demandait des explications, c'était immanquablement sa grossesse. Elle ne relevait même plus.

— Madame ?

C'était Harris qui entrait dans la salle d'enquête.

— Vous êtes déjà là ?

— Ouais, mon aîné part en France avec son école. Il a fallu que je le dépose de bonne heure pour prendre le bus.

Toujours tracassée, mais moins crispée, elle le regarda disparaître dans la salle et rejoignit son propre bureau. Elle ouvrit son ordinateur et vérifia ses contacts avec Perth. Un mail sans texte l'attendait dans sa boîte de réception, perdu parmi les spams des services de police. Il portait une pièce jointe numérotée. Elle l'ouvrit, enregistra un fichier substantiel et cliqua.

Une vidéo de 24 secondes de Sarah Erroll, vivante, assise à une table de jardin où paressait un gros chat gris, sa queue enroulée autour de son poignet.

Il était difficile de bien distinguer son visage à cause des ombres trop contrastées en cette journée ensoleillée, mais elle était tout sourire, chantonnant à mi-voix au chat qui ronronnait en se roulant sur le dos pendant qu'elle lui caressait le ventre : tu es mon soleil, mon seul soleil.

Sarah avait l'air d'une enfant, avec les gestes et les mouvements d'une enfant encore pleine de grâce maladroite qui ne se serait pas encore épanouie. À côté d'elle, sur la table, étaient posés un paquet jaune de chips Kettle et l'iPhone qu'ils avaient retrouvé sur le lit.

Elle arrêta de chantonner et se pencha en avant, ignorant toujours qu'elle était filmée, pour embrasser le flanc du matou avant de se reculer sur son siège. Elle constata alors ce qui se passait et parut consternée : ses épaules s'affaissèrent et elle cria : « Nora ! Fous-moi le camp avec ce satané téléphone ! »

Derrière la caméra, Nora gloussa, Sarah fixa l'objectif et rit à son tour. L'image se figea.

Morrow se couvrit la bouche d'une main, sentit une remontée de bile lui brûler la gorge. Elle baissait les bras, comprit-elle, elle jetait Sarah aux orties pour avoir la paix avec Danny aussi bien qu'avec Bannerman, elle comptait les heures. Elle passait son temps à bayer aux corneilles en regardant le plafond, elle gagnait sa vie en faisant ça pour l'argent.

Elle inspira profondément, se leva et ouvrit sa porte en criant à Harris de venir la rejoindre.

Il débarqua aussitôt, surpris, comme s'il s'attendait à la trouver par terre en train d'accoucher.

— Enfilez votre foutu manteau, Harris. On va à Perth.

41

Thomas se trouvait dans la cuisine quand la sonnette de la grille retentit. Il se dépêcha vers l'écran vidéo près de la porte d'entrée et regarda un homme blond passer la tête par la vitre de sa Mercedes et crier dans le microphone :

— Bonjour ?

Thomas prit une voix plus grave pour se vieillir.

— C'est qui ?

— Je suis le Dr Hollis.

Il avait l'air d'un Scandinave, costaud, belle voiture noire discrète.

— J'ai rendez-vous avec M. Anderson ce matin.

Thomas appuya sur le bouton « Entrée » et vit les grilles s'ouvrir devant la Mercedes.

Le docteur reprit sa place au volant et la voiture sortit du cadre.

Thomas se servit du joystick pour déplacer la caméra autour de l'entrée. Personne. Il s'attendait presque à voir une bande de protestataires furieux rassemblés là maintenant que le suicide de Lars ne faisait plus la une, mais, apparemment, ils avaient dû trouver quelqu'un d'autre à haïr. Il n'y avait même pas de nouveaux graffitis, donc ils n'étaient pas revenus.

Il entendit la voiture s'approcher, une portière s'ouvrir et se refermer, et des semelles en cuir crisser sur les marches du perron. Il ouvrit la porte.

— Monsieur Anderson ?

Le Dr Hollis était jeune, mais ses cheveux comme ses sourcils étaient tout blancs. Il portait aussi une moustache, mais elle était cool, avec un soupçon de barbiche sous la lèvre inférieure. Il était habillé sport chic, veste en tweed grise avec doublure rose et belle chemise blanche. L'air propre et avenant.

— Je vous remercie d'être venu si vite, dit Thomas en ouvrant la porte en grand.

— Ce n'est pas un problème, répondit Hollis en s'essuyant les pieds sur le paillasson avant d'entrer dans le vestibule. Comment allez-vous ? demanda-t-il à Thomas.

— Très bien, répondit Thomas, sur ses gardes, craignant que le psychiatre ne pût lire son passé, son avenir, enfin, quelque chose.

Le Dr Hollis n'essayait pas de lire en lui. Il posa sa mallette par terre et laissa glisser son manteau de ses épaules.

— Euh… ma sœur est au premier.

Il ouvrit le chemin et gravit les marches deux à deux, le médecin sur ses talons.

— L'avez-vous vue ce matin ?

— Oui, répondit Thomas en hochant la tête.

— Est-ce qu'elle a mangé ?

Il s'arrêta sur le palier et regarda le montagnard en pleine forme qui le suivait.

— Non, dit-il.

Hollis grimpa les trois dernières marches dans la foulée.

— Vous avez déclaré au téléphone qu'à votre avis, cela devait durer depuis un bon moment. Pourquoi avoir dit cela ?

Thomas ne voulait pas dire pourquoi. Tout ce qu'il détestait depuis toujours concernant Ella était justement les « pourquoi ? » : les nombreuses visites de ses parents à son école, ses retours au bercail en beau milieu de trimestre, les vacances familiales auxquelles lui n'était pas invité. Il n'était pas sûr de pouvoir s'expliquer sans passer pour un petit con plein d'amertume.

— Eh bien, elle a des cicatrices, se contenta-t-il de dire en montrant timidement son propre poignet.

— Rien d'autre ?

— Elle est bizarre, fit Thomas en haussant les épaules.

Hollis acquiesça, comme s'il ne comprenait pas mais faisait tout son possible.

— Et votre père s'est récemment… ?

Thomas s'appuya lourdement à la rampe de l'escalier en marmonnant :

— Y a pas de manière facile de dire ça...

— Suicidé ? dit Hollis, le plus simplement du monde.

— Ouais, fit Thomas, conscient que ses lèvres bougeaient à peine. Lundi.

Il contempla la moquette et ne trouva plus rien à dire sur le sujet.

— Donc...

Hollis attendit un instant et hocha la tête, une fois, sans en faire tout un plat. Il grogna et signifia à Thomas d'avancer. Ils traversèrent le salon d'Ella, la porte de sa chambre était ouverte. Voyant son corps menu dans le vaste lit, Thomas frappa, attendit et se retourna pour expliquer :

— Juste au cas où elle aurait envie de parler...

Apparemment pas. Il ouvrit la porte en grand.

Ella était bien dans son lit mais détournait la tête. Impossible de savoir si elle était éveillée.

Hollis examinait la chambre, sa grande fenêtre, son mobilier, un petit sourire appréciateur aux lèvres. Absolument sous le charme. Thomas dut lui montrer Ella pour le rappeler à ses devoirs et à la raison de leur présence.

Hollis fit le tour du lit et prit une chaise.

— Bonjour, Ella. Je m'appelle Jergen. Je suis psychiatre.

Sa voix soudain plus grave s'était chargée d'une qualité nouvelle, une gentillesse infinie que Thomas trouva incroyablement touchante. Au point qu'il dut lutter contre ses larmes en battant des paupières pendant qu'il l'écoutait, avant d'aller se placer près de la fenêtre, là où Hollis ne le verrait pas s'il ne relevait pas la tête.

— Dis-moi, Ella, nous ne nous sommes jamais rencontrés, n'est-ce pas ?

Elle ne répondit rien, ne bougea pas mais elle avait dû lui faire passer une sorte de signal qu'il prit pour un non.

— As-tu déjà vu un psychiatre avant aujourd'hui ?

Une fois encore, Thomas ne vit ni réponse ni réaction.

— Et qui était-ce ?

Elle marmonna quelque chose. Hollis nota le nom et le lui montra. Il le corrigea et le lui montra de nouveau.

— Si tu le désires, je peux m'arranger pour que cette personne revienne te voir.

Il attendit un instant, qu'elle puisse battre des cils, tapoter, faire quelque chose.

— Ou je peux essayer de voir si je peux t'aider. As-tu une préférence ?

Il la surveilla de près un long moment, son expression changeant à mesure comme s'il entretenait avec elle une conversation muette. Puis il se pencha, lui dit quelque chose à mi-voix et se redressa, cherchant le regard de Thomas le temps qu'il contourne le lit.

Une fois dans le couloir, Hollis lui dit que sa sœur n'allait pas bien et qu'il aimerait avoir la permission de contacter les médecins qu'elle avait déjà vus pour obtenir des informations sur son passé clinique.

— Qu'est-ce qui ne va pas chez elle ?

— Je ne peux pas encore me prononcer. Savez-vous si elle prend des médicaments ?

— Je ne sais pas. Mais elle est terriblement envahissante, elle rit beaucoup. Je l'entends parler à des gens qui ne sont pas là. Des changements d'humeur…

— Et votre mère ?

— Ouais, elle aussi est un peu fêlée.

— Non, je veux dire, où est-elle ?

— Oh, elle a pris un taxi pour se rendre à Sevenoaks.

— Je vois, dit Hollis en opinant. J'ai besoin de son consentement pour avoir accès au dossier médical d'Ella. Quand sera-t-elle de retour ?

— Elle est en train de préparer l'enterrement, alors je ne sais pas.

Thomas ne tenait pas à ce que Hollis le croie abandonné et plus sûrement encore, il ne voulait pas de sa pitié.

— L'enterrement de papa est dans trois jours…

Mais il ne vit pas l'ombre d'une trace de pitié sur le visage du médecin.

— Nous avons tous des besoins, expliqua Hollis, très sérieusement. Ce moment doit être très difficile pour vous, pour vous tous.

Il dit cela très simplement, en accentuant le mot *tous*, mais Thomas comprit qu'il l'avait ajouté pour que lui ne se sente pas exclu. Il croyait entendre Theresa, disant très précisément ce qu'il fallait au moment où il le fallait. Il se sentit mal à l'aise et envisagea soudain l'éventualité que Hollis puisse être un journaliste sous couverture, fouinant à travers toute la maison et prenant des photos en secret. Ce n'était guère probable, mais, à cette simple idée, il ne voulait plus qu'une chose, qu'il sorte de la maison et parte.

Il se redressa de toute sa hauteur, en détournant les yeux.

— Vous partez... ?

— Descendez avec moi au rez-de-chaussée.

Ce fut au tour de Hollis d'ouvrir la marche, dans le long corridor, puis dans l'escalier, aussi pressé qu'un docteur appelé d'urgence dans un couloir d'hôpital. Une fois en bas, il attendit Thomas, tournant la tête de tous côtés pour se repérer. Thomas lui prit le bras pour le reconduire à la porte d'entrée, mais Hollis lui dit :

— Il faut que je vous parle.

Thomas l'emmena dans une grande salle à manger bleue et ils s'assirent à une énorme table blanche.

— Thomas, votre sœur ne va pas bien du tout. Ces cicatrices qu'elle porte sur ses poignets. Qu'est-ce que vous pouvez m'en dire ?

— Rien.

— Quel âge avez-vous ?

— Quinze ans.

— Il faut absolument que je parle à votre mère immédiatement. Avez-vous son numéro de portable ?

— Elle n'a pas de portable.

— Bon, en ce cas, quel est le nom de l'entreprise de pompes funèbres ?

— Je ne sais pas. « Frères », quelque chose « frères ».

Le Dr Hollis chercha sur son mobile sous les intitulés « pompes funèbres », « frères » et « Sevenoaks », appela un numéro, demanda Moira et la trouva.

— Madame Anderson, c'est le Dr Hollis à l'appareil. Je me trouve chez vous en compagnie de votre fils. Je crains que vous ne soyez obligée de revenir au plus vite.

À mesure qu'elle lui répondait, les sourcils du Dr Hollis remontaient lentement sur son front.

— J'ai besoin de votre consentement et du dossier médical... Je vois... Je vois... Oui... C'est... Je vois... Pouvez-vous... Je vois, oui.

Il consulta sa montre.

— Cinq heures ? Mais pour l'instant, Thomas est tout seul. Est-ce que quelqu'un...

Il se détourna de Thomas pour regarder le mur.

— Il est trop jeune pour faire ça. Non... si, il l'est. Il est beaucoup beaucoup trop jeune pour rester seul dans une telle situation... Non.

Il se montra brutalement très ferme.

— Je ne peux rien faire tant que je n'aurai pas vu son dossier médical... Je m'en fiche, madame Anderson. Je me fiche de l'enterrement de votre mari. Vous devez revenir immédiatement auprès de vos enfants à la maison.

Elle lui raccrocha au nez. Thomas entendit les bips de la tonalité. Hollis garda son téléphone un instant contre son oreille en faisant mine d'écouter.

Puis il regarda son portable, fit tss-tss et rosit un peu, avant de s'adresser à Thomas d'une voix pleine de colère.

— Thomas, j'ai dit à votre mère que vous étiez beaucoup trop jeune pour qu'on vous laisse en charge d'une telle situation. Ce n'est... c'est vraiment grave, expliqua-t-il, le visage furieux. Donc elle revient au plus vite.

Il regarda alentour et, complètement frustré, suçota ses dents et se claqua les mains sur les cuisses. Thomas comprenait.

— Écoutez, vous pouvez partir, lui dit-il paisiblement.

— J'ai un patient à voir, expliqua Hollis. Mais je me dois de vous avertir : si votre sœur ne peut pas disposer d'une surveillance par un adulte dans cette maison, il va falloir que je l'emmène à l'hôpital pour observation : je ne peux pas laisser une enfant suicidaire à la charge d'un enfant.

— Écoutez, c'est O.K., si vous me laissez avec elle.

— Non, ça ne l'est pas, en aucun cas. Vous ne comprenez pas bien : je ne vous demande pas la permission, je vous le dis : ce n'est pas O.K. du tout. Il est possible que je sois contraint de téléphoner aux services sociaux. Il est à craindre qu'Ella ne soit pas O.K. du tout. Elle a essayé de se suicider par le passé, une vraie tentative. Elle s'est sectionné les veines du poignet, elle sait ce qu'elle fait.

Tout ce qu'entendit Thomas se limita à « services sociaux ». Ils allaient les prendre. Les journaux l'apprendraient.

— Elle ne se suicidera pas, dit-il.

Hollis se leva, prêt à prendre congé.

— Vous savez, dans une famille, lorsque l'un des parents se suicide, il y a beaucoup plus de chances que l'enfant passe lui aussi à l'acte. Beaucoup plus.

— Je vous en prie, dit Thomas, la voix tremblante et haut perchée, ne téléphonez pas aux services sociaux...

Toujours furieux, Hollis fixa Thomas comme si celui-ci avait fait quelque chose à Ella.

— Je vous demanderai de rester auprès de votre sœur jusqu'à mon retour. Je ferai aussi vite que possible.

42

Morrow ne tenait pas à expliquer à Harris les raisons de ce voyage ni ses conséquences pour elle. Elle ne voulait pas qu'il soit impliqué et moins encore que le trajet se résume à une séance pénible et usante de récriminations contre leur chef. En revanche, il était visiblement aux anges de pouvoir quitter le bureau. À tel point qu'il lui parut un peu agité : par deux fois au moins, il avait répété « Seigneur, que c'est bon d'être dehors ». Il semblait savoir qu'elle avait défié Bannerman, et la chose l'inquiétait un peu, apparemment.

Le ciel se résumait à une vaste étendue de bleu digne d'un livre d'images lorsqu'ils franchirent le fond de vallée tout plat à Stirling. Morrow admira l'apparition du château sur son éperon rocheux abrupt au détour d'un flanc de colline et se demanda pourquoi elle ne sortait pas de la ville plus souvent. Elle avait son téléphone à la main et savait qu'il allait sonner d'une minute à l'autre : Bannerman serait furieux, mais elle le défierait jusqu'au bout et irait à Perth coûte que coûte. Elle savait aussi qu'à son retour à London Street, les retombées seraient nombreuses et cuisantes. Même si, à elle seule, elle ramenait une bande de meurtriers cet après-midi, elle allait le sentir passer, mais cela ne lui posait pas de problème. Elle avait conscience de faire la chose juste pour Sarah. Elle risquait de se faire suspendre pour le restant de sa grossesse et resterait peinarde à la maison sur son canapé. Elle ne s'en plaindrait pas.

Harris la vit jeter de fréquents coups d'œil à son téléphone.

— Vous attendez un coup de fil ?

— Oui, répondit-elle en regardant de l'autre côté.

— J'ai une sacrée pépie. Est-ce que je peux… ? dit-il en regardant la station-service non loin.

— Oui, allez-y, garez-vous.

Il entra dans la boutique et prit deux boîtes de jus de fruits et un sachet de caramels qu'ils se partagèrent sur le parking. L'autoroute n'était séparée des pompes que par une bande d'herbe, et les camions lancés à cent dix à l'heure les balayaient de leurs bourrasques au passage. La journée était froide mais lumineuse, avec un soleil tel qu'on était obligé de plisser les yeux.

Morrow prit un caramel et avala son soda à l'orange.

— Vous ne devriez pas manger des cochonneries comme ça, lui dit-il par-dessus le toit de la voiture. Vous devriez déjeuner comme il faut.

— C'est ce qu'il y a de meilleur quand on est enceinte…, répondit-elle, sans être obligée de compléter sa phrase parce que c'était Harris.

— Tout le monde a son avis là-dessus, dit-il en mastiquant.

— C'est pire ensuite, dit-elle, quand tout le monde veut vous poser les paluches dessus.

Il montra de la tête la route qui ramenait à Glasgow.

— Je me demande ce qui nous attend à notre retour.

Elle haussa les épaules, consciente du téléphone silencieux dans sa poche de veste.

— La merde va voler. Je croyais qu'on m'aurait déjà appelée à cette heure-ci.

Elle sortit un autre caramel du sachet et contempla la route. La vallée était basse, verte, plate et luxuriante, et la route en lacets suivait les méandres de l'ancienne rivière en se faufilant parmi les ombres profondes d'une faille dans les collines abruptes.

Pas plus l'un que l'autre, ils n'avaient envie de reprendre la voiture pour l'emprunter, mais Morrow finit par gémir :

— Oh seigneur, si on reste là, il va nous falloir un treuil pour remonter à bord.

Ils mettaient leur ceinture quand Harris dit :

— Madame ?

Il attendit, l'obligeant à répondre.

— Quoi ?

Il regardait les collines.

— Harris ? Qu'y a-t-il ?

— Nous ne sommes pas censés être ici, n'est-ce pas ? demanda-t-il après une profonde inspiration.

— Ne vous occupez pas de ça.

— Bannerman...

— C'est moi qui me ferai engueuler. Vous savez, ça n'a pas d'importance...

— Non, les hommes... Ils ne peuvent pas le supporter.

— Il va bien falloir qu'ils apprennent, grogna-t-elle.

— Vous ne recevrez pas de coup de fil.

Elle sentait monter une nausée, ne voulait pas savoir et essaya de plaisanter :

— Auriez-vous ordonné qu'on l'abatte, Harris ?

Il n'avait plus envie de lui dire et se détourna.

— Safecall.

— Des coups de fil anonymes sur Bannerman à Safecall ?

Il ne démarra pas la voiture, comme s'il avait peur de bouger. Il resta là, les coudes sur les genoux, les doigts posés sur le bas du volant, les yeux rivés au compteur de vitesse.

— Mon Dieu, Harris ! lui fit Morrow en le regardant.

Safecall était un service d'assistance téléphonique anonyme pour les agents de police victimes de harcèlement de la part de leur hiérarchie ou désireux de signaler en toute sécurité des collègues corrompus. Une idée superbe et généreuse, en théorie, sauf que, à l'image de bien des grands principes, elle présentait un revers plus sombre et parfaitement terrifiant. Ces rapports anonymes pouvaient conduire à une suspension ou à une rétrogradation immédiates, avec un flic contraint de quitter son poste, le tout sans accusateurs connus. Même si l'affaire se révélait infondée, des officiers de police se voyaient transformés en brebis galeuses, amers, paranoïaques et démolis pour toujours.

— Qui a appelé Safecall ? demanda-t-elle.

Elle se rendit immédiatement compte que sa question n'avait pas lieu d'être. Harris pouvait appeler Safecall et la signaler pour l'avoir posée.

— Oh, putain de merde, oubliez que j'ai demandé ça.

— Différents… (Il hésita.) Des tas de gens. Il a emporté un ordinateur portable chez lui, il ne l'a jamais rapporté…

— Bannerman voleur ? Allez vous faire foutre !

— Pas seulement ça…

— C'est ridicule, au moins affrontez-le en face.

— C'est une brute, madame.

— Mais *c'est votre patron* ! lui cria-t-elle en pleine figure en se retournant.

Harris regarda dehors par la vitre. C'était vraiment un coup bas. Elle ne savait plus quoi lui dire.

— Oh Seigneur ! Démarrez-moi cette putain de bagnole et direction Perth.

Il s'exécuta, reprit l'autoroute et accéléra, passant dans la voie rapide juste au nez d'un poids lourd qui menaçait de doubler un camion et risquait de bloquer les voies. Elle reprit un caramel et en ôta le papier avec colère.

— Vous n'auriez pas dû me parler de ça. Je ne veux pas connaître ce genre de choses.

Il ne répondit pas, mais, à l'évidence, il était bien content d'avoir craché le morceau. C'était son intention depuis le tout début. Il l'impliquait directement et il ne serait passé à l'acte qu'à la condition d'une issue toute proche. Il la destinait à devenir membre à part entière de leur équipe.

Tandis qu'ils roulaient à l'ombre des collines, Morrow essaya de s'imaginer le poste de police sans Bannerman. Impossible.

* * *

Il était difficile de se souvenir que Glasgow n'était pas l'Écosse. Morrow avait grandi à Glasgow, elle y avait vécu et y travaillait, mais ici, ils se trouvaient à l'extérieur de la ceinture centrale si avide de regards extérieurs : de douces maisons en pierre grises, basses et gracieuses, bâties sur des rues larges où l'histoire parlait au quotidien.

Ils se trompèrent à un embranchement et se retrouvèrent à longer la Tay, de jolis ponts et de beaux bâtiments publics avec frontons et épaisses colonnades en flûte. Elle regrettait que Leonard ne fût pas là pour leur dire ce qu'ils avaient devant les yeux.

L'heure du déjeuner était passée et il y avait beaucoup de circulation, il leur fallut un moment pour traverser la ville. Le quartier général de la division était un cube blanc des années 1960 percé de fenêtres, trapu, aux angles arrondis et aux proportions un peu comiques. Harris entra et se gara sur un emplacement de parking réservé, juste à côté de la porte d'entrée.

Morrow haussa le sourcil.

— Ils doivent être au courant de notre venue, lui dit Harris en descendant.

Ils attendirent vingt minutes devant la réception avant de s'entendre dire que le commandant Denny n'était pas disponible mais qu'une autre personne les recevrait. L'agent de permanence négligea de leur donner un nom. Un quart d'heure plus tard, il revint les voir, souleva le comptoir et leur dit de s'avancer. Un agent aux cheveux carotte et aux yeux minuscules les conduisit à l'étage avant de leur faire emprunter de longs couloirs et un escalier de sortie de secours pour les faire entrer dans une petite pièce. Là, il s'assit au bureau et leur fit un rapport de trois minutes qu'il lut sur une page dactylographiée.

Le père Sholtham avait reçu la visite de ses agents, mais il était trop ivre pour être interrogé. Il avait été incapable de répondre à la moindre question concernant Sarah Erroll.

— Il était saoul ou il dormait ?

— C'est pas écrit.

Morrow était furieuse, mais elle devait se montrer affable. Ils venaient de Glasgow, on s'attendait à les voir grossiers et insistants.

— Il est dommage que vous ne soyez pas retournés l'interroger à nouveau, dit-elle. Parce que nous sommes convaincus qu'il détient des informations importantes.

L'agent la regarda comme si elle n'était pas là.

— Nous y sommes retournés. À deux reprises. Par trois fois, nous y sommes allés, et les trois fois, nous l'avons trouvé bourré et complètement dans les vapes.

— Vous l'aviez déjà rencontré avant cela ?

— Oh (il s'anima soudain, plus rien d'officiel, juste des ragots), il est connu. Il était resté sobre très longtemps, c'est un brave gars.

— Combien de temps était-il resté sobre ?

— Dix ans, dans ces eaux-là.

— Quelqu'un d'autre aurait-il des informations à nous fournir ?

— À quel propos ?

Harris soupira bruyamment, et elle décida de couper court et d'aller droit au but.

— Où peut-on le trouver, dans ce cas ?

L'agent de police leur apprit que Sholtham avait dû quitter son presbytère pour aller vivre dans un logement du quartier réservé au clergé en visite. Il ricana en leur racontant ça.

— J'imagine qu'ils ne voulaient pas que leurs paroissiens frappent à sa porte et soient accueillis par un prêtre ivre juste vêtu de ses sous-vêtements.

— C'est à mourir de rire, commenta-t-elle froidement. Et vous nous avez été d'un grand secours.

43

Un lotissement moderne, de petites maisons proprettes rassemblées comme un puzzle, du même gris que les habitations plus anciennes de la ville.

La porte s'ouvrit devant un jeune homme aux cheveux très courts et aux yeux cernés, vêtu d'un pantalon de toile et d'une chemise dont les tailles n'étaient pas des mieux adaptées. Il leur souhaita le bonjour et les fit entrer dans la cuisine, insistant pour leur servir le thé dans une théière en acier, accompagné d'une assiette de biscuits à la crème Happy Shopper. Le père Sholtham était au premier et descendrait dans une minute. Il savait qu'ils venaient le voir.

On les laissa seuls.

Quelques instants plus tard, ils entendirent des pas dans l'escalier, un bruit étouffé de pantoufles qui s'arrêta devant la porte ouverte. Le père Gabriel Sholtham entra et se présenta.

Morrow se leva pour aller à sa rencontre, fit les présentations à son tour et lui serra la main. Il avait de grosses mains à la peau douce, et elle vit un hématome bleuâtre au dos de sa main droite, à l'endroit où il avait dû cogner un objet incroyablement dur.

Il avait la figure carrée, les traits un peu bruts, le genre de visage qui, chez un homme en meilleure santé, aurait commandé confiance et obéissance. Mais il se refusa à les regarder en face et garda les yeux baissés sur le plan de travail, où il se servit un thé noir avec deux sucres pendant qu'ils lui précisaient qu'ils avaient fait la route depuis Glasgow.

Il portait un pull gris sur un tee-shirt gris, un pantalon noir et des pantoufles bleues. Des pantoufles qui racontaient une histoire. En daim, mouchetées de taches, restes desséchés de gouttes et d'éclaboussures diverses. Morrow se refusa à imaginer leur provenance.

Il tira un troisième siège près de la table et s'assit.

— Nous sommes inspecteurs et nous enquêtons sur la mort de Sarah Erroll. Nous croyons savoir que vous détenez des informations à ce sujet.

Il plissa les paupières en remuant son thé, un infime tic. Elle fut incapable de savoir s'il s'agissait d'un élancement brutal comme une piqûre dans l'œil des suites de sa gueule de bois ou à cause du nom de Sarah. Il se mit à gronder d'une voix caverneuse, un accent de la côte ouest avec des traces d'irlandais. Ce qu'il dit fut parfaitement réfléchi, à croire qu'il déposait devant une cour de justice.

— Je l'ai lu dans le journal. J'en ai parlé. J'ai été stupide. Je vous ai fait perdre votre temps en vous obligeant à venir jusqu'ici. Je suis désolé.

— Je vois, dit Morrow, sans trop savoir si elle devait le prendre avec sévérité tant il semblait fragile. Ce n'est pas suffisant, mon père, parce que vous connaissez des détails sur la mort de cette jeune femme qui ne sont jamais parus dans la presse.

Cela, il le savait déjà. Il sirota son thé bruyamment, en veillant à ne pas croiser leurs regards.

— Donc, dit-elle doucement, ou vous avez été partie prenante de ce meurtre, ou vous connaissez quelqu'un qui y a participé.

Il lui jeta un regard en coin et se détourna aussi vite pour se réfugier dans son thé.

— Peut-être suis-je partie prenante de ce crime, dit-il avec une profonde tristesse, qu'il chassa en buvant une gorgée de thé brûlant.

— Partie prenante ? dit-elle.

— Oui, répondit-il à son mug.

Intéressant. Morrow avait le don de déceler les mensonges et les menteurs. Quelqu'un qui faisait semblant de dire la vérité, elle savait comment le prendre au piège, en exigeant plus de détails avant de les redemander en cours d'interrogatoire, quand les menteurs avaient oublié ce qu'ils avaient dit, pour les confronter à leurs incohérences. Elle savait repérer un individu influençable, qui avait menti sans savoir qu'il mentait, en posant des questions saugrenues, en lui demandant par exemple s'il était d'accord sur le fait qu'il avait bien assassiné Kennedy. Mais l'homme face à elle tentait une autre variante de tromperie en suivant une approche très théologique : il avançait très prudemment, sur la pointe des pieds, en tournant autour d'un beau gros mensonge éhonté, parfaitement disposé à être accusé de meurtre plutôt que de manger le morceau. Elle avait le sentiment qu'il lui dirait la vérité si elle le lui demandait, mais sa question devrait être parfaite et tomber au plus juste.

— Qu'avez-vous fait ? demanda-t-elle d'une voix douce, pleine de respect pour les gueules de bois. Mon père, qu'avez-vous fait ?

Il fonça le sourcil en secouant la tête.

— Quelle « partie du crime » avez-vous commise ?

Il ne s'était pas préparé à cette question-là.

— Je ne sais pas.

— Eh bien, voyons cela de plus près : êtes-vous entré dans sa maison par effraction ?

— Non.

— Vous êtes-vous introduit dans sa maison pour gagner l'étage et l'ancienne chambre d'enfant ?

— Non.

Il répondait d'une voix neutre, mais ses yeux ricochaient à la surface de la table, essayant de calculer l'angle d'attaque de la question suivante pour déterminer d'où viendrait l'embuscade.

— L'avez-vous trouvée endormie dans son lit après une longue journée de voyage, avant de la réveiller et de l'effrayer ?

— Non. Je n'ai pas fait cela non plus.

— L'avez-vous poursuivie dans l'escalier jusqu'à la faire tomber ?

— Non.

— Vous êtes-vous posté au-dessus d'elle pour lui pilonner le visage à de multiples reprises à coups de talon ?

— Non.

— Avez-vous utilisé le poids de votre corps pour lui briser le nez, en la martelant si fort du pied que ses yeux ont éclaté…

Ses larmes coulaient et il chuchota :

— Non, je n'ai rien fait de tout ça. Non.

Elle le laissa pleurer. Harris croisa les mains sur la table. Elle tendit un mouchoir au père Sholtham qui s'en saisit en la remerciant pour s'essuyer le nez. Elle reprit :

— O.K. Étiez-vous au volant de la voiture qui a ramené les meurtriers après leur forfait ?

— Je n'ai plus le droit de conduire. J'ai perdu mon permis...

— Ils venaient d'assassiner une femme innocente comme des brutes. Je ne pense pas qu'ils se seraient attardés à vérifier votre permis.

Elle prit un biscuit à la crème et en croqua une bouchée. Tout en mâchant, elle le regardait en face, parfaitement innocente.

— Avez-vous conduit les individus...

— Non. Je ne les ai pas conduits. Je n'étais pas... j'étais à l'hôpital quand c'est arrivé. Je me faisais extraire les dents.

— Avez-vous quitté l'hôpital à un moment ou à un autre le jour du...

— Non. On m'a extrait huit dents, sous anesthésie générale. Une opération de jour et je suis sorti à huit heures ce soir-là.

— Où êtes-vous allé ensuite ?

— Je suis retourné au presbytère. J'habitais toujours là-bas... à ce moment-là.

Elle croqua un morceau de biscuit qu'elle mâchonna et le vit qui s'épongeait le visage en serrant le mouchoir si fort que le papier se retrouva comprimé à la taille d'un bonbon.

— Puis-je vous interroger sur votre problème de boisson ?

Il acquiesça.

— Vous avez déjà eu ce problème par le passé ?

— Effectivement, dit-il avec honte.

Sa honte semblait plus profonde et plus sincère à cet aveu que devant son implication directe dans un meurtre. Sa voix n'était plus qu'un murmure et il avait l'air trop triste pour remuer les lèvres.

— Mais vous êtes resté bien longtemps sans boire ?

— C'est exact. Un bien long moment.

— Combien de temps ?

— Huit ans et demi.

— Un lieu sans beaucoup de lumière, n'est-ce pas ?

Il accrocha son œil et y chercha une once de sympathie sans en trouver la moindre. Déçu, il se reprit à scruter le dessus de la table.

— Quand vous êtes-vous remis à boire ?

— Il y a quelques jours.

— Combien ?

Il essaya de répondre. En vain.

— Quel jour sommes-nous ?

— Jeudi.

Elle le vit faire le décompte de la semaine écoulée.

— Ça a commencé mardi.

— Le lendemain de l'assassinat de Sarah ?

— Ah bon ? J'ai repris la bouteille parce que j'avais été opéré… Ils m'avaient donné des opiacés… Ça s'embrouillait dans ma tête.

Il avait parfaitement conscience que son excuse ne tenait pas debout, et il savait que c'était le lendemain du meurtre. Devant le regard de reproche de Morrow, il baissa la tête, plein de honte.

Elle continua à l'observer et, sentant peser sur lui le poids de son regard, il but une gorgée de thé et claqua des lèvres tant il était amer. De toute évidence, un homme entravé par sa conscience, qui protégeait quelqu'un. Une attitude qu'elle ne comprenait pas et qui l'agaçait profondément.

— Vous attendez ici, lui dit-elle en tapotant la table du doigt.

Puis elle se leva et fit signe à Harris de l'accompagner.

Dans le couloir, ils virent le jeune homme qui les avait accueillis traverser le salon et les saluer de la main en essayant d'attraper leur regard au passage : apparemment, il voulait bavarder mais Morrow referma la porte d'entrée derrière eux. Ils remontèrent dans leur voiture.

— Il ment pour protéger quelqu'un, dit-elle. Je pense qu'il s'agit d'un autre prêtre.

— Non, répondit Harris avec certitude. Quelqu'un s'est confessé à lui, il s'enivre, lâche le morceau par inadvertance et essaie maintenant de sauver son âme en prenant la faute à son compte.

— Comment savez-vous cela ?

— Je suis catholique, sourit Harris.

Elle en resta coite. Il était aisé de se tromper sur ces choses, et le tact n'était pas son fort.

— Eh bien… Tant mieux pour vous.

Harris éclata de rire devant un commentaire aussi ridicule, en comprenant pourtant qu'elle avait fait de son mieux.

— Je ne sais pas quoi dire, lui expliqua-t-elle en levant les mains. J'ignorais.

— Oui, bon, répondit-il maladroitement, ne sachant que dire lui non plus.

— Tant mieux pour vous, répéta-t-elle. Alors… comment ça marche ? Il est obligé de prendre le blâme sur lui parce que quelqu'un s'est confessé ?

— Non. Il a prêté serment de ne jamais répéter ce que les gens lui diraient en confession. Mais il l'a fait et c'est un péché terrible de rompre ce vœu. Un péché mortel. Il essaie de racheter cela en se transformant en martyr.

— Mais il était complètement ivre. Ce n'est pas une excuse ?

— Depuis quand le fait d'être saoul est-il une excuse ?

Le père Sholtham se tenait debout devant la fenêtre de la cuisine et ne les quittait pas des yeux.

— Non, mais c'est une circonstance atténuante, quand même ?

— Pas pour un acte comme celui-là.

— Donc, monsieur le papiste, qu'est-ce qu'on fait maintenant ?

Harris chercha sa ceinture de sécurité.

— On trouve celui qui s'est confessé.

Ils repartaient quand Morrow se retourna : Sholtham suivait leur départ, un grand gaillard triste, encadré par la haute fenêtre qui descendait jusqu'à ses genoux. Les mains ballantes, les doigts repliés, attendant le jugement.

* * *

L'un dans l'autre, le presbytère était bien plus beau que la maison du lotissement. Jouxtant la chapelle dans une rue du centre-ville, elle lui faisait harmonieusement pendant, avec ses étroites fenêtres et sa porte pointue rappelant la haute flèche voisine. Seule la couleur extérieure ne correspondait pas : la chapelle était en pierre grise du pays et la petite maison rouge, avec encadrements de fenêtres blonds.

— Ça vous arrive de discuter avec Leonard ? lui demanda-t-elle en descendant de voiture.

— De temps en temps.

— Qu'est-ce que vous pensez d'elle ?

— Agréable. Intelligente.

Il ne parla pas de sa sexualité, ce dont Morrow lui fut reconnaissant.

— Elle s'y connaît en antiquités et en architecture.

Morrow aligna son pas sur le sien et le rejoignit pour traverser la rue.

— Elle est intelligente.

Un perron conduisait à la porte d'entrée : deux marches, si raides qu'on ne risquait pas de s'y attarder. Harris sonna la cloche. On aurait dit un glas.

— Vous croyez qu'elle serait partante pour une promotion ?

Harris n'avait aucune envie de répondre.

— J'suppose, finit-il par dire.

— Bannerman sera suspendu le temps de l'enquête, dit-elle en faisant référence aux coups de fil à Safecall, et il nous faudra promouvoir quelqu'un. C'est vous que je veux, mais… vous savez…

Ils contemplaient la porte. Harris s'éclaircit la gorge.

— Je gagne plus… vous comprenez, avec mes heures sup.

— Ouais.

Ils entendirent quelqu'un s'approcher dans un corridor en pierre.

— Ça ne vous tracasse pas de démarrer une révolution alors qu'il n'y a personne pour prendre la tête du service ?

— Que voulez-vous dire ?

— Eh bien, moi, je serai en congé de maternité. Il nous faut quelqu'un. Ce truc, là… ces coups de fil…

Le pêne de la serrure claqua derrière la porte.

— Ils vont faire venir quelqu'un. Et vous ne savez pas qui ce sera, pas vrai ? Vous allez donc créer une vacance de pouvoir.

Harris sourit.

— C'est mot pour mot ce que Leonard a dit. Elle a expliqué que c'est ce qui s'est passé lorsque Napoléon est arrivé au pouvoir.

Il transmettait simplement un commentaire intéressant de la part de Leonard, mais il avait reconnu avoir parlé à d'autres agents de Safecall. Ce qui transformait un coup de fil en campagne. Ils se regardèrent.

— Donc, vous admettez qu'il s'agit bien d'un putsch ? lui demanda-t-elle.

Harris eut l'air effrayé.

La porte s'ouvrit.

— En quoi puis-je vous aider ? leur demanda une minuscule femme déjà âgée, vêtue d'un chemisier en rayonne et d'une jupe plissée qui ne l'avantageait pas.

— Police du Strathclyde, dit Morrow. Nous aimerions nous entretenir avec vous à propos du père Sholtham.

* * *

La gouvernante fut absolument ravie de leur fournir jusqu'au plus petit détail l'emploi du temps du père Sholtham le lendemain du meurtre de Sarah. Elle était très en colère contre lui, même si elle donnait l'impression de se lever le matin déjà furieuse. Elle ne cessa de leur demander ce qui pouvait pousser un homme de foi à boire de la sorte. Pourquoi faisait-il ça ? Il ne se rendait pas ridicule en faisant ça ?

Le père Sholtham, parfaitement sobre, avait pris son petit déjeuner et dit la messe du matin dans le bâtiment voisin. Il n'avait pas pris de confessions après la messe, elles ne commençaient qu'à dix-sept heures, et c'est ce matin-là qu'il avait commencé à boire. Elle avait remarqué qu'il se comportait de façon bizarre, mais il avait expliqué qu'il avait la grippe. Il était parti assister à une réunion dans une école toute proche, et elle avait effectivement pensé qu'il était grippé. Il avait une démarche mal assurée. Il avait déjeuné à l'école. Puis il était rentré et s'était recueilli en prières dans sa chambre. Il n'avait pas pris de coups de fil, elle le savait parce que l'appareil était dans le couloir. Morrow tenait surtout à connaître le détail des confessions à l'heure du thé, mais la femme ne cessait de revenir sur les prières du prêtre dans sa chambre, peut-être que c'était ça qui avait tout déclenché, pourquoi quelqu'un irait-il boire de cette façon, pour se faire du mal... Morrow l'interrompit.

— Qui était en confession ?

— Le père Haggerty.

— C'est tout ?

— Non, intervint Harris, elle veut dire, qui a reçu en confession le père Sholtham ?

— Personne, répondit la femme. Personne ne l'a confessé. C'est le père Haggerty qui officiait.

— Mais pas le père Sholtham ?

— Non. Il était prévu qu'il prenne les confessions à dix-sept heures, mais il est sorti se promener et, à son retour, il était visiblement ivre. Ce n'était pas la grippe du tout. Il avait menti en disant ça. Le père Haggerty l'a trouvé en train de se changer pour les confessions et l'a ramené ici. Nous l'avons mis au lit. Depuis ce moment-là, il est ivre.

* * *

Ils ne purent obtenir d'elles une liste de noms des gens qui avaient assisté à l'office du matin avant que le père ne se remette à boire. Elle n'était arrivée qu'à neuf heures, et même si elle allait souvent à la messe avant le travail, elle ne l'avait pas suivie de matin-là.

Quand ils furent sortis, Harris lui dit qu'il devait exister un noyau de fidèles qui assistaient à la messe tous les matins : ils pourraient leur demander si quelqu'un avait pris le prêtre à part une fois l'office terminé ou lui avait parlé longuement.

Faute de grives... C'est sans conviction aucune qu'ils allèrent jusqu'à l'école.

44

Sur le GPS, St Augustus était situé hors de la ville. Le trajet prenait un quart d'heure par une autoroute qui gravissait une crête de hautes collines avant de plonger dans une vallée luxuriante de terres agricoles fertiles, de grands champs et de jolies maisons nichées dans des bosquets.

Au moment où ils franchirent la crête, un rideau de pluie se dressa devant eux, illuminé par le soleil jaune qui se cachait derrière. Ils le virent balayer la vallée, les voitures et les camions, les heurtant de plein fouet au milieu des gerbes de grosses gouttes éclatantes qui explosaient sur les toits et les capots, en délavant la poussière de la route à mesure de son avancée. Tout leur parut plus brillant ensuite.

Après leur sortie de l'autoroute, le GPS les dirigea vers des routes en larges méandres qui épousaient gentiment le relief, contournant un massif forestier ou longeant une petite colline. Ils arrivèrent à un pont à voie unique en pierre du pays, ouvrant sur une descente en lacets encadrée de petites maisons basses aux fenêtres profondes et aux toits épais en chaume noir. Un haut mur rouge commença à apparaître au sortir des arbres en bordure de la chaussée.

Il s'incurvait en une large courbe fermée de part et d'autre par des maisons de gardien jumelles, avec des grilles en fer noir restées ouvertes.

— Putain de merde, dit Harris en s'engageant dans l'allée, alors qu'il n'était guère coutumier des jurons.

Les grilles franchies, l'allée en gravillon rouge serpentait d'abord au travers d'un bois puis de pelouses immaculées, avant de rejoindre une grande et élégante demeure située de biais par rapport à l'entrée, trop effarouchée pour s'imposer. Construite sur trois niveaux, avec un modeste portique à colonnes en façade, elle paraissait superbe et douillette tout à la fois. On y avait adjoint diverses extensions, toutes situées sur l'arrière afin de ne pas gâcher le panorama.

Devant le bâtiment, la pelouse descendait en pente douce avant de piquer soudain sur un ruisseau traversé par un petit pont en arche conduisant aux terrains de sport et de tennis un peu plus loin.

Harris arrêta la voiture. La porte principale était fermée et il n'y avait pas d'autres voitures garées. Il regardait alentour à la recherche du parking pendant que Morrow suivait des yeux une troupe de petits garçons qui franchissaient le pont. Ils étaient tous en tenue de gym, survêtements et doudounes bleues, le visage rouge, les cheveux mouillés de sueur pour certains. Ils avaient tous une dizaine d'années et le matériel d'athlétisme qu'ils transportaient était trop encombrant pour leur taille : ils tenaient les haies dans leur bras au niveau du menton ou les charriaient sur les épaules.

— Il doit bien exister un parc de stationnement quelque part, marmonna Harris. À moins qu'il n'y ait un autre accès.

Les enfants se rapprochaient et Morrow les vit tout excités, papotant et se bousculant par petits groupes. Ils empruntèrent le sentier qui tranchait la pelouse en diagonale jusqu'à un vestiaire situé sur le côté. « Les gosses seront toujours des gosses, pas vrai ? » se dit Morrow.

Un gamin, plus petit que les autres, apparut derrière la voiture, courant à toutes jambes parce qu'il tenait absolument à rattraper le gros de la troupe. Il les dépassa, hors d'haleine, pompant l'air de ses petits bras comme un sprinter pour aller plus vite. Voyant les derniers de son groupe passer la porte devant lui, il redoubla d'efforts et accéléra encore à grandes foulées, en levant les jambes et en faisant gicler les gravillons rouges dans son sillage.

En reconnaissant le motif à trois cercles sur ses semelles de tennis, Morrow se dépêcha de sortir de la voiture et lui cria :

— Fiston !

Le gamin tordit le cou, toujours en pleine course, ralentit et se mit à courir à reculons.

— Viens jusqu'ici, dit-elle.

Il n'en fit rien. Il s'arrêta devant le vestiaire et parla à un gamin qui raclait la boue sur le flanc d'une de ses tennis noires. Le garçon cria par la porte ouverte, et une femme solidement bâtie en survêtement rouge sortit. Un sifflet et un chronomètre pendaient à son cou.

Morrow sortit son insigne.

— Nous appartenons à la police du Strathclyde. Ces chaussures, elles font partie de l'uniforme ?

— Oui.

— Nous aimerions voir le directeur, s'il vous plaît.

La femme sursauta mais ne demanda pas pourquoi.

— Je vais vous montrer, dit la femme en les faisant entrer.

La tête baissée, les yeux au sol, elle s'engagea dans le couloir qui longeait la salle des vestiaires puis passa la tête à une porte en s'écriant d'une voix de sergent-major :

— McLennan !

— Mademoiselle Losty ? lui répondit une minuscule voix haut perchée.

— Vous êtes responsable pour dix minutes.

— Très bien !

Mlle Losty fit montre d'un sang-froid exceptionnel en les conduisant dans les étroits couloirs des quartiers du personnel puis à l'étage jusqu'au secrétariat de l'école. Pas une seule fois elle ne s'enquit des raisons de leur présence, se contentant d'ouvrir la marche avant de les remettre entre les mains d'une dame efficace en chemisier beige. Après quoi, avec un sourire, elle repartit.

La secrétaire leur demanda d'attendre dans le couloir et ferma la porte pendant qu'elle téléphonait. Quelques instants plus tard, elle les emmena à son tour dans un long corridor au sol en damier noir et blanc jusqu'à un bureau dont la pancarte sur la porte disait : « M. Doyle – Directeur. »

Elle frappa et ouvrit, passa la tête et dit que la police était là.

Wallis Doyle s'approcha, leur serra la main et se présenta, examina attentivement leurs pièces d'identité, puis les invita à entrer dans le petit bureau.

La pièce, parfaitement ordonnée, sentait le désodorisant et la moquette posée de frais. Sur le rebord de la fenêtre s'alignaient des piles de papiers et de chemises soigneusement disposées, tout semblait y être à sa juste place. M. Doyle disposait même d'un centre de recyclage dans un coin, une fabrication maison à partir de cartons de chips dont les ouvertures circulaires portaient toutes un intitulé : journaux, boîtes en alu et verre tout en bas. À l'intérieur de chaque carton, les objets à recycler étaient proprement rangés, comme si le recyclage n'était pas effectif à proprement parler, mais simplement là à titre d'exemple.

M. Doyle se montra des plus courtois, il les fit asseoir dans des fauteuils confortables et leur proposa du thé. Ils déclinèrent son offre, et la secrétaire repartit en refermant soigneusement la porte derrière elle. Il attendit que le battant soit bien clos et se posta à côté de son bureau, les mains croisées.

— Bienvenue à St Augustus, dit-il comme s'il s'adressait à des parents. Que puis-je pour vous ?

— Oui, monsieur Doyle. Désolé, c'est bien monsieur Doyle ? Et non pas père Doyle ?

— Non, non, dit-il en souriant à l'idée pour lui montrer son alliance. M. Doyle.

— Nous voulions vous poser quelques questions sur la visite du père Sholtham, mardi dernier, c'est ça ?

— En rapport avec quoi ? fit-il en tendant l'oreille.

Harris regarda Morrow.

— À quelle heure est-il arrivé ici, à qui a-t-il parlé, quand est-il parti ?

— Et pour quelles raisons tenez-vous à obtenir ces informations ?

— Parce que je veux le savoir, répondit Morrow après s'être éclairci la gorge.

Ils restèrent un moment à se dévisager, l'expression de Doyle de moins en moins affable. Il décroisa les mains et les mit dans ses poches, appuya ses fesses au bureau.

— Le père Sholtham est arrivé à 12 h 35. Il est venu dans la petite chapelle latérale pour annoncer aux membres du chœur que la question du financement de leur voyage au Malawi était réglée : un de nos parents d'élèves a accepté de couvrir à égalité les montants déjà récoltés. Pour chaque millier de livres, il en rajoutait mille à la cagnotte...

— Vous êtes très affirmatif quant à l'heure de sa venue.

— Nous l'attendions à midi mais il a eu du retard. Le bus avait du retard.

— Que s'est-il passé ensuite ?

— Nous avons pris un thé pour fêter la bonne nouvelle et il est parti. Je l'ai raccompagné.

— Comment vous a-t-il semblé ?

— Bien, dit-il après avoir réfléchi un instant. Pas vraiment dans son assiette. Je présume que c'était dû à ses problèmes de boisson, mais il n'était certainement pas ivre quand je l'ai vu. Il avait eu une anesthésie générale la veille et donc, il n'était pas bien, mais il ne sentait pas l'alcool. Je l'ai revu une demi-heure plus tard, à son départ pour reprendre le bus, et il m'a semblé bien.

— Attendez, fit Harris. Vous l'avez raccompagné et ensuite, vous l'avez revu ?

— Oui, de la pièce bleue. Elle est située au premier étage et c'est de là que je l'ai aperçu dans l'allée.

— Pourquoi ce décalage de temps ? demanda Harris en fronçant le sourcil.

— Les bus ne sont pas très fréquents. Il a certainement dû attendre dans l'entrée au rez-de-chaussée. Il pleuvait.

— Il n'a pas pris de confessions ?

— Non.

— Et à qui aurait-il pu parler pendant qu'il attendait en bas ?

— À personne.

— Il n'est pas possible que quelqu'un ait pu passer par là ?

— Oh, mais bien sûr que si, évidemment. Les élèves ont temps libre jusqu'à la reprise des cours à 13 h 15. Les garçons ont le droit d'aller et venir, mais si l'un d'eux l'a vu là-bas, il a dû y aller délibérément. Ce n'est pas un endroit où les élèves sont autorisés à traîner. Les salles de jeux et les dortoirs sont de l'autre côté du campus.

Harris acquiesça.

— Vous ne l'avez laissé avec personne ni vu quelqu'un l'approcher ?

— Non.

— La confession..., commença Harris en changeant de position dans son fauteuil. Ce n'est plus comme dans le temps, quand j'étais gamin. Aujourd'hui, on peut confesser n'importe où...

Doyle ne dit rien, il sourit, l'air perplexe. Il avait présumé qu'ils étaient là pour le prêtre.

— Mais, dit Harris, c'est toujours une confession, même si on voit le prêtre et si ça ne se passe pas dans un confessionnal...

— Bien sûr. C'est un sacrement, mais, si le prêtre use de toutes les formes sacramentelles, il peut confesser n'importe où. D'ailleurs, beaucoup de prêtres préfèrent que les choses se passent simplement, en particulier avec des jeunes, n'est-ce pas ?

— C'est moins intimidant, confirma Harris.

— Bien sûr.

Son regard passait de l'un à l'autre des deux policiers, dans l'espoir de lire un indice sur leurs visages.

Morrow s'avança sur son siège.

— Lundi après-midi, la veille donc, des élèves se sont-ils absentés de l'école ?

— Non, dit-il après réflexion.

— Y a-t-il eu ce jour-là des visites scolaires à Glasgow ? Des événements sportifs, des débats entre écoles ou quelque chose ?

— Non. Pouvez-vous me dire de quoi il s'agit ?

— Avez-vous entendu parler de Sarah Erroll ?

Doyle cligna des yeux.

— Non. Aucun de nos élèves ne s'appelle Erroll. Je pourrais me tromper. Parfois les parents portent des patronymes différents, les mères... De quoi s'agit-il ? Qui est Sarah Erroll ?

Morrow n'aimait pas le personnage. Elle n'aimait pas son attitude, elle n'aimait pas le fait qu'il dirige une école privée et elle n'aimait son bureau aussi propret et bien rangé que la conscience d'un ministre du culte.

— Monsieur Doyle, je ne pense pas que vous vous montriez honnête à mon égard. Vous savez qui est Sarah Erroll.

Il haussa les épaules. Visiblement agacé.

— Est-elle venue visiter cette école ? demanda-t-il.

— Vous ne répondez pas à mes questions. Ne commencez pas à me servir les vôtres.

Doyle n'avait pas l'habitude d'être contré ou contesté. Il montra les dents dans un sourire glacé et quitta sa position pour aller s'asseoir dans son fauteuil personnel avec toute la largeur de son bureau comme rempart de protection.

Elle lui montra la tour de boîtes de recyclage.

— Il y a là des journaux qui ont couvert l'affaire en détail. Je pense que cela vous inquiète de répondre franchement au cas où cela entacherait la belle réputation de votre école.

— Je ne me souviens pas d'avoir lu des articles à ce sujet, dit Doyle avec un regard coupable vers ses boîtes de recyclage.

— Les uniformes que portent les garçons, demanda Harris. Sont-ils les mêmes pour toutes les promotions ?

— Oui.

— Les tennis, d'où viennent-elles ?

— Quelles « tennis » ?

— Les tennis. Celles que tous les garçons portent en gym, en daim noir.

— Ce sont des chaussures de sport tout à fait normales. Je ne connais pas la marque…

— Où les garçons trouvent-ils leurs uniformes ? S'agit-il d'un magasin spécial ?

— Non. Chez Jenner's.

— À Édimbourg ?

— Oui. Mais vous savez, chaque élément de leur uniforme est fabriqué pour la vente au grand public. Seuls les écussons des blazers et les smokings sont spécifiquement conçus à notre intention. N'importe qui pourrait acheter ces chaussures de sport.

— Vous ne nous aidez pas beaucoup, monsieur Doyle.

S'ensuivit un long silence. Morrow examinait le bureau, Harris fixait Doyle. Ce dernier était le seul à se sentir mal à l'aise, occupé à échafauder son plan. Une fois la chose faite, il se leva.

— Eh bien, merci beaucoup d'être passés. Je vais vérifier tous les registres de présence pour ce jour précis et je verrai bien qui, si tant est que cela soit le cas, a pu se rendre à Glasgow. Nos garçons ne sont pas autorisés à garder une voiture ici, donc cela vaudrait peut-être la peine de vérifier auprès de la gare ferroviaire locale.

— Je connais mon travail, répondit Morrow, toujours assise dans son fauteuil, sans montrer la moindre intention de le quitter.

— Je peux consulter mes registres, mais je dois vous demander de me laisser, maintenant.

Harris se tourna vers Morrow. Morrow regarda Doyle et prit son temps pour lui transmettre sa décision.

— Je vous téléphone dans trois heures. Si je n'obtiens pas l'information dont j'ai besoin ou si j'estime que vous ne coopérez pas, je reviens, en uniforme cette fois, avec une brigade entière, et nous faisons une perquisition. C'est clair ?

Doyle tendit la main pour leur montrer la porte.

Morrow se leva et Harris la suivit. Doyle essaya d'arriver à la porte avant elle, mais elle le battit de vitesse et l'ouvrit.

— Nous saurons trouver le chemin de la sortie.

— En aucun cas, dit Doyle qui les précéda, refermant la porte de son bureau avant de la verrouiller.

Le bruit de la serrure résonna bruyamment dans le silence comme un non catégorique.

Il leur fit signe de passer devant dans le couloir sombre, loin du bureau de la secrétaire, puis franchit une grande porte ouvrant sur une salle ovale au milieu du bâtiment. Il y faisait très froid et elle était vide, hormis un piano à queue luisant en bois de rose et une cheminée en marbre blanc. L'étage supérieur offrait un balcon, ovale lui aussi, surmonté d'une verrière en dôme.

Doyle leur serra la main en évitant leurs regards et leur fit franchir une porte au sommet d'un court escalier à deux volées de marches jumelles qui s'incurvaient en arc sur chaque mur jusqu'à la porte d'entrée principale. Il attendit sur le balcon qu'ils sortent.

Lorsque Morrow referma la porte derrière elle, elle entendit le pêne se verrouiller. La voiture était garée juste devant et Harris tenait les clés en main.

— On rentre à la maison ?

Morrow l'arrêta.

— Où se trouve la chapelle ? demanda-t-elle en se retournant sur le bâtiment central.

Ils reculèrent, regardant de droite et de gauche, puis avancèrent de trois mètres vers les portes du vestiaire. La chapelle était juste derrière, en retrait de la façade, à l'image d'une haute grange blonde aux fenêtres rouges en ogive. Ils s'arrêtèrent pour la contempler un instant quand Harris se retourna comme s'il s'attendait à voir réapparaître Doyle à l'entrée.

— Venez, on va un peu visiter les lieux, dit Morrow.

Les diverses extensions obéissaient à une progression logique en termes de période de construction. Les premiers bâtiments, les plus marqués par le temps, jouxtaient l'arrière de la maison principale : un couloir en bois et une salle qui donnaient l'impression d'avoir été montés à la va-vite pendant la guerre. Au-delà s'alignaient des constructions en brique rouge plus récentes qui ressemblaient à des blocs de salles de cours, plus une piscine avec d'énormes panneaux vitrés coulissants sur une ossature métallique. Presque relégué à l'écart, un peu plus loin, se dressait un bloc en béton blanc dont les fenêtres normales et les rideaux unis bleu marine évoquaient quelque hôtel bon marché.

Encore derrière se trouvait la toute dernière construction à l'aspect surprenant. Une série de parallélépipèdes en tôle ondulée, des conteneurs de transport hauts de deux étages, tous peints au compresseur en variations subtiles de blanc et agrémentés d'un escalier gris en treillage métallique qui permettait de gagner l'étage et formait une passerelle ceignant le bâtiment. Chacun d'eux s'ornait d'un mur de vitrages avec des sections en verre givré pour offrir une relative intimité, mais le plus bas de tous abritait une salle commune : cinq garçons s'y prélassaient dans des fauteuils, un jeu de fléchettes et une télé plasma accrochés au mur. Au-dessus et de chaque côté, se trouvaient des salles de cours équipées d'un mobilier amusant, bureaux et chaises multicolores en plastique recyclé. Un garçon assis près d'une fenêtre du premier les regarda en les pointant du doigt.

Une porte s'ouvrit dans le bloc, et un homme grand et mince sortit sur la passerelle en leur criant :

— Puis-je vous être utile ?

— Police du Strathclyde, s'écria en retour Harris en montrant son insigne. Nous venons de voir M. Doyle et nous jetons un coup d'œil à la propriété.

L'enseignant regagna sa classe et ils le virent par le mur de vitrage qui disait à ses élèves quelque chose qui leur fit tous tourner la tête. Les écoliers dans le fond s'approchèrent des vitres pour les voir.

Morrow et Harris battirent en retraite sur le côté du bloc abritant la salle commune.

La pancarte était fixée sur le mur pignon : elle disait que tous ces bâtiments, entièrement composés de matériaux recyclables neutres sans émission de carbone et alimentés à l'énergie solaire, étaient une donation de Sir Lars Anderson.

Morrow et Harris se dépêchèrent de regagner l'entrée principale du bâtiment central pour y trouver porte close. Morrow essaya bien de sonner mais elle n'entendit aucune sonnerie retentir à l'intérieur.

— Les vestiaires, dit Harris en rebroussant chemin.

— Nous allons nous perdre, dit Morrow en se tournant vers lui.

Et c'est alors qu'elle le vit : un garçon qui arrivait en courant au coin des annexes, grand, seize ans peut-être, la tête pivotant en tous sens, cherchant frénétiquement quelqu'un.

Il s'arrêta à côté d'eux et les jaugea du regard. Il était maigre, avec un nez court, des yeux ronds de bébé, la tête rasée, la peau encore hâlée par le soleil d'été. Morrow l'avait vu dans la salle de classe avec le professeur curieux. C'était lui qui s'était approché de la fenêtre pour les voir.

— Hé, fiston, lui fit Morrow. Comment rentrer dans ce bâtiment ? Nous avons besoin de voir M. Doyle.

— Ce n'est pas Doyle dont vous avez besoin, dit-il hors d'haleine. Si vous êtes ici, c'est pour me voir.

45

Assis sur une chaise dans le couloir, Thomas tendait l'oreille : Moira cherchait à ouvrir la porte d'entrée au rez-de-chaussée et elle avait quelques difficultés. Elle se trompa de serrure par deux fois et finit par trouver la bonne clé. La porte s'ouvrit, et elle s'arrêta un instant dans le vestibule.

— Hello ? Il y a quelqu'un ?

— Au premier, répondit-il à voix basse après l'avoir laissée mariner un moment.

— Thomas ? dit-elle. Thomas ? Tu es là ?

L'entendant s'approcher, il sentit ses poils se hérisser, sur ses bras, sur son cou.

— Tom ? lui lança-t-elle, tout sourire, en s'avançant jusqu'à l'escalier, comme s'ils jouaient à cache-cache. Hello-ho ?

Ils étaient immobiles l'un et l'autre, Thomas sur sa chaise devant la porte ouverte d'Ella, Moira au bas des marches. Il entendit un bruissement amplifié par la cage d'escalier, du papier de soie froissé. Du papier de soie dans un sac.

— Au premier, répéta-t-il froidement.

— Oh.

Elle avança d'un pas hésitant, sur ses gardes à cause de son ton, parce qu'il n'était pas venu au-devant d'elle, parce qu'elle sentait la fureur dans sa voix. Elle continua néanmoins et il entendit le crissement du papier de soie dans le sac à mesure qu'elle gravissait les marches en marmonnant :

— Juste ciel, la circulation était abominable en ville. Ces marches me paraissent de plus en plus raides…

C'était sa manière d'entretenir l'illusion, comme s'il étaient deux amis bienheureux de partager une putain de conversation pépère et agréable.

Elle arriva en haut de l'escalier et l'aperçut assis en sentinelle devant la porte d'Ella. Chargée d'une cargaison de sacs aux poignées en ruban, tous aux noms de boutiques de fringues chic, elle le vit qui les regardait.

— Pour l'enterrement, expliqua-t-elle.

Il ne répondit rien.

— Des soldes… avec mon propre argent…

Thomas détourna la tête et croisa les bras. Elle ne bougea pas, puis se tortilla, ouvrit la bouche pour parler, mais rien ne vint, et elle gloussa nerveusement en regardant la porte de sa chambre. Il savait qu'elle n'avait qu'une envie, s'y réfugier pour essayer ses nouvelles tenues, mais elle avait peur de passer devant lui.

— Il y a longtemps que tu es là ?…

— Qu'est-ce qui tourne pas rond chez toi, bordel ?

Elle tressaillit au ton de sa voix, parut heurtée par sa façon d'être et fit mine de se protéger en relevant une épaule.

— L'enterrement de ton père…

— Elle est suicidaire, Moira. Tu es sortie et tu l'as laissée ici avec moi.

— Tom, dit-elle en laissant tomber ses sacs, tu ne sais pas…

— Ça ne devrait pas être à moi de veiller sur elle, cria-t-il, heureux de pouvoir crier et de prendre plaisir à libérer sa tension.

— Chéri, tu ne sais rien de rien la concernant.

— C'est vrai, espèce de garce stupide, lança-t-il en se levant. Le médecin arrive, je ne connais rien à l'état d'Ella, et c'est moi qui dois lui causer comme un connard de première. Putain, j'ai l'air de quoi, moi ?

Subitement, la mère et le fils se changèrent en statues : c'était l'expression favorite de Lars. Thomas aurait dû s'arrêter, mais sa honte le poussa à poursuivre :

— Quel genre de putain de mère tu fais, hein ?

— Il a fallu que j'organise les funérailles de ton père, les funérailles de mon mari !

Elle se retrouvait coincée en haut des marches, éplorée, les sacs de courses se flétrissant à ses pieds sous le poids de leur charge, et il la vit faire comme à son accoutumée, chaque fois qu'elle se disputait avec Lars : les épaules rentrées, la tête affaissée sur sa poitrine. C'était lui qui devenait le méchant.

— Je n'ai même pas pu te joindre au téléphone, éructa-t-il en se ruant sur elle.

Elle pivota pour lui faire face, le visage dégoulinant de larmes, la voix geignarde :

— Imagine comment je me sens, Tommy : tu me vois chez l'entrepreneur de pompes funèbres, avec des tas de gens qui me regardent, qui savent qui je suis, et voilà qu'il appelle la réception et me demande…

— Je n'ai même pas ton numéro de portable…

— Et pourquoi, hein ? cria-t-elle en battant des bras. Pourquoi ? Pourquoi n'as-tu pas de numéro de portable pour me joindre ? Parce que j'ai dû jeter mon téléphone. Les journalistes m'appelaient toutes les minutes. Je ne peux même pas avoir de portable. Quel effet ça fait, à ton avis ?

Il était tout près d'elle maintenant et voyait combien ses talons étaient près du bord de la marche, combien sa chute serait longue.

— Il n'est jamais venu à ton minuscule esprit qu'il te suffisait de ne pas répondre quand les journalistes t'appelaient ? Ça dit « numéro inconnu », quand quelqu'un que tu ne connais pas t'appelle. Tu n'es pas obligée de balancer ton putain de portable à la poubelle.

Moira contempla ses pieds et prit subitement conscience de la chute possible : Thomas était à un mètre d'elle, et elle lui jeta un regard accusateur en se tournant dos au mur.

Ils se dévisageaient tous deux avec la même fureur, Thomas penché en avant à l'image d'un prédateur, Moira, le visage caché, tâtonnant derrière elle pour trouver le mur.

— Mais putain, à quoi tu sers sur cette terre ? lui dit-il, comme pour lui signifier de s'enfuir en courant.

Elle se couvrit la figure de ses mains en écartant les doigts, pivota pour descendre l'escalier au plus vite, mais les sacs de vêtements gisaient à ses pieds, et son talon transperça un épais ruban bleu qui l'entrava en la faisant vaciller.

— Thomas ?

Une petite voix derrière lui : Ella, tout juste sortie de sa chambre, encore à moitié sur le seuil, encore à l'abri. Elle portait sa tenue de la veille, toujours avec des barbouillis gluants rose et blanc de marshmallows collés à son tee-shirt. Elle regarda Moira déraper et trébucher, ses bras glissant le long du mur, ses doigts crispés cherchant une prise.

Thomas se retourna en un éclair en entendant un bruit sourd. Moira était par terre devant lui, étalée sur le flanc, le ruban toujours pris dans son talon, le sac béant comme une gueule de gargouille.

Du papier de soie noir se déchira en crissant et vomit un pantalon en cuir marron qui se déplia à mesure en dégringolant les marches et finit par s'arrêter un étage plus bas.

À cet instant, retentit le trille délicat du téléphone de la maison, comme un gong discret annonçant la fin d'un round de boxe gentillette.

Moira se remit debout, les yeux rivés à la porte de sa chambre au bout du couloir.

— Si c'est le docteur, je ne suis pas là, dit-elle.

Accrochée au chambranle de sa porte, un seul œil visible, Ella regardait son frère d'un air suppliant.

Thomas lui adressa un petit sourire et entra dans la chambre de Moira où il décrocha le téléphone sur la table de nuit.

— Allô ? dit-il.

— Allô, Thomas, ta mère est là ?

Ce n'était pas le Dr Hollis.

Engourdi, il rejoignit Moira, assise sur la première marche, occupée à démêler le ruban prisonnier de son talon et lui tendit le téléphone. Elle prit tout son temps, se releva, tapota sa chevelure pour s'assurer qu'elle n'était pas décoiffée et prit l'appareil.

— Allô ?

À l'autre bout du fil, la voix de Theresa résonna brutalement comme une harangue, sèche et forte. Le visage de Moira se durcit.

— Ah bon, il a fait ça ? fit-elle à un moment en jetant un coup d'œil furibond à Thomas.

Elle écouta jusqu'à ce que le monologue se termine puis attendit, la bouche pincée.

— Et c'est tout ce que vous avez à dire ?

Elle prêta l'oreille de nouveau. Ella était toujours debout dans l'embrasure de sa porte, attentive et curieuse au point même de s'oublier, ce qui fit sourire Thomas : il croisa son regard et elle lui sourit à son tour. Elle savait qu'il était resté à la veiller et c'était important pour elle. L'espace d'un instant, Thomas se sentit fier et honorable.

— Hmmm, fit Moira comme si elle venait d'apprendre une nouvelle des plus intéressantes. Eh bien, si c'est effectivement le cas, je suis vraiment navrée pour vous et vos enfants.

À l'autre bout, la voix cria, mais Moira cria plus fort et l'étouffa :

— Vous devez vous souvenir d'une chose, ma chère : le monde est plein de putes, mais, en Angleterre, un homme ne peut avoir qu'une seule épouse.

Elle raccrocha et rendit le téléphone à Thomas comme s'il en était le propriétaire. Elle l'examina longuement, de la tête aux pieds, puis ramassa ses sacs.

Quand elle se releva, elle semblait avoir vieilli.

— J'ai la migraine et je vais dans ma chambre, mes chéris. Vous pourriez peut-être recevoir vous-mêmes le docteur.

46

Il s'appelait Jonathon Hamilton-Gordon. Debout devant les vestiaires, les yeux sur l'horizon, il leur raconta l'histoire comme s'il avait le cœur au bord des lèvres. Lui et son ami Thomas Anderson s'étaient taillés en douce après le cours de gym. Ils étaient partis pour Glasgow en voiture, jusqu'à Thorntonhall où ils étaient entrés par effraction au domicile de Sarah Erroll, par la cuisine. Ils étaient censés lui faire peur, mais son ami avait perdu la tête, lui avait fracassé le visage à coups de pied et l'avait tuée. Jonathan avait du mal à respirer et se tenait la poitrine.

— Vous avez de l'asthme ? demanda Harris.

— Un peu, répondit l'ado.

Harris l'aida à se plier en avant et lui demanda s'il avait un inhalateur. Il n'en avait pas. Il lui tint l'épaule et l'aida à reprendre son souffle sous le regard de Morrow.

Ni l'un ni l'autre ne voulaient ça : ils étaient remontés à l'adrénaline, des fourmis au bout des doigts, prêts à se mettre en chasse, mais le renard s'était offert à eux pour se suicider d'une balle à leurs pieds.

Le garçon se redressa, le souffle plus régulier. Cherchant une lueur d'émotion sur son visage, Morrow n'en trouva aucune.

Harris fut le premier à reprendre la parole.

— Où se trouvait-elle quand vous êtes entrés ?

— Elle dormait, répondit Jonathon, désormais plus calme. Au premier, dans une chambre. La chambre, elle était ronde.

— C'est là que vous l'avez tuée ?

— Non, non, non.

Il recula d'un pas et Harris bondit, pensant qu'il allait s'enfuir à toutes jambes mais le garçon leva les mains et lui signifia clairement qu'il se remettait entre ses mains.

— Non, je veux dire, moi, je n'ai rien fait.

Harris reformula sa question en reprenant exactement la même intonation.

— C'est là que *votre ami* l'a tuée ?

— Non.

Le jeune ado s'adressait à Harris, et Morrow profita de l'occasion pour se poster derrière lui et le bloquer, sans trop savoir pourquoi : elle n'était pas en état de le poursuivre à la course ou de le plaquer au sol.

— Elle a couru au rez-de-chaussée. C'est là qu'il l'a fait, en bas des escaliers.

— Comment savoir si vous dites la vérité ?

— Ma voiture. J'ai tout un tas de lingettes pour bébé couvertes du sang de la femme.

Un bruit leur fit tourner la tête : quelqu'un s'approchait à grands pas au coin extérieur du bâtiment. Un grand gaillard carré vêtu d'un costume gris se ruait sur eux, visiblement désireux de reprendre la situation en mains.

— Hamilton-Gordon, vous rentrez, dit-il en s'interposant entre eux et le garçon. Madame et monsieur les policiers, que faites-vous encore dans cette école ? M. Doyle vous a demandé de partir.

— Désolé, fit Morrow en reprenant son souffle, vous êtes… ?

— M. Cooper.

— O.K., monsieur Cooper. Nous faisons monter ce garçon au premier étage car nous devons lui parler, et M. Doyle ou vous-même pouvez assister à l'entretien.

— Non, fit Cooper en levant une main massive vers sa figure. Voici ce qui va…

Chargée d'adrénaline et déçue que la poursuite ait tourné court, Morrow parla d'une voix si tonitruante que Harris et le garçon eurent un geste de recul.

— Nous plaçons ce garçon en détention pour le meurtre de Sarah Erroll. Vous pouvez participer au processus d'inculpation. Si vous déclinez cette offre, un autre adulte responsable sera nommé et siégera avec nous lors des interrogatoires. Sa présence garantira la clarté des dépositions et de la succession de événements, étape par étape. Est-ce que c'est clair ?

La main de Cooper se rabattit contre son flanc comme une plante privée de sève.

— Jonathon, je vais téléphoner à votre père…

— Nous l'avons fait, dit Jonathon incapable de regarder Cooper. C'est bien nous, monsieur.

— Vous… ?

— Et Thomas Anderson.

* * *

À l'intérieur du bureau de Doyle, Jonathon avait l'air plus apeuré. Il écouta la lecture de ses droits, en hochant la tête, comme s'il les connaissait déjà. Puis il se remit à parler, courbé en avant, les bras croisés sur le ventre, pour expliquer les détails. Il ne perdit pas de temps à s'émouvoir ni à se donner le beau rôle : il se cantonna aux faits, description des lieux et succession des événements. Morrow assistait à l'exposé en spectatrice : ayant décidé que Harris était le responsable, le garçon s'adressait à lui. Mais ses aveux n'avaient rien de spontané, il les avait apparemment bien répétés d'avance. Il n'hésitait pas, ne s'interrogeait pas, ne fouillait pas sa mémoire à la recherche des faits. Elle trouvait bizarre qu'il ait si bien appris sa leçon.

Doyle lui donna un morceau de papier portant l'adresse du domicile de Thomas Anderson. Elle le tendit à Harris qui gagna le couloir et passa quelques coups de fil à ses collègues du poste de police local.

Morrow interdit tout échange de paroles jusqu'à son retour, et la tension n'en monta que d'autant : la langue leur démangeait. Harris revint, l'air plus léger, lui fit un signe de tête, et elle lui indiqua que l'interrogatoire pouvait reprendre.

— Comment êtes-vous allés jusque là-bas ?

— J'ai une voiture… (Doyle et Cooper se redressèrent sur leur siège en entendant cela), dans le village.

— Où se trouve votre voiture ?

— Dans un garage derrière la Co-op.
— Où avez-vous eu cette voiture ?
— C'est papa qui me l'a offerte.
— Mais vous n'avez que seize ans ! s'exclama Doyle, furieux.
— Ben, c'est papa qui me l'a offerte.

Cooper regarda Doyle d'un air peu amène et Morrow prit note de se renseigner sur le père.

— Jonathon, dit-elle en s'asseyant près de lui. Avez-vous parlé à quiconque de cela ? Après que c'est arrivé, en avez-vous parlé à quelqu'un ?

Le garçon leva les yeux, rouges d'avoir été frottés contre ses genoux, et regarda la fenêtre au-delà de Morrow.

— Oui, répondit-il d'un ton léger. Je me suis confessé au père Sholtham.
— Et qu'a-t-il dit ?
— Il m'a dit de parler à Thomas et de lui demander de se livrer avec moi.
— Le père Sholtham confirmera-t-il vos dires ?

C'est tout juste si Jonathon ne sourit pas.

— Eh bien, je ne sais pas s'il peut révéler ce que je lui ai confessé, mais il reconnaîtra que je lui ai parlé.
— Avez-vous appelé Thomas pour lui demander de se livrer à la police ?

Il regardait fixement au loin en se mordillant le bout des doigts.

— Jonathon, avez-vous appelé Thomas ?
— Après mon premier coup de fil, il n'a plus voulu répondre. C'est lui le coupable. Il ne voulait pas se rendre aux autorités. Si vous vérifiez son téléphone, vous verrez combien de fois je l'ai appelé et appelé.

Morrow regarda les pieds de l'ado.

Il portait des chaussures en cuir, des chaussures de ville, pas des tennis de gym.

— Avez-vous des tennis, fiston ?

Il haussa les épaules.

— J'en ai commandé une nouvelle paire à Mme Cullis de la lingerie. Elles devraient arriver d'un jour à l'autre. Peut-être même aujourd'hui.

— Je vois. Quelle pointure avez-vous commandée ?

— J'ai pris du quarante-deux et demi. Ça doit être dans son registre. Elle a dû le noter et tout.

— Très bien, acquiesça-t-elle en surveillant son visage : des yeux qui brillaient, une lueur de triomphe ou d'amusement, elle fut incapable de dire.

— Que sont devenues les anciennes ?

— Je les ai perdues.

— Quand ?

— Cette semaine, je ne sais pas exactement, répondit-il avec un petit sourire suffisant.

— Vous avez commandé les nouvelles cette semaine ?

— Oui.

— Et Thomas a les mêmes ? demanda Harris.

— Oui.

Il répondit trop rapidement, beaucoup trop rapidement.

— Les siennes sont dans ma chambre.

— Pour quelle raison se trouvent-elles dans votre chambre ? intervint Morrow.

— Oh, j'ai dû les ramasser en croyant que c'étaient les miennes, après quoi, les miennes ont disparu et j'ai dû en commander de nouvelles. Une fois que je les ai rangées dans ma chambre, je me suis rendu compte qu'elles portaient son nom à l'intérieur.

— Je vois, dit-elle froidement. Puis-je voir une des chaussures que vous portez actuellement ? demanda-t-elle en tendant la main.

Il se montra réticent, prit le temps de réfléchir puis se plia en deux, défit ses lacets, en ôta une et la lui tendit.

L'intérieur était usé mais elle réussit à lire la pointure. Quarante-quatre.

— De quelle pointure étaient vos tennis précédentes ?

— Je ne sais pas.

— Mme Cullis l'aurait-elle notée ?

— Non. Je les ai eues chez Jenners l'été dernier.

— Je vois, dit-elle en se penchant vers lui. Vous ne commanderiez pas par hasard des chaussures de la mauvaise pointure pour tenter de nous égarer, n'est-ce pas ?

— Non, dit-il, sidéré qu'elle ait réussi si vite à additionner deux et deux. Non… jamais.

— Vous n'auriez pas non plus pris les tennis de votre ami en vous débarrassant des vôtres pour faire retomber toute la responsabilité sur lui ?

— Non.

Réponse trop rapide.

— Jonathon, dit-elle lentement, nous allons vous emmener à Glasgow et vous interroger officiellement. Voulez-vous que nous appelions vos parents ou préférez-vous que ce soit M. Doyle ?

— M. Doyle.

— Il vous faut un adulte garant qui assistera à l'interrogatoire. Qui aimeriez-vous que ce soit ?

Sans réfléchir, il montra Doyle du doigt. Il n'avait pas besoin de temps de réflexion, il avait déjà résolu ce problème. Jonathon savait qu'il avait baissé sa garde et balaya la pièce du regard pour savoir qui l'avait remarqué : il croisa les yeux de Morrow.

— Vous comprenez, mon papa est à Hong Kong, lui expliqua-t-il, un peu rougissant, mais il reviendra la semaine prochaine…

— Où est la voiture, fiston ? demanda Morrow, le regard dur.

* * *

C'était un petit garage fermé derrière une maison, construit au bout d'un jardin, mais avec un chemin d'accès vers la rue et une porte latérale assurant une intimité absolue. Jonathon leur remit la clé et, quand ils l'ouvrirent, il leur dit que l'interrupteur se trouvait sur la côté, plus haut qu'elle ne s'y serait attendue. Elle alluma.

Harris resta dehors en compagnie du garçon, et Morrow entra pour jeter un coup d'œil. Elle mit ses mains dans ses poches pour s'empêcher de toucher quoi que ce soit – il était facile de l'oublier. La voiture était une Audi Compact noire. Une A3, avec jantes en alliage chromées. Flambant neuve. Elle se recula pour mieux la regarder. C'était du haut de gamme, destiné à un jeune futur pilote, mais elle comprit qu'un père aux moyens financiers infinis n'y verrait qu'une petite voiture, un début modeste.

Elle inspecta l'intérieur. Côté passager, le plancher était couvert de chiffons pleins de taches brunes et le vide-poche en était bourré. Le côté conducteur était propre.

La porte du garage s'ouvrit avec fracas et elle fut surprise par le flot soudain de lumière. Des flics du Tayside étaient dehors avec un camion qu'ils leur prêtaient pour emporter le véhicule jusqu'au labo. Morrow reporta son regard sur la voiture, se plia en deux et la regarda de l'avant : la mince couche de poussière qui couvrait le tableau de bord s'arrêtait au beau milieu. L'espace côté conducteur avait été très proprement nettoyé.

Harris entra en souriant et hocha la tête à l'adresse de l'Audi.

— Qu'est-ce que vous en pensez ?

Morrow haussa les épaules.

— Ne prenez pas un air aussi ravi, lui dit-il un peu agacé.

— Je ne le sens pas du tout, ce petit gars.

47

Thomas était assis sur le canapé du salon d'Ella face à la grande baie vitrée. Un flot de soleil brutal commençait à couvrir la pelouse. Il songeait de temps en temps à se remuer. Se lever, aller chercher quelque chose à boire. Il avait également faim. Mais il y avait tant à faire qu'il était incapable de bouger. Il devrait aller dans la chambre et parler à sa sœur. Il y avait sans doute quelque chose à lui dire pour la faire sortir de son état, la supplier de se lever, lui crier dessus qu'elle cesse une bonne fois de flemmarder comme elle le faisait. Il devait bien exister une phrase, une expression qui lui viendrait en aide, mais il n'avait pas la tête assez claire pour y réfléchir. Et il fallait qu'il parle à Moira, qu'il s'excuse auprès d'elle parce qu'il connaissait l'existence de Theresa et la convainque de trouver un avocat pour les défendre tous les trois. Il devrait aussi appeler Squeak et savoir ce qui lui était passé par la tête d'aller tout raconter à Sholtham. Il devrait recontacter le Dr Hollis et lui demander quand il comptait revenir voir Ella. Il ne pouvait pas monter la garde devant la chambre de sa sœur jusqu'à la fin de ses jours. Et il avait faim.

Ce n'étaient que de petites choses, rien de bien important, mais l'effort lui semblait insurmontable, incapable qu'il était de se concentrer suffisamment afin de déterminer le premier geste qui devait lui permettre de s'atteler à toutes les tâches qui l'attendaient.

S'il te plaît, ne te suicide pas, Ella. Non, ce n'était pas la bonne phrase. Ça fera du mal à Moira. Non, celle-là ne marcherait pas non plus. La phrase lui vint subitement, abrupte, sortie du cœur :

S'il te plaît, ne me laisse pas ici. Il se mit à pleurer, la bouche béante comme un bâillement géant, sans un bruit. *Je ne peux plus faire ça.*

Il se commanda de penser à d'autres choses.

Toujours assis, clignant des yeux devant le soleil aveuglant sur la pelouse, à écouter d'une oreille distraite le doux ronron de la télévision dans la suite de Moira. Des pubs.

Désormais, elle était au courant, pour Theresa. Et elle savait qu'il savait. Elle devait être là, devant son poste, en pleurs, en train de se griffer le cuir chevelu de ses ongles, avec le sentiment d'être abandonnée de tous, de Lars, de lui, du monde entier. Occupée à fumer, très certainement, voire les doigts serrés sur un flacon d'antidépresseurs. Les choses allaient empirer. Theresa était intelligente et vicieuse. Elle attaquerait Moira en justice et obtiendrait tout l'argent. D'autres gens devaient être au courant, il n'y avait pas que lui. Lars avait dû emmener Theresa à des réceptions officielles, et tous avaient dû avoir la même réaction que lui : c'est Theresa qu'il préférait.

Il passa la tête à la porte pour jeter un coup d'œil à Ella. Elle était allongée sur son lit, le dos à plat, ses pieds à peine visibles de là où il se trouvait.

À la minute où il irait aux toilettes ou s'endormirait, Ella se faufilerait au rez-de-chaussée, trouverait le pistolet et se tirerait une balle. Lars leur avait montré l'endroit où il rangeait la clé du coffre. Probable en plus qu'elle raterait son coup, elle se ferait sauter un œil et saignerait à mort, ou alors le nez ou autre chose. Ensuite, les gens allaient rigoler en disant que les membres de cette famille étaient tous des empotés, même pas capables de faire les choses bien en se tirant une balle droit dans leur putain de tronche. Durdur.

À son âge, les gens émigraient. Il ne tenait qu'à lui. Révulsé par un trop-plein de dégoût envers lui-même, il releva la tête et affronta le soleil en face, en le fixant sans ciller jusqu'à voir des éclairs blancs et sentir la douleur. Il ne tenait qu'à lui. Il se leva et sortit de la pièce.

La vision brouillée par le soleil trop brillant, il passa la main le long de la cimaise pour se guider jusqu'au sommet de l'escalier et commença à descendre en se tenant à la rampe jusqu'à la dernière marche. Il cligna fortement des yeux pour y voir clair.

Le bureau de Lars était un antre de silence. Thomas y entra et regarda de droite et de gauche, un geste parfaitement stupide, vu qu'il connaissait très exactement l'emplacement du coffre. Il s'avança au-delà de la table de travail et passa les doigts sur le plateau, là où les doigts de Lars s'étaient posés avant qu'il ne sorte sur la pelouse. Il se sentit mieux. Comme si Lars venait de lui offrir son approbation ou quelque chose.

Il s'approcha des rayonnages et du faux livre qui ressemblait parfaitement aux vrais, avec les mêmes chances d'être lu un jour. Il pressa le cuir bleu ciel estampé de lettres dorées, et le dos s'ouvrit en coulissant vers lui. Les clés se trouvaient dans un petit casier en feutre vert.

Deux au total, pas très grosses, démodées, attachées au même anneau. Il les prit et sentit une bouffée de sueur, sans raison, tandis que sa bouche s'emplissait de salive comme s'il allait vomir. Il se demanda si Lars avait ressenti la même chose quand il avait glissé son portefeuille dans le tiroir avant de rédiger son méchant petit mot puis de se suicider en rejetant sur Moira la responsabilité de l'acte qu'il était sur le point de commettre, cet acte délibéré par lequel il choisissait de se dispenser des années d'humiliation à venir.

Thomas referma le dos du faux livre pour cacher qu'il avait pris les clés, au cas où Moira passerait jeter un coup d'œil et comprendrait qu'il avait ouvert le coffre. Il revint près de la table, s'accroupit dessous et, soulevant un coin du tapis, découvrit une poignée en laiton encastrée à fleur du sol. Il la dégagea, souleva le petit carré de lames de parquet et le posa sur le côté.

Un couvercle en métal beige, avec des trous pour les doigts garnis de plastique rouge : il le souleva et apparut la porte du coffre. Encore du métal beige, une poignée bon marché en plastique marron et le trou de serrure au beau milieu, comme un nombril. Il fit tourner la clé, et souleva le second battant. Il glissa le bras dans l'étroite ouverture jusqu'au fond du coffre de trente centimètres sur trente. Des papiers. Un livre. Quelques bijoux dans des sachets en daim. Il enfonça la main plus avant jusqu'à engloutir son bras entier dans l'orifice et sentit l'arête vive d'une boîte. Il la sortit et, des deux mains, solennellement, ôta le couvercle : l'Astra Cub, à canon court, une arme de poing lourde et massive, poignée et canon moulés d'une seule pièce. Tout à côté, comme deux demoiselles d'honneur, des chargeurs de rechange.

Pistolet ridicule. Pistolet de fille. Il examina le canon : Guernica, *Made in Spain*. Il eut devant les yeux le cheval de Picasso hurlant au ciel, il l'avait vu dans un livre à l'école, Beany le leur avait montré, mais il n'écoutait pas vraiment ce jour-là. Mais il se souvenait de l'image du cheval et savait que l'animal aux yeux de dessin animé agonisait, il ne verrait pas les horreurs de la Seconde Guerre mondiale et, d'une certaine façon, l'image lui avait paru pertinente, comme un geste de pitié.

Il s'accroupit et regarda l'arme. Guernica.

Il décida de jouer à l'acteur, se leva, mit le pistolet dans sa poche arrière et travailla sa position. Jambes écartées, un rictus de mépris aux lèvres, grand, très grand. Il passa la main dans son dos et dégaina, lentement, parce qu'il ne savait pas si le percuteur était armé ; il le sortit lentement de sa poche et le tint à deux mains, pointé sur la porte.

— *Ptch*, dit-il en relevant au ralenti les poignets sous le recul.

Il se sourit. Se sentit mieux. Remit ça.

— *Ptch*.

Toujours souriant, il contempla le petit pistolet noir. Ce truc pesait une tonne. Un petit ami solide et fiable. Il le posa sur le bureau et se baissa pour remettre la porte du coffre en place sans la verrouiller en laissant les clés dans la serrure, puis le couvercle et le panneau en lames de parquet. Il ne devrait pas laisser traîner les chargeurs de rechange, au cas il y aurait une autre arme quelque part dans la maison. Il en glissa un dans chaque poche de son jean. Lourd. Peut-être six balles dans chacun ? Ou peut-être huit, plus ce qu'il y avait dans le pistolet. Le pistolet. Il le prit, l'examina en détail.

La détente était argentée, massive comme un couteau. Il la pressa très légèrement, sentit qu'elle arrivait au cran, effleurant le mécanisme de mise à feu, et la relâcha.

Surtout, se rappela-t-il avoir entendu, dans un film, un documentaire, il ne savait plus, surtout ne pas verrouiller les coudes, sinon le recul vous éclatera les os. Est-ce que c'était un film de science-fiction ? C'était peut-être les pistolets laser qui faisaient ça. Mais, de toute façon, il devrait garder ses coudes souples si jamais il tirait, chose qu'il ne ferait pas.

Il s'arrêta subitement et lâcha un petit rire de surprise et d'autodérision. Pourquoi irait-il donc faire feu ? Il n'avait pris le pistolet que pour empêcher Ella de s'en emparer. Il secoua la tête, les yeux au sol. Qu'est-ce qui lui passait par la tête ?

Son regard passa sur les nœuds et les croissants de la loupe de peuplier du bureau. Il pensait à tirer sur quelqu'un. Une partie de lui y pensait. Un rôle de méchant caché bien profond. Alors qu'il ne savait même pas tirer.

Ça ne pouvait quand même pas être aussi difficile. En Ouganda, il y avait des gamins soldats dans l'armée. Ils avaient des armes, abattaient les gens, coupaient des bras et des jambes, ils étaient ivres ou sniffaient de la colle. Ça devrait pas être trop difficile.

Mais il se sentait coincé dans ce bureau, de la même manière que sur le canapé au premier. Son regard se posa sur un guillemet dans le grain du bois de la table. Il était coincé, incapable de bouger. Je ne peux pas faire ça. Mais il le faisait malgré tout. Il avait sauvé Ella en l'empêchant de prendre cette arme. Pas de doute, il le faisait.

Il regarda le pistolet dans sa main.

Compact. Massif. Avec un bouton qui coulissait juste à côté de la détente : il se dit que ça devait être le cran de sûreté. Il le remonta et sentit le déclic, le repoussa avant de le remonter, encore une fois, puis remit l'arme dans sa poche arrière.

Mieux. Il se sentait mieux. Mais son pantalon pesait. Il fit quelques pas vers la porte et s'aperçut que le poids ne le gênait pas pour marcher, il était même agréable. C'était même mieux. Il se sentit lié au sol, comme s'il sombrait au cœur de la terre.

Il se planta à la porte du bureau de Lars, mains écartées de ses cuisses à l'image d'un pistolero, les coudes pliés pour éviter que le recul ne fasse voler ses os en morceaux.

Depuis l'étage, un chuchotis, voix et musique de la télé de Moira.

Je suis en train de le faire, pensa Thomas, en sortant pour remonter les marches.

48

À son arrivée au poste, elle fut immédiatement convoquée dans le bureau de Bannerman. McKechnie voulait la mettre au courant de l'enquête dont son poulain était l'objet.

Il tenait absolument à l'informer que rien n'avait été pour l'instant prouvé contre son patron. On avait bien trouvé l'ordinateur portable chez lui, mais il était impossible de démontrer son intention délibérée de le voler. Les autres chefs d'accusation étaient plus graves : harcèlement, mauvais traitements envers de jeunes recrues, utilisation du personnel comme garçon de courses pour lui apporter ses déjeuners… À ce dernier point, Morrow perdit patience.

— Qui ça ?

— Qui quoi ? lui demanda McKechnie avec un intérêt marqué, dans l'espoir d'obtenir un indice ou une indication, soupçonna-t-elle.

— Qui envoyait-il chercher son déjeuner ?

— Ça ne le dit pas, répondit-il après avoir consulté ses papiers.

— C'est lui qui apportait ses propres sandwichs, chaque jour. Il a un tiroir plein de barres énergétiques, put… (Elle se reprit.) Écoutez, monsieur, j'ai deux gaillards au premier à passer sur le gril et je ne crois rien de tout ça. Pourrait-on remettre cela à plus tard ?

— Oui, dit-il en claquant sa chemise pour la refermer.

— Où est-il en ce moment ?

— Il est suspendu.

— Il est assis tranquillement chez lui à regarder la télé et c'est moi qui suis obligée de tout me coltiner moi-même ?

— Nous avons des obligations légales, répondit McKechnie en ouvrant de grands yeux.

— Il faut également que je retourne à Londres interroger l'autre suspect.

— Les gens ont le droit de travailler en sécurité...

— Sécurité ? Bannerman n'est coupable de rien, sauf d'être impopulaire, monsieur.

— Eh bien, il faut que nous enquêtions sur ces choses, les plaintes...

— Avec tout le respect que je vous dois, monsieur, les plaintes, c'est de la foutaise. Il ne reviendra pas ici, non ? Même s'il est innocenté de tout, il ne reviendra pas ici. Et à moins que vous ne fassiez nommer quelqu'un pour le remplacer, c'est moi la seule gradée dans la place et je vais bientôt partir en congé de maternité.

McKechnie le savait parfaitement.

Morrow se leva, prête à toutes les imprudences.

— Je vais... poursuivre mon travail.

McKechnie se leva pour la raccompagner, une lueur d'excuse dans le regard.

— Morrow, c'est le monde dans lequel nous vivons aujourd'hui.

— Effectivement.

Elle ouvrit la porte et entra dans la salle de briefing. Tout le monde était là. L'équipe de nuit se rassemblait, l'équipe de jour traînait encore pour connaître les derniers potins. Tous étaient tournés vers elle, et la plupart souriaient, convaincus de lui avoir rendu service.

Morrow les passa en revue.

— Bande de merdeux dégonflés, dit-elle.

Elle imagina ses mots lus devant un conseil de discipline et essaya de les tempérer en restant la plus vague possible.

— Vous n'avez aucune compassion pour les chefs parce que vous ne serez jamais à notre place.

Elle les observa de nouveau et les vit continuer à sourire en se cachant derrière leurs mains ou leurs tasses.

— Nous ne serons qu'une armée de soldats parce qu'aucun d'entre vous ne désire se proposer pour une promotion.

Nouveau regard circulaire, pour voir si elle avait fait mouche, et elle comprit que c'était en pure perte. Quelque chose se brisa en elle.

— Harris ?

Il se leva, dans le fond de la pièce.

— Montez au premier, dit-elle avant qu'une poussée de colère subite ne lui fasse ajouter : Foutu connard.

* * *

Bien que Jonathon Hamilton-Gordon eût demandé la présence de Doyle, sa famille était intervenue et avait envoyé un ami pour lui servir de garant, un ami, rien d'autre, quelqu'un que Jonathon connaissait personnellement. En le voyant, Morrow sentit tinter des tas de sonnettes d'alarme : sa tenue était trop impeccable, et jamais il ne croisait le regard du garçon. Ils avaient beau être assis côte à côte à la table, leur langage corporel était froid. Elle était sûre que cet homme était un avocat. Le travail de l'adulte garant consistait à éclairer la personne qu'il accompagnait sur le déroulement de la séance, à lui expliquer les mots trop compliqués ou à lire des choses si elle avait des problèmes de lecture. Sa fonction n'était pas de lui fournir des conseils légaux ou de lui donner des tuyaux sur la meilleure manière d'éviter une inculpation.

Elle les observa sur l'écran vidéo, se faisant du souci à l'idée d'entrer dans la cage aux fauves en compagnie de Harris. Leonard, debout derrière elle, avait elle aussi l'air soucieuse.

— Ce pull est en cachemire, dit-elle en regardant la tenue impeccable de l'homme.

Morrow regarda à son tour. Un vêtement tout à fait ordinaire à ses yeux, un simple ras-du-cou vert sur une chemise.

— Vous avez une vision aux rayons X ou quoi ? demanda-t-elle.

— C'est juste la façon dont le lainage se tient, expliqua Leonard. Il est plus mince. Je parierais qu'il vaut bien deux cents livres.

— Non ! Des pulls ne peuvent pas valoir ce prix-là.

Mais Leonard confirmait de la tête, avec certitude.

— Ils disent qu'il s'agit d'un ami de la famille. Je ne crois pas que ces deux-là se soient jamais rencontrés par le passé, qu'en pensez-vous ?

L'homme et le garçon auraient tout aussi bien pu être deux inconnus assis côte à côte dans un bus. À Londres.

Harris apparut dans leur dos, la bouche pincée, évitant le regard de sa chef. Morrow, toujours en colère, se retourna et l'affronta bille en tête.

— Oui ? lui fit-elle.

— On y va ? dit-il à son tour en fixant l'écran vidéo.

— Oui, répondit-elle. Venez.

Elle passa à côté de lui et le précéda dans le couloir.

La salle d'interrogatoire était grande et propre.

L'homme était assis contre le mur, le garçon à son opposé. Ils se levèrent tous les deux en voyant entrer Morrow et Harris et leur serrèrent la main. Celle de Jonathon était sèche et il semblait très calme.

Elle laissa Harris prendre le siège côté mur, posa sa chemise sur la table devant sa chaise, et ils installèrent les cassettes, démarrèrent l'enregistrement et attirèrent l'attention du prévenu sur la caméra. Ni Jonathon ni son garant ne demandèrent d'explications d'aucune sorte, en termes de temps ou de procédure. L'homme ne voulut avoir aucun éclaircissement sur les chefs d'accusation lorsqu'elle les lut, et le garçon écouta à peine la mise en garde sur ses droits.

Puis ils restèrent tous silencieux un moment jusqu'à ce que Morrow regarde l'homme comme si elle venait de s'apercevoir de sa présence.

— Désolé, quel est votre nom déjà ?

— Harold.

— Et d'où venez-vous, « Harold » ?

Il cilla et coupa court.

— Stirling. J'habite à Stirling.

— C'est exact, nous avons votre adresse ici, n'est-ce pas ?

De nouveau il cilla et coupa court.

— C'est joli par là-bas, joli comme tout. Et que faites-vous comme métier ?

Harold soupira et d'un regard sévère à Jonathon, l'incita à prendre le relais :

— Ce n'est pas moi que vous êtes censée interroger ?

— Vraiment ? lui fit-elle en redressant la tête, avant de se tourner vers Harold. En avez-vous vraiment beaucoup plus à dire après tout ce que vous nous avez déjà révélé en présence de M. Doyle ? Tous ces détails que vous nous avez fournis, ainsi que les pièces à conviction que vous nous avez données…

Harris eut un petit sourire méprisant qui mit le garçon en colère.

— Je tiens absolument à ce que nous en finissions une fois pour toutes, dit-il en cherchant à paraître plus serviable.

Morrow feuilleta ses notes avec langueur.

— Fiston, ce qui se passera ici ? Eh bien, quoi qu'il advienne, rien ne sera « fini une fois pour toutes » dans un avenir immédiat…

— Ce n'est pas ce que je voulais dire, répondit Jonathon, je pensais à toutes ces questions. Je veux en terminer une fois pour toutes avec ça.

— Et que pensez-vous qu'il se passera lorsque nous en aurons fini avec ces fameuses questions une bonne fois pour toutes ?

Il haussa les épaules avec indifférence, jeta un coup d'œil aux mains de Harold qui se repliaient doucement l'une sur l'autre. Harold la regarda bien en face, arrogant et fier. Il pensait sincèrement obtenir une libération sous caution pour Jonathon. Et en plus, il avait dû le dire à l'adolescent, ce qui semblait peu professionnel. Morrow se rendit compte que Jonathon ne lui avait pas parlé de la voiture ni expliqué combien il en avait déjà raconté.

— Hmmm.

Elle continua à feuilleter ses notes.

— Regardez-vous beaucoup de feuilletons policiers à la télé ?

Il consulta Harold du regard qui lui fit oui de la tête.

— Non. Je suis interne, nous n'avons pas souvent la permission de regarder la télévision.

— Vous n'avez pas non plus la permission d'avoir une voiture.

Elle lui sourit. Il ne sourit pas en retour.

— Non, la raison pour laquelle je vous pose cette question est simple : avez-vous jamais entendu parler du « dilemme du prisonnier » ?

— C'est un feuilleton policier ?

— Non.

Jonathon, tout guilleret devant le tour que prenait la conversation, se repoussa de la table et commença à se balancer en équilibre sur sa chaise.

— C'est quoi, alors ?

— Deux mecs se font interroger dans deux pièces distinctes sur les mêmes événements. Vous voyez ?

Il acquiesça.

— Les deux veulent garder le secret. Supposons, par exemple, qu'ils aient commis une mauvaise action, dit-elle avec un regard dur. Si vous êtes à même d'imaginer ce scénario.

Il creusa les joues comme pour étouffer un sourire.

— Ces deux mecs bien séparés, chacun dans une pièce, ont commis une mauvaise action ensemble. Et ils ont été capturés…

— Ou ils se sont livrés, dit-il.

— Quelle est la différence ?

— Eh bien, dans le premier scénario, ils se taillent en douce, dit-il avec un sourire suffisant. Dans le second, c'est eux qui… vous savez… qui ont décidé.

— Je vois, dit Morrow en hochant la tête vers Harold. Donc ces deux mecs sont dans deux pièces différentes et ils ignorent totalement ce que l'autre raconte des événements. Ils donnent des versions différentes. « Je suis resté tout le temps à l'extérieur de la pièce », ce genre de choses.

Elle baissa la voix et sourit, à l'image d'une conspiratrice, comme si elle partageait une recette de famille.

— Nous déterminons ce qui s'est passé à partir de leurs contradictions.

Jonathon laissa retomber sa chaise sur ses quatre pieds.

— Ils ne se contentent pas de s'accuser l'un l'autre ?

— Eh bien, ça peut arriver, oui, parfois, l'épisode classique, confirma-t-elle de la tête, l'air ravi. Ils se dénoncent l'un l'autre. L'un dit : « C'est lui qui a tout fait, je suis innocent. » Un vrai casse-tête pour la police. Ensuite, nous reprenons nos preuves matérielles pour tenter de remettre les pièces du puzzle en place. Toujours pour déterminer comment les choses se sont passées. Naturellement, une telle procédure coûte beaucoup plus cher, puisqu'il faut passer en jugement devant une cour de justice, dans la mesure où tout le monde plaide non coupable, mais ça vaut le coup, finalement, vous savez, fit-elle en claquant des lèvres. Les condamnations sont beaucoup plus longues. Le sentiment que tout a été bien considéré, pesé, soupesé et fouillé, grâce aux contre-interrogatoires, complètement mis en pièces…

Jonathon sourit et humidifia ses lèvres, se recula contre le dossier de sa chaise et reprit ses balancements.

— C'est ce qui se passe ici en ce moment ?

— Non. Ici vous dites que c'est lui qui l'a fait, et il se trouve que vous avez des tas de pièces à conviction pour le confirmer. Selon votre version, vous n'avez rien fait, et toutes les preuves vous concernant sont manquantes. C'est pas un sacré coup de chance, ça ? Apparemment, vous n'étiez pas là, vous disiez vos prières pendant que ça se produisait.

Jonathon s'avança sur son siège et acquiesça, sérieux comme un pape.

Elle les regarda, Harold et lui, et, voyant leurs deux visages pleins de suffisance, tourna une page de ses notes.

— Oh ! fit-elle en se penchant au plus près de la page. Oh ! Dieu du ciel ! Ce sont deux séries distinctes d'empreintes de pied que l'on a retrouvées enfoncées dans les chairs tendres du visage de Sarah Erroll.

Elle releva la tête et sourit.

— C'est quoi, ça, comme prière ? Je ne suis pas religieuse, donc…

— Non ! fit Jonathon en se jetant en avant.

— O.K., fit Harold en se levant. Nous arrêtons pour prendre une pause.

Morrow prit un air perplexe.

— Il s'agit là, dit-il, d'un interrogatoire agressif et intimidant sur mineur.

Morrow se leva lentement en se tenant le ventre et lui offrit un sourire de carnassier :

— Harold, seriez-vous avocat ?

Harold souffla d'indignation comme un cheval furieux.

— Nous avons besoin d'une pause.

Morrow referma violemment la chemise du dossier.

— Prenez tout votre temps. J'en ai terminé. Vous serez emmené au rez-de-chaussée et inculpé.

— Et ensuite, je peux rentrer chez moi ? demanda Jonathon en se levant.

Morrow fit les grands yeux à Harold.

— Non, Jonathon, vous serez présenté devant le tribunal et c'est lui qui décidera.

— Et il me laissera rentrer à la maison ?

Subitement pris de panique, il regarda, les larmes aux yeux, Harris puis Morrow, puis Harold.

Personne ne répondit. Pendant ce moment de silence, Morrow vit mourir quelque chose dans les yeux de Jonathon Hamilton-Gordon.

Elle détourna les siens, honteuse de son allégresse à voir mourir l'espoir dans le regard d'un enfant, et ramassa sa chemise.

— Vous serez emmené au rez-de-chaussée et inculpé du meurtre de Sarah Erroll…

49

Un mur, un mur gris, pas la voiture. Pas dans la voiture, dehors. Un mur gris dans une cellule grise. Avec rien à l'intérieur, hormis un banc court scellé à la cloison. Quand il s'assit dessus, il faisait face à la porte avec sa poignée et sa serrure, une grosse serrure pleine de vis, et une fente par laquelle on pouvait regarder, mais ça faisait trop d'un coup, trop d'informations à digérer, aussi il ferma les yeux pour ne plus rien voir et constata qu'il pouvait respirer. La pièce était petite. Thomas hocha la tête. Oui, elle était bien petite.

À l'extérieur, dans le couloir, des gens se déplaçaient, traînant des pieds, parlant parfois. C'était trop. Il se sentit sombrer doucement.

Des pieds se dirigèrent vers sa porte, une main glissa sur le métal, juste avant un bruit de clé cherchant son orifice en aveugle. Il resta assis, paupières serrées, et frissonna.

La porte s'ouvrit, une lumière le transperça, son menton se mit à trembloter devant l'horreur de savoir qu'on le regardait, et une voix paternelle pleine d'autorité dit :

— Dehors, mon gars. Viens.

Il frissonnait. Ses mains s'étaient soudées au banc, ses chevilles toutes molles à la pensée de devoir se mettre debout, de sortir vers le monde et être vu. *Je ne peux pas faire ça.*

— Allez, amène-toi, dehors.

Thomas se leva. Il chancela une fois mais parvint à se tenir droit et ouvrit les yeux juste assez pour regarder le sol à ses pieds. Il passa le seuil d'un pas traînant, plongeant dans le jour, dans le couloir où il y avait les autres.

— On t'attend au premier. Des Écossaises. Deux femmes.

Il prononça ces mots comme si c'était un coup de veine, à croire que la chance lui souriait d'être interrogé par deux femmes. Thomas resta immobile. L'homme l'attendait, il vit ses pieds pointés vers lui.

— On a un adulte garant pour t'accompagner. Pour t'expliquer ce qui se passe.

L'homme le fixait sans ciller, et Thomas sentit qu'il devait lui prouver qu'il n'avait rien d'un fêlé. Il leva les yeux vers le policier, un gros lard, et se surprit en s'entendant répondre :

— O.K.

Soulagé, l'agent gagna une porte latérale en gardant Thomas devant lui. Il le fit avancer dans les couloirs jusqu'à la salle de réunion, pointant la bonne direction de petits signes de son doigt dodu.

Une pièce, une pièce plus grande, sans fenêtres. Une caméra dans un coin, posée sur une étagère en contreplaqué. Un homme assis à la table. Cheveux gris, visage gris, ongles gris.

Il sentait la cigarette. S'affala sur son siège de la même façon que Thomas. Ils prirent chacun un côté de la table, leurs genoux évitant les pieds, en détournant la tête de concert. Thomas eut du mal à écouter. Il devait être interrogé par des inspecteurs de la police du Strathclyde à propos d'un meurtre. Il pouvait répondre ou ne pas répondre, mais dans un cas comme dans l'autre, son silence ou ses réponses lui seraient dommageables. On avait trouvé sur lui un pistolet et des balles. C'était grave. Il allait devoir s'expliquer. Expliquer. Lui, l'homme aux cigarettes, cet homme déprimé, rassis, enfumé, détaillerait la chronologie des événements. Thomas cessa d'écouter. Lorsqu'il reprit le fil, l'homme lui dit qu'il pouvait lui poser des questions mais Thomas ne savait pas vraiment ce qu'il était en droit de demander, et ses lèvres étaient trop lourdes pour solliciter des éclaircissements.

— Thomas !

L'homme voulait toute son attention. Thomas la lui donna.

— Est-ce que tu me comprends ?

Ses dents étaient jaunes comme des harengs fumés, à croire qu'il les suçait, ses clopes, il devait les tremper dans un vin jaune pour en aspirer à petits coups le goudron marron avant de le faire rouler dans sa bouche. Il était répugnant. Ses sourcils gris étaient relevés en point d'interrogation gris. Thomas hocha la tête pour qu'il arrête de lui demander des choses. Il hocha la tête, encore et encore, comprit que c'était trop et cessa.

L'homme se leva lentement, avança vers le mur dans le dos de Thomas, tira une chaise. Thomas ne se retourna pas, il l'entendit juste s'asseoir. Quand, finalement, il pivota sur sa chaise, l'homme tenait un carnet à spirale ouvert à la première page, un stylo en suspens juste au-dessus. Il appuya la tête au mur et ferma les yeux. Thomas revint à sa position première.

Ils attendirent longtemps dans la pièce silencieuse.

* * *

Ella était venue assister à son départ. La police était arrivée. Moira avait fait entrer les agents puis les avait conduits au premier étage en disant « Il est là-bas », ou « C'est là qu'il est », un truc tout simple, et ils s'étaient plantés devant lui de toute leur hauteur pour lui réciter une sorte de prière, sur un ton monocorde. Ils avaient attendu sa réaction, puis ils l'avaient emmené, en le soulevant du canapé d'Ella par les coudes en lui commandant « Debout », « Viens, allez, lève-toi ».

Leur venue n'aurait pu tomber plus juste, tel fut son sentiment. À l'image des surveillants retrouvant un première année perdu dans les couloirs avant de le conduire en classe. D'un enfant non accompagné tenant la main d'une jolie hôtesse de l'air. Ça faisait trop à digérer, tous les panneaux de départs d'avions, à l'époque où il ne lisait pas encore trop bien, tous les fuseaux horaires, parce que Mexico, c'était très très loin et il ne savait même pas quand il allait manger. Lars était reparti pour ses affaires le lendemain de son arrivée.

Les surveillants avaient remarqué son pantalon trop bas sur ses hanches. C'est quoi, ça, dans ta poche. Désolé, écarte les bras, oui, juste un instant, non, reste comme ça. Merci. Autre chose ? Tu as des seringues sur toi ?

Ella était sortie de son lit et s'était postée sur le seuil entre son salon et sa chambre à coucher : à force de le fixer, elle avait accroché son regard et compris alors que lui aussi habitait ce lieu où elle-même se trouvait, sauf qu'il n'avait jamais eu l'occasion de l'exprimer ou de lui raconter. Les regards verrouillés l'un à l'autre, ils s'étaient parlé pendant que deux inconnus en uniforme tapotaient ses jambes de pantalon avant de découvrir les chargeurs. Elle les avait observés qui sortaient le pistolet de sa poche et s'était mouillé les lèvres en se retournant sur lui, l'air profondément blessée, trop déprimée pour des mensonges rassurants. L'air profondément blessée, elle avait néanmoins serré les lèvres, moitié reproche, moitié réconfort.

Moira avait changé de tenue. Elle avait mis le pantalon en cuir tombé dans l'escalier et un chemisier crème à jabot. Elle haletait en quête d'air en tirant dessus et sur l'étiquette de prix encore accrochée à la marque dans son dos.

Elle ne pouvait pas venir avec lui, avait-elle expliqué aux policières, parce que sa fille était gravement malade, elle avait appelé le médecin et il devait arriver d'un moment à l'autre. Il n'y avait personne d'autre. Pour l'accompagner. Il n'y avait personne d'autre. Elle avait tiré si violemment sur son chemisier que son soutien-gorge était apparu et, dessous, un pli de son ventre pareil à un sourire. Il n'y avait personne d'autre.

Après quoi, il s'était retrouvé dehors, subitement, en plein air, une main pressant avec force sur sa tête au point que ses genoux avaient tirebouchonné jusqu'à ce qu'il s'asseye sur la banquette arrière et qu'on referme la portière sur lui. Il s'était retourné vers le perron et l'avait vue. Ella. Debout dans l'énorme entrée, la bouche molle et béante, elle le suivait des yeux en train de s'éloigner dans la voiture, Moira derrière elle, une main sur son épaule, et là, sa sœur, féroce et carnassière, avait planté sauvagement ses dents dans la main de sa mère.

* * *

Dans la pièce silencieuse, la porte s'ouvrit. Deux femmes entrèrent, l'une ronde comme un Père Noël, l'autre mince. Il releva la tête. Deux uniformes, bleu marine et noir. Mince était petite, jolie, un grand nez. L'autre, blonde, grande, de larges épaules, des fossettes. Amazone. Enceinte. Sévère.

Une chemise sur la table. En carton vert avec des feuilles de papier à rayures, couvertes d'une écriture manuscrite. Et aussi des photos. Il voyait le haut des clichés.

Présentations. Noms. Cassettes de magnétophone. Il n'en avait encore jamais vu. L'emballage qu'on enlève, la cassette qu'on glisse dans la machine. Un bourdonnement de guêpe en vol envahit la pièce, et la femme enceinte lui demanda son nom.

— Thomas Anderson.

Il fut surpris de constater combien sa réponse avait sonné juste. Son nom et son prénom. Sa voix sortait bien.

Elle lui posa une autre question, savait-il pourquoi il était là, ou quelque chose du genre, et il dit oui. Ensuite arrivèrent les dates, et ce fameux lundi, et il ne comprit plus vraiment de quoi elle parlait. Ses phrases étaient trop longues, il n'arrivait plus à tenir la tête droite assez longtemps pour arriver à la fin de ces énormes enfilades serpentines de mots.

Ils se regardèrent un instant. Elle lui demanda s'il allait bien. Il dit que oui.

— Connaissez-vous Jonathon Gordon-Hamilton ?

Il inspira et haussa une épaule.

— À l'école, les garçons le surnomment « Squeak », dit-elle en consultant ses notes.

— Il est avec moi à l'école.

— Le connaissez-vous ?

Il étudia les deux femmes. Celle qui était enceinte, lourdes paupières et yeux bleus, le transperçait du regard. La jolie contemplait la table, dure et fermée. La question était importante. Son avenir se jouait mais il était incapable de se concentrer.

— Non. Je ne le connais pas.

Piège piège piège.

— Lui dit qu'il vous connaît.

— Nous ne nous connaissons pas.

C'était la vérité.

— Lui avez-vous parlé depuis que vous avez quitté l'école mardi ?

— Non.

— Vous ne vous êtes pas téléphoné ?

Dis non rien de plus.

— Non.

— Vous a-t-il appelé ?

La carte sim était dans les toilettes de l'aérodrome de Biggin Hill. Ils ne pouvaient pas prouver que Squeak l'avait appelé ou que c'était son numéro de portable. Elle était dans les toilettes.

— Nous ne nous connaissons pas.

Mais Donny McD avait le même numéro dans son répertoire pour le contacter. Mens-leur. Dis non, rien de plus.

— Il m'a téléphoné, mais je ne le connais pas.

Ça, c'était vrai. Cette réponse-là, c'était la vérité.

— Vous ne le connaissez pas ?

— Non.

Il répondit avec assurance, sachant qu'il se trouvait en terrain sûr, c'était la vérité.

— Comment saviez-vous qu'il vous avait téléphoné si vous n'avez pas répondu ?

— Eh bien… (Comment savait-il ?) Eh bien, son nom est apparu à l'écran.

— Et le nom c'était quoi ?

— Ça disait « Squeak ».

Thomas rougit car ce qu'elle dit ensuite était une évidence.

— Vous ne le connaissez pas mais vous aviez son numéro enregistré dans votre portable, avec son surnom comme identité ?

Thomas rougit et frissonna. Durdur. Vulnérable. Des choses à cacher. Mis à jour. Il se sentit glisser sur le côté, comme s'il était en train de fondre, comme si la chaleur de la honte avait fait ramollir la moitié de son visage et qu'il continuait à se dissoudre par un côté dans la pièce, à l'image d'une flaque de mercure frissonnant sous le toucher de cette femme. Mais tandis qu'il sombrait doucement, les questions se poursuivirent, sur la soirée de lundi et sur Sarah Erroll, jusqu'à ce qu'il entende les mots jaillir de sa bouche.

— Son adresse était sur le téléphone de Lars.

Temps de silence.

— Quand l'avez-vous trouvée ?

— En janvier.

— Il y a des mois de cela. Pourquoi êtes-vous allé chez elle ?

— Lars…

— C'est Lars qui vous a envoyé ?

Elle était sur des charbons ardents, maintenant que la machine questions-réponses était en marche, et elle l'interrompait quand il cherchait ses phrases au fin fond de son être. Il regardait les mains de Morrow, roulait les yeux au plafond pour lui signifier combien c'était difficile, de parler ainsi, et elle se rassit sur sa chaise, en lui redonnant tout son espace.

— Lars m'a emmené en ville. Dimanche. Le dimanche avant ce lundi-là. *Crème glacée.*

Lars l'avait emmené en ville. Déguster une crème glacée. Comme s'il le prenait pour Ella. Et dans la salle, il y avait d'autres hommes en costume avec des enfants, des hommes malheureux et des enfants malheureux, qui avaient tous un petit air de famille, comme un salon de toilettage pour pédophiles incestueux. Thomas était de loin le plus âgé de tous. Lars lui avait choisi la plus grosse crème glacée, et il avait compris que les nouvelles seraient très mauvaises. Il avait pensé que Lars avait un cancer. Mais ce n'était pas le cancer.

— Que vous a-t-il dit ce dimanche-là ?

À ce souvenir, Thomas se sentit tellement lourd et minéral qu'il put à peine hausser les épaules.

À la première bouchée du saupoudrage de chocolat : j'ai une autre épouse. Plongeant dans la vanille et la sauce aux fruits rouges, des cristaux de givre liant les boules de crème glacée. D'autres enfants. Aimerais beaucoup que tu les rencontres. Philip. Fillip[1]. Fillip. Et une photo, fillip souriant. Des sourires de plage. La cuillère jusqu'aux fruits, à quoi bon, comme si le goût de la glace écœurante pouvait se compenser par de l'ananas en conserve, taillé en petits rais de soleil-sirop. Viendra à St Augustus. Toi et lui serez amis. Et tout le monde saura que tu es un sale con. Et tout le monde se foutra de ta gueule parce que tu n'auras jamais été le Seul Fils, le Seul à avoir été engendré. Et Thomas avait demandé à son père, pourquoi m'as-tu abandonné ? Et son père lui avait

1. La prononciation est identique à celle de Philip, mais *fillip* signifie « claquement de doigts, chiquenaude ».

répondu de ne pas faire l'enfant en appelant la serveuse du geste pour qu'elle apporte l'addition.

Retour au présent, dans cette pièce, avec les femmes qui le regardaient, tendant le cou pour entendre ses pensées.

— Il avait une autre famille, dit-il. Un autre fils. Venant dans *mon école*. J'étais bouleversé. J'ai cru que c'était elle, dit-il en montrant la chemise de la tête. Sarah.

— En avez-vous parlé à Squeak ?

— Uniquement parce qu'il avait une voiture. On ne se connaissait pas.

Et c'était vrai. Ils ne se connaissaient pas.

— Êtes-vous allé là-bas pour la tuer ?

— Non. Pour lui ficher la trouille. Lars.

Il relâchait ses milieux de phrases qu'il laissait flotter dans le vide – l'impressionner – affronter – ne pas se laisser emmerder – savais qu'il adorerait ça.

Avait-il tué Sarah Erroll ?

Se laissant flotter au fil des mots, dans un nuage de bredouillements, un nuage d'orage barattant ses paroles et une main bien à plat qui claque la table avant un cri sonore : *Avait-il tué Sarah Erroll ?*

Thomas regarda la femme enceinte, cette vierge pleine de la promesse d'une nouvelle vie, blonde, comme Marie dans la nativité, blonde, et son visage se mit à pleurer, ses yeux se mirent à pleurer et il lui dit ce qu'il pensait.

— Pire. Debout. À observer. À ne *rien* faire. C'est pire.

Elle lui montra des photos de la maison, la chambre à coucher, la cuisine, Sarah Erroll au bas des escaliers, son visage effacé, sa tête disparue, sa vie disparue, et il pensa au cheval de Guernica, et il pensa aux guêpes chanceuses qui mouraient, et il perdit tous ses mots. À l'exception d'un seul. Qu'il dit et répéta et répéta encore, toujours du même ton, comme une incantation : *pire*.

À la suite de quoi on le remit dans la petite chambre pour le laisser dormir.

* * *

Morrow était à l'aéroport de Gatwick, debout dans la file d'attente avant le passage de la sécurité, soixante-dix personnes devant elle, mais déjà prête, son ordinateur portable à la main et un petit sachet en plastique avec fermeture à glissière contenant un tube solitaire de baume à lèvres. Dernier vol pour le retour au pays. Elles avaient de la chance. Leonard était derrière elle, elle portait le dossier. Les bébés lui cognaient le pelvis, comme des supporters n'attendant que de sortir à la vie, lui disant de ne pas se décourager, de ne pas se laisser sombrer dans les profondeurs.

Elle n'avait jamais connu d'interrogatoire plus difficile. Déjà déprimée avant de commencer, déjà fatiguée, elle avait lu le désespoir dans les yeux de Thomas Anderson et compris ce qu'il pensait alors même qu'il en avait dit bien peu. Lars l'avait mis à mort avec sa crème glacée. Lars avait effacé sa signification sur cette terre aussi bien que son identité, pendant qu'il mangeait sa crème glacée. Il avait effacé le sens que pouvait avoir sa mère. Il y en avait une autre. Il avait effacé toute sa signification en ayant un autre fils, en aimant un autre fils, et elle savait de par son expérience personnelle ce qui hantait Thomas plus que tout : le soupçon que son père pût aimer son autre fils tendrement, être gentil à son égard et fier de lui. Danny avait cette même expression dans le regard, un manque, une absence, le soupçon qu'il pût exister sur cette terre des enfants aimés alors que lui ne l'était pas. C'était la chose qu'elle ne pouvait pas regarder en lui. Voilà la raison pour laquelle elle l'avait évité toutes ces années.

La queue avança lentement. Autour d'elle, des passagers commencèrent à poser leurs bagages, dessangler leur ceinture, défaire leurs lacets en vue de leur passage à la sécurité.

Le carnage était la faute de son père à elle. La faute de Lars Anderson, non celle de Thomas, non celle de Danny. On leur avait dit trop tôt qu'ils ne comptaient pas, que leurs mères aux figures divines n'étaient que des roulures. Sarah Erroll n'était pas la faute de Thomas. Elle ne pouvait pas être sa faute parce qu'il était trop jeune pour savoir que le seul véritable acte de défi de sa part aurait été de stopper ce cycle destructeur, de tout arrêter et de faire de l'autre garçon son frère véritable.

La file se rapprocha du guichet de la sécurité et Leonard se pencha vers elle.

— Est-ce qu'il a dit la vérité ?

Elle allait droit au but, chose que Morrow appréciait chez elle. Elle lui répondit par un haussement d'épaules.

— Je pense. Et vous ?

Leonard s'écarta en claquant des lèvres, pour réfléchir un instant.

— Vous croyez qu'il a seulement regardé ?

— À votre avis ?

— Je ne sais pas... Peut-être qu'il a perdu la tête à cause de la mort de son père.

— Sa petite sœur est elle aussi malade, m'a dit l'agente présente lors de l'arrestation.

Elle se revit subitement toute gamine sur l'aire de jeux, avec Danny qui la surveillait de son regard hanté et elle se mit à pleurer comme une petite fille en se couvrant la bouche et en essayant de chasser ses sanglots à grandes claques de sa manche.

— Putain de merde !

Leonard lui tendit un paquet de mouchoirs en papier et fit comme si de rien n'était. Lorsqu'elle arriva à la guérite en arche, l'agente de sécurité la fit passer de côté pour la fouille. Le visage ridé par le soleil, la bonne cinquantaine maternante, elle lui caressa précautionneusement le ventre. Morrow la vit jeter un coup d'œil à ses yeux rouges. Lorsqu'elle se baissa pour frôler ses jambes à longs gestes d'une main neutre dénuée de toute charge sexuelle, elle lui demanda :

— Vous allez bien, ma belle ?

— Oui, ça va aller.

La femme se releva et regarda son ventre.

— Vous en êtes à combien ?

— Cinq mois.

Elle la regarda dans les yeux, incrédule, en se disant qu'elle essayait de passer en douce pour accoucher dans l'avion.

— Des jumeaux, expliqua Morrow.

— Oh (la femme sourit), pas étonnant que vous pleuriez.

La fouille terminée, sur une petite tape dans le dos et des vœux de bonne chance, Morrow récupéra son sac. Elles se dirigèrent vers le café le plus proche de leur porte de départ.

— Café ? demanda Leonard.

— Prenez-moi un thé. J'ai un coup de fil à passer.

Leonard s'éloigna et elle sortit son portable. Pas de réponse. Il était tard, aussi laissa-t-elle un message :

— Bonsoir, ici Alex Morrow. Ce message est destiné à Val MacLea. J'ai changé d'avis sur l'entretien que vous m'avez proposé afin que nous discutions de John McGrath... mon neveu, John McGrath. Si vous estimez que je pourrai vous être utile, je serai heureuse de vous parler, quand vous le voudrez. Rappelez-moi.

50

Quand on vint le chercher, Thomas se trouvait dans la bibliothèque et lisait un livre sur la Seconde Guerre mondiale.

— Anderson, Thomas, s'écria McCunt[1] depuis la porte.

Thomas se leva immédiatement, par réflexe, et se tourna face à celui qui l'appelait. McCunt était un gentil, et le surnom que les jeunes détenus lui avaient donné était plus affectueux qu'autre chose, un moyen facile de cacher le fait qu'ils l'aimaient bien pour une raison simple : il n'essayait jamais de prétendre être autre chose que gardien de prison et il donnait toujours un avertissement avant de faire un rapport sur un détenu pour lui donner la chance d'y échapper.

— Dehors, dit McCunt en reculant pour lui laisser la place de passer.

Une main se glissa à la surface de la table jusqu'à sa place pour lui demander le livre qu'il lisait.

Thomas le poussa vers l'autre garçon qui s'était rasé le crâne pour bien montrer au monde les cicatrices de ses combats. Ils lisaient tous deux le même ouvrage mais partageaient rarement le même moment de lecture en bibliothèque et aujourd'hui, Thomas était arrivé le premier. Ils avaient discuté du livre, mais Thomas soupçonnait qu'ils ne le lisaient pas pour les mêmes raisons, ils avaient chacun pris parti pour des camps différents.

— Avance, dit McCunt, plus fort cette fois.

---

1. *Cunt* signifie « con ».

Thomas se dirigea vers lui et se glissa dans le couloir sombre avant de se retourner pour attendre ses instructions. McCunt ferma la porte, écouta le glissement du verrou dans son logement et fit face à Thomas avec un signe de tête amical qui ressemblait à un coup de boule.

Thomas tourna à gauche puis à droite.

— Où est-ce que je vais, monsieur ?

— Tu as de la visite, dit McCunt en lui montrant la gauche.

Ce n'était pas la bonne heure pour les visites, mais Thomas ne voulait pas faire montre d'insubordination, aussi avança-t-il de quelques pas dans le couloir avant de lancer :

— Mais ce n'est pas l'heure des visites.

McCunt grommela et le rattrapa pour le guider plus avant.

— Ouais, mais on te demande en salle de visite quand même.

Thomas sentit son ventre se nouer et il s'arrêta net au point que McCunt faillit se cogner à lui.

— Ce n'est pas ma mère, dites ?

— Non, répondit McCunt d'un ton rassurant. Non, c'est un avocat, fiston, c'est juste une visite d'avocat.

— Oh.

Thomas continua à avancer en baissant les yeux. Le lino avait été nettoyé par l'équipe de ménage mais l'odeur du puissant désinfectant utilisé pour le lavage s'accrochait toujours aux plinthes. Toutes les odeurs du quartier de détention préventive étaient fortes, des remugles de merde, de pisse ou de foutre, des relents d'oignons, de viande hachée ou de pin, tous concentrés, envahissant et noyant tout l'espace. Il avait détesté ça à son arrivée avec la sensation de sombrer, noyé sous les odeurs, mais désormais il aimait bien.

Il n'était pas prévu qu'il reçoive la visite d'un avocat. Celui qu'on lui avait commis d'office était paresseux et négligent. Quelque chose avait dû arriver. Il se demanda si Squeak s'était suicidé.

Ils empruntèrent le couloir sur toute sa longueur jusqu'à la porte la plus éloignée, passèrent devant une bouche d'aération de la cuisine, plongeant dans un nuage de gâteau aux œufs. S'y mêlait une odeur de printemps chaud et humide, le parfum miraculeux de l'herbe qui pousse. Au-delà du mur en parpaings sur leur gauche, les garçons en quartier d'isolement couraient en cercles. Au grondement de leurs pieds sur le sol, Thomas imagina Squeak pendu, gisant, saignant, et se sentit triste pour lui, heureux pour le reste du monde mais triste pour Squeak, stupide comme un chien domestiqué. *Je ne dirai pas ce que tu as fait,* comme si eux-mêmes ne savaient pas qui avait fait quoi à Sarah Erroll, comme si la culpabilité morale était comme de jouer à chat et que Squeak pouvait la repasser à quelqu'un rien qu'en le disant. Ses réflexions furent interrompues par le coup de gueule de l'instructeur de l'autre côté du mur.

Ils atteignirent la porte verrouillée à l'extrémité du couloir, et McCunt cria, inutilement :

— Stop !

Thomas sourit et en se retournant, vit un petit sourire aux lèvres de McCunt quand celui-ci tendit la main vers le clavier d'ouverture en levant la tête vers la caméra.

La porte bourdonna, et McCunt l'ouvrit en se reculant pour le laisser passer. Encore un couloir, mais plus agréable. Moins d'odeurs, moins de brillant sur le sol parce que les équipes étaient chronométrées quand elles nettoyaient là : elles n'étaient pas autorisées à traîner car le quartier était moins sécurisé.

Des murs gris pâle, des fenêtres donnant sur une cour herbeuse, des peintures moins écaillées.

Ils gagnèrent les salles de visite alignées sur un côté. Tout au bout se situait le parloir commun, verrouillé à double tour parce qu'il ouvrait directement sur l'extérieur de la prison. Avant cela, cinq portes, toutes du même gris, avec un vitrage plus grand qu'une fenêtre normale descendant jusqu'à hauteur de la taille et givré par endroits.

McCunt sortit les clés de sa poche de pantalon, tâtonnant le long de la chaîne à leur recherche et déverrouilla la numéro 3 dont il tint le battant ouvert.

Thomas s'avança sur le seuil. Ce n'était pas son avocat au visage grisâtre tout chiffonné. Assis à la table, tellement imposant et rayonnant de santé qu'il emplissait presque la pièce, se tenait le père de Squeak.

— Thomas, dit ce dernier en se levant.

Pas la moindre trace de larmes dans ses yeux, pas l'ombre d'une rougeur, pas de regard fixe lourd de chagrin. Squeak pas mort.

— Bonjour, dit-il d'une voix grondante de fumeur de cigare, riche comme une sauce au cognac, avec un accent mélodieux des plus classiques et bienvenu en ce lieu où personne ne parlait de cette façon.

Ici tout le monde s'exprimait dans un cockney rugueux et en dialecte de Manchester, certains avec des inflexions musicales de la côte ouest de l'Afrique, d'autres en jargon caraïbe des faubourgs de Londres, mais personne comme les présentateurs de la BBC.

McCunt lui signifia de la tête d'entrer. Thomas fit deux pas et la porte se verrouilla derrière lui, mais l'ombre du gardien resta visible derrière le vitrage.

— Vous n'êtes pas mon avocat.

— Assieds-toi.

Thomas contourna la table et prit le siège que M. Hamilton-Gordon lui désignait, en songeant que l'obéissance lui était désormais devenue une seconde nature. Il allait là où on lui disait d'aller, restait assis aussi longtemps qu'on le lui ordonnait. Il devrait se méfier de ce conditionnement trop parfaitement abouti.

— Oh, mais vous êtes avocat ! dit-il soudain, sa mémoire revenue.

M. Hamilton-Gordon s'assit à son tour.

— Comment vas-tu, Thomas ? Bien, j'espère ?

C'était très agréable d'entendre cet accent crémeux, le timbre doux de cette voix chantante. Thomas connaissait le père de Squeak depuis presque toujours, par des photos notamment. Un homme qui avait toujours l'air fâché et n'adaptait pas ses tenues au climat, immanquablement vêtu d'une veste en tweed sur des yachts au large de Monaco aussi bien qu'aux dîners de Sainte-Lucie ou aux soupers à Hong Kong. Il était gros, mais ses vêtements sur mesure l'avantageaient beaucoup. Aujourd'hui, il arborait une veste en tweed vert sur un pantalon rose. Pas de cravate. Tenue d'intérieur très week-end. Sa chevelure, d'un blanc argenté avec quelques touches de noir de-ci de-là, était épaisse et drue, plutôt longue pour un avocat d'affaires, presque luxuriante. Le personnage détonnait, trop haut en couleur pour cette pièce grise et terne.

Il regarda Thomas avec attention, d'un air songeur. Ses sourcils poussaient naturellement vers le haut, mais un coiffeur les lui avait taillés : deux antennes nerveuses, rabattues, émoussées.

— Vous n'êtes pas mon avocat, répéta Thomas.

— Non, effectivement, répondit M. Gordon-Hamilton en croisant les bras.

— Pourquoi êtes-vous ici ?

— Pour te parler. Cette... (il agita le doigt d'avant en arrière entre Thomas et lui) animosité. Inutile. Faut se serrer les coudes. Régler le problème entre nous.

Il croisa les jambes et son pied libre étiré coinça Thomas contre le mur comme pour le réclamer à la prison et en faire sa propriété. Il se mit à le bouger lentement, comme le balancier d'une vénérable horloge.

— D'accord ? Thomas ?

— Oui, monsieur.

Une réponse réflexe, vive et rapide, mais M. Hamilton-Gordon n'était pas un maton, il n'avait pas à lui donner du « monsieur », c'était stupide de sa part. Erreur. Il dit « désolé », et le grand gaillard élégant en face de lui hocha la tête vers la table en fronçant les sourcils, comme s'il comprenait.

— L'armée, dit-il, sans raison apparente, mais Thomas comprit également : le père de Squeak replaçait la situation dans un cadre de référence qu'il était à même de saisir. Thomas, permets-moi d'abord de dire combien je suis navré pour ton père.

Il avait posé une main sur la table d'un côté, de l'autre, sa jambe barrant toute échappée à Thomas, un peu comme un encerclement, une accolade symbolique.

— C'était un homme étonnant.

— Vous vous connaissiez ?

— Tout à fait, répondit-il tristement. Nous nous connaissions, c'est un fait.

— D'où ça ?

— De l'école.

— Oh, oui.

— J'ai été élève à St Augustus deux promotions après ton père. Il a toujours été un homme extraordinaire, mais imparfait.

Il regarda au travers de ses sourcils pour vérifier si Thomas trouvait son jugement équitable. Ce fut le cas.

— Il était… il était imparfait, répéta-t-il en tapotant la table du majeur. Sa mère était très malade quand je l'ai connu.

— Vraiment ?

Ni Lars ni Moira ne perdaient de temps aux souvenirs de la famille. Thomas ne savait rien de la mère de Lars, sauf qu'elle était morte.

— Elle s'est suicidée.

Il fixait une fois encore Thomas au travers de ses sourcils châtrés, un peu tendu, crispé.

— Je l'ignorais, dit Thomas.

— À l'époque, ton père était plus jeune que tu ne l'es aujourd'hui. Il se trouvait à l'école à ce moment-là. Ç'a été très difficile pour lui.

Il remarqua que son doigt tapotait en rythme et s'arrêta.

— Ne garde pas un souvenir trop sévère de ton vieux, voilà ce que je veux te dire. Il était imparfait, mais les obstacles ont été nombreux sur sa route, il a dû beaucoup se battre pour s'en sortir. Ce qu'il a fait. Magnifiquement.

Thomas acquiesça pour lui être agréable mais il pensa que malgré tout ce que Lars avait dû affrotner, il n'était qu'un connard et une grande gueule.

— Il faut que tu comprennes ce qu'il a dû surmonter.

— Ouais, dit Thomas. O.K.

— Es-tu furieux contre lui ? demanda le père de Squeak avec un sourire sans joie.

Thomas réfléchit à la question.

— Je ne pense plus du tout à lui dorénavant.

Nouveau sourire, belles dents blanches sur gencives roses, des yeux imperturbables.

— Oui. Te sens-tu bien au fond de toi-même ?

— Très bien, dit Thomas.

Il pensa à Squeak, est-ce que lui aussi se sentait bien ? Est-ce qu'il était mort ? Pourquoi me demander ça ?

— Eh bien (le souffle qu'il libéra de son corps imposant se fraya bruyamment un chemin dans la jungle touffue de ses poils de nez), dans une famille, c'est dans les gênes, le suicide, non ?

— Vraiment ?

— Oui.

Une évidence. Une observation scientifique.

— Il se transmet de génération en génération. Une fois que l'idée est bien ancrée, ça reste toujours une possibilité...

À l'entendre, on aurait dit que M. Hamilton-Gordon lui suggérait que le suicide était une éventualité à envisager.

— Je ne vais pas me suicider, dit Thomas.

Il attendit une réaction, en pure perte.

— J'ai parlé à ta mère. Elle se fait beaucoup de souci pour toi.

— Je suis en prison, inculpé pour un meurtre odieux. Elle a de quoi s'en faire, du souci.

— Elle se tracasse aussi beaucoup pour ta sœur. On a supprimé les antipsychotiques à Ella.

— Oh, Dieu merci.

Quand elle les prenait, elle n'arrivait même plus à parler. Quand il l'appelait, chaque semaine, l'infirmière devait lui tenir le téléphone : il entendait sa respiration et, rien qu'au bruit de son souffle dans le combiné, il savait qu'elle était triste.

— Elle a été placée dans une clinique privée.

— C'est eux qui lui ont supprimé ses médicaments ?

— Il s'agit d'un établissement privé. Très cher. Un de mes collègues fait partie du conseil d'administration.

Il releva de nouveau les yeux.

— Ta mère n'a plus d'argent pour le moment, je ne sais pas si tu es conscient de la situation, si elle acceptait de te...

— Elle refusera de me parler.

— Hmmm, fit-il sans être autrement surpris.

— Vous lui avez parlé ?

— Oui. Elle est aussi bien qu'on peut l'espérer, avec toi ici et Ella si... malade.

Thomas eut un sourire dédaigneux. Il n'avait jamais été la préoccupation première de Moira, pas plus qu'Ella, d'ailleurs. Il le comprenait clairement désormais. La préoccupation première de Moira avait toujours été Moira. Pour autant, il aurait tout donné pour qu'elle s'intéresse à lui. Alors même qu'elle ne répondait pas quand il l'appelait ou qu'elle raccrochait en comprenant que c'était lui au bout du fil. Alors même qu'elle n'avait aucune excuse pour l'abandonner comme elle l'avait fait. Dans cette prison, même des gars placés en isolement pour crimes sexuels recevaient de temps à autre des visites de leurs familles. Et, en plus, elle n'habitait pas si loin. Il avait longuement cogité sur le sujet à un moment où il crevait de l'envie de la voir.

— Les soins qu'exige l'état d'Ella coûtent très cher. Il est possible qu'elle doive rester là-bas un moment.

— Qui est-ce qui a organisé ça ?

— C'est moi.

— Eh bien, je vous en remercie…

— Je suis très en colère contre toi, Thomas.

Une phrase brutale, prononcée d'une voix égale.

— Je suis en colère parce que tu as emmené Jonathon avec toi dans cette maison. Tu peux le comprendre, non ?

Thomas se rendit compte soudain qu'il ne s'agissait pas de colère. Non. Putain, cet homme était fou furieux, oui. Tellement furieux qu'il commençait à transpirer. De minuscules gouttelettes de sueur sortaient des larges pores de son front. Son majeur recommença à battre un rythme de gigue sur la table.

— Tu ne devrais pas mêler d'autres personnes à tes problèmes personnels, Thomas. Cela ne se fait pas.

Il cessa de parler et poussa un petit grognement en fond de gorge pour couper court à tout ce qu'il voulait ajouter. Avant de prendre une profonde inspiration.

— Mais c'est ici que nous sommes maintenant. Qui va te représenter ?

— Quand ?

— Qui est ton avocat ?

— Pourquoi me demandez-vous cela ?

Les sourcils se levèrent doucement.

— Tu as besoin d'un bon avocat. On a toujours besoin d'un bon avocat. Est-ce vous avez un cabinet familial ?

Thomas était certain qu'ils ne pourraient pas se le permettre, même s'ils en avaient un.

— Je ne pense pas, plus maintenant, non.

— C'est cher.

— Probablement.

— Ta mère met la maison en vente, non ?

— Je crois.

— Elle restera sur le marché des mois durant. Le marché est très ralenti. Grosses maisons, moins d'acheteurs, plus difficiles à vendre.

M. Hamilton-Gordon se pencha en avant, en toute intimité, ses doigts tapotant la table près du bras nu de Thomas.

— Parlons un peu du résultat final, dit-il sérieusement. Pour un prévenu ayant à répondre d'une telle inculpation, la différence entre un bon avocat et un je-m'en-foutiste est de douze ans. As-tu conscience de ça ?

— Tant que ça ? dit Thomas en feignant la surprise, ce à quoi M. Hamilton-Gordon réagit très chaleureusement.

— Oui, douze années supplémentaires d'emprisonnement, sans possibilité de libération conditionnelle. Au lieu d'être libre à vingt-cinq ans, tu sortiras de prison à trente-six, si tu n'as pas un bon avocat.

M. Hamilton-Gordon se recula au fond de sa chaise, s'éclaircit la gorge et joua sa carte maîtresse.

— Thomas, je vais te trouver un avocat. Et je paierai les soins d'Ella. En retour, je veux que tu fasses quelque chose pour moi. D'accord ?

Thomas resta impassible.

— D'accord ?

Petit appel du pied. Petit appel. Hamilton-Gordon regarda la bouche de Thomas comme s'il voulait le voir bouger les lèvres pour répondre oui. Thomas ne dit rien. Loin, très loin, au travers des murs et des portes, la roue d'un chariot de service couina comme un cochon qu'on égorge.

— Quoi ? demanda Thomas.

— Tu vas leur dire que c'est toi le responsable. Que tu as emmené Jonathon là-bas. Qu'il s'est contenté de rester à tes côtés et a essayé de t'arrêter. Est-ce que tu comprends ? En échange de quoi, j'aiderai Ella et ta mère, j'assurerai le bien-être de ta famille jusqu'à ce que tu sois capable de le faire toi-même. Tu es un jeune homme brillant à tous égards, et ce qui arrive n'est nullement la fin de tout – tu as un avenir, sois-en assuré. Est-ce que cela te paraît équitable ?

— Ça l'est.

Et c'était vrai, absolument vrai. C'est bien lui qui avait emmené Squeak là-bas, donc, d'une certaine façon, il était responsable. La proposition lui paraissait effectivement équitable, même si quelque chose le taraudait. Il n'était pas capable de déterminer de quoi il s'agissait, c'était une contrariété insistante, pressante comme un bouton de fièvre.

— Eh bien, Thomas, je suis heureux que nous soyons parvenus à cet arrangement. Je pense que tu t'apercevras, en repensant à ces événements dans ta vie à venir…

Il continua à parler, mais un minuscule mouvement sur sa tête distrayait l'attention de Thomas. La chevelure de M. Hamilton-Gordon remuait.

Sur le sommet de son crâne, une épaisse mèche de cheveux bougeait, à gauche, vers le haut, comme animée d'une vie propre, alors que lui était assis parfaitement immobile et continuait à gronder à voix basse sur la logique de sa proposition, combien les choses prendraient leur vrai sens aux yeux du monde, comment tout s'arrangerait au mieux, tout cela serait bientôt terminé.

La chevelure se dressa en épi rectiligne, comme une antenne de voiture, pointant vers le plafond. Une image tellement bizarre que Thomas n'entendit plus rien de ce qu'il disait, complètement fasciné par l'incident.

— … nombre d'hommes de poids, se remémorant leurs mésaventures de jeunesse…

Quand, sous ses yeux éberlués, au travers des cheveux, un visage apparut sur l'horizon du crâne, si parfaitement illuminé et si extraordinairement net que Thomas réussit à distinguer ses traits à l'image des taches d'encre d'un test de Rorschach.

Une guêpe, qui rampait au travers de l'épaisse chevelure, une guêpe.

M. Hamilton-Gordon le vit qui regardait sa tête, sentit le mouvement soudain et se mit à paniquer. Il commença à se donner des tapes, à se claquer lui-même. Un petit corps jaune et noir dégringola, les pattes agitées de tremblements en tous sens, et atterrit le ventre en l'air. Sur son épaule, puis il rebondit et tomba de nouveau sous la table. Thomas l'entendit clairement : *bzz bzz*.

Il se leva si soudainement que sa chaise bascula en arrière sans qu'il cherche à la rattraper et regarda la petite chose par terre, la guêpe, étourdie mais bataillant pour se remettre sur ses pattes. *Bzz bzz bzz*. Il ne pouvait plus s'arracher à cette vision.

Une main qui claque la table. Hamilton-Gordon était très furieux.

— ... essaie d'avoir une conversation sérieuse avec toi...

Thomas sourit de toutes ses dents et contempla le père de Squeak, de toute sa hauteur, impressionnant, imposant, conscient qu'il faisait peur à ce puissant personnage. Il tendit la main, lentement, et claqua à son tour la table, violemment, bruyamment, le plat de sa main plein de *bzz bzz* sous la force de l'impact.

Hamilton-Gordon se leva pour l'affronter. Mais il n'avait pas sa taille et ne lui arrivait qu'au menton : face à lui, Thomas dut baisser les yeux. Ce n'était même pas une analogie. Il y a un moment qu'il attendait, sans trop bien savoir, il attendait de voir une autre guêpe, comme si, par leur retour, tout disparaîtrait, tout, cette bulle temporelle, tout prendrait son sens, mais la guêpe n'était qu'une guêpe. Ce n'était en rien une épiphanie, une analogie non plus.

— Thomas ! cria M. Hamilton-Gordon. Ce n'est qu'une guêpe.

Thomas se mit à rire. Ça ne signifiait rien. Tout ça, c'étaient des trucs et des morts aléatoires. Il rit et il rit jusqu'à ce que le papa de Squeak cogne à la porte et demande à sortir de la pièce. Il continua à rire tout le temps que dura le trajet de retour à la bibliothèque.

Et même dans son lit, ce soir-là, en s'endormant, un gros sourire chaleureux se nicha sur son visage parce que rien de tout cela n'avait aucune autre signification. Tout ça, c'étaient des trucs aléatoires qui arrivaient.

51

L'amie de Leonard avait mis des mois à modéliser ses analyses initiales sur les taches de sang. Elle les lui avait soumises sur un DVD accompagné d'un mémoire explicatif de quarante pages qui équivalait à une thèse. Chaque point était accompagné d'une note de bas de page, chaque autorité était citée. Elle avait même ajouté au DVD une lettre précisant qu'elle avait emprunté son graphisme au service des jeux d'ordinateur et que, en temps et en heure, elle concevrait son système graphique personnel, mais comme le temps pressait, dans ce cas précis, pour le bien de l'enquête dans laquelle ils étaient engagés, elle avait eu recours à…

Morrow laissa la lettre dans sa corbeille de travail en cours en compagnie de la thèse et glissa le DVD dans sa tour d'ordinateur.

Un écran, offrant une sélection d'épisodes, tous bleus et vides excepté le premier intitulé « Affaire 1 ». Elle cliqua.

Une photographie de l'escalier de Glenarvon, vu du bas, version retouchée des photos de la scène de crime où le corps de Sarah avait été effacé et remplacé par une greffe de vert extraite du haut de l'escalier. L'écran resta un instant figé, avant une vue aérienne des marches, avec, sur le palier, trois séries d'empreintes de pas. Des pieds nus, ceux de Sarah, à côté de la rampe, les orteils enfoncés dans la moquette, parfaitement distincts des marques de semelles. À l'opposé de la rampe, contre le mur d'appui, une paire de chaussures avec les trois cercles caractéristiques des tennis de St Augustus. Une balafre sur la semelle gauche. Légèrement derrière Sarah, entre elle et les semelles entaillées, une autre paire, parfaitement reconnaissable à une petite boule sous le talon. Morrow savait de quoi il s'agissait : un gravillon noir de l'allée à voitures de Glenarvon. Ils l'avaient retrouvé dans la chaussure droite de Thomas, la paire que Jonathon avait soigneusement empaquetée et cachée dans sa chambre.

Elle ne s'était pas préparée à ce qui allait suivre, lorsque les pieds de Sarah décollèrent dans la pente de l'escalier : elle sursauta sur son siège et jeta un coup d'œil contrit alentour.

Lorsqu'elle revint sur l'écran, la chute se déroulait au ralenti : les pieds de Sarah volaient dans la descente, deux par deux quand, sortis de nulle part, des cheveux tombèrent de sa tête invisible : Morrow comprit ce qu'elle ne voyait pas. Elle sentit la tête de Sarah tirée en arrière brutalement quand une main avait agrippé sa chevelure pour en arracher des poignées avant de les laisser retomber gracieusement jusqu'au sol. Les chaussures entaillées l'avaient saisie par les cheveux, puis le derrière invisible de Sarah s'imprima sur la moquette, ses pieds tordus sur fond de moquette verte, juste avant que son dos ne se fracasse sur le bord des marches comme un fantôme sombrant dans une mer de massepain vert.

Des pieds apparurent tout à côté d'elle et se mirent à frapper à grands coups en faisant gicler sur la moquette d'élégantes gerbes rouges qui s'empilaient les unes sur les autres comme les plis d'un foulard. Et une autre paire de pieds s'avança près d'elle, le poids du corps passant de l'un à l'autre pour conserver l'équilibre, une marche descendue, une marche remontée, avec la rampe comme appui. Et les deux autres semelles s'insinuant timidement vers le bas de l'escalier, collées au mur d'appui, au plus près.

Les talons de Jonathon Hamilton-Gordon frottaient presque à la plinthe, en veillant à se cantonner le plus loin possible : un instant, ils essayèrent de passer avant de battre en retraite, tandis que Thomas Anderson frappait, cognait, pilonnait en faisant gicler le rouge de Sarah, jusqu'à ce qu'elle soit complètement effacée.

52

Kay attendait à l'accueil, assise sur un canapé trop bas pour qu'on pût s'y tenir avec un semblant de dignité. La réceptionniste était plutôt gentille, mais Kay savait – et l'autre tout autant – que cette femme était mieux qu'elle, mieux habillée, une coiffure plus belle, des vêtements de meilleure qualité.

— Aimeriez-vous du thé ? Du café ?

— Non, c'est bon, merci, répondit Kay en lui signifiant de la main de la laisser tranquille.

Elle ne voulait qu'une chose, entrer, ressortir et s'en aller de là.

Mais c'est vrai que le bureau était agréable, entièrement lambrissé de bois, avec de belles moquettes unies. L'endroit était très silencieux, ce qu'elle appréciait car tout y paraissait étouffé. Les choses avaient traîné en longueur, elle était contente. Un long répit au cours duquel elle avait eu le loisir de jouir de sa coupe. Elle avait cessé de l'utiliser comme cendrier.

Elle glissa la main dans son sac ouvert, le visage innocemment levé vers la fenêtre, mais son cœur et son esprit étaient au bout de ses doigts. Elle suivit un cloisonné serpentin en fil d'argent au travers de flaques de rouge et de bleu éclatants, le rouge aussi profond qu'une étreinte, aussi sombre que du sang, aussi intense et lumineux que l'amour. Ses doigts butèrent contre les petits mamelons cerclant le pourtour, et elle songea à une femme, une lavandière ou une fermière, de celles qui rentraient chez elles les mains froides et lasses et se mettaient à coudre ce motif sur des chemins de table qu'elles contemplaient au petit matin en sachant combien il était élégant, conscientes qu'elles avaient fait œuvre de beauté. Elle songea à une grosse femme au visage rude marchant le long d'un chemin boueux, en bottes et habits gris, vêtue d'une longue jupe ourlée de boue épaisse et souriant aux anges parce qu'elle avait créé une chose belle qui en disait beaucoup sur celle qu'elle était. Elle savait qu'il s'agissait d'une bonne chose agréable à Dieu. Et elle adorait ce que cela disait d'elle, parce qu'elle était plus que les bêtes de la terre et au-delà des drames de l'existence. Cette femme ne trouverait rien à redire si d'autres copiaient son ouvrage en la laissant dans l'oubli, elle tirait gloire de l'itinéraire de sa propre création et n'avait nul besoin d'en rester propriétaire pour continuer à exister. Elle avait apporté à un monde de laideur un objet de beauté.

Kay retira les doigts de son sac et se cacha le visage à la fenêtre en attendant que sa tristesse s'en aille. Des voitures passaient en contrebas, un bus, un homme en vélo qui grimpait la colline et s'arrêta au feu rouge, hors d'haleine.

— Mademoiselle Murray ?

Kay se tourna vers la réceptionniste.

— Si vous voulez bien vous donner la peine d'entrer.

Elle rassembla ses affaires, son éternel sac en plastique, son manteau et son sac à main. Elle voulait toucher la coupe encore une fois, une fois, rien qu'une, mais se dit que ça suffisait. La réceptionniste s'était levée de son bureau et indiquait de la main le couloir lambrissé derrière elle.

— Première porte, dit-elle en suivant Kay des yeux pour s'assurer qu'elle ne se tromperait pas.

La porte était ouverte, et M. Scott se tenait debout à côté de sa table de travail, s'examinant, petit connard propret au regard caché par de stupides petites lunettes.

Il lui serra la main comme à un docteur.

— Mademoiselle Murray, voulez-vous vous asseoir ?

Kay resta debout. Elle laissa tomber ses sacs sur la chaise et plongea les doigts dans son sac à main pour en sortir en premier la montre. Elle l'avait enveloppée dans du papier de cuisine pour ne plus avoir à la regarder, parce qu'elle lui rappelait trop Joy et le Jour de son Décès. Elle n'imaginait pas qu'elle se sentirait si triste à cause de cette montre, ici, dans ce petit bureau sombre, en train de rendre le tout dernier objet ayant appartenu à Mme Erroll. En plus, elle ne l'aimait même pas, cette putain de montre.

Puis elle prit une profonde inspiration, vit la fermière russe au visage rude lui sourire pour la consoler et saisit la coupe. Elle la posa sur le bureau sans la regarder. Elle arracha sa main au plus vite et ramassa ses autres affaires, avant de s'éclaircir la gorge.

— C'est tout ?

— Mademoiselle Murray.

M. Scott était apparemment satisfait que tout se soit passé sans heurt, sans empoignade ni prise de bec à propos des marchandises à restituer.

— Mademoiselle Murray, j'ai des nouvelles surprenantes à vous communiquer.

Elle le regarda, vit l'ombre d'un sourire heureux se dessiner sur son visage. Il gonfla la poitrine et inspira profondément.

— Joy Erroll vous a tout laissé.

Elle ne comprit pas.

— Tout quoi ?

— Oh, la maison, l'argent, les substantielles économies de Sarah, une très importante somme d'argent retrouvée dans la maison, tous les biens meubles, la propriété du terrain loué aux chenils, toute l'épargne de Joy, qui, une fois encore, est loin d'être négligeable…

Kay se concentrait sur le mur du fond pendant qu'il lui parlait. Elle pleurait, aveuglée par les larmes et ne voyait plus rien, hormis le visage de Joy.

— Aux termes du testament de Joy – au cas où Sarah mourrait intestat –, l'intégralité de la propriété vous revient.

Non. Non, ce n'était pas possible.

— Joy Erroll avait complètement perdu la boule. Comment c'est possible ?

— Sarah possédait une procuration et elle avait cosigné le testament de sa mère la première année où vous avez travaillé pour elle. Tout vous revient.

Il se laissa glisser sur son siège, un petit sourire affamé sur sa figure.

— Ce n'est pas de la chance, ça ?

Une page était posée devant lui, et son index dessinait un huit dans le coin supérieur.

— Et ça ? demanda Kay en montrant la coupe.

— Oui, c'est aussi inclus dans la succession.

Kay tendit le bras, sa main en suspens au-dessus du rebord. Elle se saisit de la coupe sans la regarder et la serra entre ses doigts.

Une Russe au visage rude s'effondra sur le chemin de terre, enfonça son visage dans ses jupes maculées de boue et se mit à sangloter.

Remerciements

Merci infiniment à Jon, Jade et Reagan pour avoir remis au clair la seconde partie de ce livre, qui était – disons – un peu empêtrée. Merci aussi au personnel d'Orion pour ses encouragements et sa bonne humeur, ainsi qu'à Peter et Henry pour leur soutien indéfectible et tous leurs efforts.

Merci également à Stevo, Edith, Fergus, Ownie.

Photocomposition Nord Compo
Villeneuve-d'Ascq

Cet ouvrage a été imprimé en France par
CPI Bussière
à Saint-Amand-Montrond (Cher)
en novembre 2012

Dépôt légal : février 2013.
N° d'édition : 01. – N° d'impression : 124052/4.